薬 学 必 修 講 座

薬理学

2025-2026

薬の作用と体の変化／薬の効き方

薬学教育センター [編]

評言社

CONTENTS

Chapter 1　薬の作用と体の変化

1-1　薬の作用機序 …… 2
1. 用量と作用 …… 2
    1　用量－反応関係 …… 2
    　1）薬理作用と用量・濃度　2
    　2）用量－反応曲線　2
    　3）有効量、致死量、安全域　3
    　4）濃度－反応曲線　3
    2　作用形式 …… 4
    　1）興奮作用と抑制作用　4
    　2）直接作用と間接作用　4
    　3）局所作用と全身作用　4
    　4）速効性作用と遅効性作用　5
    　5）一過性作用と持続性作用　5
    　6）選択的作用と非選択的作用（一般作用）　5
    　7）主作用と副作用　5
    　8）特異的作用と非特異的作用　5
    　　CHECK　6
2. 薬物の標的分子 …… 7
    1　シナプス伝達と神経伝達物質 …… 7
    2　傍分泌性シグナルとオータコイド …… 8
    　1）ヒスタミン　8
    　2）セロトニン　10
    　3）ポリペプチド類　12
    　4）アラキドン酸代謝物　15
    3　受容体と情報伝達系 …… 18
    　1）細胞膜受容体と細胞内情報伝達機構　18
    　2）細胞質内受容体・核内受容体　24
    4　酵素 …… 25
    5　イオンチャネル …… 26
    6　トランスポーター …… 27
    　　CHECK　28
3. 薬物相互作用 …… 30
    1　協力作用 …… 30
    　1）相加作用　30
    　2）相乗作用　30
    2　拮抗作用 …… 31
    　1）薬理学的拮抗　31
    　2）生理学的拮抗　32
    　3）化学的拮抗　33
    3　アゴニストとアンタゴニスト …… 33
    　1）完全作動薬、部分作動薬、拮抗薬の用量－反応曲線　33
    　2）拮抗薬による用量－反応曲線の変化　34
    　　CHECK　36
4. 薬効に影響を及ぼす要因 …… 38
    　1）年齢　38
    　2）性別　38
    　3）病的状態　38
    　4）遺伝的要因　39
    　5）薬物アレルギー　39
    　6）心理的効果（プラセボ効果）　39
    　7）妊娠　40
    　　CHECK　43
5. 薬理学実験 …… 44
    　1）薬物投与法　44
    　2）丸ごとの動物を用いた薬理試験法　45
    　3）麻酔動物あるいは摘出臓器を用いた薬理学実験　46
    　　CHECK　48

1-2　医薬品の安全性 …… 50
1. 副作用と有害事象 …… 50
    1　主作用、副作用、有害作用（毒性）の関係 …… 50
    　1）主作用と副作用　50
    　2）有害作用（毒性）　51
    　3）副作用発現の要因による分類　51
    　4）重篤な副作用　52
    2　有害事象 …… 54
    　　CHECK　55
2. 連用に伴う薬効の変化 …… 56
    1　蓄積 …… 56
    2　耐性 …… 56
    　1）薬物動態の変化　56
    　2）生体の反応性の変化　57
    　3）タキフィラキシー　57
    3　依存性 …… 58
    　1）精神的依存と身体的依存　58
    　2）薬物依存形成の機序　59
    　3）薬物依存に対する薬物治療　59
    　　CHECK　60

Chapter 2　薬の効き方

2-1　神経系に作用する薬 …… 62
1. 自律神経系に作用する薬 …… 62
    1　自律神経系の基礎生理 …… 62
    　1）自律神経系　62
    　2）神経伝達物質の生合成、貯蔵、遊離と代謝　67
    2　副交感神経系に作用する薬 …… 71
    2-1　副交感神経興奮薬（コリン作動薬） …… 71
    　1）直接型コリン作動薬　71

2) 間接型コリン作動薬　73
2-2　副交感神経遮断薬（抗コリン薬）……76
　1) ベラドンナアルカロイド　77
　2) 合成アトロピン様薬物　78
3　交感神経系に作用する薬 …………………82
3-1　交感神経興奮薬（アドレナリン作動薬）……82
　1) 交感神経興奮薬の分類　82
　2) 直接型交感神経興奮薬　85
　3) ノルアドレナリントランスポーター（NAT）
　　 阻害薬　92
3-2　交感神経遮断薬（抗アドレナリン薬）……93
　1) アドレナリン作動性神経遮断薬　93
　2) アドレナリン受容体遮断薬　95
4　自律神経節に作用する薬 ………………101
　1) 基礎生理　101
　2) 自律神経の優位性と節遮断効果　101
　3) 自律神経節興奮薬　102
　4) ニコチン受容体部分作動薬　102
　5) 自律神経節遮断薬　103
　　　CHECK　104
2. 体性神経系に作用する薬・運動神経系及び
　 骨格筋に作用する薬 ……………………106
1　局所麻酔薬 ………………………………106
　1) 基礎生理　106
　2) 局所麻酔薬の作用機序　107
　3) 局所麻酔薬の適用法　108
　4) 血管収縮薬との併用　108
　5) 局所麻酔薬の理想的条件　108
　6) 局所麻酔薬各論　109
2　末梢性筋弛緩薬 …………………………111
　1) 基礎生理　111
　2) 末梢性筋弛緩薬各論　112
　　　CHECK　118
3. 中枢神経系に作用する薬 ………………119
1　中枢神経系の基礎生理 …………………119
　1) 中枢神経系の構成　119
　2) 神経伝達物質　120
2　全身麻酔薬 ………………………………121
　1) 概論　121
　2) 全身麻酔薬の種類　122
　3) エタノール　124
3　鎮痛薬 ……………………………………126
　1) 痛みの生理　126
　2) がん疼痛治療　128
　3) 麻薬性鎮痛薬　129
　4) 解熱鎮痛薬　136
　5) 神経障害性疼痛治療薬　137
4　催眠薬・睡眠障害治療薬 ………………137
　1) 眠りのメカニズム　137
　2) 催眠薬の作用機序　138
　3) 催眠薬の種類　139

5　統合失調症治療薬 ………………………142
　1) 向精神薬の分類　142
　2) 統合失調症治療薬（抗精神病薬）　143
6　うつ病・双極性障害治療薬 ……………147
　1) 抗うつ薬　147
　2) 抗そう薬　151
　3) 双極性障害治療薬　151
7　神経症治療薬 ……………………………152
　1) ベンゾジアゼピン系抗不安薬　153
　2) 非ベンゾジアゼピン系抗不安薬　155
8　てんかん治療薬 …………………………155
　1) てんかんの発作型　155
　2) 抗てんかん薬　156
9　パーキンソン症候群治療薬 ……………159
　1) パーキンソン症候群　159
　2) パーキンソン症候群治療薬　160
10　不随意運動療法 …………………………163
11　認知症治療薬 ……………………………164
　1) アルツハイマー病　164
　2) アルツハイマー型認知症治療薬　164
12　脳内出血・脳梗塞等に関連する治療薬 …166
　1) 脳循環改善薬（脳血管拡張薬）　166
　2) 脳神経賦活薬　167
　3) 脳保護薬・ALS治療薬　167
13　片頭痛治療薬 ……………………………168
　1) 片頭痛の治療　168
　2) 片頭痛治療薬各論　169
14　中枢興奮薬 ………………………………170
　1) 大脳皮質興奮薬　170
　2) 脳幹（延髄）興奮薬　172
　3) 脊髄興奮薬　172
15　中枢性筋弛緩薬 …………………………173
　1) 脊髄反射　173
　2) 中枢性筋弛緩薬各論　173
16　中枢性食欲抑制薬 ………………………176
　　　CHECK　177
2-2　免疫・炎症・アレルギー及び骨・関節に
　　 作用する薬 ……………………………179
1. 抗炎症薬 ……………………………………179
1　炎症の基礎生理 …………………………179
2　抗炎症薬 …………………………………180
　1) ステロイド性抗炎症薬　180
　2) 非ステロイド性抗炎症薬　181
　3) 解熱・鎮痛薬　184
　4) 消炎酵素　184
　5) 炎症性腸疾患（IBD）治療薬　184
　　　CHECK　186
2. 免疫・アレルギーに作用する薬 …………187
1　抗アレルギー薬 …………………………187
　1) 化学伝達物質遊離抑制薬　188
　2) 化学伝達物質の生合成を抑制する薬物　189

- 3) ロイコトリエン受容体遮断薬　189
- 4) トロンボキサンA_2受容体遮断薬　190
- 5) Th2サイトカイン産生阻害薬　190
- 6) Th1サイトカイン産生阻害薬　190
- 7) TSLP阻害薬　190
- 2 免疫に作用する薬　191
  - 1) 免疫系について　191
  - 2) 免疫抑制薬　193
  - 3) 免疫増強薬　197
- 3 関節リウマチ治療薬　197
  - 1) 関節リウマチ　197
  - 2) 関節リウマチ治療薬　198
    - CHECK　203
- 3. 骨・カルシウムに作用する薬　204
  - 1 骨粗しょう症治療薬　204
    - 1) 骨代謝　204
    - 2) 骨粗しょう症　205
    - 3) 骨粗しょう症治療薬　206
  - 2 カルシウム代謝異常に関連する治療薬　210
    - 1) 副甲状腺機能亢進症・低下症　210
    - 2) 骨軟化症・くる病　211
    - 3) 副甲状腺癌に伴う高カルシウム血症　211
      - CHECK　212

2-3 循環器系・血液系・造血器系・泌尿器系・生殖器系に作用する薬　214

- 1. 循環器系に作用する薬　214
  - 1 心臓と血管の基礎生理　214
    - 1) 血液の循環　214
    - 2) 心臓の機能　214
    - 3) 刺激伝導系　215
    - 4) 心筋の電気的活動　216
    - 5) 心臓反射　217
    - 6) 血圧の調節機構　217
  - 2 心不全治療薬　220
    - 1) 急性心不全と慢性心不全　220
    - 2) 前負荷と後負荷　221
    - 3) 急性心不全の治療　221
    - 4) 慢性心不全の治療　223
  - 3 不整脈治療薬　229
    - 1) 不整脈の種類　229
    - 2) 不整脈の原因　230
    - 3) 抗不整脈薬の分類　231
  - 4 虚血性心疾患治療薬　241
    - 4-1 抗狭心症薬　241
      - 1) 狭心症　241
      - 2) 抗狭心症薬　245
    - 4-2 心筋梗塞治療薬　252
  - 5 高血圧症治療薬　254
    - 1) 高血圧症　254
    - 2) 高血圧症治療薬　257
  - 6 低血圧治療薬　276
    - 1) 低血圧とは　276
    - 2) 低血圧治療薬　276
  - 7 末梢循環障害治療薬　278
    - 1) 四肢循環改善薬　278
    - 2) 肺高血圧症治療薬　280
      - CHECK　282
- 2. 血液・造血器系に作用する薬　284
  - 1 血液の生理　284
    - 1) 血液成分　284
    - 2) 造血機構　284
  - 2 造血薬　285
    - 1) 貧血治療薬　285
    - 2) 白血球減少症治療薬　291
    - 3) 血小板減少症治療薬　292
  - 3 止血薬　293
    - 1) 出血傾向とは　293
    - 2) 止血薬　293
  - 4 抗血栓薬　296
    - 1) 血栓症（塞栓症）とDIC　296
    - 2) 抗血栓薬　296
      - CHECK　305
- 3. 泌尿器系・生殖器系に作用する薬　306
  - 1 腎の基礎生理　306
    - 1) 腎の機能　306
    - 2) 尿生成のしくみ　306
    - 3) 腎クリアランス値　310
  - 2 利尿薬　313
    - 1) 利尿薬の臨床適応　313
    - 2) 利尿薬の分類　313
    - 3) 利尿薬による電解質異常の機序　320
    - 4) 利尿薬の副作用　320
  - 3 排尿障害治療薬　321
  - 4 子宮運動に影響を与える薬　323
    - 1) 子宮収縮薬　323
    - 2) 子宮弛緩薬　325
  - 5 避妊薬　325
    - 1) 卵形成・受精・妊娠とホルモン　325
    - 2) 避妊薬（経口避妊薬）　326
  - 6 性機能不全治療薬　328
      - CHECK　330

2-4 呼吸器系・消化器系に作用する薬　331

- 1. 呼吸器系に作用する薬　331
  - 1 呼吸器系の基礎生理　331
    - 1) 呼吸器系の解剖　331
    - 2) 呼吸器系の生理　331
  - 2 気管支ぜん息治療薬　333
    - 1) 気管支ぜん（喘）息の概要　333
    - 2) 気管支ぜん息の発症機序　333
    - 3) 気管支ぜん息治療薬の分類　334
    - 4) 気管支拡張薬　336
    - 5) 抗アレルギー薬　338

6）副腎皮質ステロイド　339
　　7）生物学的製剤　340
　3　慢性閉塞性肺疾患治療薬 …………………… 340
　　1）慢性閉塞性肺疾患（COPD）の概要　340
　　2）COPD 治療薬　340
　4　鎮咳薬 ……………………………………… 342
　　1）咳の生理　342
　　2）鎮咳薬の種類　342
　　3）慢性咳嗽治療薬　344
　5　去痰薬 ……………………………………… 344
　　1）気道分泌の生理と役割　344
　　2）気道分泌物の有害性　345
　　3）去痰薬　345
　6　呼吸興奮薬 ………………………………… 346
　　1）適応　346
　　2）種類　346
　　CHECK　348
2. 消化器系に作用する薬 ……………………… 350
　1　胃腸の基礎生理 …………………………… 350
　　1）平滑筋の収縮・弛緩のしくみ　350
　　2）胃液の分泌機構　352
　　3）消化管ホルモン　353
　　4）胆汁の生理　353
　　5）胃と腸の運動　353
　2　胃・十二指腸潰瘍治療薬 ………………… 354
　　1）消化性潰瘍（胃潰瘍・十二指腸潰瘍）　354
　　2）消化性潰瘍治療薬　355
　3　便秘・下痢治療薬 ………………………… 361
　　1）瀉下薬（便秘治療薬、下剤）　361
　　2）止瀉薬（下痢治療薬）　364
　　3）過敏性腸症候群治療薬　365
　4　消化管運動に影響する薬 ………………… 366
　　1）鎮痙薬　366
　　2）消化管運動促進薬（胃腸機能改善薬）　367
　　3）健胃薬・消化薬　368
　5　催吐薬と制吐薬 …………………………… 368
　　1）嘔吐のしくみ　368
　　2）催吐薬　368
　　3）制吐薬　369
　6　肝胆膵疾患治療薬 ………………………… 371
　　1）胆道疾患治療薬　371
　　2）肝臓疾患治療薬　372
　　3）膵臓疾患治療薬　373
　　CHECK　375
2-5　代謝系・内分泌系に作用する薬 ………… 377
1. 代謝系に作用する薬 ………………………… 377
　1　糖尿病治療薬 ……………………………… 377
　　1）糖尿病とは　377
　　2）糖尿病治療薬の概念　378
　　3）糖尿病治療薬の種類　378
　2　脂質異常症治療薬 ………………………… 387
　　1）脂質異常症とは　387
　　2）脂質異常症治療薬　389
　3　高尿酸血症・痛風治療薬 ………………… 393
　　1）高尿酸血症とは　393
　　2）高尿酸血症治療薬　394
　　3）痛風発作　398
　　CHECK　399
2. 内分泌系に作用する薬 ……………………… 400
　1　ホルモンの基礎生理 ……………………… 400
　　1）ホルモン　400
　　2）ホルモンの分類　401
　　3）ホルモンの分泌調節機構　401
　　4）ホルモン受容体とホルモン作用　402
　2　ホルモン各論およびホルモン療法薬 …… 403
　　1）視床下部ホルモン　403
　　2）下垂体前葉ホルモン　405
　　3）下垂体後葉ホルモン　406
　　4）松果体ホルモン　407
　　5）甲状腺ホルモンと抗甲状腺薬　408
　　6）カルシトニン　409
　　7）上皮小体ホルモン　410
　　8）膵臓ホルモン　410
　　9）副腎皮質ホルモン　412
　　10）性ホルモン　418
　　CHECK　425
2-6　感覚器系・皮膚に作用する薬 ……………… 426
1. 感覚器系に作用する薬 ……………………… 426
　1　眼の基礎生理 ……………………………… 426
　　1）眼の構造と機能　426
　　2）緑内障　428
　2　眼に作用する薬 …………………………… 428
　　1）縮瞳薬　428
　　2）散瞳薬　428
　　3）調節機能改善薬　429
　　4）緑内障治療薬　429
　　5）白内障治療薬　432
　　6）アレルギー性結膜炎治療薬　432
　　7）加齢黄斑変性治療薬　433
　　8）その他の眼科用薬　434
　3　めまい治療薬 ……………………………… 435
　　1）めまいの原因と症状　435
　　2）主なめまい治療薬　435
　　CHECK　436
2. 皮膚に作用する薬 …………………………… 438
　1　基礎生理 …………………………………… 438
　2　皮膚に作用する薬 ………………………… 439
　　1）殺菌消毒薬　439
　　2）化膿性疾患用薬　440
　　3）鎮痛・鎮痒・消炎薬　440
　　4）寄生性皮膚疾患用薬　440
　　5）ざ瘡（ニキビ）治療薬　441

6）角化症治療薬　441
7）褥瘡・皮膚潰瘍治療薬　442
8）アトピー性皮膚炎治療薬　443
9）尋常性乾癬治療薬　444
10）発毛剤・育毛剤　444
11）その他　444
　　CHECK　445

2-7 病原微生物（感染症）・悪性新生物（がん）に作用する薬 …… 446
1. 抗菌薬 …… 446
　1 基礎事項 …… 446
　　1）病原微生物の分類と比較　446
　　2）細菌の細胞膜・細胞壁構造　446
　　3）選択毒性の機構　447
　　4）殺菌作用と静菌作用　448
　　5）濃度依存性と時間依存性　448
　　6）耐性機序　448
　　7）耐性菌の出現に対して特に注意を払うべき抗菌薬　450
　　8）抗菌薬の選択基準　450
　2 抗菌薬 …… 452
　2-1 分類表 …… 452
　2-2 化学療法薬 …… 452
　　1）サルファ薬　453
　　2）キノロン系抗菌薬　454
　　3）リネゾリド　456
　　4）抗酸菌感染症治療薬　456
　2-3 抗生物質 …… 459
　　1）β-ラクタム系抗生物質　460
　　2）アミノ配糖体系抗生物質　468
　　3）テトラサイクリン系抗生物質　471
　　4）クロラムフェニコール　472
　　5）マクロライド系抗生物質　472
　　6）リンコサミド系抗生物質　474
　　7）ストレプトグラミン系抗生物質　475
　　8）ポリペプチド系抗生物質　475
　　9）ホスホマイシン系抗生物質　477
　　10）ムピロシン　478
　　CHECK　479
2. 抗真菌薬 …… 480
　1 抗真菌薬 …… 480
　　1）ポリエン系抗生物質　480
　　2）フルシトシン　482
　　3）アゾール系抗真菌薬　483
　　4）アリルアミン系抗真菌薬　483
　　5）キャンディン系抗真菌薬　484
　　CHECK　485
3. 抗ウイルス薬 …… 486
　1 抗ウイルス薬 …… 486
　　1）ヘルペスウイルスに用いる薬　486

　　2）サイトメガロウイルスに用いる薬　488
　　3）インフルエンザウイルスに用いる薬　488
　　4）ヒト免疫不全ウイルス（HIV）に用いる薬　490
　　5）肝炎ウイルスに用いる薬　493
　　6）RSウイルスに用いる薬　497
　　CHECK　498
4. 原虫・寄生虫感染症薬 …… 499
　1 抗原虫薬 …… 499
　　1）抗アメーバ薬　499
　　2）抗マラリア薬　500
　　3）抗トリコモナス薬　501
　2 抗寄生虫薬・駆虫薬 …… 502
　　CHECK　503
5. 殺菌薬・消毒薬 …… 504
　1 殺菌薬・消毒薬 …… 504
　　1）アルコール　504
　　2）フェノール系　504
　　3）ハロゲン化合物　504
　　4）ビグアナイド系　506
　　5）第4級アンモニウム塩系　506
　　6）アルデヒド系　506
　　7）色素系　507
　　8）過酸化物系　507
　　9）水銀剤　507
6. 抗悪性腫瘍薬 …… 508
　1 抗悪性腫瘍薬の種類と特徴 …… 508
　　1）抗悪性腫瘍薬の種類　508
　　2）細胞周期と抗悪性腫瘍薬　509
　　3）抗悪性腫瘍薬療法の特徴　510
　　4）副作用　510
　　5）用量規制因子　511
　　6）がんの種類と選択される抗悪性腫瘍薬　512
　2 抗悪性腫瘍薬各論 …… 513
　　1）アルキル化薬　513
　　2）代謝拮抗薬　515
　　3）抗腫瘍性抗生物質　518
　　4）微小管阻害薬　519
　　5）トポイソメラーゼ阻害薬　520
　　6）白金製剤　521
　　7）ホルモン作用薬・拮抗薬　522
　　8）分子標的治療薬　523
　　9）化学療法補助薬　528
　　CHECK　530

2-8 薬物の基本構造と薬効 …… 532
1. 化学構造と薬効の関連性 …… 532
　1 構造活性相関とは …… 532
　2 構造活性相関と作られてきた薬物 …… 532

索　引 …… 535

Chapter 1

薬の作用と体の変化

1-1 薬の作用機序

1 用量と作用

到達目標
- 薬の用量と作用の関係を説明できる。

1. 用量－反応関係

1）薬理作用と用量・濃度

薬物が生体に及ぼす作用を薬理作用という。

発現する薬理作用の大きさは、薬物の用量または濃度によって変わる。

用量（dose）とは、投与された薬物の量をさす。人が服用する場合は「1回○g」のように表記される。動物実験では、動物の体重（kg）あたりに換算して、「○ mg/kg」のように表記される。

投与された薬物がどのような効果を発揮するかは、最終的に体内で標的とする臓器や細胞のまわりでどれくらいの濃度（concentration）になるかで決まる。薬理作用の解析でよく用いられる薬物濃度の単位は、モル濃度（mol/L）である。

2）用量－反応曲線（Dose-response curve）

用量の増加に伴い薬理作用は大きくなり、ある用量以上で頭打ちとなる場合が多い。用量と薬物によって生体に引き起こされる反応の関係を示したものが、用量－反応曲線である。

用量－反応曲線では、用量と反応率の関係を比較しやすくするため、片対数プロットをする。つまり、用量の対数値を横軸にとり、最大反応に対する反応率を縦軸にとって、各データをプロットし、折れ線グラフを作る。すると、下図のようなS字状曲線（シグモイド曲線）となる場合が多い。

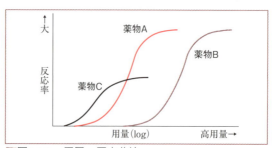

図1-1-1　用量－反応曲線

- 薬物の作用の強さは、用量－反応曲線の横軸（用量）と縦軸（反応率）に分けて評価される。横軸（用量）に注目したとき、より低い用量で作用を現す薬物ほど効力（potency）が強いという。縦軸（反応率）に注目したとき、最大反応が大きい薬物ほどefficacyが大きいという。たとえば、図1-1-1において、薬物Aと薬物Bは、最大反応（efficacy）が同じだが、薬物Aの方が効力（potency）が強いといえる。薬物Cは、薬物Aや薬物Bより、最大反応（efficacy）が小さいが、効力（potency）が強いといえる。

3）有効量、致死量、安全域

薬物の用量によって現れる効果の強さや性質が変わることから、それらを表現するために様々な用語が使われる。

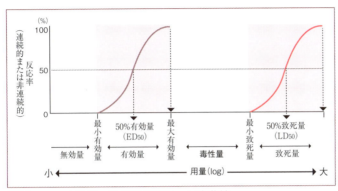

図1-1-2　有効量、致死量の用量－反応曲線

- 薬物投与によって、目的とする効果（薬効）が発現する最小用量を最小有効量といい、それ以上の用量を有効量、それ未満を無効量という。作用が最大となり頭打ちになる用量を最大有効量といい、最大反応の50％の反応を示す用量を50％有効量（50% effective dose、略してED$_{50}$）という。
- 有効量を超え、有害反応（毒性）が起こる用量を毒性量という。
- 動物実験では、死に至る用量（致死量）が求められることがある。50％の個体が死に至る用量を、50％致死量（50% lethal dose、略してLD$_{50}$）という。
- 有効量と致死量が離れている薬物ほど、安全性が高いと考えられる。そこで、LD$_{50}$をED$_{50}$で割った値（LD$_{50}$/ED$_{50}$）を、安全域または治療係数といい、この値が大きいほど安全性が高いとみなす。

4）濃度－反応曲線（Concentration-response curve）

in vitro の実験では、薬物の標的となる臓器や細胞に直接薬液を添加して、その反応を確かめることができるので、薬物の濃度と反応の関係、すなわち濃度－反応曲線が得られる。

用量－反応曲線と同様、濃度－反応曲線では、薬物のモル濃度の対数値を横軸にとり、最大反応に対する反応率を縦軸にとって、各データをプロットすると、S字状曲線（シグモイド曲線）が描ける。

- 最大反応の50％を示す濃度を50％有効濃度（50% effective concentration、略してEC$_{50}$）という。

- EC_{50}の負の対数値（$-\log EC_{50}$）をpD_2と定義し、反応を引き起こす刺激薬の効力の強さを示す指標として用いる。EC_{50}が小さいほど、pD_2は大きく、効力が強い薬物であるといえる。

2. 作用形式

薬物が病的状態を治癒させるのは、薬物が生体機能に影響を与えることによって、生体自体の自然治癒力を促進することによっているにすぎない。

薬物が生体機能に影響を与える形式は、以下のように要素別に分類できる。

1）興奮作用と抑制作用

薬物がある器官、組織あるいは細胞の機能を亢進する作用を興奮作用（stimulant action）といい、機能を低下する作用を抑制作用（inhibitory action）という。いずれも可逆的なものである。

疾患と用いる薬物の組み合わせによって、興奮作用が治療に役立つ場合と、抑制作用が治療に役立つ場合とがある。用量が多く作用が過度にあらわれ、その作用持続が長いときには機能が停止し、非可逆的となる。この場合を麻痺（paralysis）という。

例：興奮作用—カフェインの中枢興奮作用、アドレナリンの心臓興奮作用
　　抑制作用—全身麻酔薬、催眠薬の中枢抑制作用（麻痺：バルビタール、モルヒネの大量投与による呼吸中枢抑制作用→呼吸麻痺で死にいたる）

2）直接作用と間接作用

薬物が標的器官に直接作用してその機能に影響を与える場合を直接作用（direct action）（一次作用）といい、その結果他の器官の機能を間接的に変化させる場合を間接作用（indirect action）（二次作用）という。

例：直接作用—ジギタリスの強心作用 → 心拍出量の増加 → 腎循環の改善 ┐
　　間接作用—ジギタリスの利尿作用 ←─────────────────────────────────┘
　　　　　　（ジギタリスは腎に対する直接作用で利尿を起こすのではない）

3）局所作用と全身作用

薬物が適用部位に限定して現す作用を局所作用（local action）といい、適用部位から吸収された後、循環系を介して他の部位に作用が及ぶ場合を全身作用（systemic action）という。

局所適用とはいっても全身に作用が及ぶことを考慮しておかなければならない（例：β遮断薬チモロールやカルテオロールは点眼で緑内障に用いられるが、1滴の点眼でも全身吸収されて、気管支ぜん息を悪化してしまうことがあるので、点眼剤でも気管支ぜん息患者には禁忌である）。

例：局所作用—局所麻酔薬による適用部位の神経麻痺
　　全身作用—テオフィリンの経口投与→吸収→気管支拡張（気管支ぜん息に有効）

4）速効性作用と遅効性作用

薬物投与後、速やかに作用が発現する場合を速効性作用（immediate action）といい、例えば数時間～数日を経て作用が徐々に現れる場合を遅効性作用（delayed action）という。

例：速効性作用─アセチルコリン、ヘキサメトニウムの静注による血圧下降
　　遅効性作用─レセルピンによる血圧下降、ワルファリンによる抗凝血作用

5）一過性作用と持続性作用

薬物による作用の持続が極めて短い場合を一過性作用（transient action）といい、作用持続が長い場合を持続性作用（prolonged action）という。

例：一過性作用─アドレナリン静注による血圧上昇
　　持続性作用─レセルピンによる血圧下降、ジギトキシンの強心作用、ワルファリンの抗凝血作用

6）選択的作用と非選択的作用（一般作用）

薬物が特定の器官、組織、細胞あるいは受容体にのみ強く作用する場合を選択的作用（selective action）という。疾患の治療においては選択的作用をもつ薬物が一般に利用されることが多い。疾患と関係のない諸器官（組織）に副作用が現れないようにするためである。

これに対して生体の器官、組織等に対して普遍的に作用する場合を非選択的作用（nonselective action）あるいは一般作用（general action）という。

例：選択的作用──ツボクラリンの骨格筋弛緩作用（神経筋接合部に限定した作用）
　　非選択的作用─高濃度のエチルアルコールによる細胞機能の抑制

7）主作用と副作用

治療の目的に有用な作用を主作用（principal action）といい、治療上不要または有害となる作用を副作用（side action；side effect）という。

薬物は多様な薬理作用を有することが多く、治療目的が異なると主作用と副作用とが逆になることがある。例えば、モルヒネは鎮痛薬として使用するとき止瀉作用（便秘）は副作用であるが、止瀉薬として使う場合には止瀉作用は主作用となる。

8）特異的作用と非特異的作用

ある薬物が特定の受容体や酵素のみに結合して作用する場合を、"特異的に○○受容体（または酵素）に作用する"（特異的作用；specific action）という。

いくつかの受容体（または酵素）に作用する場合を非特異的作用（nonspecific action）という。

例：特異的作用──アセチルコリン ➡ アセチルコリン受容体（刺激）
　　　　　　　　ヒスタミン ➡ ヒスタミン受容体（刺激）
　　非特異的作用─クロルプロマジン ─┬➡ ドパミン受容体（遮断）
　　　　　　　　　　　　　　　　　　├➡ α受容体（遮断）
　　　　　　　　　　　　　　　　　　└➡ アセチルコリン受容体（遮断）

1-1 薬の作用機序

CHECK

次の記述について、正しいものには「○」を、間違っているものには「×」をつけてその理由を簡潔に述べなさい。

1　治療量は、最小有効量と最大有効量の間の用量である。
2　縦軸の反応の大きさを対数にとり、横軸はふつうのスケールでとった場合、用量－反応曲線はＳ字曲線を描く。
3　用量－反応曲線のシグモイド曲線が左に位置するほど、その薬物は低用量で作用を発現する。
4　用量は、重い順に、g、mg、ng、μgの順である。
5　*In vitro* の実験で使用される薬物は、濃度として、モル（M）あるいは g/mL などの単位で使用されることが多い。
6　薬物の最大反応の大きさは英語では、potency と表現されることがある。
7　薬物が病的状態を治癒させるには、自然治癒力の関与が大きい。
8　薬物の効果は、ほとんどが組織に対する抑制作用により発現する。
9　薬物の局所作用は、局所にしか作用しないので、全身に作用が及ぶことは無視できる。
10　ワルファリンは遅効作用の例であり、レセルピンは速効作用の例である。
11　ジギタリスの強心作用は、心筋直接作用による。

【解答】
1　○
2　×　横軸の用量を対数スケールでとり、縦軸は普通の反応スケールでとった場合、一般にＳ字曲線が描かれる。
3　○
4　×　g、mg、μg、ng の順である。
5　○
6　×　最大反応は efficacy と表現される。potency は薬物の強さのことで、同じ効果を生じさせるのに必要な用量の大小をいう。
7　○
8　×　興奮作用が薬効を表すこともあるし、抑制作用が薬効を表すこともある。
9　×　薬物は点眼でも皮膚への塗布でも、場合によっては血中に吸収されて強い全身作用が発現することがある。
10　×　レセルピンも遅効作用の例である。
11　○

2 薬物の標的分子

> - 薬物が作用する仕組みについて、代表的な受容体、酵素、イオンチャネル及びトランスポーターを例に挙げて説明できる。
> - 代表的な受容体を列挙し、刺激あるいは遮断された場合の生理反応を説明できる。
> - 薬物の作用発現に関連する代表的な細胞内情報伝達系を列挙し、活性化あるいは抑制された場合の生理反応を説明できる。

1. シナプス伝達と神経伝達物質

　2個の神経細胞間または神経細胞と効果器細胞との間の接合部をシナプス（synapse）という。シナプスは神経の興奮（インパルス）を伝達できるような

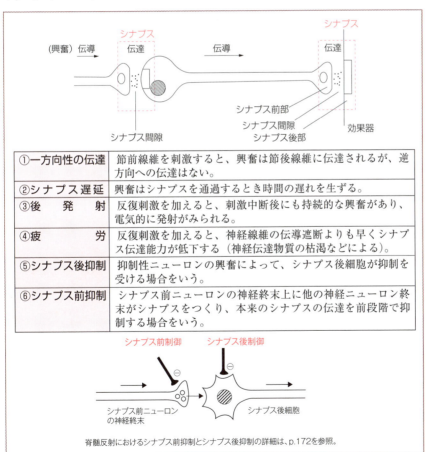

①一方向性の伝達	節前線維を刺激すると、興奮は節後線維に伝達されるが、逆方向への伝達はない。
②シナプス遅延	興奮はシナプスを通過するとき時間の遅れを生ずる。
③後　発　射	反復刺激を加えると、刺激中断後にも持続的な興奮があり、電気的に発射がみられる。
④疲　　　労	反復刺激を加えると、神経線維の伝導遮断よりも早くシナプス伝達能力が低下する（神経伝達物質の枯渇などによる）。
⑤シナプス後抑制	抑制性ニューロンの興奮によって、シナプス後細胞が抑制を受ける場合をいう。
⑥シナプス前抑制	シナプス前ニューロンの神経終末上に他の神経ニューロン終末がシナプスをつくり、本来のシナプスの伝達を前段階で抑制する場合をいう。

脊髄反射におけるシナプス前抑制とシナプス後抑制の詳細は、p.172を参照。

図1-1-3　シナプスの特徴

形態と仕組みをそなえている（図1-1-3）。

シナプスは薬物に対する感受性の高い部位であるので、ここではその一般的な特徴を知り、各論で各種薬物のシナプスにおける作用機序を理解する。

神経伝達物質（neurotransmitter）とは、あるニューロンとこれに隣接するニューロンまたは効果器との間に存在するシナプスにおいて情報伝達に関与する化学物質をいう。ニューロン内部で産生された伝達物質は軸索輸送によって神経終末にあるシナプス小胞に貯えられ、ニューロンの脱分極に応じて放出される。

シナプス後部の細胞を興奮させるか抑制させるかによって、それぞれ興奮性伝達物質と抑制性伝達物質に分けられる。

※中枢神経系（p.119）、自律神経系（p.62）の神経伝達物質の項参照。

2. 傍分泌性シグナルとオータコイド

分泌細胞が放出した化学物質が、局所の複数の細胞に伝達されたとき、その作用様式を傍分泌性シグナルといい、その役割を果たす化学伝達物質を総称してオータコイドという。なお、化学伝達物質の量が比較的多く、血流に入って全身に伝えられたときは、その作用様式を内分泌性シグナルといい、その役割を果たした物質を総称してホルモンという。

オータコイドとして作用する生体内物質の代表例を以下に概説する。

1）ヒスタミン
①ヒスタミンの生合成と代謝

ヒスタミン（histamine）は、ほとんどの組織の肥満細胞と血液中の好塩基球に存在する。肥満細胞中ではヘパリンと共存し、ヒスタミン放出時にはヘパリンも放出される。そのため、ショック時に血液凝固が起こらない。

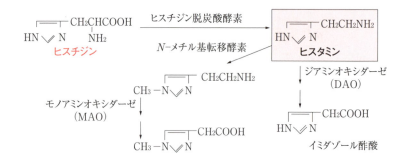

- IgEの関与する抗原抗体反応(I型アレルギー反応)に伴い放出される。
- ヒスタミン遊離物質としてcompound 48/80、ハチ毒、ツボクラリン、モルヒネ、コデイン、バンコマイシンがある。

②ヒスタミンの生理作用と受容体の分類

細分類	情報伝達系	生理反応	拮抗薬
H₁受容体	Gqと共役、IP₃/DG↑	・腸管平滑筋・気管支平滑筋の収縮（種差が著明で、モルモットが特に鋭敏に反応する） ・血管拡張（内皮細胞からNOあるいはPGI₂などを遊離するため） ・毛細血管の透過性亢進 → 浮腫や膨疹を生じる ・知覚神経末端での痛みと痒み、ぜん息における気道過敏症 ・副腎髄質クロム親和性細胞からのアドレナリン遊離（高濃度の場合）	ジフェンヒドラミン クロルフェニラミン プロメタジン ケトチフェン フェキソフェナジン
H₂受容体	Gsと共役、cAMP↑	・胃酸分泌促進 ・頻脈（心臓に対する直接作用、血圧下降に対する反射、副腎髄質からのカテコラミン遊離による） ← アナフィラキシーの時にみられるくらい	シメチジン ラニチジン ファモチジン
H₃受容体	Giと共役、cAMP↓	・中枢ヒスタミン神経系のシナプス前部に存在し、自己受容体としてヒスタミンの遊離を調節している。 ・中枢のセロトニン、アセチルコリン、ドパミン、ノルアドレナリン作動性神経終末にも存在し、これらの伝達物質の遊離を調節している。	
H₄受容体	Giと共役、cAMP↓	・骨髄、白血球、好酸球や肥満細胞などに発現し、免疫応答制御に関与	

ジフェンヒドラミン

クロルフェニラミン

プロメタジン

ケトチフェン

フェキソフェナジン

③ヒスタミンを標的とする医薬品
- ヒスタミンは、様々な生理反応に関与していることから、多くの医薬品の標的となっている。
- アレルギー疾患などに対して、ヒスタミンH₁受容体遮断薬（古典的H₁遮断薬、抗アレルギー性抗ヒスタミン薬、非鎮静性抗ヒスタミン薬、「抗アレルギー薬」p.187〜p.190参照）が用いられる。
- 消化性潰瘍治療薬として、ヒスタミンH₂受容体遮断薬（「消化性潰瘍治療薬」p.354参照）が用いられる。

2) セロトニン

①セロトニンの生合成と代謝

末梢においてはセロトニン（serotonin）は主として腸粘膜の腸クロム親和性細胞（エンテロクロマフィン細胞）で生合成される。

ここで作られたセロトニンは肝臓や肺で大部分は代謝されるが、一部は血中に入り血小板に取り込まれ貯蔵される。そしてトロンビンなどの種々の刺激により血小板が凝集するときに血中に放出され、種々の生理反応を引き起こす。

中枢ではセロトニン含有ニューロンの細胞体は下位脳幹部の縫線核に局在し、大脳皮質、海馬、視床、視床下部、線条体、延髄、脊髄などに投射する。また、松果体にも多く存在し、松果体ではセロトニンからメラトニンが生合成される（下図）。

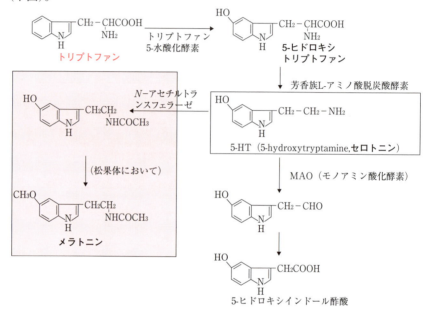

②セロトニンの作用

- 動脈、静脈は収縮させる。
- 小腸、気管支、子宮、尿管、胃などの平滑筋を収縮させる。
- 特にラットでは血管透過性亢進作用が著しい。
- 血小板凝集を起こす。
- 中枢興奮作用を示し、体温上昇、摂食抑制などを起こす。セロトニン症候群とよばれる行動異常を起こす。

③セロトニン受容体の分類

次頁の表に示す。表記以外にも、5-HT$_5$、5-HT$_6$、5-HT$_7$受容体が知られている。

細分類	情報伝達系	生理反応	作動薬	拮抗薬
5-HT1A 5-HT1B 5-HT1D	Giと共役、 cAMP↓	・5-HT1Aは情動に関与 ・中枢神経の過分極を起こす ・5-HT1B、5-HT1Dは中枢や末梢でシナプス前抑制に関与	タンドスピロン(1A) スマトリプタン(1B/1D)	ピンドロール
5-HT2A 5-HT2B 5-HT2C	Gqと共役、 IP3/DG↑	・平滑筋収縮、血小板凝集、中枢神経興奮 ・5-HT2Cは脳脊髄液の量を調節		サルポグレラート ケタンセリン ミアンセリン スピペロン シプロヘプタジン
5-HT3	イオンチャネル内蔵型カチオン・チャネル（Na$^+$、K$^+$）	神経細胞膜の脱分極、抗癌薬誘発嘔吐、水様性下痢、消化管運動異常		グラニセトロン オンダンセトロン ラモセトロン
5-HT4	Gsと共役、 cAMP↑	・ヒト心で陽性変時作用 ・消化管運動亢進	モサプリド	

④セロトニンを標的とする医薬品

- セロトニンは、様々な生理反応に関与していることから、多くの医薬品の標的となっている。
- 5-HT1A受容体作動薬であるタンドスピロンは、抗不安薬として用いられる(p.155参照)。
- 5-HT1B/1D受容体作動薬であるスマトリプタンなどは、片頭痛治療薬として用いられる(p.169参照)。
- 5-HT2受容体遮断薬であるサルポグレラートは、抗血栓薬として用いられる(p.302)。
- リスペリドン、ペロスピロンなどは、ドパミンD2拮抗作用と5-HT2A拮抗作用をあわせもち(セロトニン・ドパミン拮抗薬、略してSDA)、統合失調症の治療に用いられる(p.145参照)。
- 5-HT3受容体遮断薬であるグラニセトロンなどは、抗悪性腫瘍薬投与に伴う悪心・嘔吐を抑制するのに用いられる(p.369参照)。
- 5-HT4受容体作動薬であるモサプリドは、消化管運動改善薬として用いられる(p.367参照)。
- メチセルギドは、非選択的5-HT受容体拮抗薬であり、5-HT1受容体の部分作動薬である。5-HT2A/2C受容体に拮抗して、片頭痛や血管性頭痛の予防、ダンピング症候群の治療に用いられる。
- シプロヘプタジンは、5-HT2受容体拮抗作用とH1受容体拮抗作用をもつ。アレルギー性鼻炎や皮膚・そう痒の治療に用いられるほか、ダンピング症候群に用いられる。
- フルボキサミン、パロキセチン、ミルナシプランなど、選択的セロトニン再取り込み阻害作用をもつ薬物は抗うつ薬として用いられる(p.149参照)。

3) ポリペプチド類
①レニン-アンジオテンシン系

レニンは腎糸球体の輸入細動脈にある傍糸球体細胞から分泌される酵素で、血漿α_2グロブリン中のアンジオテンシノーゲンをアンジオテンシンＩに変える。

アンジオテンシンＩはアンジオテンシン変換酵素（Angiotensin converting enzyme；ACE）によりアンジオテンシンⅡに変えられる（図1-1-4）。

アンジオテンシンⅡはAT_1受容体を介して末梢血管を収縮させて血圧を上昇させる。また、副腎皮質よりのアルドステロン分泌を刺激して水分とNa^+の貯留を増大して血圧上昇に寄与する。

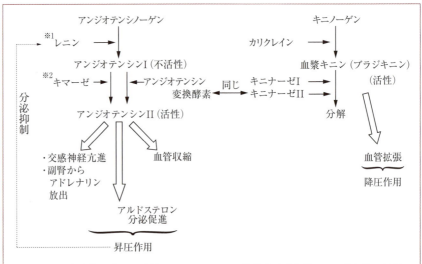

※1 腎傍糸球体細胞から分泌されるレニンは、①傍糸球体細胞のβ_1受容体の刺激、②腎血流量の低下、③血漿中Na^+量の低下により分泌促進される。
※2 ヒトでは肥満細胞からキマーゼが分泌され、アンジオテンシンⅡの生成に関与している。アンジオテンシン変換酵素（ACE）は基質特異性が低く、アンジオテンシンⅠ、ブラジキニン、サブスタンスＰ、エンケファリン等に作用するが、キマーゼはアンジオテンシンⅠにしか働かない。

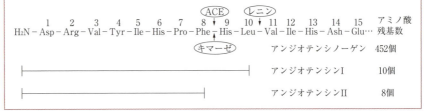

図1-1-4 レニン-アンジオテンシン系とカリクレイン-キニン系の相互作用による血圧調節

〈アンジオテンシンⅡ（AngiotensinⅡ；AⅡ）〉
　AⅡは末梢血管抵抗と体液量の増加を介して血圧を上昇させる。すなわち、
　①血管に直接作用してこれを収縮する
　②交感神経末端からのノルアドレナリン、副腎髄質からのアドレナリン放出を促進し、交感神経活性を亢進する
　③副腎皮質からのアルドステロン分泌を促進する
の機序によるものである。

レニン-アンジオテンシン系（RA系）には、循環RA系に加えて、心、腎、血管壁、脳など組織RA系が存在する。循環RA系が血圧、水・電解質などを短期的に調節し、組織RA系は心肥大や腎障害などの高血圧性臓器障害に大きな関与をしている。

主要なAⅡ受容体にはAT$_1$とAT$_2$が存在する。AT$_1$受容体は、血管、心、腎、副腎、肝などに多く存在し、昇圧作用、水・Na$^+$再吸収、心肥大などに関与する。AT$_2$受容体は、成人では末梢血管、脳、副腎髄質等に存在し、心筋梗塞、心肥大、血管新生内膜増殖などの病態時に発現が増加する。AT$_1$受容体の作用に拮抗して、降圧や細胞保護に働くと考えられている。

②カリクレイン-キニン系

血漿キニンとは血漿から生成されるキニンをいい、ブラジキニン、カリジン（kallidin）、メチオニル-リジル-ブラジキニンの3種がある。

血漿α$_2$グロブリン中のキニノーゲンにカリクレイン（kallikrein）が作用して、カリジンとブラジキニンが生成される。アミノペプチダーゼによりN末端のリジンが切断されて、カリジンはブラジキニンに変わる。

カリジンとブラジキニンは、キニナーゼⅠとⅡによりC末端のジペプチドが切断され、不活性化される（図1-1-5）。

キニナーゼⅡはアンジオテンシン変換酵素（ACE）と同一酵素である（図1-1-4）。

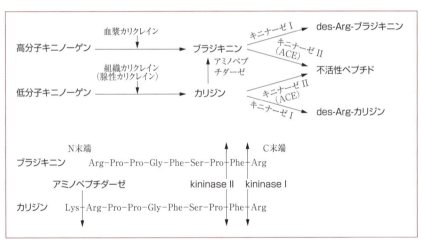

図1-1-5　血漿キニンの代謝

〈ブラジキニン（Bradykinin；BK）〉

BKは元来炎症関連物質である。

①血管透過性亢進作用
②発痛作用。発痛作用は、一次知覚神経を興奮させるとともに、ホスホリパーゼA$_2$の活性化を起こし、プロスタグランジン生成を高める
③気管支、腸管、子宮などの筋肉は収縮するが、これは平滑筋収縮作用をもつPGF$_{2α}$の生成による
④強い血管拡張作用を示すが、これは血管内皮細胞の受容体に作用して、NOやPGE$_2$、PGI$_2$を放出するためである。
⑤腎血流量を増加し、利尿作用も示す。

BK受容体には、B_1とB_2があり、ヒトでは既知の作用の多くはB_2受容体を介して発現する。Gqタンパク共役型受容体で、ホスホリパーゼCが活性化される。また、ホスホリパーゼA_2も活性化される。

③レニン-アンジオテンシン系とカリクレイン-キニン系を標的とする医薬品

- レニン-アンジオテンシン系とカリクレイン-キニン系は、循環調節に重要な役割を果たすため、循環器系疾患治療薬の標的となっている。
- ACE阻害薬、アンジオテンシンⅡ受容体拮抗薬、レニン阻害薬は、高血圧症治療薬として用いられる（p.270〜273参照）。

④タキキニン（Tachykinins）

C末端部にPhe-X-Gly-Leu-Met-NH_2の類似のアミノ酸配列をもち、平滑筋を素早く収縮させ、また血圧下降作用をもつペプチド類をタキキニンという。

哺乳類の神経系ではサブスタンスP、ニューロキニンA、ニューロキニンBが発見されている。

サブスタンスP（substance P）は回腸や卵管、輸精管で強い平滑筋収縮作用を示し、一方、血管平滑筋は弛緩し、血圧を一過性に下降させる。外分泌作用が強く、唾液、膵液の分泌を促す。また、神経細胞を興奮させる。興奮性非アドレナリン非コリン作動性神経のトランスミッターの一つと考えられている。軸索反射でも関与している。血管透過性亢進作用が強く炎症に関与している。脊髄において、痛覚伝導路の神経伝達物質でもある。

ニューロキニンA（neurokinin A）は、気管支平滑筋収縮作用が強い。

タキキニンの種類		受容体
サブスタンスP (SP)	Arg-Pro-Lys-Pro-Gln-Gln-Phe-Phe-Gly-Leu-Met-NH_2	NK_1
ニューロキニンA (NKA)	His-Lys-Thr-Asp-Ser-Phe-Val-Gly-Leu-Met-NH_2	NK_2
ニューロキニンB (NKB)	Asp-Met-His-Asp-Phe-Phe-Val-Gly-Leu-Met-NH_2	NK_3

⑤エンドセリン（Endothelins）

血管内皮細胞は外的な刺激に応じて数種類の血管作動性物質を生産する。内皮由来弛緩因子（endothelium-derived relaxing factor；EDRF）はその一つで、実体が一酸化窒素（NO）であり、内皮細胞の内側にある血管平滑筋細胞に浸透し、グアニル酸シクラーゼを活性化させて、平滑筋内のcGMPを増量させ弛緩を起こすことが知られている。

血管内皮細胞はトロンボキサンA_2（血管収縮性）も産生する。

一方、21個のアミノ酸からなるペプチドであるエンドセリン（endothelin；ET）を産生することも明らかにされている。

エンドセリンにはエンドセリン-1、-2、-3の3種類があるが、内皮細胞ではエンドセリン-1のみが産生されており、強力かつきわめて持続的な血管収縮物質として作用する。

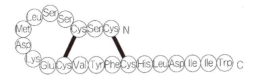

エンドセリン-1（ブタ／ヒト／ラット／イヌ）

　エンドセリン-1は内皮細胞のみでなく、脳、肺、腎、心臓、消化器などの組織でも認められ、高血圧、心筋梗塞、くも膜下出血、気管支ぜん息などの病態における関与も示唆されている。

　エンドセリン受容体としてET_A受容体とET_B受容体があり、血管収縮はET_A受容体を介して発現する。受容体刺激によりホスホリパーゼCが活性化され、イノシトール三リン酸（IP_3）が生じ、これが細胞内貯蔵部位からCa^{2+}を遊離させる。その後、細胞外からCa^{2+}流入が起こる。

　エンドセリン受容体遮断薬のボセンタンなどは、肺高血圧症治療薬として用いられる（p.280参照）。

4）アラキドン酸代謝物

①エイコサノイドの生合成

　アラキドン酸代謝物で、プロスタグランジン類（prostaglandins；PGs）、トロンボキサン類（thromboxanes；TXs）、ロイコトリエン類（leukotrienes；LTs）などC20の不飽和脂肪酸の酸素添加代謝物を総称してエイコサノイド（eicosanoids）とよぶ。

　このうち、アラキドン酸のシクロオキシゲナーゼ代謝物であるトロンボキサンとプロスタグランジンを総称してプロスタノイド（prostanoids）とよぶ（図1-1-6）。

②エイコサノイドの生理作用

a．血小板凝集と血管収縮に関わるPG

　血小板が活性化されるとTXA_2が生成される。TXA_2は血小板のTX受容体に結合してIP_3を増加し、細胞内貯蔵部位からCa^{2+}を遊離させ、血小板凝集を起こす。血管平滑筋の受容体に結合して、血管収縮作用を発現する。血管内皮細胞でPGI_2が生成され、血小板凝集阻害と血管拡張作用を示す。これはアデニル酸シクラーゼの活性化による細胞内cAMP増加が関与する。

b．炎症時のエイコサノイド

　炎症が起きるとエイコサノイドの生成が亢進する。LTC_4、LTD_4は血管透過性亢進作用を示し、この作用をPGEやPGI_2が血管拡張作用を介して促進する。またPGEやPGI_2は発痛増強作用を示す。また、LTC_4、LTD_4、$PGF_{2\alpha}$、TXA_2は気管支平滑筋を収縮させ、気管支ぜん息発作に関与している。LTB_4は白血球遊走作用を示す。

c．胃を保護するPG

　PGE_2やPGI_2は胃酸分泌抑制、胃粘液分泌促進、胃粘膜の血流改善などにより胃を保護する。

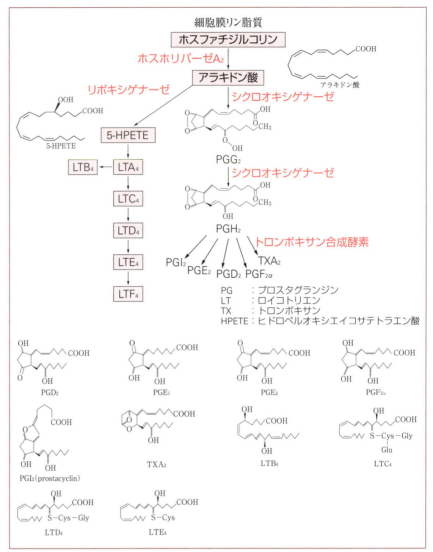

図1-1-6　エイコサノイドの生合成経路と作用する薬物

d．分娩に関係するPG
　PGE$_2$やPGF$_{2\alpha}$は強い子宮収縮作用を示し、分娩に関与している。
e．発熱に関わるPG
　IL-1や腫瘍壊死因子などの刺激により生成されたPGE$_2$は、体温調節中枢に作用し発熱を起こす。正常体温調節には関与していない。
f．腎に働くPG
　PGI$_2$やPGE$_2$は腎血流量の調整に関与している。

〈エイコサノイドの生理作用〉

	PGE$_1$	PGE$_2$	PGI$_2$	PGF$_{2\alpha}$	TXA$_2$	LTC$_4$、D$_4$、E$_4$	LTB$_4$
プロスタノイド受容体	EP	EP※	IP	FP	TP		
血管平滑筋	弛緩	弛緩	弛緩	収縮	収縮	収縮	
気管支平滑筋		収縮または弛緩※		収縮	収縮	収縮	
血管透過性						亢進	
子宮平滑筋（妊娠）	収縮	収縮		収縮			
血小板凝集	抑制		抑制		促進		
白血球機能（遊走・活性化）	抑制						亢進
発熱		促進					
発痛		増強		増強			
胃粘膜	保護	保護	保護				
胃酸分泌	抑制	抑制	抑制				

※プロスタノイド EP 受容体には、EP$_1$（Gq 共役型）、EP$_2$（Gs 共役型）、EP$_3$（Gi 共役型）、EP$_4$（Gs 共役型）のサブタイプがある。気管支平滑筋には EP$_1$ と EP$_2$ の両受容体が発現していて、EP$_1$ 受容体刺激時には収縮が起こり、EP$_2$ 受容体刺激時には弛緩が起こる。

③アラキドン酸代謝物を標的とする医薬品
- アラキドン酸代謝物ならびに誘導体は、術後の消化管運動亢進、陣痛促進や人工流産、胃潰瘍治療、血栓予防などに応用されている。

〈プロスタグランジン製剤〉

製剤分類	一般名	臨床用途	薬理作用
PGE$_1$ 製剤	アルプロスタジル	末梢循環障害	血管拡張 血小板凝集阻害
PGE$_1$ 誘導体製剤	リマプロスト	末梢循環障害	
	ベメプロスト	治療的流産	子宮収縮
	ミソプロストール	長期 NSAIDs 投与時	胃粘膜防御
	オルノプロスチル	胃潰瘍治療	
PGE$_2$ 製剤	ジノプロストン	陣痛誘発・分娩促進	子宮収縮
PGE$_2$ 誘導体製剤	エンプロスチル	胃潰瘍治療	胃粘膜防御
PGF$_{2\alpha}$ 製剤	ジノプロスト	陣痛誘発・分娩促進、術後腸管運動亢進	子宮収縮 腸管収縮
PGF$_{2\alpha}$ 誘導体製剤	ラタノプロスト イソプロピルウノプロストン トラボプロスト タフルプロスト	緑内障	眼圧下降
PGI$_2$ 製剤	エポプロステノール	肺動脈性肺高血圧症	血管拡張 血小板凝集阻害
PGI$_2$ 誘導体製剤	ベラプロスト	末梢循環障害	
	トレプロスチニル	肺動脈性肺高血圧症	

- アスピリン、インドメタシンなどの非ステロイド性抗炎症薬は、シクロオキシゲナーゼを阻害することによりプロスタノイドの産生を抑制し、抗炎症作用を示す（p.182 参照）。
- トロンボキサン合成酵素阻害薬であるオザグレルは、抗血栓薬（p.302 参照）ならびに抗アレルギー薬（p.189 参照）として用いられる。

- プロスタノイドTP受容体（トロンボキサンA_2受容体）遮断薬であるセラトロダストやラマトロバンは、抗アレルギー薬として用いられる（p.190参照）。
- ロイコトリエン受容体遮断薬であるプランルカストなどは、抗アレルギー薬として用いられる（p.189参照）。

3. 受容体と情報伝達系

　薬物が結合して作用発現の引き金になる部位のうち、特定の薬物とだけ結合する部位を受容体（receptor）とよぶ。

　神経伝達物質、大部分のホルモン、オータコイドは標的細胞の細胞膜に存在する受容体に結合して作用を発現する。一方、副腎皮質ホルモン、性ホルモン、甲状腺ホルモンや脂溶性ビタミンの活性型ビタミンD_3、ビタミンAは細胞内の受容体と結合する。

　これら内在性情報伝達物質と化学構造の類似した化合物は、各々の受容体に結合して、本来の情報伝達物質と似た反応を引き起こしたり、情報の伝達を妨げたりする。

1）細胞膜受容体と細胞内情報伝達機構

　薬物受容体のほとんどのものは糖タンパク質であり、受容体分子のアミノ酸組成や付随している糖鎖構造および立体構造が解明されつつある。以前は薬物受容体は細胞膜に固定的に組み込まれており、数も変動しない静的なものと考えられていたが、受容体は細胞膜の脂質二重層内をある程度移動でき、病的状態や薬物処置などによって各細胞にある受容体数が増加（upregulation）したり、減少（downregulation）したりする動的な性質をもつことが明らかになっている。

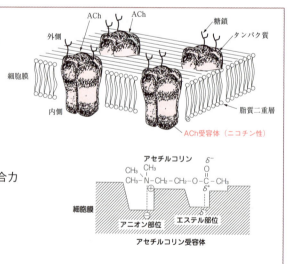

①ニコチン性アセチルコリン受容体模式図
　受容体は内在タンパク質の一つでイオン透過体として働く。
　アセチルコリン受容体（ニコチン受容体）は、5個のサブユニットから形成され、このサブユニットの細胞の外側に向いている一部にアセチルコリンが結合すると、受容体の中央部からNa^+が流入し、細胞特有の生理反応を生ずる。

②アセチルコリンとアセチルコリン受容体の結合力
　受容体分子の特定の部位で結合できる。

図1-1-7　薬物受容体の模式図

細胞膜受容体は、イオンチャネル内蔵型、酵素内蔵型、Gタンパク共役型の3種類に分類できる。

①イオンチャネル内蔵型受容体
- 受容体を構成するタンパク質(サブユニット)が集合して、イオンを選択的に透過するイオンチャネルを形成している。
- 薬物が結合すると、イオンチャネルが開閉することにより、細胞膜電位変化を起こすことができる。

表1-1-1 細胞膜受容体の構造

型	イオンチャネル内蔵型受容体	酵素内蔵型受容体	Gタンパク共役型受容体
ペプチド鎖構造 細胞膜			Gタンパクを介して細胞内に情報を伝えていく
		チロシンキナーゼなどを内蔵していてこれと共役	
ペプチド鎖の膜貫通回数	3〜5回	1ペプチド鎖あたり1回	7回
膜貫通ペプチド鎖のサブユニット構造	5量体(ニコチン受容体(骨格筋))	1〜4量体	単量体
受容体例	ニコチン受容体 (骨格筋:$Na^+\uparrow$) ニコチン受容体 (神経:$Na^+\uparrow$、$Ca^{2+}\uparrow$) $GABA_A$受容体($Cl^-\uparrow$) グルタミン酸NMDA受容体 ($Ca^{2+}\uparrow$) グルタミン酸非NMDA受容体 (AMPA-R、カイニン酸R) ($Na^+\uparrow$、$K^+\uparrow$) グリシン受容体($Cl^-\uparrow$) セロトニン5-HT_3受容体 ($Na^+\uparrow$) ATP (P_{2X}、P_{2Z})受容体 (膜貫通2回)	インスリン受容体 細胞増殖因子受容体 サイトカイン受容体 IgE受容体 細胞接着分子受容体 ANP受容体(グアニル酸シクラーゼを内蔵)	アドレナリン(α、β)受容体 ムスカリン(M_1、M_2、M_3)受容体 ドパミン(D_1、D_2)受容体 セロトニン(5-HT_1、5-HT_2)受容体 オピオイド(μ、δ、κ)受容体 ヒスタミン(H_1、H_2)受容体 プロスタグランジン受容体 ロイコトリエン受容体 PAF受容体 サブスタンスP(NK_1)受容体 アンジオテンシンII受容体 エンドセリン(ET_A、ET_B)受容体 アデノシン(A_1、A_2)受容体 ATP(P_{2Y})受容体 バソプレシン(V_1、V_2)受容体 $GABA_B$受容体 ケモカイン受容体など

② 酵素内蔵型受容体
- 受容体を構成するタンパク質中に酵素活性領域を有し、細胞外のリガンド結合部位にシグナル伝達分子が結合して刺激されると、構造的変化が引き起こされて、酵素反応を引き起こすことができる。
- 酵素としては、チロシンキナーゼやグアニル酸シクラーゼ、セリン・スレオニンキナーゼなどが知られる。

  例）チロシンキナーゼ内蔵型：インスリン受容体、EGF受容体
  　　グアニル酸シクラーゼ内蔵型：心房性ナトリウム利尿ペプチド（ANP）受容体
  　　セリン・スレオニンキナーゼ内蔵型：TGF-β受容体

③ GTP結合タンパク質（Gタンパク）共役型受容体
- Gタンパクを介して細胞内情報伝達機構が作動して作用を現す。
- 三量体GTP結合タンパク質（三量体Gタンパク）はα、β、γのサブユニットからできている。αサブユニットは30種類以上、βサブユニットは5種類以上、γサブユニットは11種類知られている。代表的なαサブユニットの種類として$α_s$、$α_i$、$α_q$があり、それらを含む三量体Gタンパクはそれぞれ Gs、Gi、Gq と名づけられている。
- αサブユニットにGDPが結合していると、αβγが会合状態になり受容体と結合する。受容体とGDP結合Gタンパクが会合すると、受容体に対するアゴニストの結合の親和性が上昇する。アゴニストが受容体に結合するとGタンパクのコンフォーメーションが変り、GDPが解離し、代わりにGTPがαサブユニットに結合する（GTP–GDP交換反応）。GTP結合型$G_α$は$G_{βγ}$から離れ、膜内を移動してエフェクター（酵素、イオンチャネルなど）に達し結合

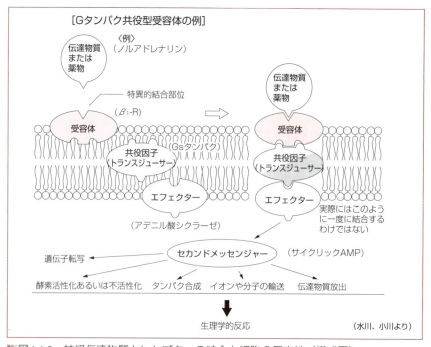

図1-1-8　神経伝達物質とレセプターの結合と細胞の反応性（模式図）

する。この意味でGTP結合型G_αは活性型といえる。
- エフェクターによって、αサブユニットにより情報が伝えられる場合と$\beta\gamma$サブユニットより情報が伝えられる場合がある。

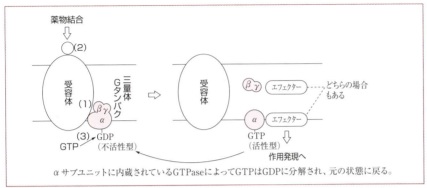

■図1-1-9　Gタンパク共役型受容体の作用様式

※細胞内情報伝達機構
(Intracellular signal transduction)
　薬物が受容体に結合したあと、細胞に生理学的反応が発現するまでの過程は長い間十分にはわかっていなかった。近年、急速に神経伝達物質においてその過程が解明されだした。この過程を**細胞内情報伝達**という。

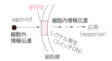

　細胞内情報伝達機構として重要ないくつかの要素が発見された。図のように神経伝達物質が受容体に結合したあと、細胞膜内にあるトランスジューサー（共役因子）→エフェクター→セカンドメッセンジャーと情報が伝わり、その後はタンパク質リン酸化酵素の活性などの過程を経て細胞の生理学的反応が起こる。

- **コレラ毒素**はGsタンパクのα_sサブユニットのGTPase活性部位(Arg)をADPリボシル化(NADのADPリボシル基を付加してしまう)し、αサブユニット内に内蔵されているGTPase活性を失わせる。その結果αサブユニットに結合したGTPはGDPに分解を受けずGTP結合Gsという活性型が維持され、アデニル酸シクラーゼ活性の亢進状態がつづく。コレラ発症時の激しい下痢は腸粘膜のアデニル酸シクラーゼ活性亢進によるサイクリックAMPの増加によっている。

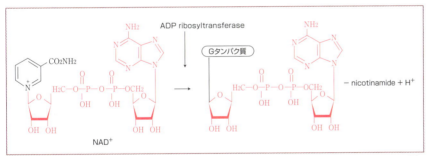

■図1-1-10　ADPリボシル化されるGTP結合タンパク質（赤の部分はADPリボシル基）

- **百日咳毒素**はGi／Goタンパクのα_i（α_0）サブユニットの受容体結合部位（C末端から4番目のCys）をADPリボシル化し、Giタンパクを不活性化してしまう。その結果、受容体とGiタンパクとの共役は阻害され、アゴニストは受容体と結合しにくくなり、作用が阻害される。
- コレラ毒素や百日咳毒素は、NADのADPリボース部分を転移する酵素(ADP ribosyltransferase)をもつ。

1-1 薬の作用機序

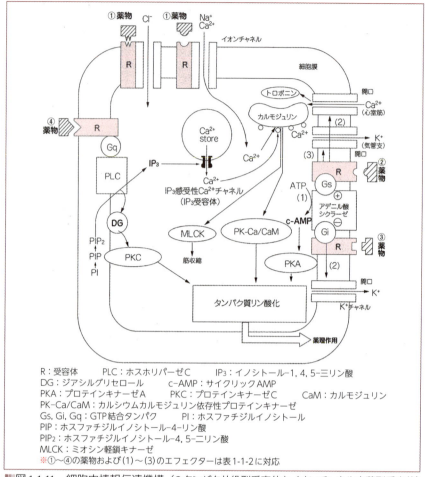

図 1-1-11　細胞内情報伝達機構（Gタンパク共役型受容体とイオンチャネル内蔵型受容体）
　　　　　──サイクリックAMP系とホスファチジルイノシトール代謝系（PI系）など

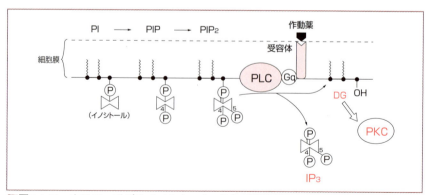

図 1-1-12　ホスファチジルイノシトール（PI）代謝回転

表 1-1-2 細神経伝達物質等の受容体刺激後の細胞内情報伝達機構

	作動薬	受容体	トランスジューサー	エフェクター	セカンドメッセンジャー	その後の過程
イオンチャネル内蔵型	① アセチルコリン GABA グルタミン酸※ グリシン セロトニン メントール、カプサイシン	ニコチン GABA$_A$ NMDA ストリキニーネ感受性 ストリキニーネ非感受性 5-HT$_3$ TRP※※		受容体にイオンチャネル内蔵	→Na$^+$↑、Ca^{2+}↑ →Na$^+$↑ (Naチャネル) →Cl$^-$↑ (Clチャネル) →Na$^+$、Ca^{2+}↑ →Cl$^-$↑ →Ca^{2+}↑ →Na$^+$↑ →Na$^+$、Ca^{2+}↑ (各受容体に対応)	神　経→脱分極 骨格筋→脱分極 →過分極 →脱分極 →過分極 →脱分極 →脱分極 →脱分極
Gタンパク共役型	② ノルアドレナリン アドレナリン イソプレナリン サルブタモール ドパミン ドブタミン プロスタグランジンE$_2$,I$_2$,D$_2$ ヒスタミン バソプレシン アデノシン グルカゴン	β$_1$ β$_1$、β$_2$ β$_1$、β$_2$ β$_2$ D$_1$、β$_1$ β$_1$ EP$_2$, IP, DP H$_2$ V$_2$ A$_{2A}$、A$_{2B}$ グルカゴン	Gs	(1) アデニル酸シクラーゼ (活性化) (2) Ca^{2+}チャネル開口 (3) K$_{Ca}^+$チャネル開口	cAMP↑	プロテインキナーゼA (活性化) Ca^{2+}↑ (例：心収縮力↑) K$^+_{out}$ (過分極) (例：気管支拡張)
	③ ノルアドレナリン クロニジン ドパミン ブロモクリプチン GABA アセチルコリン セロトニン オピオイド アデノシン	α$_2$ α$_2$ D$_2$ D$_2$ GABA$_B$ ムスカリン (M$_2$) 5-HT$_1$ μ、δ A$_1$、A$_3$	Gi	(1) アデニル酸シクラーゼ (抑制) (2) K$^+$チャネル開口 (K$_{ACh}$チャネル)	cAMP↓	プロテインキナーゼA (抑制) (例：AChの心収縮力抑制作用) 過分極 (例：AChの負の変時作用)
	④ ノルアドレナリン フェニレフリン アセチルコリン ベタネコール ヒスタミン セロトニン ロイコトリエン サブスタンスP PAF プロスタグランジンF$_{2α}$ プロスタグランジンE$_1$ トロンボキサンA$_2$ エンドセリン ATP アンギオテンシン バソプレシン オキシトシン	α$_1$ α$_1$ ムスカリン (M$_1$, M$_3$) ムスカリン (M$_3$) H$_1$ 5-HT$_2$ LT (B$_4$, D$_4$) NK$_1$ PAF FP EP$_1$ TP ET$_A$、ET$_B$ P$_{2Y}$、P$_{2U}$ AT$_1$ V$_1$ オキシトシン	Gq	ホスホリパーゼC (活性化)	PI代謝回転亢進 (PI response) イノシトール三リン酸 (IP$_3$)↑ ジアシルグリセロール (DG)↑	細胞内 Ca^{2+}↑ プロテインキナーゼC (活性化)

※　グルタミン酸受容体には代謝型グルタミン酸受容体 (mGluR) もあるが、これらはすべてGタンパク共役型である。

※※　transient receptor potential

2) 細胞質内受容体・核内受容体

- 副腎皮質ホルモン、性ホルモンのようなステロイド骨格を有するホルモンの受容体は細胞質に存在する。活性型ビタミンD_3、ビタミンA、甲状腺ホルモンの受容体は核内に存在する。
- 両方の受容体を併せて核内受容体とよぶ。これらの核内受容体は、ホルモンやビタミンが結合することにより、転写調節因子として働く。

例）**ステロイドホルモン受容体**：ステロイドホルモンは細胞膜を通過し、細胞質内の受容体※と結合する。→ この複合体は核内へ移動し、特定のDNAに作用してmRNAの転写を促進ないし抑制する。→ 特異タンパク（酵素等）が生成促進ないし抑制され、これが細胞あるいは組織特有の生理反応（副腎皮質ホルモン：抗炎症作用、抗ぜん息作用、抗免疫作用など）を引き起こす。

甲状腺ホルモン受容体：甲状腺ホルモン（T_4）は細胞内へ入るとT_3に変換 → 核内に存在する受容体と結合 → 複合体が遺伝子のTRE（thyroid response element）と結合してRNAの転写促進 → 特異タンパク合成を促進し、生理作用を発現する。

※ ステロイド受容体には細胞膜に存在する受容体も知られている。細胞質内受容体はステロイドが標的遺伝子の発現調節を行うゲノミック作用と関連するが、細胞膜受容体は遺伝子発現調節を伴わないノンゲノミック作用と関連している。なお、脳内で生成されるステロイドはニューロステロイドと名付けられ、シナプス情報伝達に関与している。

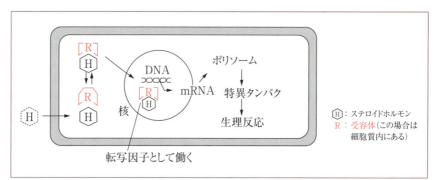

図1-1-13　細胞質内に受容体が存在するステロイドホルモン受容体

［注］細胞質内あるいは核内受容体に作用するもの
- 細胞質内受容体をもつもの：副腎皮質ホルモン、エストロゲン、アンドロゲン、アルドステロン、プロゲステロン（いずれもステロイドホルモン）
- 核内受容体をもつもの：活性型ビタミンD_3、トリヨードチロニン（T_3）、レチノイン酸（ビタミンA）、ピオグリタゾン

4. 酵　素

生体内酵素の活性を直接促進または阻害する効果（受容体を介してでなく）が、薬物の作用発現の機構として考えられているものがある。

表1-1-3　直接酵素を介する薬理作用発現の例

酵　　素	効果	薬物処理により発現する作用	薬物例
アデニル酸シクラーゼ	促進	心筋細胞内cAMPの上昇（心促進）	コルホルシンダロパート（AC5）
グアニル酸シクラーゼ	促進	細胞内のcGMPレベルの上昇（血管拡張など）	一酸化窒素（NO）
コリンエステラーゼ	阻害	コリン作動性効果（縮瞳、眼内圧低下、消化管運動促進、骨格筋興奮作用など）	フィゾスチグミン ネオスチグミン
ホスホジエステラーゼ	阻害	平滑筋細胞内cAMP・cGMP量の上昇→平滑筋弛緩（気管支、腸管、陰茎海綿体） 心筋細胞内cAMP量上昇→心筋収縮力増大 血小板内cAMP・cGMP量上昇→血小板凝集阻害	テオフィリン パパベリン シルデナフィル（PDE5） ミルリノン（PDE3） アムリノン（PDE3） ジピリダモール（PDE3） シロスタゾール（PDE3）
キサンチンオキシダーゼ	阻害	尿酸の生合成を阻害して、血中尿酸を低下→痛風を改善	アロプリノール
アンジオテンシン変換酵素	阻害	アンジオテンシンI→アンジオテンシンIIの過程を阻害→高血圧症を改善	カプトプリル エナラプリル
レニン	阻害	アンジオテンシノーゲン→アンジオテンシンIの過程を阻害。結果として、アンジオテンシンIIが生成されない（高血圧症を改善）	アリスキレン
シクロオキシゲナーゼ（COX）	阻害	プロスタグランジンの生成阻害→抗炎症、下熱、鎮痛作用	インドメタシン アスピリン ジクロフェナク
トロンボキサン合成酵素	阻害	トロンボキサンA2の生合成を阻害→気管支ぜん息時の気道過敏性（1）や脳卒中時の脳血管れん縮を抑制（2）	オザグレル
炭酸脱水酵素	阻害	腎におけるH^+産生を阻害→Na^+、H^+交換を阻害→尿細管でのNa$^+$再吸収阻害→利尿	アセタゾラミド ドルゾラミド ブリンゾラミド
HMG-CoA還元酵素	阻害	肝臓におけるコレステロール生合成の阻害→血中コレステロール濃度の低下	プラバスタチン シンバスタチン
GABAトランスアミナーゼ	阻害	GABAの分解を抑制して痙れんの発現を起こりにくくする（抗痙れん薬）	バルプロ酸Na
アルドース還元酵素	阻害	グルコースからソルビトールへの変換を阻害→ソルビトール蓄積による細胞障害を改善→糖尿病合併症を予防	エパルレスタット
プラスミン	阻害	フィブリンの分解を阻害→止血	トラネキサム酸
α-グルコシダーゼ	阻害	マルターゼやスクラーゼなどのα-グルコシダーゼを阻害→食後の腸内での急激なグルコースの生成を抑制→血糖上昇を抑制	アカルボース ボグリボース
ビタミンKエポキシド還元酵素	阻害	ビタミンKの活性化を阻害→ビタミンK依存性の血液凝固因子生合成の抑制（肝）→抗凝血作用	ワルファリン

5. イオンチャネル

生体組織や細胞の機能を促進したり抑制したりする機構として、イオンによる細胞の脱分極や過分極、または酵素活性の調節などが知られている。重要なイオンとしては、Ca^{2+}, Na^+, K^+, Cl^- などがある。細胞膜にはこれらのイオンの通路であるイオンチャネルが存在する。このイオンチャネルに直接作用する薬物が、いくつか重要な医薬品として使用されている。

表1-1-4 イオンチャネルに直接作用する薬物の例

イオンチャネル	効果	薬物処理により発現する作用	薬物例
電位依存性L型Ca^{2+}チャネル（L型VDC）	阻害（閉口）	血管平滑筋や心筋などでの細胞外からのCa^{2+}流入を抑制 → 血管拡張作用や刺激伝導系抑制作用	ニフェジピン ジルチアゼム ベラパミル
電位依存性T型Ca^{2+}チャネル	阻害	てんかん焦点細胞におけるCa^{2+}流入を抑制 → 抗痙れん作用	エトスクシミド バルプロ酸
電位依存性Na^+チャネル（神経）	阻害	知覚神経軸索におけるNa^+流入を抑制 → 局所麻酔作用	リドカイン プロカイン
Na^+チャネル（心筋）	阻害	刺激伝導系細胞の活動電位の立ち上がりを抑制 → 細胞の興奮を抑制する → 抗不整脈作用	キニジン リドカイン
電位依存性Na^+チャネル（Na_V）	阻害	神経軸索におけるNa^+流入を抑制 → 神経麻痺	テトロドトキシン
K_{ATP}チャネル	開口	冠血管平滑筋細胞膜のK^+流出を亢進 → 過分極を起こす → 冠血管拡張作用	ニコランジル（ミノキシジル）
K_{ATP}チャネル	阻害	膵β細胞膜におけるK^+流出を抑制→脱分極を起こす→電位依存性Ca^{2+}チャネルを開口→インスリン分泌促進	スルホニル尿素系薬物
K_{ACh}チャネル	開口	AChがM_2受容体に結合→洞房結節細胞におけるK^+流出を促進→過分極を起こす→心拍数減少	アセチルコリン
電位依存性K^+チャネル（K_V）	阻害	刺激伝導系細胞の活動電位持続時間を延長 → 抗不整脈作用	アミオダロン ニフェカラント

6. トランスポーター

広義のトランスポーターは、細胞膜の内外でイオン、生理活性物質、栄養物質などを運ぶ。トランスポーターに作用する薬物は、多くの場合、トランスポーターに結合してその輸送機能を阻害することにより効果を発揮する。

トランスポーターの輸送機能が阻害されると、輸送される物質の濃度が出発点側で上昇し、到着点側で低下すること、輸送量が低下することのいずれの要因も治療効果につながりうる。

表1-1-5 トランスポーターに直接作用する薬物の例

トランスポーター	効果	薬物処理により発現する作用	薬物例
Na^+, K^+-ATPase（Naポンプ）	阻害	Naポンプの阻害 →$Na^+ - Ca^{2+}$交換反応 →細胞内Ca^{2+}濃度の上昇 →心筋収縮力の増強	強心配糖体（ジゴキシンなど）
H^+, K^+-ATPase（プロトンポンプ）	阻害	胃の壁細胞からの酸分泌を抑制する。	プロトンポンプ阻害薬（オメプラゾールなど）
$Na^+ - Cl^-$共輸送系	阻害	腎の遠位尿細管前半部におけるNa^+再吸収が抑制され、利尿効果が発現する。	チアジド系利尿薬（ヒドロクロロチアジドなど）
Na^+-K^+-$2Cl^-$共輸送系	阻害	腎のヘンレ係蹄上行脚におけるNa^+再吸収が抑制され、利尿効果が発現する。	ループ利尿薬（フロセミドなど）
セロトニントランスポーター（SERT）	阻害	セロトニンの神経終末への再取り込みが阻害されることにより、セロトニンのシナプス間隙濃度が高まり、抗うつ効果が発現する。	選択的セロトニン再取り込み阻害薬（フルボキサミンなど）
ノルアドレナリントランスポーター（NAT）	阻害	ノルアドレナリンの神経終末への再取り込みが阻害されることにより、ノルアドレナリンのシナプス間隙濃度が高まり、抗うつ効果が発現する。	三環系抗うつ薬（イミプラミンなど） マプロチリン セロトニン・ノルアドレナリン再取り込み阻害薬（ミルナシプランなど）
シナプス小胞モノアミントランスポーター（VMAT1およびVMAT2）	阻害	VMAT1およびVMAT2の小胞内ドメインに結合して不可逆的に阻害 →ドパミンやノルアドレナリンがシナプス小胞に取り込まれなくなる。 →シナプス小胞中のノルアドレナリンが枯渇する。 →アドレナリン作動性神経活動の低下により、降圧効果、鎮静効果が発現する。	レセルピン
Na^+-グルコース共輸送体（SGLT2）	阻害	原尿中からグルコースを血液中に回収（再吸収）する働きが阻害されることにより、グルコースが最終尿へ排泄され、血糖が低下する。	SGLT2阻害薬（イプラグリフロジンなど）
コレステロールトランスポーター（NPC1L1）	阻害	小腸におけるコレステロール吸収を抑制する。	エゼチミブ

1-1 薬の作用機序

CHECK

次の記述について、正しいものには「〇」を、間違っているものには「×」をつけてその理由を簡潔に述べなさい。

1 神経細胞から遊離された化学物質は、すべて神経伝達物質として作用する。
2 分泌細胞から放出され、局所の複数の細胞に情報を伝達する役割を果たす化学物質を総称してオータコイドという。
3 ヒスタミンは、肥満細胞から遊離され、知覚神経末端のH_1受容体を刺激して痒みを生じる。
4 セロトニンは、血小板で生合成され、クロム親和性細胞に取り込まれ貯蔵される。
5 アンジオテンシンIは、血管平滑筋のAT_1受容体を刺激して、血管を収縮させる。
6 キニナーゼIIは、アンジオテンシンIをアンジオテンシンIIに変換する。
7 プロスタグランジンE_2は、腫瘍壊死因子の刺激によって生成され、体温調節中枢に作用して発熱を起こす。
8 細胞膜受容体は主としてタンパク質からできている。
9 イオンチャネル内蔵型受容体は、5量体を形成していることが多い。
10 Gタンパク質共役型受容体は、細胞膜7回貫通型である。
11 酵素活性内蔵型受容体には、受容体の細胞内部分にチロシンキナーゼ活性を有するものがある。
12 エストロゲンが卵胞ホルモン作用を発現するために結合する受容体は、細胞膜にある。
13 アセチルコリンは、神経伝達物質として働き、その受容体にはGタンパク質共役型受容体とイオンチャネル内蔵型受容体がある。

【解答】
1　×　神経細胞から遊離された化学物質が、シナプスにおいて、シナプス後細胞に伝達されたとき、それを神経伝達物質として機能したとみなす。脳の視床下部の神経細胞で産生されたオキシトシンは、下垂体後葉に投射した神経終末から遊離された後、血流に移行してホルモンとして機能する（神経内分泌）。
2　◯
3　◯　ヒスタミンによる平滑筋の収縮、血管透過性の亢進、痛みなども H_1 受容体を介した作用。
4　×　セロトニンは腸粘膜のクロム親和性細胞で生合成される。血中のセロトニンが血小板に取り込まれる。血小板には芳香族 L- アミノ酸脱炭酸酵素がないので生合成されない。
5　×　アンジオテンシンⅠは不活性型で、アンジオテンシンⅡが活性型。
6　◯　キニナーゼⅡはアンジオテンシン変換酵素と同一。
7　◯　プロスタグランジン E_2 は炎症に伴う痛みや発熱に関与。
8　◯　主としてタンパク質からなり、一部糖鎖がついている。
9　◯
10　◯
11　◯
12　×　エストロゲン受容体は細胞質内にある。
13　◯

3 薬物相互作用

> **到達目標**
> - 薬理作用に由来する代表的な薬物相互作用を列挙し、その機序を説明できる。
> - アゴニスト（作用薬、作動薬、刺激薬）とアンタゴニスト（拮抗薬、遮断薬）について説明できる。

1. 協力作用

2種またはそれ以上の薬物を併用すると、一方の薬物の作用が他方の薬物によって、単独で用いる場合よりも増強したり減弱したりする場合がある。その薬理作用が増強した場合を協力作用（synergism）、減弱した場合を拮抗作用（antagonism）という。

協力作用のうち、相加作用（addition）と相乗作用（potentiation）がある。2種の薬物を併用した場合、それぞれの薬物の単独効果を加えた程度の効果がみられる場合を相加作用、それ以上の効果がみられる場合を相乗作用という。しかし、この両者を区別することがむずかしいこともある。

1）相加作用

作用点が同一で、作用機序が同一の2薬（以上）が協力的に作用するときに起こる。

それぞれ単独で最大効果を生じない低用量の薬物Aと薬物Bを併用した場合、Aの薬効とBの薬効を単純にたし合わせた程度の薬効が生じる。ただし、AとBが最大効果を生じる高用量の場合は、AとBを併用しても最大効果を超える薬効は期待できない。

例：エーテルとハロタン（麻酔）
　　アトロピンとスコポラミン（鎮痙：M_3受容体）
　　イソプレナリンとサルブタモール（気管支拡張：β_2受容体）
　　モルヒネとコデイン（鎮痛、鎮咳：μ受容体）
　　バルビタールとペントバルビタール（催眠）
　　アセチルコリンとメタコリン（腸管収縮：M_3受容体）
　　アドレナリンとノルアドレナリン（血圧上昇：α_1受容体）

2）相乗作用

作用点が異なり、機序も異なる2薬（以上）が協力的に作用するときに起こる。
薬物Aと薬物Bを併用した場合、Aの薬効とBの薬効をたし合わせたより以上の（つまり、プラスαを上乗せしたような）薬効を生じる。

〈相乗作用の発生機序〉
①吸収の促進　②代謝の阻害　③排泄の阻害　④血漿タンパクとの結合解離
⑤生理作用的増強　〔①～④薬動学的相互作用、⑤薬力学的相互作用〕
例：エーテル（全身麻酔薬）とクロルプロマジン（抗精神病薬）→麻酔作用
　　で相乗的〔⑤〕
　　アルコールとジアゼパム（抗不安薬）→中枢抑制作用で相乗的〔⑤〕
　　MAO阻害薬（セレギリン）とパロキセチン（抗うつ薬）→中枢興奮作
　　用で相乗的〔②〕
　　レボドパとカルビドパ（抗パーキンソン薬）〔②〕
　　アセチルコリンとネオスチグミン→腸管収縮作用で相乗的〔②〕
　　コカインとアドレナリン→交感神経興奮作用で相乗的〔⑤〕
　　ヒマシ油によるサントニンの吸収促進〔①〕
　　MAO阻害薬によるチラミンの代謝阻害〔②〕
　　プロベネシドによるペニシリンの排泄阻害〔③〕
　　クロフィブラートによるワルファリンの血漿タンパクからの解離
　　（遊離ワルファリン分子の血中濃度上昇）〔④〕

2. 拮抗作用

1）薬理学的拮抗

　ある薬物が他の薬物の作用を減弱させる働きを拮抗作用（antagonism）とよび、そのうち薬理作用発現の過程で拮抗する様式を薬理学的拮抗という。

①競合的拮抗
- A、B2薬の作用点が同一で、Aが活性物質、Bが不活性物質であるとき、Aの作用はBによって拮抗を受ける。A、Bが作用点に可逆的に結合するときは、互いの用量または濃度の増加によって打ち消すことができるので、競合的拮抗（competitive antagonism）という（表1-1-6）。
- 競合的拮抗は、受容体、酵素、イオンチャネル、トランスポーターなどの様々な薬物の標的上で起こりうる。

②非競合的拮抗
　薬理学的拮抗であるが、その様式が競合的でない場合は、非競合的拮抗（non-competitive antagonism）という。非競合的拮抗は次のようなときに起こりうる。
a）拮抗薬が受容体と非可逆的に結合する場合。非可逆的拮抗薬が受容体に結合して占有してしまうと、作動薬が結合できる受容体の数が減るため、作動薬の用量または濃度をいくら増やしても、最大反応を得ることはできない。
　　例：ノルアドレナリンの血管収縮作用（α_1受容体）に対するフェノキシベンザミンの拮抗

b）作動薬が受容体に結合した後に薬理作用が発現するまでの細胞内情報伝達過程を拮抗薬が妨げる場合。受容体活性化以降の反応が阻害されている状態では、受容体を100％活性できたとしても、最大反応を起こすことはできない。
例：アセチルコリンの腸管収縮作用（M_3受容体）に対するニフェジピンやパパベリンの拮抗

2）生理学的拮抗

同一の受容体を介さず、薬理作用発現に関わる機序に直接の関連性がなく、相反する効果を生じる2種の薬物間の拮抗様式を、<u>生理学的拮抗</u>という。自律神経系における交感神経と副交感神経が同じ臓器や細胞に相反する効果をもたらすのは、生理学的拮抗に相当する。

例1：アセチルコリンの腸管収縮作用と、アドレナリンの腸管弛緩作用
例2：ヒスタミンの気管支平滑筋収縮作用と、アドレナリンの気管支平滑筋弛緩作用
例3：アセチルコリンの縮瞳作用（瞳孔括約筋収縮作用）と、フェニレフリンの散瞳作用（瞳孔散大筋収縮作用）

表1-1-6 競合的拮抗の例

標的分子	活性物質A	不活性物質B
ムスカリン受容体	アセチルコリン、ベタネコール、ムスカリン	アトロピン
ニコチンN_M受容体	アセチルコリン、ニコチン	ツボクラリン
ニコチンN_N受容体	アセチルコリン、ニコチン	ヘキサメトニウム
アドレナリンα_1受容体	アドレナリン、ノルアドレナリン、フェニレフリン	プラゾシン
アドレナリンβ_1受容体	アドレナリン、イソプレナリン、	プロプラノロール、アテノロール
ヒスタミンH_1受容体	ヒスタミン	ジフェンヒドラミン、クロルフェニラミン
ヒスタミンH_2受容体	ヒスタミン	シメチジン、ラニチジン、ファモチジン
セロトニン5-HT_3受容体	セロトニン	オンダンセトロン
ドパミンD_2受容体	ドパミン、ブロモクリプチン	クロルプロマジン、ハロペリドール
オピオイドμ受容体	モルヒネ、フェンタニル	ナロキソン
$GABA_A$受容体のベンゾジアゼピン結合部位	ジアゼパム	フルマゼニル
アルドステロン受容体	アルドステロン	スピロノラクトン
ビタミンKエポキシド還元酵素	ビタミンK	ワルファリン

3) 化学的拮抗

医薬品には生体内分子と化学的に結合することで薬効を発揮するものもある。
例1：ウイルソン病治療薬として用いられるペニシラミン（p.199参照）は、Cu^{2+}とキレートを形成する。
例2：脂質異常症治療薬として用いられる陰イオン交換樹脂（p.391参照）は、胆汁酸と結合する。
例3：ヘパリン（p.298参照）の解毒にプロタミン硫酸塩を用いる。

3. アゴニストとアンタゴニスト

1) 完全作動薬、部分作動薬、拮抗薬の用量－反応曲線

受容体に結合する分子は、リガンドと総称される。受容体に結合した場合にどれくらい受容体を活性化（刺激）できるかは、リガンドによって異なる。

受容体に結合して活性化する力のあるリガンドをアゴニスト（agonist、刺激薬、作動薬）、受容体に結合するが活性化しないリガンドをアンタゴニスト（antagonist、遮断薬、拮抗薬）という。同じ受容体に結合するアゴニストとアンタゴニストが共存すると、アンタゴニストはアゴニストの作用を遮断することになる。

受容体に結合した後に受容体を活性化するリガンドの力を、内活性（固有活性、intrinsic activity）といい、0～1の数値で表される。アンタゴニストは、内活性が0のリガンドである。内活性が0を超えるリガンドは、すべてアゴニストになるが、そのうち特に内活性が1（つまり受容体に結合したら100％活性化できる）のリガンドを、完全アゴニスト（full agonist、完全刺激薬、完全作動薬）という。内活性が0より大きく1より小さいリガンドを、部分アゴニスト（partial agonist、部分刺激薬、部分作動薬）という。

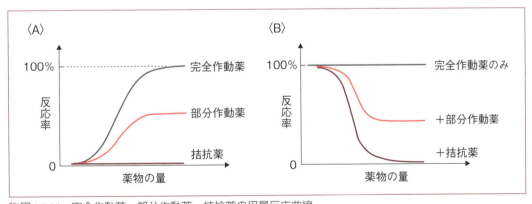

図1-1-14 完全作動薬、部分作動薬、拮抗薬の用量反応曲線
（A：単独作用、B：完全作動薬に部分作動薬または拮抗薬を共存させた場合）

- 細胞や器官に薬物を単独で与えたとき、受容体拮抗薬は濃度によらず一切反応を生じないが、完全作動薬は濃度依存的に反応を引き起こし、最大反応は100%に達する。部分作動薬も濃度依存的に反応を引き起こすが、どんなに濃度を上げても最大反応は100%に達しない。最大効果が100%に達しないことを天井効果とよび、薬物が部分作動薬であることを示す特徴の1つである。
- 完全作動薬で細胞や器官が刺激されて100%の反応が起きているところに受容体拮抗薬を与えると、濃度依存的に反応は抑制され、十分な濃度で反応は完全に消失する。同じように部分作動薬を与えると、濃度依存的に反応は抑制されるが、どんなに濃度を上げても完全には抑制されない。つまり、部分作動薬は、完全作動薬と共存した場合には部分拮抗薬としても働くことになる。

2) 拮抗薬による用量-反応曲線の変化

受容体作動薬の用量-反応曲線に対する競合的拮抗薬と非競合的拮抗薬の影響は異なる。

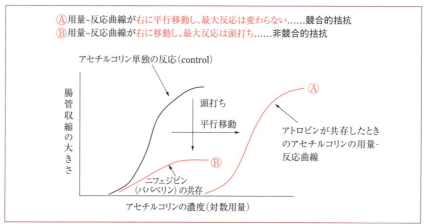

図1-1-15　作動薬と薬理学的拮抗薬併用時の用量－反応曲線

- たとえば、アセチルコリンはM_3受容体を刺激して腸管収縮を生じる。一方、アトロピンはM_3受容体に結合するが受容体を活性化しないので、アトロピン存在下ではアセチルコリンの腸管収縮作用が妨げられる。ただし、アセチルコリンもアトロピンもM_3受容体に可逆的に結合するので、それぞれの量に応じて競合的に拮抗する。アトロピンが存在していると、アセチルコリンが同じ大きさの反応を生じるのに高用量が必要になるが、十分な量を与えれば最大反応を生じることができる。その結果、アセチルコリンの用量-反応曲線は、アトロピンの併用により、最大反応は変わらずに高用量側(右方)に平行移動する。
- アトロピンのような競合的拮抗薬の効力を示す指標として、pA_2値が用いられる。これは作動薬単独の用量-反応曲線を2倍だけ高濃度側に平行移動させるのに必要な競合的拮抗薬のモル濃度の－log値である。pA_2値が大きいほど、競合的拮抗薬としての効力が強い。

- カルシウム拮抗薬であるニフェジピンは、アセチルコリンとM_3受容体の結合には影響せず、M_3受容体が刺激された後に起こるCa^{2+}チャネルの働きを阻害する。したがって、ニフェジピン存在下では、アセチルコリンが腸管収縮作用を発揮する用量範囲に変化はみられないが、最大反応を生じることができなくなる。その結果、アセチルコリンの用量－反応曲線は、ニフェジピンの併用により、左右方向には移動せず、最大反応が低下する。
- ニフェジピンのような非競合的拮抗薬の効力を示す指標として、pD_2'が用いられる。これは、作動薬の最大反応を50％まで抑制するのに必要な非競合的拮抗薬のモル濃度の$-\log$値である。pD_2'値が大きいほど、競合的拮抗薬としての効力が強い。

1-1 薬の作用機序

CHECK

次の記述について、正しいものには「○」を、間違っているものには「×」をつけてその理由を簡潔に述べなさい。

1 薬理学的協力作用には、相加作用と相乗作用がある。
2 相乗作用は、作用点が同一で作用機序が同一の2薬（以上）を併用した場合に認められる。
3 エーテルの催眠作用がクロルプロマジンの併用で増強されるのは、相加作用に基づくものである。
4 アセチルコリンの縮瞳作用とフェニレフリンの散瞳作用は、薬理学的拮抗の関係にある。
5 部分作動薬の内活性は、0と1の間の数値をとる。
6 部分作動薬は、完全作動薬と共存した場合には、拮抗薬として働く。
7 アンタゴニストの用量−反応曲線は、最大反応が0より大きく100％より小さい。
8 2つの薬物が競合的に拮抗する場合、作動薬の用量−反応曲線は、競合的拮抗薬処置によって高濃度側に平行移動し、最大反応は変わらない。
9 モルモット摘出回腸におけるアセチルコリンの累積投与による濃度-反応曲線は、ニフェジピンの共存により、最大反応が低下する。
10 競合的拮抗薬の効力を示す指標として、pD_2値がある。

【解答】

1	○	
2	×	相乗作用は、作用点が異なり作用機序も異なる2薬（以上）を併用したときに起こる。
3	×	相乗作用によるものである。
4	×	薬理学的拮抗ではなく、生理学的拮抗である。
5	○	
6	○	
7	×	アンタゴニスト（拮抗薬、遮断薬）は、受容体に結合するが、まったく受容体を活性化しないので、用量-反応曲線の最大反応は0である。
8	○	
9	○	
10	×	pD_2ではなく、pA_2である。

薬物の効力の算出問題

85-124

下記のグラフは、モルモット回腸小片のアセチルコリンによる収縮反応の濃度-反応曲線を示している。薬物Aと薬物B自体には回腸収縮作用はない。この実験に関する次の記述のうち、正しいものの組合せはどれか。1つ選べ。

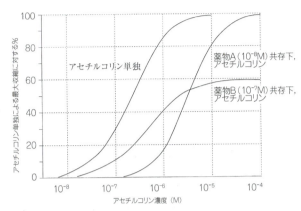

a アセチルコリンのpD_2値は、6.0〜7.0の間にある。
b 薬物Aは、ムスカリン受容体において、アセチルコリンに対して競合的拮抗を示す。
c 薬物AのpA_2値は、8.0より大きいことが推定できる。
d 薬物BのpA_2値は、7.0より大きいことが推定できる。
e アセチルコリン$3×10^{-6}$Mによる収縮は、薬物Aの10^{-8}Mによって約90%抑制されている。

1 (a、b、c)　　2 (a、b、e)　　3 (a、c、d)
4 (b、d、e)　　5 (c、d、e)

解答と解説：1

a ○　アセチルコリン単独の濃度-反応曲線から、最大の50%の収縮反応を惹起するアセチルコリンの濃度（EC_{50}）を読み取ると、10^{-7}〜10^{-6}Mであることがわかる。
　　$pD_2 = -\log EC_{50}$より、アセチルコリンのpD_2値は6.0〜7.0（約6.7）である。

c ○　pA_2は「作動薬の濃度-反応曲線を2倍高濃度側へ平行移動するのに要する拮抗薬のモル濃度の$-\log$」と定義される。グラフから、10^{-8}Mの薬物Aの共存により、アセチルコリンの濃度-反応曲線は10倍以上高濃度側へ平行移動したことがわかる。つまり、濃度-反応曲線を2倍高濃度側へ平行移動するには、10^{-8}Mより低濃度の薬物Aで十分であると推定できる。

d ×　薬物Bの共存下では、アセチルコリンによって惹起される最大反応の低下が認められたので、薬物Bは非競合的遮断薬と考えられる。pA_2は競合的拮抗薬の効力を表す指標であり、この場合は算出できない。

e ×　$\log 3$は、約0.5である。$3×10^{-6}$Mは、グラフ横軸の10^{-6}Mと10^{-5}Mのほぼ真ん中に相当する。アセチルコリン単独時には100%近くの反応が生じたのに対して、薬物Aの10^{-8}Mの共存下では約50%の反応が生じたことがわかる。アセチルコリン$3×10^{-6}$Mによる収縮は、薬物Aの10^{-8}Mによって、約50%抑制されたことになる。

4 薬効に影響を及ぼす要因

> **到達目標**
> ● 薬物の選択（禁忌を含む）、用法、用量の変更が必要となる要因（年齢、疾病、妊娠等）について具体例を挙げて説明できる。

　薬物の作用が現れるまでの薬物動態学的要因や薬力学的要因は、年齢、性別、病的状態の有無、遺伝的背景など、多くの要因により変動する。したがって、薬物の作用の現れ方には、主作用、副作用ともに個人差が生じる。

1）年齢
　高齢者では、心拍出量が低下して血流量が減少するとともに、腎機能や肝機能が低下して薬物の排泄や代謝が減少するため、多くの薬物で血中濃度が高くなりやすい。脂溶性薬物に関しては、生体脂肪の増加により脂肪組織への蓄積が促進され、体内からの消失が遅れる場合もある。
- 加齢とともに、組織の反応性も変化するため、一般に高齢者は、中枢抑制薬への感受性が高くなるといわれている。
- 新生児は、肝機能も腎機能も未発達であり、血漿タンパク質による薬物結合能も低いため、多くの薬物に対する感受性が高い。
- 小児期は、身体機能の発達が著しく、薬物動態や感受性が大きく変動し、個人差が大きい。

2）性別
- 一般に、女性は男性よりも薬物感受性が高い傾向がみられる。
- 催眠薬のゾルピデム（p.140参照）は、男性より女性で作用が強く出やすいことが確認され、アメリカでは女性の推奨投与量が男性の半分に減らされた。
- 副作用に関しても、アンジオテンシン変換酵素（ACE）阻害薬による空咳、カルシウム拮抗薬による浮腫、抗不整脈薬による重篤な不整脈などが、男性より女性で多く認められることが報告されている。
- 薬物感受性の男女差には、性ホルモンの関与が考えられている。

3）病的状態
- 腎機能が障害されて薬物排泄力が低下すると、腎排泄型薬物は体内に蓄積し、作用が強く現れることがある。
- 肝機能障害により薬物代謝酵素活性が低下すると、肝代謝型薬物の消失が遅れ、血中濃度が上昇して作用が強く現れることがある。
- 心機能障害による心拍出量の低下は、消化管血流の低下による薬物吸収の低下や、肝臓や腎臓への血流低下による薬物の代謝・排泄の低下を招くことがある。

- 甲状腺機能が亢進すると、甲状腺ホルモンの作用により、心筋の β_1 受容体の数が増え、β 受容体刺激薬の心機能増大作用が強く現れることがある。一方、心不全患者では、交感神経機能の亢進によって心筋の β_1 受容体のダウンギュレーションが起きているために、β 受容体刺激薬の効果が現れにくいことがある。

4）遺伝的要因

薬物代謝の速度が人種間や個体間で大きく異なることが知られており、その原因として薬物代謝酵素の遺伝子に欠損や変異がある遺伝子多型が存在することがわかってきた。

- エタノールの代謝物であるアセトアルデヒドをさらに代謝するアセトアルデヒド脱水素酵素（ALDH）の1つALDH2には遺伝子多型があり、生まれつき酵素活性が低い人では、飲酒後に血中アセトアルデヒド濃度が上昇し、悪心・嘔吐などが出現する。
- 遺伝子多型の例には、プロプラノロールやコデインを代謝するCYP2D6、ジアゼパムやオメプラゾールを代謝するCYP2C19などが報告されている。CYP2D6活性が低い人（poor metabolizer）では、コデインの鎮痛効果が現れない（p.132参照）。

5）薬物アレルギー

薬物投与により、薬物本来の作用ではなく、薬物に対する免疫応答によって有害な反応が起こることがあり、薬物アレルギーとよばれる。

薬物は、一般に小さな分子であり、それ自身では抗原になりにくいが、ハプテンとなり生体内のタンパク質と結合すると抗原性を発揮し、免疫応答を引き起こすことがある。一度アレルギー反応を起こすと、その薬物および類似の化学構造を有する薬物に対して強いアレルギー反応を起こすことから、一般に、特異体質、薬物過敏症などといわれることもある。

- 薬物アレルギーは、治療用量よりもはるかに少ない用量でも起こる。

6）心理的効果（プラセボ効果）

プラセボ（placebo）とは、もともとラテン語で「喜ばせる」「なぐさめる」などの意味があり、偽薬とも言われる。たとえば、ただのデンプンしか入っていないのに、見かけが本物そっくりの錠剤（つまり偽の薬）を患者が服用すると、まるで本当の薬のような効果を実感できることがあり、これをプラセボ効果という。

プラセボ効果は、心理状態によって影響を受けやすい体の機能に対して起こりやすい。例えば、痛みのレベルは、気持ちによってかなり変わる。患者が信頼している医師から鎮痛薬と説明されて偽薬を受け取り服用した場合に、患者の痛みが緩和したように感じることがある。こうした効果を病気の治療に役立てることもできる。催眠薬の服用を中止したいときに、本当の催眠薬の代わりに偽薬をときどき与えることによってスムーズに止めることが可能になる。

プラセボ効果は、臨床試験におけるバイアスとして問題になる。医師や患者が投与する薬物について知っていると、真の薬効が評価できなくなることがある。

これを避けるため、試験の内容についてはコントローラーのみが把握し、医師と患者は一切知らされていない条件で臨床試験が実施される。これを二重盲検試験（double bind test）という。

7）妊娠

妊娠している女性が薬を使用する際には胎児に対する影響と母体に対する影響を考慮しなければならない。

〈妊娠超初期〉

- 胎児への薬の悪影響は、催奇形性（奇形を引き起こす作用）と胎児毒性（胎児の発育や機能に対する悪い作用）に分けられる。
- 薬が悪影響を及ぼしたとしても、受精後18日以内に影響を受けた受精卵は死亡して流産に至るか、あるいは完全に修復されて正常に分娩に至るため（all or noneの法則）、妊娠の超初期（妊娠4週未満）は、催奇形性が問題にならない。ただし、体内に残りやすい薬は、この時期に影響しなくても、次の過敏期に影響するおそれがあるので、早めに中止しておく必要がある。

〈妊娠初期〉

- 妊娠の初期（妊娠5～15週）は、過敏期ともよばれ、胎児の器官形成が起こる時期に相当するため、薬の催奇形性がもっとも問題となる。たとえば、ワルファリン（「抗血栓薬」p.298参照）は、化学構造がビタミンKに類似しており、ビタミンK依存性の骨形成因子を阻害することが催奇形性につながると考えられている。
- 抗てんかん薬は、多剤併用、高血中濃度で、二分脊椎を含む奇形を生じる可能性が指摘されているので、妊娠中の女性がてんかん治療のためにどうしても使用しなければならないときは、できる限り単剤で、必要最小限の血中濃度によって発作をコントロールするよう努める。
- 妊娠初期のつわりなどに対して制吐薬（消化管運動改善薬）が必要な場合、メトクロプラミド（「催吐薬・制吐薬」p.370参照）を用いるのが一般的。ドンペリドンは、小児に対してもよく用いられるが、動物実験（ラット）で骨格・内臓異常等の催奇形作用が報告されており、妊婦には禁忌とされている。

〈妊娠中・後期〉

- 妊娠の中・後期（5か月以降）は、薬物の催奇形性はなくなるが、胎児毒性が問題となる。つまり胎児の発育（身体的および機能的）の遅延や、胎児死亡、羊水減少などの胎児環境の悪化をきたす可能性がある。たとえば、妊娠中・後期の女性がアンジオテンシン変換酵素阻害薬やアンジオテンシンII受容体遮断薬（「高血圧症治療薬」p.270参照）を服用すると、胎児の腎臓の働きが悪化して、羊水（妊娠中期以降の羊水の成分のほとんどは胎児の尿）の減少から様々な障害が引き起こされることがある。
- また、妊娠後期の女性が非ステロイド性抗炎症薬（「抗炎症薬」p.181参照）を服用すると、シクロオキシゲナーゼ阻害によって血管拡張性プロスタグランジンが低下するために、胎児の動脈管収縮が起こり、本来低下すべき肺血管抵抗が出生後も低下せずに肺高血圧が持続する。この状態は、胎児循環遺残（persistent fetal circulation; PFC）とよばれ、新生児仮死、著明なチアノーゼ、アシドーシスなどを伴う。

〈流産・早産〉
- 妊婦が薬を服用する際には、流産や早産を引き起こす可能性にも注意が必要である。たとえば、ミソプロストールは、プロスタグランジンE_1誘導体で、消化性潰瘍の治療に用いられるが、子宮収縮作用ももち、流産を引き起こすため、妊婦には禁忌である。

〈妊娠中の便秘〉
- 妊娠中の便秘に対して下剤が必要な場合、ピコスルファート(「便秘・下痢治療薬」p.362参照)が用いられることが多い。一般によく用いられるセンノシドは、大量投与で子宮収縮を誘発し流早産の危険性があるので、妊婦には原則禁忌とされている。

表1-1-7 妊婦に対する薬の危険要因と対処

1)薬そのものの危険度	添付文書の「禁忌」「妊婦、産婦、授乳婦への投与」などを参照し、できるだけ安全性の高い薬を選択する。
2)使用時期	催奇形性が問題となるのは妊娠初期。胎児毒性が問題となるのは妊娠後期。影響しやすい時期を避ける。
3)使用期間	短い方が影響が少ないので、できるだけ短期間にとどめる。(例:感冒薬や鎮痛薬など)
4)使用量	少ないほうが影響が少ないので、必要最少量とする。必要に応じて血中濃度測定を実施。
5)使用経路	経口投与、注射は全身に作用し、胎児にも影響しやすい。局所作用の外用薬が望ましい。
6)併用薬	たとえば、てんかん薬を多種類用いると催奇形性が高まるという報告がある。できるだけ単剤で治療。

〈妊娠高血圧症候群〉
- 妊娠20週〜分娩後12週の間に、高血圧(収縮期圧140 mmHg以上、拡張期圧90 mmHg以上)＋尿タンパク(1日量が30 mg/dL以上)が認められる場合を、妊娠高血圧症候群という。妊娠高血圧症候群の発症機序は不明だが、胎盤(血管)の形成異常に対する代償として母体の高血圧が起こってしまうという仮説がある。
- 妊娠後期になると胎児が大きくなり、必要な血液量が増える(妊娠前の1.5倍程)が、妊娠高血圧症候群になると、血液の流れが悪化し、胎盤を通して胎児に供給される酸素や栄養が不足し、胎児発育不全を引き起こすことがある。また低酸素症による脳の障害や、子宮内胎児死亡の原因となりうる。
- 食事療法等で改善がみられない場合に薬物治療が行われるが、Ca拮抗薬、アンジオテンシン変換酵素阻害薬、アンジオテンシンⅡ受容体拮抗薬、利尿薬、β受容体遮断薬など一般の高血圧症治療に用いられる抗高血圧薬のほとんどが妊婦に対して禁忌とされている。一般にはほとんど用いられないが、妊婦によく用いられる降圧薬は、ヒドララジンとメチルドパである(「高血圧症治療薬」p.267、258参照)。
- 妊娠中の降圧薬の選択には、児に対する催奇形性の有無と、腎血流量や子宮

胎盤血流量を減少させないことを考慮に入れる。

〈妊娠糖尿病〉

- 妊娠中に血糖値が高くなったり、血糖値が高い状態が初めて発見された場合を、妊娠糖尿病という。妊娠末期に急速に成長する胎児にブドウ糖を供給するための合目的的な母体の変化として高血糖状態が起こりやすくなると考えられている。
- 食事療法を行っても血糖値がコントロールできない場合は、薬物治療が行われるが、一般に用いられる糖尿病治療薬のほとんどが妊婦には禁忌とされており、現状で妊娠糖尿病の治療薬は原則インスリン(「糖尿病治療薬」p.378参照)のみである。

　胎児が健康に育つためには、母体の健康が第一であり、必要な薬を使って、母体の健康を保つことが大切である。胎児への悪影響を心配するあまり、妊婦が必要な薬物治療を拒むことがないように薬剤師がアドバイスすることも大切である。

表1-1-8　妊娠による母体の薬物体内動態の変化

① 腎機能の変化	妊娠中は、腎血流量が増えて、腎クリアランスが高まる。腎排泄型の薬物(例：アンピシリン)は、排泄が速くなり、薬効が低下。
② 分布容積の変化	妊娠中は、血漿容積、心拍出量が増える。体水分量は平均8L増加し、その6割は胎盤、胎児および羊水に、残りの4割は母体の組織に分布する。このため、多くの薬物の血中濃度が低くなる。
③ タンパク結合の変化	妊娠中は、薬物の血中タンパク結合率が低下し、遊離型の薬物が増加し、作用が強く現れやすい。特にフェニトイン、バルプロ酸などの抗けいれん薬は要注意。

CHECK

次の記述について、正しいものには「○」を、間違っているものには「×」をつけてその理由を簡潔に述べなさい。

1 　一般に高齢者は、中枢抑制薬への感受性が高い。
2 　ゾルピデムの催眠作用は、女性より男性で強く発現しやすい。
3 　腎機能が障害されると、腎排泄型薬物の作用が強く現れることがある。
4 　甲状腺機能が亢進すると、アドレナリンβ受容体刺激薬の心機能増大作用が強く現れる。
5 　アセトアルデヒド脱水素酵素の活性が低い人は、飲酒後に血中アセトアルデヒド濃度が上昇しやすい。
6 　薬物アレルギーは、必ず治療用量より多い用量で起こる。
7 　心理的要因は、薬物療法の治療効果に含まれない。
8 　臨床試験の二重盲検試験では、どんな薬を投与したかを患者も医師も知らない。
9 　妊娠1カ月目は、薬物の催奇形性に最も気をつけなければならない時期である。
10　妊娠中の女性が抗てんかん薬を使用する場合には、多剤投与が望ましい。
11　妊娠後期の女性が非ステロイド性抗炎症薬を服用すると、新生児が胎児循環持続症になることがある。
12　妊娠高血圧症候群には、ヒドララジンやメチルドパが用いられる。
13　妊娠糖尿病には、α-グルコシダーゼ阻害薬が用いられる。

【解答】
1 　○
2 　×　男性より女性で作用が強く出やすい。
3 　○
4 　○
5 　○
6 　×　治療用量よりもはるかに少ない用量でも起こる。
7 　×　真の薬効でなくても、心理的要因によって患者の症状が軽減することも、実際の治療効果には含まれる。
8 　○
9 　×　薬の催奇形性が最も問題となるのは、胎児の器官形成が起こる妊娠2～4カ月めである。
10　×　多剤で催奇形性が高まると報告されているので、単剤が望ましい。
11　○
12　○
13　×　α-グルコシダーゼ阻害薬を含め、一般の糖尿病治療に用いられる多くの薬物が妊婦に対しては禁忌。妊婦に使用できるのは原則インスリンのみ。

5 薬理学実験

到達目標
● 薬効や副作用に関する薬理実験の代表的な研究方法とデータの解析について説明できる。

医薬品の有効性・安全性の確認、あるいは薬物の新しい薬理作用の発見、作用機序の解明などのために、実験動物を用いた種々の薬理学実験が行われる。

1）薬物投与法

表1-1-9　代表的な投与法と特徴

投与法	特徴
経口投与 (per os ; p.o.)	薬液を満たした注射筒に取り付けた胃ゾンデを、動物の口から胃内まで挿入し、薬物を胃内に注入する方法である。この場合、薬物は消化管から吸収される。消化管から吸収された薬物は、多くの場合、肝臓における初回通過効果を受けて体循環に入るので、薬物代謝の影響を考慮しなければならない。
腹腔内注射 (intraperitoneal injection; i.p.)	薬液を満たした注射筒に取り付けた注射針を腹腔内に刺入して、薬物を注射する方法である。この場合、薬物は腹腔内の内臓粘膜などから吸収され体循環に入る。
皮下注射 (subcutaneous injection; s.c.)	薬液を満たした注射筒に取り付けた注射針を背部などの皮下に刺入して、薬物を注射する方法である。この場合、薬物は皮下の粘膜から吸収され体循環に入る。
皮内注射 (intradermal injection; i.d.)	真皮内もしくは皮層実質中に薬液を注入する方法である。ツベルクリン反応など皮膚の局所反応を調べるときや皮膚に限局した作用を期待するときに用いる。
筋肉内注射 (intramuscular injection; i.m.)	一般的に背部、腰部、大腿部などの筋肉の多い部位を選んで、注射針を皮下に刺し、さらに深く筋肉内に刺入して薬液を静かに注入する。薬物は注射した局所の血管を透過して体循環に入る。
静脈内注射 (intravenous injection; i.v.)	基本的に体のどこの静脈に注射してもよいが、覚醒動物に静脈内注射するときは、マウスやラットの場合は尾静脈、ウサギの場合は耳の縁にある静脈、イヌの場合は前肢または後肢の皮膚静脈より投与することが多い。麻酔した動物を使用した実験では、皮膚を切開し、大腿部の静脈などを直接目視しながら、静脈内に針またはチューブを挿入して、薬液を投与することもできる。
脳室内注射 (intracerebroventricular injection; i.c.v.)	特に脳神経系に対する薬物の作用を調べるときには、脳脊髄液が流れる脳室内に薬液を注入することがある。

2) 丸ごとの動物を用いた薬理試験法

いくつかの例外を除き、医薬品はヒトの疾患に適用するために開発される。実験動物レベルで、特定の疾患への治療効果を評価・解析するために、様々な薬物や処置によって病態に近い状態（モデル）の作出法が考案され、それに対する被験薬の効果がテストされている。

丸ごとの動物を用いた試験法の最大の利点は、生体利用率を含めた薬効が評価できる点である。しかし、動物の行動や生体反応は様々な要因で影響されるため、各試験法で測定される指標が薬物によって影響されたからといって、目的とする薬理作用を検出できたとは限らないことに注意しなければならない。例えば、酢酸ライジング試験法（表1-1-10参照）において、希酢酸の腹腔内注射により誘発されるマウスのライジング反応が被験薬によって抑制された場合でも、その薬物が鎮痛作用を有しているとは限らない。薬物に鎮静・催眠作用や筋弛緩作用があって動物の動きが少なくなっただけかもしれない。解釈の誤りを避けるためには、機序の異なる複数の試験法を組み合わせて確かめることが必要である。

どの動物を用いるかによって、成績が大きく変わることがあるので、的確な動物種の選択が要求される。薬理学実験に使用される動物には、マウス、ラットおよびモルモットの他、ウサギ、イヌ、ネコ、サル、ハムスターなどがある。動物によって薬物の作用が異なる理由としては、組織や細胞の構造的な違い、機能的な違い、薬物受容体の分布の違い、薬物の吸収・分布・代謝・排泄の違いなどが考えられる。

表1-1-10　丸ごとの動物（whole animal）を用いた薬理試験法の例

評価される作用	試験法	概要
催眠・鎮静作用	ヘキソバルビタール催眠延長試験	ヘキソバルビタールは、バルビツール酸系催眠薬の一つで、$GABA_A$受容体機能を亢進して中枢抑制作用を示す。動物にヘキソバルビタールを投与して睡眠時間を測定し、被験薬の併用によってそれが延長すれば、催眠・鎮静作用があると評価される。
鎮痛作用	定圧刺激法（Haffner法など）	動物に侵害刺激を与える方法として、定圧刺激法、閾値圧刺激法、輻射熱刺激法、伝導熱刺激法などが考案されている。Haffner法は定圧刺激法のひとつで、ラットやマウスの尾部をクレンメなどではさむと、マウスが後ろを振り向き取り除こうとする。被験薬の投与によって、この反応が抑制されれば、機械的刺激に対する鎮痛作用があると評価される。モルヒネなどの麻薬性鎮痛薬は有効であるが、NSAIDsなどは無効である。
鎮痛作用	酢酸ライジング試験	希酢酸を動物の腹腔内に投与すると、後肢を伸展し腹部を細くして体幹をねじり腹筋を間欠的に収縮させる苦悶症状（ライジングwrithing）が現れる。被験薬の投与によってこの反応が抑制されれば、化学的刺激に対する鎮痛作用があると評価される。ただし、ライジング反応が痛みによって発現しているという確固たる証拠がないため、仮性疼痛反応の一種として扱われる。また、鎮痛以外の作用によってもライジング反応が抑制されることがあることなどの問題はあるが、NSAIDsのような痛覚過敏を抑制する薬物の作用も検出できるので、鎮痛効果をもつ可能性のある薬物を広く検索する方法として利用されている。

抗精神病作用	条件回避反応試験（「統合失調症治療薬」p.143参照）	例えば、ラットを箱に入れ、ブザー音や光（条件刺激）を与えた直後に電撃（無条件刺激）を与えてラットが回避することを繰り返すと、ラットは条件付けされ、無条件刺激を与えなくても条件刺激を与えただけで逃げるようになる。これを条件回避反応という。クロルプロマジンやハロペリドールを与えると、周囲の状況に無関心になり、音や光にも動じなくなり、条件回避反応が起こらなくなるが、無条件刺激を与えると回避反応は起こる。条件回避反応は、統合失調症の陽性症状の指標と考えられている。
抗不安作用	葛藤（コンフリクト）試験（「神経症治療薬」p.152参照）	葛藤状態とは同時に起こる二つの相反する状況の中で悩んでいる状態をさす。たとえば、水や餌を絶たれた動物にとって、水や餌は報酬刺激であり、レバーを押すと水や餌が得られる装置に置かれるとレバーを頻繁に押し続けるようになる。しかし、レバーを押すと同時に電気刺激などの罰刺激も与えられるとなると、心に葛藤が生じ、レバー押し回数が減少する。被験薬を投与したとき、罰刺激が与えられてもレバー押し回数が減少しなければ、抗不安作用があると評価される。
抗うつ作用	レセルピン誘発眼瞼下垂試験	レセルピンは、脳内モノアミン量を減少させて強い抑うつ状態を生じる（「自律神経系に作用する薬」p.94参照）が、その症状の一つとして、まぶたが下がる状態（眼瞼下垂）が認められる。抑うつが消失すれば眼瞼下垂も消失するので、眼瞼下垂に対する被験薬の影響を観察することで、抗うつ効果を評価する。
抗炎症作用	カラゲニン浮腫法	カラゲニンは、紅藻類からアルカリ抽出により得られる直鎖含硫黄多糖類で、げっ歯類に皮下注射すると炎症を惹起することが知られていた。そこで、マウスなどの足蹠にカラゲニンを皮下注射して浮腫を起こさせ、被験薬が浮腫をどれだけ抑えるかによって、抗炎症作用を評価する。局所性の急性炎症のモデルと考えられている。

3）麻酔動物あるいは摘出臓器を用いた薬理学実験

　薬理学実験は大きく、*in vivo*（"生体内で"という意味）実験、*in situ*（"生体内の本来の場所で"という意味）実験、*in vitro*（"試験管内で"という意味）実験の3つに分けられる。上で概説した丸ごとの覚醒動物を用いた実験は、*in vivo*実験の典型例である。臨床的な医薬品の有効性や安全性を確認するためにも欠かせない実験系であるが、投与した薬物が体内のどこに作用しているのか不明で、作用機序の解析には向かない。

　*in vitro*実験とは、生体から器官、組織、細胞を取り出して行う実験。生体内から体液性、神経性の影響が除かれるので、薬物とその作用点の関係が直接的に観察できる。一定濃度の薬物を組織や細胞に直接与えることができるので、濃度—反応関係を解析することができ、詳細な作用機序の解析も可能である。

　*in vivo*と*in vitro*にはそれぞれ長所と短所があり、それらを補うために、麻酔動物を用いた*in situ*実験が行われることもある。動物は深麻酔した状態で手術を施され、副次的影響がある程度制限された形で目的とする臓器や細胞の反応を直接測定することができる。

表1-1-11　麻酔動物または摘出臓器を用いた薬理試験法の例

①麻酔ラットの坐骨神経-下腿三頭筋標本	深麻酔したラットに手術を施し、坐骨神経に刺激電極をあてて電気刺激を与え、神経筋接合部を介した神経伝達の結果生じる下腿三頭筋の収縮反応を測定する。薬物は、大腿静脈に刺入したカニューレを介して静脈内投与されることが多い。末梢性筋弛緩作用の解析などに用いられる。
②麻酔ラットの観血式血圧測定	深麻酔したラットに手術を施し、頸動脈に装着したカニューレを介して動脈内血圧を直接測定する。血圧の収縮期圧、拡張期圧、脈圧（収縮期圧と拡張期圧の差）、平均血圧そして心拍数の変化を観察する。薬物は、大腿静脈に刺入したカニューレを介して静脈内投与されることが多い。心血管系作用の解析に用いられる。
③モルモット摘出回腸標本	モルモットから回腸を摘出し、酸素を供給した栄養液（タイロード液など）を満たしたマグヌス管中に懸垂して、薬物による収縮および弛緩反応を等張性に記録する。消化管作用薬の解析に用いられる。

1-1 薬の作用機序

CHECK

次の記述について、正しいものには「○」を、間違っているものには「×」をつけてその理由を簡潔に述べなさい。

1 動物に経口投与されて消化管から吸収された薬物は、肝臓における初回通過効果を受けて体循環に入る。
2 丸ごとの動物を用いた実験のことを、*in vitro* 実験という、
3 Haffner 法では、アスピリンの鎮痛作用が再現性よく観察できる。
4 葛藤（コンフリクト）試験は、抗不安作用の解析に用いられる。
5 アジュバント関節炎は、局所性の急性炎症のモデルと考えられている。
6 摘出臓器を用いた実験では、目的とする臓器における薬物の濃度と反応の関係を解析することができる。

【解答】
1 ○
2 ×　*in vivo* である。
3 ×　アスピリンなどの非ステロイド性抗炎症薬は、機械的刺激による痛みには無効である。
4 ○
5 ×　全身性の慢性炎症モデルと考えられ、関節リウマチ治療薬の探索に用いられる。
6 ○

麻酔動物の血圧測定実験

93-135

麻酔した動物の血圧測定実験に関する記述の正誤について、正しい組合せはどれか。

a　アドレナリンを静脈内注射すると、血圧は一過性の上昇ののち、投与前の値より低くなった。この血圧の低下は、アドレナリンの代謝産物がアドレナリン β_1 受容体に作用したためである。

b　フェントラミンを前もって静脈内注射したのち、アドレナリンを静脈内注射すると、血圧は下降した。これは、フェントラミンが血管のアドレナリン α 受容体を遮断したためである。

c　アセチルコリンを静脈内注射すると、血圧は一過性に下降した。この現象は、アセチルコリンが血管平滑筋のムスカリン性アセチルコリン M_1 受容体を刺激したためである。

d　アトロピンを静脈内注射したのち、大量のアセチルコリンを静脈内注射すると、血圧は上昇した。これは、アセチルコリンが交感神経節と副腎髄質のニコチン性アセチルコリン受容体を刺激したためである。

	a	b	c	d
1	誤	正	誤	正
2	正	正	正	誤
3	誤	誤	誤	正
4	正	誤	正	誤
5	誤	正	正	誤

解答と解説：1

a　×　静脈内注射されたアドレナリンは全身の血管に作用し、α_1 受容体が多く分布する腹部内臓の血管では収縮反応が、β_2 受容体が多く分布する骨格筋などの血管では拡張反応が起こる。後者の方が反応の時間経過がやや遅いので、血圧は上昇してから下降する二相性の変化となる。

b　○　フェントラミンは α 受容体遮断薬。フェントラミンの前投与によって血管平滑筋の α_1 受容体が遮断された状態でアドレナリンを静脈内注射すると、アドレナリン β_2 受容体を介した血管拡張（上図（B）の反応）だけが起こるので、血圧は下降する。

c　×　静脈内注射されたアセチルコリンは、血管内皮細胞上の M_3 受容体を刺激して一酸化窒素の産生を促進し、間接的に血管平滑筋の弛緩をもたらす。

d　○　アトロピンの前投与によってムスカリン受容体が遮断された状態で大量のアセチルコリンを静脈内投与すると、ムスカリン受容体を介した降圧反応は抑制され、ニコチン受容体を介した反応が認められる。交感神経節の N_N 受容体と副腎髄質の N_N 受容体がアセチルコリンで刺激されると、交感神経終末と副腎髄質からノルアドレナリンとアドレナリンがそれぞれ遊離され、血管収縮による昇圧反応が起こる。

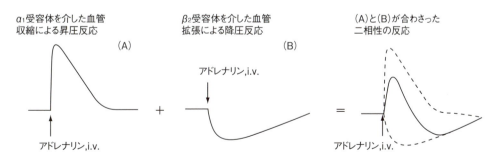

1-2 医薬品の安全性

1 副作用と有害事象

> **到達目標**
> ● 薬物の主作用と副作用、毒性との関連について説明できる。
> ● 薬物の副作用と有害事象の違いについて説明できる。

1. 主作用、副作用、有害事象（毒性）の関係

1）主作用と副作用

医薬品の作用のうち、治療目的または使用目的に合った作用を主作用といい、それ以外の作用を副作用という。すなわち、副作用という用語は、「副次的作用」という意味であり、その作用が有害か無害かは問題にしていない。

ある治療において副作用として扱われた特定の薬理作用が、別の治療においては主作用として役に立つこともある。

例1：抗ヒスタミン薬のジフェンヒドラミンはヒスタミンの作用を抑えるのでアレルギー疾患治療に用いられるが、副作用として鎮静・催眠作用を伴う。しかし、不眠ぎみの人に対して用いる場合には、鎮静・催眠作用が役に立ち、睡眠導入薬として用いることができる。アレルギー疾患治療に用いていたときに副作用として認められた乗り物酔い（動揺病）予防効果は、乗り物酔いしやすい人に用いたときには、有益な作用となる（「催吐薬および制吐薬」p.368参照）。

例2：モルヒネは強力な鎮痛作用を有するので、がん疼痛治療に欠かせないが、投与された多くの患者で副作用として便秘（消化管運動抑制作用）が起こる。しかし、下痢を起こした患者に対しては、このモルヒネの作用が役立ち、止瀉薬として用いることができる（「止瀉薬」p.364参照）。

例3：抗コリン薬はムスカリン受容体を遮断することにより多様な薬理作用を示すが、それらの主作用・副作用としての扱いは、使用目的によって変わる。

表 1-2-1　抗コリン薬の主作用と副作用

使用目的	抗コリン薬の薬理作用			
	散瞳	消化管運動抑制	排尿抑制	眼圧上昇
眼科での診断や治療	主作用	副作用	副作用	副作用
下痢の治療	副作用	主作用	副作用	副作用
頻尿の治療	副作用	副作用	主作用	副作用

- 薬理作用を有する物質である以上、ほとんどすべての医薬品に副作用がある。
- 主作用と副作用は、同じ作用機序に基づいて起こる場合とまったく異なった機序を介する場合がある。統合失調症治療薬のハロペリドールは中枢神経系のドパミンD_2受容体を遮断することにより統合失調症に伴う幻覚・妄想を抑えるが、錐体外路系障害を生じる（「統合失調症治療薬」p.143参照）。異なる脳領域への作用で、主作用と副作用に分かれているだけで作用機序は基本的に同じなのでわけることが難しい。副作用が少ない医薬品を開発するためには主作用と副作用の機序の違いを研究し、選択性を高めることが重要である。
- 医薬品開発の段階で、主作用のほうが現れやすいように設定されているので、ほとんどの医薬品は、主作用のほうが優先的に発現する。しかし、副作用の方が発現しやすい例もまれにある。たとえば、モルヒネ投与によるがん疼痛治療において、鎮痛効果が現れるよりも便秘を訴える患者のほうが多いことが知られている。抗悪性腫瘍薬を投与しても抗がん効果が認められず、有害な副作用だけが生じることもある。副作用が起こることが事前にわかっていても治療目的によっては用いられることがある。患者それぞれにとってのメリットとデメリットのバランスを考慮して、医薬品は使用されるべきである。

2）有害作用（毒性）

表 1-2-1 において、抗コリン薬の眼圧上昇作用は、どの治療目的でも副作用とみなされ、緑内障の悪化という有害な影響しかない。また、腫瘍を発生させる作用（発がん作用）や、胎児の奇形を引き起こす作用（催奇形性作用）などは、医薬品として認められない作用である。このように、生体にとって不利にしかならない作用を有害作用または毒性という。

3）副作用発現の要因による分類

薬の副作用または有害作用（毒性）の発現は、その要因によって次のように分類される。

①過量による副作用（薬理作用の延長上に起こる反応）

処方の誤りや不適当な投与法の結果、過量が投与された場合、その薬物の薬理作用が過度に発現してしまうケース。医師、薬剤師などの医療人のミス、あるいは患者のミスあるいは故意により起こることが多い。

■表 1-2-2　過量による副作用（薬理作用の延長上に起こる反応）の例

薬　　物	薬理作用	毒性症状
プロプラノロール	心抑制	心不全（心停止）
ニフェジピン	血圧下降	過度の降圧による死
ワルファリン	抗凝血作用	出血
フロセミド	利尿作用	脱水症状
ペントバルビタール	催眠作用	昏睡
インスリン	血糖下降	低血糖ショック
エペリゾン	肩こり改善	脱力
ジソピラミド	抗不整脈作用	房室ブロック、心停止

②用量関連性副作用と用量非関連性副作用

用量関連性副作用は、予測がある程度可能となり、治療量と毒性用量が近い場合に起こるものが多い。

一方、用量非関連性副作用は予測がむずかしく致死的になるケースも多く、特異体質や薬物過敏症など、より副作用が強く発現する。

③一般的な用量による副作用

治療上、正確な状態で投与されたときに起こる場合には、次のケースがありうる。

a．薬の作用の選択性が低く、どうしても多かれ少なかれ毒性が発現してしまう場合
- 頻度が高い例では注意したり、発見されやすいが、頻度が低い例では予知と発見はむずかしい。

表 1-2-3　薬の作用の選択性が低く通常量でも副作用が出る例

薬　物	治療目的	副作用（毒性）
抗癌薬	癌細胞抑制	骨髄障害
モルヒネ	鎮痛	便秘、悪心
アトロピン	鎮痙作用	散瞳、口渇
クロルフェニラミン	鼻炎症状の改善	眠気
クロニジン	降圧作用	眠気
アスピリン	解熱鎮痛作用	胃障害
イソプレナリン	抗ぜん息作用	心拍数増加

b．患者のある薬物に対する感受性の亢進が起こるとき
- 体内での薬の代謝、排泄、分布などの異常により、作用部位での薬の濃度が過度に高まった場合
  …代謝酵素活性の遺伝的異常や他の併用薬物との相互作用などが原因となりうる。

例：血漿コリンエステラーゼの遺伝的欠乏患者ではスキサメトニウムに対する骨格筋の反応は異常に亢進し、呼吸麻痺などが起こる。

例：エリスロマイシンとテルフェナジンの併用を行うと、前者は後者の代謝を阻害し、テルフェナジン未変化体が血中に増え、心室性不整脈をきたす。

- 生体組織自体の薬に対する感受性が高まった場合
  …遺伝的異常や病気の過程で発現する感受性亢進現象などが原因となりうる。

例：気管支ぜん息患者の気管支はアセチルコリンなどに対し100倍も感受性が高まっている。

4）重篤な副作用

重症・中等症・軽症という分類は、疾患の予後判定や治療方針の決定のために、医療現場で用いられる表現で、疾患・症状ごとの異なった基準に応じて個別に判断される。一方、重篤という概念は、副作用報告制度を含む薬事規制の

場で用いられ、個々の症状や発生頻度に関係なく、死亡、入院、障害、先天異常といった重大な結果に至るものに適用される用語である。

とくに重篤な健康被害につながる可能性のある副作用について、「重篤副作用疾患別対応マニュアル」が作成され、厚生労働省と独立行政法人医薬品医療機器総合機構のホームページ上に掲載されている（表1-2-4）。

■表 1-2-4　重篤副作用疾患別対応マニュアルの一覧

部位・領域	副作用名
皮膚	スティーブンス・ジョンソン症候群（皮膚粘膜眼症候群）、中毒性表皮壊死症（中毒性表皮壊死融解症）、薬剤性過敏症症候群、急性汎発性発疹性膿疱症、薬剤による接触皮膚炎
肝臓	薬物性肝障害（肝細胞障害型薬物性肝障害、胆汁うっ滞型薬物性肝障害、混合型薬物性肝障害、急性肝不全、薬物起因のほかの肝疾患）
腎臓	急性腎不全、間質性腎炎（尿細管間質性腎炎）、ネフローゼ症候群、急性腎盂炎、腫瘍崩壊症候群、腎性尿崩症
血液	再生不良性貧血（汎血球減少症）、薬剤性貧血、出血傾向、無顆粒球症（顆粒球減少症、好中球減少症）、血小板減少症、血栓症（血管塞栓症、塞栓症、梗塞）、播種性血管内凝固（全身性凝固亢進障害、消費性凝固障害）、血栓性血小板減少性紫斑病（TTP）、ヘパリン起因性血小板減少症（HIT）
呼吸器	間質性肺炎、非ステロイド性抗炎症薬による喘息発作、急性肺損傷・急性呼吸窮迫症候群（急性呼吸促迫症候群）、肺水腫、急性好酸球性肺炎、肺胞出血（肺出血、びまん性肺胞出血）、胸膜炎、胸水貯留
消化器	麻痺性イレウス、消化性潰瘍、偽膜性大腸炎、急性膵炎（薬剤性膵炎）、重度の下痢
心臓・循環器	心室頻拍、うっ血性心不全
神経・筋骨格筋	薬剤性パーキンソニズム、白質脳症、横紋筋融解症、末梢神経障害、ギラン・バレー症候群、ジスキネジア、痙攣・てんかん、運動失調、頭痛、急性散在性脳脊髄炎、無菌性髄膜炎、小児の急性脳症
卵巣	卵巣過剰刺激症候群（OHSS）
精神	悪性症候群、薬剤惹起性うつ病、アカシジア、セロトニン症候群、新生児薬物離脱症候群
代謝・内分泌	偽アルドステロン症、甲状腺中毒症、甲状腺機能低下症、高血糖、低血糖
過敏症	アナフィラキシー、血管性浮腫、喉頭浮腫、非ステロイド性抗炎症薬による蕁麻疹／血管性浮腫
口腔	ビスホスホネート薬剤による顎骨壊死、薬物性口内炎、抗がん剤による口内炎
骨	骨粗鬆症、特発性大腿骨頭壊死症
泌尿器	尿閉・排尿困難、出血性膀胱炎
感覚器（眼）	網膜・視路障害、緑内障、角膜混濁
感覚器（耳）	難聴（アミノグリコシド系抗菌薬、白金製剤、サリチル酸剤、ループ利尿薬による）
感覚器（口）	薬物性味覚障害
癌	手足症候群（抗がん剤による）

〈注目されている副作用〉

①スティーブンス・ジョンソン症候群（Stevens-Johnson syndrome：SJS、皮膚粘膜眼症候群）

　38℃以上の発熱、目の充血、めやに（眼分泌物）、まぶたの腫れ、目が開けづらい、口唇や陰部のびらん、咽頭痛、紅斑などの症状が早期に認められる。抗菌薬、解熱鎮痛薬、非ステロイド性抗炎症薬、抗てんかん薬をはじめ、広範囲にわたる医薬品によって発症することが報告されている。医薬品または感染に起因する免疫・アレルギー反応により発症すると考えられているが、発症機序に関する統一見解は得られていない。

②中毒性表皮壊死症（Toxic epidermal necrolysis：TEN、ライエル症候群）

　広い皮膚壊死に全身合併症（例えば、肝炎、糸球体腎炎）を併発した、急性の生命を脅かす水疱形成性の皮膚疾患。全身の皮膚表皮が真皮と分離して重篤な感染症を招く。TEN は SJS と連続した概念で、体表面の 3 割以上に病変があると TEN とされ、1 割以下の場合は SJS とされる。

③間質性肺炎

　肺胞の壁やその周辺に炎症が起こって酸素の取り込みが悪くなり、息切れ（呼吸困難）、空咳、発熱などの症状が現れ、肺線維症に進行することもある。肺がん治療薬のゲフィチニブや漢方薬の小柴胡湯により引き起こされる。

④横紋筋融解症

　骨格筋細胞が壊死して筋成分が血中へ漏出する病態で、大量のミオグロビンが尿細管の障害を起こして急性腎不全となることもある。筋肉痛、手足のしびれや脱力、赤褐色尿、血清クレアチンキナーゼ値の上昇などに注意が必要である。脂質異常症治療薬（スタチン系とフィブラート系）、ニューキノロン系抗菌薬、アンギオテンシンⅡ受容体拮抗薬などの副作用として知られている。

2. 有害事象

　医療現場では、有害事象という用語も用いられる。これは、医薬品が投与された患者に発生するすべての好ましくない、意図しない出来事（徴候、症状、疾病）を包括的に表現した用語である。医薬品に起因するものに加えて、医薬品との因果関係が特定できないものも含まれる。

　医薬品が有害反応を生じる可能性を最小限にするため、わが国では厚生労働省が「医薬品の安全性試験の実施に関する基準」（Good Laboratory Practice; GLP）を制定し、新規医薬品開発はこの GLP に基づいて非臨床安全性試験が行われている。

　その試験で課せられている項目には、表 1-2-5 に示したようなものがある。

■表 1-2-5　毒性試験の分類（安全性試験の項目）

試験項目	内　容
①単回投与毒性	小動物を用い、1回大量投与時のおよその最小致死量、または毒性徴候を現す量を把握する。
②反復投与毒性	実験動物に低用量から中用量を、臨床での予想使用期間に応じ、1、3または6カ月間投与する。その毒性発現を、病理組織学的、臨床化学的に検討する。
③生殖・発生毒性	1）妊娠（交尾）前に雌雄の動物に薬を投与。 2）妊娠中に母体動物に薬を投与。 3）出産後および授乳期に母体動物に薬を投与。それによる生殖、胎児の正常性、出生児の発育と成熟を調べる。
④癌原性	実験動物に薬を2〜3年間投与して、癌の発生の有無をみる。
⑤局所刺激性	外用医薬品など皮膚や粘膜や眼に接触する可能性のあるものが試験される。塗布や点眼で炎症などが起こるかどうかを調べる。
⑥光毒性	
⑦遺伝毒性	DNAに損傷を与えて突然変異を起こすことを変異原性という。体細胞に作用すると癌化や老化と関係し、生殖細胞に作用すると催奇形性や後世代への遺伝的悪影響と関係する。
⑧抗原性	
⑨光感作性	実験動物の皮膚に薬を塗布後、紫外線を照射し、その3週間後に同様の処置をする。紫外線を照射した塗布部位のみに障害が発現した場合、この薬は感受性陽性とする。紫外線により薬物が励起され、反応性中間体になり、これがタンパク質と共有結合して異種タンパクとなり抗原性を獲得することになると考えられる。
⑩依存性	薬を連続投与して身体および精神依存性の有無を検討する。

CHECK

次の記述について、正しいものには「○」を、間違っているものには「×」をつけてその理由を簡潔に述べなさい。

1　副作用とは、生体にとって有害な薬の作用をさす。
2　抗コリン薬の眼圧上昇作用は、有害作用である。
3　薬物の有害作用は、過量投与したときのみ発現する。
4　シンバスタチンは、横紋筋融解症を起こすことがある。
5　アミオダロンは、肺線維症や間質性肺炎を起こすことがある。
6　小柴胡湯は漢方薬なので、副作用は発現しない。
7　医薬品が投与された患者に発生する好ましくない出来事について、医薬品との因果関係が特定できない場合は、有害事象に含めない。

【解答】
1　×　副作用とは、使用目的に合わない薬の作用であり、必ずしも有害な作用ではない。目的によっては、主作用として役立つこともある。
2　○
3　×　通常量でも有害作用が現れる薬物は多数ある。抗悪性腫瘍薬はその典型例である。
4　○
5　○
6　×　小柴胡湯は、副作用（有害作用）として間質性肺炎を起こすので注意が必要である。
7　×　因果関係が特定できない場合もすべて含めて、有害事象と言う。

2 連用に伴う薬効の変化

到達目標
● 薬物依存性、耐性について具体例を挙げて説明できる。

1. 蓄 積（accumulation）

　体外への排泄速度が遅い薬物の場合、反復投与により体内に蓄積して中毒を起こす恐れがあるので、投与量と投与間隔に注意が必要である。たとえば、強心配糖体のジギトキシンは、腸肝循環を起こすため血中半減期が長く、蓄積を起こしやすい（「強心配糖体」p.224 参照）。バルビタールやワルファリンも蓄積作用を起こしやすい。
　一般に、脂溶性の高い薬物は蓄積しやすいと考えられている。

2. 耐 性（tolerance）

　薬物の反復投与に伴って薬物の効果が次第に弱くなり、初期の効果を得るために投与量を増加することが必要になった状態を耐性という。
　麻薬性鎮痛薬、バルビツール酸誘導体、アルコール、覚醒剤などの依存性薬物では耐性を形成するものが多く知られているが、依存性のない薬物（ニトログリセリンなど）でも耐性が形成されることがある。
　耐性を形成した薬物と化学構造や薬理作用が類似した薬物に対しても反応が弱くなることがあり、交叉耐性とよばれる。たとえば、アルコールに耐性となった場合には、催眠薬や全身麻酔薬などの中枢抑制薬にも耐性を示すことがある。
　耐性が形成される機序としては、次のように、薬物動態の変化や生体の反応性の変化などが考えられる。

1）薬物動態の変化

　薬物の反復投与により、その薬物を代謝する酵素が増加することがあり、酵素誘導という。その結果、薬物の代謝が促進され、薬効の発現に必要な血中濃度が得られなくなる。抗てんかん薬のフェノバルビタールなどで知られており、薬物相互作用（併用薬の作用減弱）の一因となる。
　トランスポーターの変化により、薬物の分布や作用部位からの排出が変化することも考えられる。

2）生体の反応性の変化

薬物の受容体を反復刺激すると、受容体の脱感作が起こり、受容体に対する刺激が細胞内の情報伝達系に伝わらなくなり、生体の反応性が低下することがある。

アレルギーの治療においては、アレルギーの原因物質を定期的に投与してアレルギー反応を軽減することを、脱感作または減感作という。

薬物によって受容体が反復刺激されると、細胞膜の受容体が細胞内に移行して分解され、細胞膜上の受容体数が減少することがあり、この現象を受容体のダウンレギュレーションという。β受容体はダウンレギュレーションを起こしやすいことが知られている（1-1-4「薬効に影響を及ぼす要因」p.38 参照）。

受容体のダウンレギュレーションは、治療に応用されることもある。たとえば、リュープロレリンは、性腺刺激ホルモン放出ホルモン（LH-RH）受容体の強力なアゴニストで、単回投与では性腺刺激ホルモンの分泌を促進するが、反復投与では LH-RH 受容体のダウンレギュレーションを起こし、性腺刺激ホルモンの分泌低下をもたらし、性ホルモン分泌を抑制する（「ホルモン」p.404 参照）。

3）タキフィラキシー（tachyphylaxis）

薬物耐性のうち、比較的短時間内の反復投与によって速やかに反応性が低下する現象は、タキフィラキシー（速成耐性）とよばれる。

エフェドリンやチラミンのような間接型の交感神経興奮様作用を示す薬物で観察される。ノルアドレナリントランスポーターを介して交感神経終末に取り込まれたエフェドリンやチラミンは、交感神経終末からノルアドレナリンを遊離させる。遊離されたノルアドレナリンの多くは神経終末のシナプス小胞に再び取り込まれて神経伝達物質として再利用されるが、エフェドリンやチラミンの投与間隔が短いと、シナプス小胞へのノルアドレナリンの補給が間に合わず、ノルアドレナリンの貯蔵量と遊離量が減少する。動物にエフェドリンやチラミンの静脈内投与した場合に生じる血圧上昇反応は、投与間隔が短いとタキフィラキシーが生じる（「交感神経系に作用する薬」p.82 参照）。

■図 1-2-1　チラミンの昇圧作用のタキフィラキシー

抗菌薬や抗ウイルス薬などを連用すると、耐性が生じることがあるが、この場合は、薬物の標的となる細菌やウイルスの性質が変化して薬物が効かなくなることが原因である（「抗菌薬」「抗ウイルス薬」p.446、486 参照）。

人体の変化によって起こる耐性の発現を防ぐには、薬をできるだけ少量で十分投与間隔をあけて使用することが重要である。一方、抗菌薬や抗ウイルス薬に対する細菌やウイルスの耐性獲得を防ぐには、逆に、十分な量の薬を決められた間隔で投与しきることが重要である。不十分な投与は、かえって耐性菌や耐性ウイルスの発現を増長することに注意しなければならない。

3. 依存性 (drug dependence)

1) 精神的依存と身体的依存

薬物依存とは「生体と薬物の相互作用の結果生じた生体の精神的、時には精神的／身体的状態をさし、この状態は薬物の精神効果を体験するため、また時に退薬による苦痛から逃れるために、薬物を絶えずまたは周期的に摂取することへの強迫を必ず伴う行動やその他の反応によって特徴づけられる」と定義されている。

薬物依存は、精神的依存と身体的依存に分類される。

精神的依存	ある薬物の特定の薬理効果を体験するためにヒトや動物がその薬物を摂取することへの強迫的欲求（渇望）を持つ状態をいう。
身体的依存	ある薬物が体内に長時間に渡って存在し、効果を発現し続けた場合、生体はその薬物が存在している状態に適応した状態を示し、減薬・休薬などにより、その効果が急激に減弱、あるいは消失した場合に様々な病的症候、すなわち退薬症候（離脱症状、禁断症状）が発現する。

薬物依存を形成しやすい薬物に共通しているのは、脳に作用して精神に影響を及ぼす作用があることである。そして、強さに差はあるものの、すべての依存形成薬物は、精神依存を伴う。精神依存が乱用をもたらすからである。

依存形成薬物の中枢神経に対する作用は、表1-2-6に示したように、興奮性か抑制性か、幻覚を生じるかどうかによって、大きく3つに分けられる。一般に、中枢神経抑制薬は、精神的依存と身体的依存を形成するが、中枢神経興奮薬や大麻は、顕著な身体的依存を形成しないと考えられている。

表1-2-6 依存形成薬物の分類

薬物	中枢神経に対する作用	幻覚を起こす作用	精神的依存	身体的依存
アヘン、モルヒネ類	抑制	−	+++	+++
バルビツール酸系薬物	抑制	−	++	++
ベンゾジアゼピン系薬物	抑制	−	+	+
アルコール	抑制	−	++	++
コカイン	興奮	−	+++	−
覚醒剤（メタンフェタミン、アンフェタミン）	興奮	−	+++	−
ニコチン	興奮	−	++	+
メスカリン、LSD	興奮	+++	+	−
MDMA	興奮	++	+++	−
大麻（主成分：テトラヒドロカンナビノール）	抑制／興奮	++	+	±
シンナー（トルエン）	抑制	+	+	±

＋の数が多いほど強いことを意味する。

- ニコチンは、中枢神経興奮作用を示すが、精神的依存と身体的依存の両方を生じることが明らかになってきた。ニコチン依存症の離脱症状として、イライラする、集中できない、頭痛、睡眠障害（眠いまたは眠れない）、便秘などが現れ、それを解消しようとして強迫的にタバコを吸い続けることになる。
- ベンゾジアゼピン系薬物は、比較的安全性が高いといわれていたが、近年、医師による過剰な処方によって、長期使用した患者が薬物依存に陥るケースが増え、問題となっている。2017年3月に厚生労働省は、ベンゾジアゼピン系薬物に対して「承認用量の範囲内でも、薬物依存が生じる。漫然とした継続投与による長期使用を避けること」「投与を中止する場合には、徐々に減量するなど慎重に行うこと」などと使用上の注意に明記することを求めた。

2）薬物依存形成の機序

脳の腹側被蓋野から側坐核に至るドパミン作動性神経は、様々な刺激や行動の成果に伴って活性化され、報酬効果を生み出すため、脳内報酬系とよばれる。
- 依存形成薬物は共通して、脳内報酬系におけるドパミン遊離を促進する。
- モルヒネは、ドパミン作動性神経に抑制をかけているGABAの働きを抑えて、ドパミン作動性神経の興奮を高める。
- コカインは、ドパミン作動性神経終末のトランスポーターを阻害して、ドパミン濃度を高める。
- 覚醒剤は、ドパミン作動性神経からドパミンを放出させる。機序は異なるものの、結果的にドパミン遊離量を増やす点では同じである。

3）薬物依存に対する薬物治療

覚醒剤による幻覚に対しては、ハロペリドールなどのドパミン D_2 受容体遮断薬が用いられ、興奮に対してはベンゾジアゼピン系薬物やクロルプロマジンなどの鎮静作用の強い薬物が用いられることがある。
- ニコチン依存症に対する治療法として、ニコチンパッチやニコチンガムを用いた置換療法や、バレニクリンの内服がある（p.102参照）。
- アルコール依存症に対する治療薬として、アカンプロサートがある（p.126参照）。
- 合成オピオイドのメサドンは、モルヒネと同じくオピオイドμ受容体を刺激して鎮痛作用を示すが、半減期が24〜48時間と長く、比較的乱用されにくい（p.133参照）。
- ブプレノルフィンは、強力な鎮痛効果をもちながら、不快な精神刺激作用を示さない化合物が探索された結果見出された麻薬拮抗性鎮痛薬で、依存形成が比較的起こりにくい（p.134参照）。

モルヒネやヘロイン（ジアセチルモルヒネ）の依存患者に対して、代わりにメサドンやブプレノルフィンを使用することで、オピオイド依存から脱却させることが可能であり、代替維持療法とよばれる。

1-2 医薬品の安全性

CHECK

次の記述について、正しいものには「○」を、間違っているものには「×」をつけてその理由を簡潔に述べなさい。

1 強心配糖体のジギトキシンは、蓄積作用を生じる。
2 依存性のない薬物は、耐性を生じない。
3 アルコールに耐性となった場合には、催眠薬や全身麻酔薬などの中枢抑制薬にも耐性を示すことがある。
4 リュープロレリンは、反復投与でLH-RH受容体のダウンレギュレーションを起こす。
5 薬物耐性のうち、比較的短時間内の反復投与によって速やかに反応性が低下する現象は、アナフィラキシーと呼ばれる。
6 人体の変化によって起こる耐性の発現を防ぐには、薬をできるだけ少量で十分な投与間隔をあけて使用することが重要である。
7 薬物依存性には、精神的依存と身体的依存がある。
8 精神的依存では離脱症状は生じない。
9 中枢神経抑制薬は、中枢神経興奮薬に比べて、身体的依存を起こしにくい。
10 依存形成薬物は共通して、脳内報酬系におけるドパミン遊離を促進する。

【解答】
1 ○
2 × 例えば、ニトログリセリンは依存性がないが、耐性を生じる。
3、4 ○
5 × タキフィラキシー（速成耐性）とよばれる。
6、7、8 ○
9 × 中枢神経抑制薬は、身体的依存を起こしやすい。
10 ○

Chapter 2

薬の効き方

2-1 神経系に作用する薬

1 自律神経系に作用する薬

> **到達目標**
> - 交感神経系に作用し、その支配器官の機能を修飾する代表的な薬物を挙げ、薬理作用、機序、主な副作用を説明できる。
> - 副交感神経系に作用し、その支配器官の機能を修飾する代表的な薬物を挙げ、薬理作用、機序、主な副作用を説明できる。
> - 神経節に作用する代表的な薬物を挙げ、薬理作用、機序、主な副作用を説明できる。

1. 自律神経系の基礎生理

※1：内臓痛覚は体性感覚とは性質が異なる点もあり、これに関与する求心性神経は知覚神経とまったく同じであるとは考えにくいので、これを自律神経系に入れることもある。

※2：NANC神経の伝達物質
 ：(興奮性)タキキニン(サブスタンスP、ニューロキニンA)
 ：(抑制性) NO、VIP

〈末梢神経系〉※1

```
自律神経系          ┌─ 交感神経 (Sympathetic nerve)
         遠心性 ─┤
                   └─ 副交感神経 (Parasympathetic nerve)
         求心性 ─── 非アドレナリン非コリン作動性神経 (NANC神経)※2
                ─── 内臓知覚神経

体性神経系 ┌ 運動神経……遠心性
          └ 知覚神経……求心性
```

1）自律神経系

自律神経系（autonomic nervous system）は、図2-1-1に示すように脳脊髄から出て、心臓および各種平滑筋・分泌腺などに広く分布し、各臓器の機能を調節している。

①交感神経系と副交感神経系
- 自律神経系は解剖学的および機能的に交感神経系（sympathetic nervous system）と副交感神経系（parasympathetic nervous system）に分類される。
- 交感神経系は胸髄、腰髄から、副交感神経系は、中脳、延髄および仙髄から発する（脊髄から末梢に遠心性に出る神経は脊髄の前根を経て出ていく）。

②上位中枢
- 自律神経系は各臓器の機能を自律的に調節するために中枢と末梢間での反射経路をなしている。これを総括する上位中枢が視床下部と延髄に存在する。

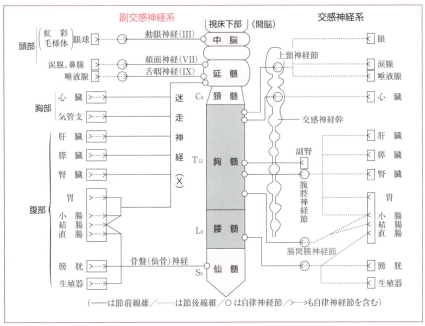

図 2-1-1　自律神経の分布（遠心性）

- 視床下部は下垂体に対して神経線維を送っており、ホルモン分泌を調節し、また大脳辺縁系とも密接な関係にあり、両者一体となって働く。したがって、自律神経系は単に神経性調節だけでなく、体液性調節にも重要な役割を果たしている。

③ **自律神経系の特徴**
- 脳脊髄から出た神経線維（節前線維）は、自律神経節でニューロンを交代し、節後線維が支配臓器（効果器官）に達する。
- 交感神経系の神経節は、効果器官から離れた交感神経幹・腹腔神経節などにあるのに対し、副交感神経系の神経節は一般に効果器官にある。したがって、節後線維は交感神経系では長く、副交感神経系では短い（図2-1-1）。
- 副腎髄質は例外で、交感神経節前線維の直接支配を受け、節後線維を欠いている（図2-1-1）。
- 自律神経の興奮性や活動様式は意志の支配を受けず反射によって変化する。
- 一般に、一つの臓器に交感、副交感神経が二重支配し、多くの臓器で相互に相反作用を及ぼす（拮抗的二重支配）（表2-1-2）。
  〈例外〉血管、心室筋などは一般に交感神経単独支配。
- 両系は、絶えず一定の興奮状態を持続し、効果器官に一定のインパルスを送っている（緊張性支配）。
- 神経節および、節後線維と効果器官とのシナプスは、薬物に対して敏感な部位である。

④ **交感神経と副交感神経の役割**
- 両神経系は、前述したように一般には拮抗的二重支配がされている。それぞ

■表2-1-1　交感神経および副交感神経の役割

交感神経	副交感神経
①Fight（闘争）and flight（逃避）時に活動亢進〔緊急時〕。 ②エネルギー消費方向に働く。 ③広範囲に一括して働く。 ④日常の生命維持にとって不可欠ではない（ただし環境に対応できず、危険に陥りやすいが）。	①睡眠（平常）時に活動高い。 ②エネルギー保存・回復方向に働く。 ③局部的にきめ細かく働く。 ④日常の生命維持に不可欠。

れの役割を大局的にみると表2-1-1のようである。

- 交感神経は緊急時に主役を演じるが、少数の基幹経路（節前線維）から瞬時に同様にくまなく末端にまで指令が行きわたるように、副交感神経の場合とシナプス比（節前線維：節後線維比）が異なる。
- 交感神経では（図2-1-2）に示したようにシナプス比が約1：20〜30である。すなわち節前線維1本に対して神経節の部位で節後線維20〜30本と接続する。

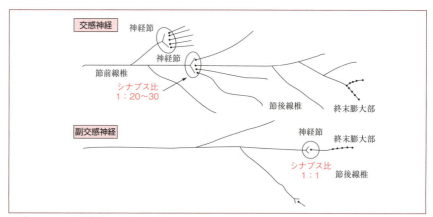

■図2-1-2　交感神経・副交感神経の神経節シナプス比

- これに対して、副交感神経ではシナプス比はほぼ1：1であり、きめ細かい効果器官の調節が行われている。
- 両神経系ともその節後線維末端は数珠状または網状に膨大部（終末膨大部）をつくっていて、その膨大部にはシナプス小胞が存在し、そこからノルアドレナリンやアセチルコリンが効果器側に遊離される。

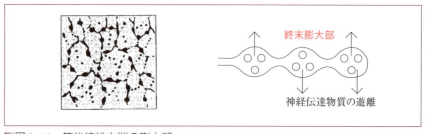

■図2-1-3　節後線維末端の膨大部

⑤自律神経系における神経伝達物質と受容体

- 1つのニューロンの神経終末が他のニューロンまたは効果器官に接する部分をシナプスという。
- 自律神経系における節前線維 - 節後線維、節後線維 - 効果器官のシナプスにおける興奮の伝達は、神経終末（シナプス前膜）から遊離される特殊な化学物質を介して行われる。この化学物質を神経伝達物質という。
- 神経興奮により遊離した伝達物質は、シナプス後膜にある受容体に結合し、興奮を細胞に伝達する。
- アセチルコリン（ACh）を化学伝達物質とする神経をコリン作動性神経、ノルアドレナリン（NA）を化学伝達物質とする神経をアドレナリン作動性神経という。
- 交感神経節後線維のみがアドレナリン作動性神経であるが、例外として汗腺（交感神経支配）の節後線維はコリン作動性神経である。なお、自律神経系ではないが運動神経はコリン作動性神経である。
- コリン作動性神経の支配するシナプス後膜にはACh受容体がある。この受容体にはムスカリンに感受性の高いムスカリン受容体と、ニコチンに感受性の高いニコチン受容体とがある。前者の受容体が興奮したとき現れる作用をムスカリン様作用、後者のそれをニコチン様作用という。ムスカリン受容体はM_1、M_2、M_3受容体などに分類され、ニコチン受容体はN_N、N_M受容体に分類される。

自律神経	（シナプス後膜）受容体
コリン作動性神経	
・交感神経節前線維	ニコチン受容体
・副交感神経節前線維	ニコチン受容体
・副交感神経節後線維	ムスカリン受容体
・汗腺分泌神経の節後線維	ムスカリン受容体
・副腎髄質分泌神経	ニコチン受容体
アドレナリン作動性神経	
・交感神経節後線維	α_1、α_2、β_1、β_2、β_3受容体

（右側：ニコチン受容体、ムスカリン受容体、ムスカリン受容体をまとめてアセチルコリン受容体）

- アドレナリン作動性神経の支配する器官には、α受容体とβ受容体がある。両受容体は、さらにα_1、α_2の受容体、β_1、β_2、β_3の受容体に区分されている（表2-1-2参照）。

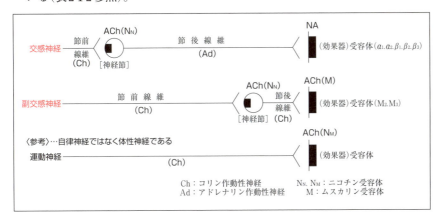

表 2-1-2 自律神経の主要器官に対する効果

効果器官		交感神経		副交感神経	
		受容体	反応	受容体	反応
眼	瞳孔散大筋	α_1	収縮（散瞳）		−
	瞳孔括約筋		−	M_3	収縮（縮瞳）
	毛様体筋	β_2	弛緩（遠焦点）	M_3	収縮（近焦点）
唾液腺		α_1, β	分泌促進（濃厚、少量）	M_3	分泌促進（希薄、多量）
心臓	洞房結節	β_1	心拍数増加	M_2	心拍数減少
	刺激伝導系	β_1	伝導速度増加	M_2	伝導速度減少
	心室筋	β_1	収縮力増大		−
気管支	平滑筋	β_2	弛緩	M_3	収縮
	分泌	α_1, β_2	抑制、促進	M_3	促進
血管	冠血管	$\beta_2 > \alpha$	拡張		−
	骨格筋	$\beta_2 > \alpha$	拡張		−
	皮膚・粘膜	α_1, α_{2B}	収縮		−
	腹部内臓	$\alpha_1 > \beta_2$	収縮		−
	脳	α_1	収縮		−
胃	運動	α, β	抑制	M_3	促進
	分泌	α_2	抑制	M_1, M_3	促進
腸	運動	α, β	抑制	M_3	促進
	分泌	α_2	抑制	M_3	促進
胆のう、胆管		β_2	弛緩	M	収縮
膀胱	排尿筋	β_2, β_3	弛緩（蓄尿）	M_3	収縮（排尿）
	括約筋	α_1	収縮	M_3	収縮※
前立腺尿道平滑筋		α_{1A}	収縮		−
子宮	平滑筋	α_1 β_2	妊娠時収縮 妊娠時・非妊娠時弛緩	M_3	収縮
皮膚	立毛筋	α_1	収縮		−
	汗腺	M	分泌促進（発汗）		−
脂肪組織		$\beta_1, \beta_2, \beta_3$	脂肪分解、熱産生		−
骨格筋		β_2	収縮（振戦）		−
腎	傍糸球体細胞	β_1	レニン分泌促進		−

−は神経投射がないか、ほとんどないことを表す。
※膀胱頸部におけるコリン作動性神経の興奮は、ムスカリン受容体を介した収縮反応を生じるが、生理的な排尿時には副交感神経以外の非アドレナリン性、非コリン性（NANC）神経による括約筋の弛緩が起こると考えられている。

【例外】

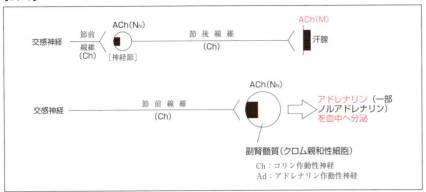

- 直接の支配神経が外科的にあるいは薬物処理により切断、除去された効果器官では、外来性のACh, NAに対する反応性は著明に増大する。これを除神経性感受性増大（過感受性：supersensitivity）という。例えば、レセルピン、グアネチジン投与後では、NA静注による昇圧作用が著しく増大する。
- この現象は代償的に効果器官側の受容体数が増加したり、受容体以降の反応が効率的になったりするためと考えられる。

2）神経伝達物質の生合成、貯蔵、遊離と代謝

（1）アセチルコリン（acetylcholine；ACh）

①生合成と貯蔵

- AChはコリン作動性神経終末で、次のように生合成された後、シナプス小胞膜上にあるAChトランスポーターによって取込まれ、シナプス小胞に貯蔵される。

$$(CH_3)_3N^+CH_2CH_2OH + \text{Acetyl CoA}$$
コリン

↓ コリンアセチルトランスフェラーゼ

$$(CH_3)_3N^+CH_2CH_2O\overset{O}{\overset{\|}{C}}CH_3 + \text{CoA}$$
アセチルコリン

- ヘミコリニウムは、細胞外からコリン作動性神経末端へのコリンの取込み、輸送を阻害（細胞膜コリントランスポーターを阻害）して、結果としてAChの生合成を阻害する。したがって、ヘミコリニウムの投与はコリン作動性神経のACh量を減少させる。

- ヘミコリニウムはコリンの部分構造をもつ。
- ヘミコリニウムは薬理学実験に用いられるが、臨床的には用いられていない。

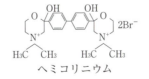

ヘミコリニウム

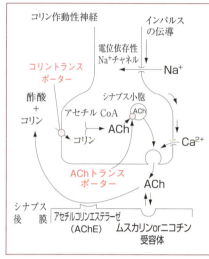

図 2-1-4　ACh によるシナプス伝達機構

③代　謝
- シナプス間隙に存在する ACh は、アセチルコリンエステラーゼ（AChE）によってコリンと酢酸に分解される。

$$ACh \xrightarrow{アセチルコリンエステラーゼ} コリン\ +\ 酢酸$$

- コリンエステラーゼ（ChE）には次の2種類がある。
  - a．**アセチルコリンエステラーゼ；AChE**（真性コリンエステラーゼ）
    コリン作動性シナプスや赤血球に存在し、ACh のみを加水分解する。
  - b．**血漿コリンエステラーゼ**（偽性コリンエステラーゼ）
    血漿中に存在する基質特異性の低いエステラーゼで、ACh のほかブチリルコリン、スキサメトニウム、プロカインなどを加水分解するため、これらの薬物の作用時間は短い。
- コリンは神経末端細胞膜上のコリントランスポーターにより再び神経終末へ取込まれ、生合成に利用される。

(2) ノルアドレナリン（別名ノルエピネフリン：norepinephrine; NE）
①生合成と貯蔵
- アドレナリン作動性神経内に取込まれたチロシンは、（図2-1-5）に示すような生合成経路によりノルアドレナリン（noradrenaline; NA）になる（図2-1-6）。ドパミンの段階でシナプス小胞膜アミントランスポーターによりシナプス小胞内に取込まれ、そこでさらに NA に変換され貯蔵される。
- 副腎ではさらに N-メチルトランスフェラーゼの働きでアドレナリンになる。
- これら生合成系の律速段階の酵素は**チロシン水酸化酵素**であり、ドパミン、NA の過量によって阻害（ネガティブ・フィードバック）を受け、減量によって逆に活性化される。

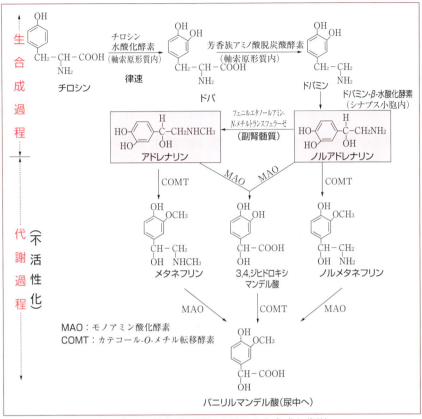

■図 2-1-5　ノルアドレナリンおよびアドレナリンの生合成と代謝

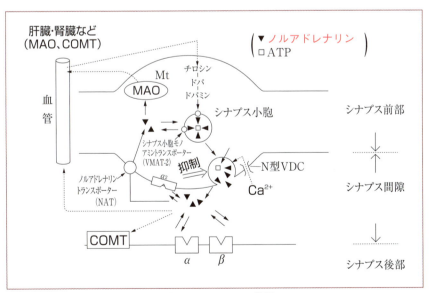

■図 2-1-6　交感神経節後線維終末における NA の動態

- 神経終末膨大部のシナプス小胞内で生成したNAはATP、タンパクとともにシナプス小胞内(アミン顆粒)に貯蔵される。

②遊　離
- 神経終末にインパルスが流れてくると、細胞膜のCa^{2+}透過性が上昇する。
- 細胞質のCa^{2+}濃度が上昇すると、シナプス小胞(アミン顆粒)は細胞膜に融合し、中のNAが遊離する。
- 遊離したNAはシナプス後膜の受容体に結合→効果器細胞を興奮→受容体から離れる。
- シナプス間隙のNAは大部分、神経末端細胞膜上にあるノルアドレナリントランスポーター(NAT)を介して終末部に再取込みされる。その後、シナプス小胞モノアミントランスポーター(VMAT-2)によりシナプス小胞内に取込まれ、貯蔵される。
- シナプス間隙のNAが増加すると、神経終末のα$_2$受容体と結合し、NAの遊離を抑制する(ネガティブ・フィードバック機構)。

③代　謝
- 神経終末部の遊離のNAはシナプス小胞中のNAと平衡状態にあり、その一部はミトコンドリア内のMAOにより代謝される。
- シナプス間隙の一部のNAは効果器細胞内のCOMTにより代謝されるか、体循環によりCOMT活性の高い肝、腎に運ばれて代謝される(図2-1-5、図2-1-6)。

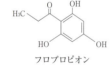
フロプロピオン

　a．COMT(カテコール-O-メチル転移酵素)
- カテコール核のメタ位の水酸基をメチル化する酵素である。
- 神経組織のみならず、体内のいたるところに分布している。
阻害薬：フロプロピオン(胆道・尿路・膵系鎮痙薬。COMT阻害によるアドレナリン作動性作用と、抗セロトニン作用による)

　b．MAO(モノアミン酸化酵素)
- β-フェニルエチルアミンの側鎖を酸化的脱アミノ化する酵素である。
- アドレナリン作動性神経内ミトコンドリアや神経外の肝、腸管上皮細胞に存在する。

	MAO$_A$	MAO$_B$
基　質	ノルアドレナリン、セロトニン	ドパミン、チラミン
阻害薬	サフラジン	セレギリン(抗パーキンソン薬)

2. 副交感神経系に作用する薬

2-1 副交感神経興奮薬（コリン作動薬）

　副交感神経節後線維の支配する効果器官に興奮的に作用する薬物を副交感神経興奮薬（parasympathomimetic drugs; cholinergic drugs）またはコリン作動薬という。

　副交感神経興奮薬には次の2種類がある。

①直接型コリン作動薬
　→ムスカリン受容体に直接作用する。

②間接型コリン作動薬
　→ChE活性を阻害してAChを蓄積させ、間接的にムスカリン受容体を興奮させる。

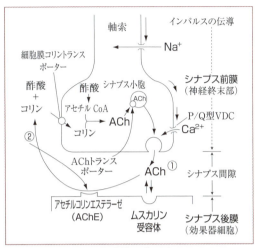

図 2-1-7　コリン作動薬の作用点

1）直接型コリン作動薬
①アセチルコリン塩化物

- AChはコリン作動性神経の重要な神経伝達物質である。AChを外から適用したときは、まずムスカリン様作用が現れ、自律神経節や骨格筋へのニコチン様作用は現れにくい。
- ムスカリン作用として、心臓機能抑制（心収縮力低下、心拍数減少）、消化管ぜん動の亢進、胆のう・膀胱の収縮、縮瞳、各種分泌（唾液、胃液など）の亢進等がある。
- AChは血管拡張作用を示すが、これは、AChが血管内皮細胞のM_3受容体を刺激してNOの産生を促すためである。NOは血管平滑筋に働き、グアニル酸シクラーゼを活性化し、cGMPを産生して平滑筋を弛緩させる。

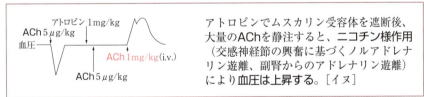

図 2-1-8　ACh静注の血圧に及ぼす影響（AChの血圧反転）

- 外から投与したAChは血漿ChEにより速やかに分解（5～30秒）され、効果の持続が極めて短く、作用に選択性が少ないことから臨床的にはほとんど用いられない。
- AChは中枢にも存在し、記憶・学習などに関与している。

②合成コリンエステル類

薬物	ChEに対する感受性	ムスカリン様作用	ニコチン様作用	臨床的応用	投与経路
ベタネコール $(CH_3)_3 \cdot N^+ \cdot CH_2 \overset{\beta}{C}H - O - CONH_2$ 　　　　　　　　$\underset{CH_3}{|}$	−	+	−	腸管麻痺、膀胱の緊張性低下（排尿困難）	内服
カルバコール $(CH_3)_3 \cdot N^+ \cdot CH_2CH_2 - O - CONH_2$	−	+	+++	現在は使用されていない	
メタコリン $(CH_3)_3 \cdot N^+ \cdot CH_2 \cdot \overset{\beta}{C}H - O - COCH_3$ 　　　　　　　　$\underset{CH_3}{|}$	+	++	−	気道過敏性の診断	吸入

- β位炭素にメチル基があるとニコチン様作用は減弱する。
- アセチル基の代わりにカルバモイル基（−$CONH_2$）が導入されると、コリンエステラーゼの作用を受けにくい。

③その他の直接型コリン作動薬

薬物	薬物作用	臨床的応用
ピロカルピン	ヤボランジ葉のアルカロイド。 ムスカリン様作用は強く、ニコチン様作用はない。 腺分泌作用が特に強い。 瞳孔括約筋を収縮し、強い縮瞳作用（組織浸透性がよい）。	緑内障 縮瞳目的（点眼、眼軟膏） 唾液分泌亢進（経口）
ムスカリン	ベニテングタケのアルカロイドの一つ。ムスカリン様作用の語源となった物質。 ムスカリン様作用のほか、弱いニコチン様作用も示す。	使用しない
セビメリン 及び鏡像異性体	唾液腺に存在するM3受容体をかなり選択的に刺激する。ピロカルピンより速効性かつ持続性がある。	シェーグレン症候群※患者の口腔乾燥症状の改善

※ シェーグレン症候群（Sjögren's syndrome; SS）とは、涙腺と唾液腺の分泌障害による眼・口腔乾燥症状をきたす自己免疫疾患。

2)間接型コリン作動薬

コリンエステラーゼ(ChE)を阻害する薬物である。この薬物の存在下では、神経終末から放出されたAChは分解されず神経効果器接合部に蓄積し、多くのムスカリン受容体と結合して副交感神経興奮症状を現す。なお、ChE阻害薬は、ムスカリン受容体近辺だけではなく、自律神経節、副腎髄質、運動神経筋接合部においてもAChの分解を阻害し、結果としてそれらの部位のニコチン受容体にも興奮作用を示す。

ChE阻害薬には、可逆的阻害薬(ChEの活性中心である陰性部、エステル部と結合→一時的にAChとChEとの結合を阻害する)と非可逆的阻害薬(有機リン剤：ChEのエステル部をリン酸化する→この結合は安定なため酵素阻害は非可逆的である)に分けられる(図2-1-9)。

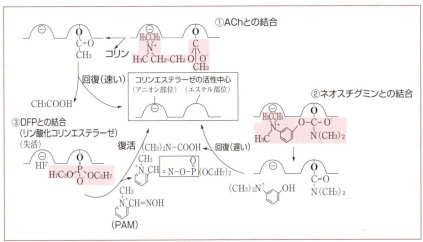

■図2-1-9　コリンエステラーゼに対するアセチルコリン、ネオスチグミン、DFPおよびPAMの作用

- アセチルコリンでアセチル化されたコリンエステラーゼの加水分解による回復は速い。
- ネオスチグミンでカルバモイル化されたコリンエステラーゼの加水分解は遅い→アセチルコリンの結合阻害→アセチルコリンの分解を阻害。
- イソフルロフェート(DFP)やサリンなどの有機リン化合物でリン酸化されたコリンエステラーゼは安定(非可逆的)でそのままでは永久に失活。しかしプラリドキシム(PAM)投与により有機リン化合物が解離されてコリンエステラーゼは再賦活化される(ChE再賦活化薬)。

①コリンエステラーゼ可逆的阻害薬

フィゾスチグミン physostigmine カラバル豆に含まれるアルカロイド	**薬理作用・機序** ・ChEのエステル部位をカルバモイル化（図2-1-9参照）。 ・ムスカリン様作用のほか、自律神経節、副腎髄質、運動神経筋接合部でニコチン様作用を示す。 ・三級アミンであり、経口投与によっても吸収され、血液脳関門を通過し、中枢でのAChの増加をきたす→中枢興奮作用。 　　臨床適用 　　・アトロピン中毒の解毒薬 　　・ほとんど用いられない
ネオスチグミン neostigmine	**薬理作用・機序** ・薬理作用はフィゾスチグミンと同じであるが、四級アンモニウムであるので、中枢作用がない。 ・点眼では組織浸透性は悪い。 ・①ChE阻害作用ばかりでなく、②骨格筋終板ニコチン性ACh受容体(N$_M$R)に対する直接の興奮作用も有し、フィゾスチグミンに比べて抗クラレ作用が強い。したがって重症筋無力症やツボクラリン中毒に用いられる。 **臨床適用** ・（軽症）重症筋無力症 ・ツボクラリン中毒（の解毒薬） ・腸管麻痺 ・排尿困難 ・（経口、皮下注、筋注） **副作用** ・腹痛、ときに唾液分泌過多、血圧下降、徐脈、気管支痙れん、骨格筋れん縮など。 〈相互作用〉 ①アトロピン系作用のある薬物との併用は本薬の作用を隠ぺいし、過剰投与を招くので避ける。 ②スキサメトニウムの分解を抑制し、作用増強を招くので併用を避ける。 これらは関連薬物すべてに当てはまる。
エドロホニウム edrophonium アニオン部位に結合	**薬理作用・機序** ・薬理作用の本質はネオスチグミンと同様であるが、**作用持続時間が速効、一過性**（3分後に最大効果）であるので**診断薬**として用いられる。 ・注射後に眼筋等の脱力状態が一時的に回復すれば重症筋無力症と診断される。 **臨床適用** ・重症筋無力症の診断 ・筋弛緩薬中毒の鑑別診断 ・（静注） **副作用** ・徐脈、血圧下降などの過度のコリン作動性作用（アトロピン処置で対処する）

薬物	薬理作用・機序／臨床適用／副作用
アンベノニウム ambenonium	**薬理作用・機序** ・ネオスチグミンと同様。ムスカリン様作用の発現は弱いので、重症筋無力症の治療に都合がよい。 ・ChEに対する阻害作用はネオスチグミンの6倍強い。 **臨床適用** ・重症筋無力症（軽〜重症） ・（経口）持続 8 hr **副作用** ・腹痛、下痢、発汗、縮瞳、流涎、流涙
ピリドスチグミン pyridostigmine	**薬理作用・機序** ・ネオスチグミンと同様。薬理作用はネオスチグミンより弱い。 **臨床適用** ・重症筋無力症（軽〜重症） ・（経口）効果は徐々に発現し、長時間（3〜6 hr）作用する。 **副作用** ・同上
ジスチグミン distigmine ピリドスチグミン2分子をポリメチレン鎖で結合した薬物	**薬理作用・機序** ・ネオスチグミンと同様。 **臨床適用** ・重症筋無力症（経口） ・排尿困難 ・緑内障（点眼） ・効果発現は遅いが、10 hr以上持続。 **副作用** ・同上
アコチアミド acotiamide	**薬理作用・機序** ・AChEを特異的に阻害する（血漿ChE阻害作用は少ない）。 **臨床適用** ・機能性ディスペプシア※における食後膨満感、上腹部膨満感、早期満腹感 **副作用** ・同上

- ドネペジル、ガランタミン、リバスチグミンは主として脳内アセチルコリンエステラーゼを阻害するため、アルツハイマー型認知症の治療に用いられる（アルツハイマー病治療薬の項p.164参照）。

※ 機能性ディスペプシア（functional dyspepsia; FD）とは、内視鏡などの検査で器質的疾患を認めないにもかかわらず、もたれ感や飽満感、みぞおちの痛みなどの上腹部を中心とする症状が持続する機能性疾患。

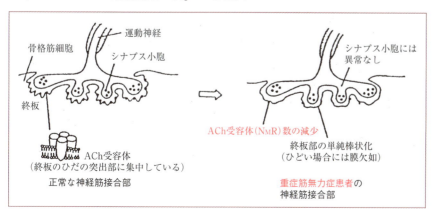

正常な神経筋接合部 → 重症筋無力症患者の神経筋接合部（ACh受容体(N_MR)数の減少、終板部の単純棒状化（ひどい場合には膜欠如）、シナプス小胞には異常なし）

②コリンエステラーゼ非可逆的阻害薬(有機リン化合物)

イソフルロフェート (DFP)	薬理作用・機序 ・ChEのエステル部位をリン酸化して、非可逆的に酵素阻害を起こす(図2-1-9参照)。 臨床適用 ・緑内障(現在は使用されない)
マラチオン　malathion	薬理作用・機序 ・有機リン剤系殺虫剤(農薬)。昆虫においてChEを強く阻害し、興奮後呼吸筋麻痺で死に到らしめる。 臨床適用 ・ヒトでは使用しない
サリン　sarin $(CH_3)_2CHO$＼＼P-F／／H_3C　O	薬理作用・機序 ・毒ガス(揮発性液体) 毒性がきわめて強く危険。 ・症状は縮瞳、目の痛み、吐き気、めまい、痙れん、呼吸困難、死。 ・血中ChE低下。 ・解毒薬：他の有機リン化合物と同様、PAMとアトロピン。

〔付〕プラリドキシム　pralidoxime (PAM)
- 有機リン化合物により阻害されたChEからリン酸基をはずし、酵素活性を復活させることができる(ChE再賦活化薬)。作用機序の詳細は図2-1-9を参照。
- 有機リン化合物中毒の解毒薬に用いられる。

2-2　副交感神経遮断薬(抗コリン薬)

　副交感神経遮断薬(parasympatholytic drugs; anticholinergic drugs)は、副交感神経の節後線維末端のシナプスで効果器側にあるACh受容体(ムスカリン受容体)に作用してAChによる効果器の反応を抑制する薬物である。抗コリン薬ともいう。

　代表的薬物はアトロピン。上記の副交感神経遮断作用をアトロピン様作用ともいう。

〈副交感神経遮断薬の適応〉
①瞳孔を散大させたいとき(散瞳薬として)。眼底検査や眼内レンズ挿入時など。
②胃腸の運動や緊張を抑えたいとき、胆のう、胆管、尿管が痙れんして痛むとき(鎮痙薬として)。内視鏡などの器具挿入時にも使用。
③胃酸分泌を抑制したいとき(抗消化性潰瘍薬として)。
④パーキンソニズムの症状を改善したいとき。
⑤気道分泌を抑制したいとき(麻酔前投薬)。
⑥徐脈性不整脈の治療に。
⑦有機リン化合物、農薬中毒時の対症治療法に。
⑧気管支ぜん息(気管支拡張)。
※このうち①〜④、⑧は合成アトロピン代用薬が使用されることが多い。

〈副交感神経遮断薬の副作用と禁忌〉
　副作用：目的により異なるが、口渇、眼圧上昇、焦点(遠焦点)調節麻痺、頻
　　　　　脈、尿閉。
　禁　忌：緑内障。前立腺肥大(排尿障害がある)、麻痺性イレウス(腸閉塞)。

1)ベラドンナアルカロイド

アトロピン atropine 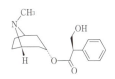 アトロピンはベラドンナ（*Atropa belladonna*）などナス科植物のアルカロイド。植物中では左旋性光学異性体（ヒヨスチアミン）で存在。抽出時にラセミ化する。したがってアトロピンは*dl*体である。	薬理作用・機序 ・副交感神経の節後線維末端の効果器側にあるムスカリン性ACh受容体においてAChと競合的に拮抗して、副交感神経を遮断する。 臨床適用 ①麻酔前投薬（気道分泌と徐脈の予防） ②徐脈・房室伝導障害 ③有機リン剤、副交感神経性興奮薬の中毒時 ④鎮痙薬として消化管・胆管・尿管の弛緩と痛みの除去。消化性潰瘍。 ⑤非薬物性パーキンソニズム 　（以上、経口、皮下注、筋注、静注） ⑥散瞳（点眼） 副作用 ・目的により異なるが、口渇、眼内圧上昇(緑内障悪化)、散瞳、焦点調節麻痺、尿閉、頻脈。 ・中枢作用として大量で中枢興奮→幻覚、錯乱、狂躁。 〈相互作用〉 ・三環系抗うつ薬、フェノチアジン系薬物、抗ヒスタミン薬との併用により作用が増強されるので注意（これらの薬物は抗コリン作用がある）
スコポラミン scopolamine 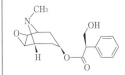 スコポラミンはヒヨス*Hyoscyamus niger*などに含まれるアルカロイド	薬理作用・機序 ・同上。 臨床適用 ①麻酔前投薬（気道分泌と徐脈の予防） ②パーキンソニズム…現在はあまり用いられない。（皮下注） ③乗物酔にも有効 副作用 ・口渇、焦点調節麻痺、頻脈 ・中枢作用として抑制的で、鎮静、眠気。（マウスでは興奮）

2)合成アトロピン様薬物

<table>
<tr><td rowspan="2">散瞳薬</td><td>トロピカミド
tropicamide</td><td>薬理作用・機序
・点眼による散瞳は速効性で持続は短い。
臨床適用
・散瞳薬（診断と治療を目的とする散瞳と焦点調節麻痺）
（点眼、1日1回）
副作用
・全身症状として、血圧上昇、頻脈、口渇、悪心、眼圧上昇などが現れたら、投薬を中止する</td></tr>
<tr><td>シクロペントラート
cyclopentolate</td><td>薬理作用・機序
・同上
臨床適用
・同上
副作用
・同上</td></tr>
<tr><td rowspan="3">鎮痙薬</td><td>ブチルスコポラミン
butylscopolamine

スコポラミンの四級アンモニウム化合物</td><td>薬理作用・機序
・副交感神経支配に強い器官に作用し、弛緩を起こす。
・イオン化しているので中枢性の副作用が出ない。
・鎮痙効果には神経節遮断効果も一部加わっている可能性がある。
臨床適用
・鎮痙薬
・胃・腸・食道・幽門・胆のう・胆管・尿路・膀胱の痙れん性収縮や器具挿入時など。
（経口、静注、皮下注、筋注、坐剤）
副作用
・口渇、頻脈、便秘、焦点調節障害、尿閉、頭痛</td></tr>
<tr><td>プロパンテリン
propantheline

四級アンモニウムをもつ合成化合物</td><td>薬理作用・機序
・抗ムスカリン様作用に加えて、神経節遮断作用を有する。
・四級アンモニウムなので中枢作用はない。
臨床適用
・鎮痙薬
・ほぼブチルスコポラミンと同様。
・過敏性腸症候群や夜尿症にも用いる。（経口）
副作用
・同上</td></tr>
<tr><td>チキジウム
tiquizium</td><td>薬理作用・機序
・同上
臨床適用
・鎮痙薬
・胃・十二指腸潰瘍、胃炎、過敏性腸症候群、胆石症、尿路結石症
副作用
・同上</td></tr>
</table>

分類	薬物	薬理作用・機序／臨床適用／副作用
鎮痙薬	ピペリドレート piperidolate	**薬理作用・機序** ・同上 **臨床適用** ・鎮痙薬 ・切迫流・早産、胃・十二指腸潰瘍、胃炎、胆石症（経口） **副作用** ・同上
	メペンゾラート mepenzolate	**薬理作用・機序** ・下部消化管に対してより選択的に作用する。 **臨床適用** ・過敏性腸症候群（経口） ［注］過敏性腸症候群の原因は不明だが、副交感神経系の持続的緊張亢進状態が生じている。便秘型、下痢型、便秘下痢交代型がある。精神的ストレスによって増悪される。 **副作用** ・同上
過活動膀胱（OAB）治療薬	プロピベリン propiverine	**薬理作用・機序** ・平滑筋直接作用および抗コリン作用を有し、排尿運動抑制作用（膀胱の異常収縮を抑制する）。 **臨床適用** ・神経因性膀胱、神経性頻尿、慢性前立腺炎における頻尿、尿失禁 **副作用** ・口渇
	オキシブチニン oxybutinin	**薬理作用・機序**　**臨床適用**　**副作用** ・同上　　　　　　・同上　　　　・同上
	フラボキサート flavoxate	**薬理作用・機序** ・膀胱平滑筋に対しCa^{2+}流入抑制、ホスホジエステラーゼ阻害によるcAMP増加などにより弛緩作用を示す。 **臨床適用** ・頻尿・残尿感 ・神経性頻尿 ・慢性前立腺症 ・慢性膀胱炎
	トルテロジン tolterodine	**薬理作用・機序** ・抗ムスカリン作用による膀胱弛緩 **臨床適用** ・過活動性膀胱における尿意切迫感、頻尿および切迫性尿失禁

過活動膀胱治療薬	フェソテロジン fesoterodine	薬理作用・機序 ・生体内で活性化され、アセチルコリンM_3受容体を遮断 臨床適用 ・同上
	ソリフェナシン solifenacin	薬理作用・機序 ・アセチルコリンM_3受容体拮抗作用による膀胱弛緩 臨床適用 ・同上
	イミダフェナシン imidafenacin	薬理作用・機序 ・アセチルコリンM_3受容体遮断作用による膀胱弛緩、M_1受容体遮断作用による神経終末からのアセチルコリン遊離抑制 臨床適用 ・同上
抗潰瘍薬	ピレンゼピン pirenzepine	薬理作用・機序 ・アセチルコリンM_1受容体の選択的遮断薬。 ・胃の運動（M_3受容体が関与）をほとんど抑制せずに胃酸分泌を選択的に抑制する。 　臨床適用 　・胃炎、胃潰瘍、十二指腸潰瘍 副作用 　・他の抗コリン薬にくらべて副作用の発現は低い。
抗ぜん息薬・抗COPD薬	イプラトロピウム ipratropium	薬理作用・機序 ・吸入で気管支に作用させる四級アンモニウムの抗コリン薬 臨床適用 ・気管支ぜん息、慢性気管支炎（吸入）
	オキシトロピウム oxitropium	薬理作用・機序 ・同上 臨床適用 ・同上
	チオトロピウム tiotropium	薬理作用・機序 ・同上（長時間作用型） 臨床適用 ・慢性気管支炎（吸入）
	グリコピロニウム glycopyrronium	薬理作用・機序 ・同上 臨床適用 ・慢性閉塞性肺疾患（COPD） 　インダカテロールとの合剤もある ・原発性腋窩多汗症

止汗薬	ソフピロニウム sofpironium	薬理作用・機序 ・外用（腋窩に塗布）により、アセチルコリンM$_3$受容体を遮断して発汗を抑制する。加水分解により失活するため、全身作用は起こさない。 臨床適用 ・原発性腋窩多汗症
抗パーキンソン薬	トリヘキシフェニジル trihexyphenidyl	薬理作用・機序 ・中枢性抗コリン作用が強い 臨床適用 ・パーキンソン症候群
	ビペリデン biperiden	薬理作用・機序 ・同上 臨床適用 ・同上

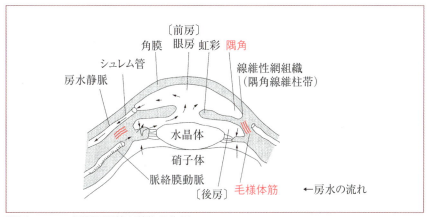

図 2-1-10 細眼平滑筋と薬物の作用

点眼薬	瞳孔括約筋	毛様体筋	
ピロカルピン、カルバコール、エコチオパート →副交感神経興奮	収縮→縮瞳	収縮→	①毛様体突出→レンズ肥厚→近視性調節麻痺 ②隅角が引かれて開く→房水流出→眼圧低下→緑内障好転
ホマトロピン、トロピカミド、アトロピン →副交感神経遮断	弛緩→散瞳	弛緩	①毛様体後退→レンズ薄く→遠視性調節麻痺 ②シュレム管閉じる→房水流出せず→眼圧上昇→緑内障悪化

3. 交感神経系に作用する薬

3-1 交感神経興奮薬（アドレナリン作動薬）

　交感神経興奮に似た作用を示す薬物を交感神経興奮薬（sympathomimetic drugs; adrenergic drugs）という。交感神経自体を興奮させる薬物という意味ではない。

　交感神経興奮薬は、交感神経節後線維の支配する効果器官にあるアドレナリン作動性受容体に作用することからアドレナリン作動薬ともいわれる。

1）交感神経興奮薬の分類
①アドレナリン受容体

　アドレナリン受容体は、初期の薬理学的研究によりα受容体とβ受容体に大別された。しかし、薬物の親和性の違いや情報伝達機構が明らかになり、現在ではGqタンパク質共役型のα_1受容体、Giタンパク質共役型のα_2受容体、Gsタンパク質共役型のβ受容体の三種類に大別する考えが主流となっている。さらにそれぞれに3つのサブタイプがあって、α_1（α_{1A}、α_{1B}、α_{1D}）、α_2（α_{2A}、α_{2B}、α_{2C}）、β（β_1、β_2、β_3）と合計9つのサブタイプが知られる。

細分類	情報伝達系	分布と役割
α_1受容体	Gqと共役 PLC活性化→ IP$_3$/DG増加	・瞳孔散大筋に分布し、収縮させる（散瞳）。 ・脳、皮膚・粘膜、腹部内臓などの血管平滑筋に分布し、収縮させる（α_{1B}） ・α_{1A}受容体は前立腺尿道部に多く分布し、α_{1D}受容体は前立腺と膀胱に分布する。
α_2受容体	Giと共役 AC阻害→ cAMP減少、 K$^+$チャネル開口	・アドレナリン作動性神経終末（シナプス前膜）に分布し、ノルアドレナリン遊離を抑制するフィードバック機構として機能する（α_{2A}, α_{2C}）。 ・シナプス後膜にも存在し、一部の血管平滑筋（α_{2B}）や血小板（α_{2C}）上にも存在し、刺激されると血管収縮や血小板凝集を生じる。 ・中枢の鎮静作用（α_{2A}）や鎮痛作用（α_{2A}, α_{2C}）にも関与。
β_1受容体	Gsと共役 AC活性化→ cAMP増加	・主に心臓に分布し、心収縮力および心拍数を増加させる。 ・腎臓の傍糸球体細胞に分布し、レニン分泌を促進する。
β_2受容体		・気管支、血管（冠血管、骨格筋）、子宮、胃腸管、膀胱などの平滑筋に分布し、平滑筋弛緩を生じる。 ・骨格筋細胞上にも分布し、交感神経興奮時に副腎髄質より分泌されたアドレナリンによって刺激されると、振戦が起こる。
β_3受容体		・褐色脂肪組織に分布し、リパーゼを活性化して脂肪分解を起こす。 ・膀胱排尿筋に分布し、膀胱弛緩を起こす（過活動膀胱との関連が示唆されている）。

α受容体、β受容体の刺激によって引き起こされる作用または変化を、それぞれα作用、β作用という。

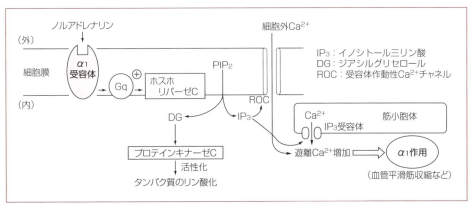

■図 2-1-11　α₁作用の発現機構

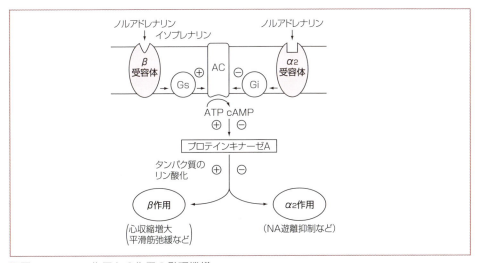

■図 2-1-12　α₂作用とβ作用の発現機構

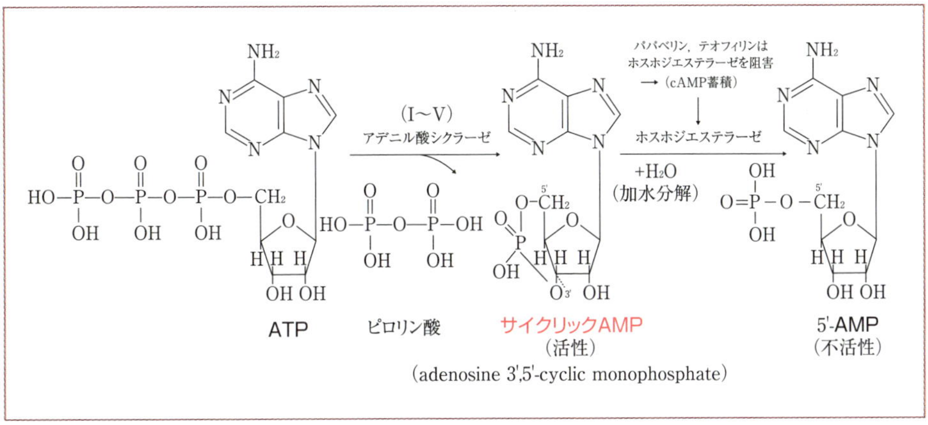

■図 2-1-13　サイクリック AMP の生成と分解

②直接型、間接型、混合型(中間型)の交感神経興奮薬(作用様式による分類)

効果器官のアドレナリン受容体（α、β）に直接作用するもの（直接型）、交感神経終末に作用し、シナプス小胞内のノルアドレナリン（NA）の遊離を介して受容体に作用するもの（間接型）、もしくは両者の混合によるもの（混合型）に分けられる（図2-1-14）。

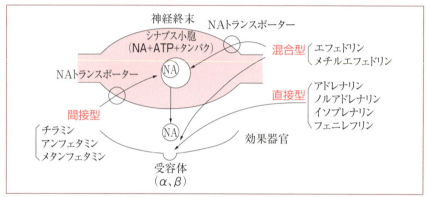

図 2-1-14　直接型、間接型、混合型の交感神経興奮薬

間接型および混合型興奮薬はタキフィラキシー（tachyphylaxis：速成耐性）を生じやすい（NAの合成が間に合わなくなり、次第にNAの遊離量が減り、受容体興奮作用が急速に減弱すると考えられている）。タキフィラキシーは「脱感受性（desensitization）」のうち、特に頻回投与で急速に起きる現象をいう。

③交感神経興奮薬の構造活性相関

ノルアドレナリンやアドレナリンの構造を参考にして数多くのアドレナリン作動薬や遮断薬が多数作られ、化学構造と薬理活性の関係(構造活性相関)が明らかになっている。

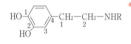

- イミダゾリン誘導体とMAO・COMT阻害薬を除く残りすべてのアドレナリン作動薬は、フェニルエチルアミンを基本構造として含む。ベンゼン環とアミノ基の間の炭素数が2個のとき、活性が最も強い。
- ベンゼン環の1,2位にOH基がつくと、α,β作用は最強になる。［例：カテコールアミン類］
- ベンゼン環の1,2位にOH基がないと脂溶性が増し、血液脳関門を通過して中枢作用を示す。［例：エフェドリン、覚せいアミン］
- カテコールをもたない（ベンゼン環にOH基がないか1個のみ、2個のOH基がオルト位でない、OH基がヒドロキシメチル基やメトキシ基に置換された場合を含む）と、COMTによる代謝を受けない。［カテコールアミン以外すべて］
- 側鎖2位炭素にメチル基やカルボキシ基が付加していると、MAOの作用を受けにくい。ただし、MAOはほとんどの細胞でミトコンドリア外膜に局在するため、細胞内に取り込まれない化合物は2位に置換基がついてなくてもMAOによる代謝をほとんど受けない。［例：エフェドリンやドロキシドパは交感神経終末に取り込まれるが、MAOにより分解されない。］
- アミノ基の置換基（R）が大きいほど、β_2作用が強くなる。［例：ノルアドレ

ナリンやメトキサミンのような三級アミンはβ_2作用が非常に弱い。一方、すべての選択的β_2刺激薬はRの炭素数が3個以上である。]
- Rが大きく、かつベンゼン環にOH基がなく大きな修飾が加わると、β受容体遮断作用が現れる。[例：多くのβ受容体遮断薬は、プロパノールアミンにアリールオキシ基が結合した構造をしている。]

2）直接型交感神経興奮薬

（1）カテコールアミン類
経口投与無効：小腸粘膜や肝のMAO、COMTで代謝される。
中枢作用なし：血液脳関門を通りにくい。

①ノルアドレナリン、アドレナリン、イソプレナリン
- ノルアドレナリン（noradrenaline）、アドレナリン（adrenaline）、イソプレナリン（isoprenaline）は、構造が類似していて、いずれも直接型アドレナリン作動薬であるが、作用が異なる。その違いは、α受容体とβ受容体に対する作用の強弱によって説明される。
- 交感神経系の神経伝達物質であるノルアドレナリンは、α_1、α_2受容体を同程度に刺激し、β_1受容体も刺激する作用するが、β_2受容体に対する作用は非常に弱い。
- 副腎髄質から分泌されるアドレナリンは、α_1、α_2、β_1、β_2受容体を同程度に刺激する。
- 合成カテコールアミンのイソプレナリンは、α_1、α_2受容体を刺激せず、β_1、β_2受容体を同程度に刺激する。
- よって、瞳孔散大筋のα_1受容体刺激による散瞳は、ノルアドレナリンとアドレナリンで起こるが、イソプレナリンでは起こらない。β_1受容体刺激による心興奮はいずれでも起こる。β_2受容体刺激による気管支拡張は、ノルアドレナリンよりもアドレナリンとイソプレナリンで強く起こる。ノルアドレナリンはα_1受容体刺激により血管を収縮させて血圧上昇を起こすが、イソプレナリンはβ_2受容体刺激により血管を拡張させて血圧下降を起こす。

		ノルアドレナリン	アドレナリン	イソプレナリン
化学構造		HO-○-CHCH₂-NH₂ (OH)	HO-○-CHCH₂-NHCH₃ (OH)	HO-○-CHCH₂-NHC(CH₃)₂H
刺激する受容体		α_1, α_2, β_1, (β_2)	α_1, α_2, β_1, β_2	β_1, β_2
作用	散瞳	○	○	×
	気管支拡張	△	○	○
	心興奮	○	○	○
	血圧（血管）	上昇（収縮）	上昇、下降（収縮、拡張）	下降（拡張）

> **アドレナリンの血圧反転**
>
> 　麻酔動物にアドレナリンを静脈内注射すると、一過性の血圧上昇とそれに続くわずかな血圧下降からなる二相性の変化が起こる。α受容体遮断薬（フェントラミンなど）を与えてから同量のアドレナリンを静脈内注射すると、血圧下降だけが起こる。アドレナリンは、$α_1$受容体刺激により腹部内臓などの血管を収縮させて血圧上昇を起こすとともに、$β_2$受容体刺激により骨格筋などの血管を拡張させて血圧下降も起こすが、$α_1$受容体遮断下では$β_2$受容体を介した血管拡張しか起こらないので血圧は大きく下降すると説明できる。
>
>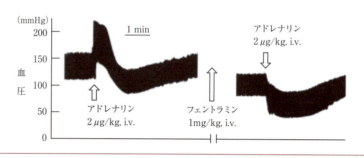

- ノルアドレナリンとアドレナリンは、小腸粘膜や肝のMAOおよびCOMTで代謝されるため、経口では無効。
- 適応：

〈ノルアドレナリン（注射）〉急性低血圧またはショック時の補助治療
〈アドレナリン（注射）〉急性低血圧またはショック時の補助治療
　蜂毒、食物及び薬物等に起因するアナフィラキシー反応に対する補助治療
〈イソプレナリン（経口、注射）〉徐脈、急性心不全、気管支ぜん息、内耳障害に基づくめまい

(2)非カテコールアミン類
①直接型作用薬
a．α, β受容体作動薬

エチレフリン etilefrine	薬理作用・機序
	・ベンゼン環に水酸基が1つしかない（カテコールではない）ためCOMTで代謝されず、経口投与可能で、ノルアドレナリンやアドレナリンよりも効果が持続する。
	・$α_1$受容体刺激により末梢血管平滑筋を収縮させ、$β_1$受容体刺激により心筋収縮力を高めて心拍出量を増加させ、血圧を上昇させる。静脈還流量を増加させ、血行動態を改善する。
	臨床適応
	・本態性低血圧、症候性低血圧、起立性低血圧、網膜動脈の血行障害（経口）
	・急性低血圧またはショック時の補助療法（注射）

ドロキシドパ droxidopa	薬理作用・機序 ・ノルアドレナリンのプロドラッグで、体内に入ると大部分が末梢でノルアドレナリンになる。 ・MAOの基質とならないため、経口投与可能な長時間型の昇圧薬として有効である。 臨床適用 ・ノルアドレナリン欠乏による難治性自律神経障害性疾患（ノルアドレナリン補充療法：経口） ・パーキンソン病の治療（パーキンソン病治療薬の項を参照）。
ジピベフリン dipivefrine	薬理作用・機序 ・アドレナリンのカテコール核の2個の水酸基にピバリン酸がエステル結合したプロドラッグ。 ・点眼すると、眼内に浸透した後エステラーゼによって加水分解され、アドレナリンを生じる。アドレナリンには眼圧降下作用があるが、角膜透過性を高める目的で設計・合成された。 臨床適用 ・開放隅角緑内障、高眼圧症に点眼で用いる。ただしα_1作用によって散瞳を起こし、虹彩によって隅角を塞いでしまうため、閉塞隅角緑内障の患者には禁忌。

b. 選択的 α_1 受容体作動薬

フェニレフリン phenylephrine	薬理作用・機序 ・α_1作用が強い。 ・カテコールアミンではない。 COMTなどにより分解されない。 臨床適用 ・血管収縮薬として、（①低血圧やショック時の血圧上昇、②局所麻酔時の作用延長） ・散瞳（注射、点眼） 副作用 ・心悸亢進（β_1）、徐脈、**血圧上昇**（$\alpha_1 > \beta_1$）、呼吸困難、頭痛、悪心、嘔吐
ミドドリン midodorine	薬理作用・機序 ・プロドラッグである。体内で脱グリシン化され、活性体デスグリミドドリンとなり、α_1受容体を選択的に刺激し、血管収縮ならびに血圧上昇を起こす。 臨床適用 ・本態性低血圧および起立性低血圧に適用。

c. α_1, α_2 受容体作動薬

| ナファゾリン
naphazoline
 | 薬理作用・機序
・血管収縮作用が見出された最初のイミダゾリン誘導体。
・血管平滑筋のα受容体を直接刺激し、アドレナリンより強力で持続的な血管収縮作用を示す。
・受容体結合実験データ等によれば、α_1受容体に対する親和性はα_2受容体に対する親和性と同等か、むしろ低い。眼や鼻粘膜における血管収縮作用はα_1とα_2の両受容体の刺激によるものと考えられている。
臨床適用
・眼科における表在性充血の除去（点眼）
・耳鼻科における鼻粘膜充血の除去（点鼻）|

テトラヒドロゾリン tetrahydrozoline	薬理作用・機序 ・ナファゾリンと同様、α受容体刺激により血管収縮作用を示す。 ・オキシメタゾリンは、$α_1$ 容体に対して完全作動薬、$α_2$ 受容体に対して部分作動薬として作用する。 臨床適用 ・眼の表在性充血の除去(点眼) ・上気道諸疾患の充血・うっ血の除去(点鼻)
オキシメタゾリン oxymetazoline	
トラマゾリン tramazoline	薬理作用・機序 ・主に $α_2$（$α_{2B}$）受容体を刺激して鼻腔内の局所血管を収縮し、鼻粘膜の充血、腫脹を除去し、鼻づまり等を解消する 臨床適用 ・諸種疾患による鼻充血・うっ血の除去(点鼻)

d．選択的 $α_2$ 受容体作動薬

クロニジン clonidine	薬理作用・機序 ・選択的 $α_2$ 作用薬。 臨床適用 ・高血圧症（経口） 　（中枢性に作用） 副作用 ・眠気、疲労感、口渇、徐脈、起立性低血圧、悪心
アプラクロニジン apraclonidine	薬理作用・機序 ・選択的 $α_2$ 作用薬。 ・瞳孔径に影響することなく、眼圧を下降（房水産生の抑制によると考えられる）。 臨床適用 ・レーザー手術後における眼圧上昇（点眼） 副作用 ・眼の充血(クロニジンと異なり血液脳関門を通過しにくいため、眠気、血圧降下、心拍数現象は起こりにくい)。
デクスメデトミジン dexmedetomidine	薬理作用・機序 ・中枢性 $α_2$ 受容体作動薬 ・青斑核に存在する中枢性 $α_{2A}$ 受容体を介して鎮静作用を現す。シナプス前部の $α_{2A}$ 受容体に作用して、ノルアドレナリンの遊離を抑制し、青斑核ノルアドレナリンニューロンの活動を抑制することによる。 ・脊髄に分布する $α_{2A}$ 受容体を刺激して痛みの伝達を抑制するため、鎮痛薬の効果を増強する。 臨床適用 ・集中治療下で管理し、早期抜管が可能な患者での人工呼吸中および抜管後における鎮静 ・持続静注 副作用 ・低血圧、高血圧、徐脈、傾眠、口渇、不整脈

ブリモニジン brimonidine 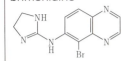	薬理作用・機序 ・選択的 α_2 作用薬（房水産生の抑制） 臨床適用 ・緑内障および高眼圧症（点眼）

e．選択的 β_1 受容体作動薬（心不全治療薬の項、p.220、222を参照）

　心機能を亢進し、強心作用を示す。

　ドブタミン：合成カテコールアミンで、経口では無効。
　　　　　　　急性循環不全に対して、静脈内に持続投与する。

　デノパミン：カテコールアミンではなく、経口投与で有効。
　　　　　　　慢性心不全に内服で用いられる。

f．選択的 β_2 受容体作動薬

- β_2 受容体刺激により気管支拡張が起こるので、β_2 受容体作動薬は気管支ぜん息の治療薬として有用だが、β_1 受容体刺激によって起こる心興奮（動悸など）は副作用となるため、より β_2 選択性の高い薬物が開発された。
- 気管支拡張薬としての β_2 受容体刺激薬は、発売年代によって第一世代〜第四世代に分類され、作用持続時間によって短時間作用型（short-acting β_2 agonist; SABA）と長時間作用型（long-acting β_2 agonist; LABA）に分けられる。世代が進むにつれ、β_2/β_1 選択性が向上し時間が長くなっている。経口剤、吸入剤、貼付剤、注射剤があり、目的に応じて使い分けられる（詳しくは呼吸器系に作用する薬の項、p.336を参照）。

第一世代	トリメトキノール（S）	・ある程度の β_2/β_1 選択性はあるが、あまり高くない。 ・吸入後の作用持続時間は 3〜4 時間と短い。 ・一般用医薬品の鎮咳去痰薬にも配合されている。
第二世代	サルブタモール（S） テルブタリン（S）	・第一世代より高い β_2/β_1 選択性を示すが、親水性が高く作用持続時間は第一世代とあまり変わらず短い。 ・サルブタモールは、β_2 受容体に対する固有活性が低く、部分作動薬として作用する。
第三世代	ツロブテロール（L） フェノテロール（S） プロカテロール（S） クレンブテロール（L） ホルモテロール（L）	・β_2/β_1 選択性と作用持続時間は薬物ごとに異なる。 ・ツロブテロールは、β_2/β_1 選択性がそれほど高くないものの、貼付剤として使える唯一の気管支拡張薬である。本来の作用持続は 10 時間程度であるが、徐放性貼付剤とすることで24時間以上効果が持続する。吸入や内服が難しい患者にも使える。小児は皮膚血流が成人より多く薬物の経皮吸収が良好なので、特に小児科領域で頻用されている。 ・フェノテロールとプロカテロールは、高い β_2/β_1 選択性を有する。SABA に分類されるが、吸入後の作用持続は8時間前後と長い方である。 ・クレンブテロールは、β_2/β_1 選択性がそれほど高くないが、経口投与後の半減期が約 35 時間と長く、持続性の気管支拡張作用を示す。β_2 受容体刺激により膀胱排尿筋を弛緩させるとともに外尿道括約筋の収縮を増強し、「腹圧性尿失禁」にも適応がある。 ・ホルモテロールは、β_2/β_1 選択性が非常に高く、吸入後 12 時間以上効果が持続する。疎水性が高いため、容易に細胞膜に取り込まれ、その後徐々に細胞外に拡散して長時間の持続作用を示す。また通常用量で抗アレルギー作用および肺水腫抑制作用も示す。

第四世代	サルメテロール（L）	・サルブタモールのアナログ。 ・β_2 受容体に対して部分作動薬として作用するが、効力比でみた β_2/β_1 選択性が極めて高い。 ・吸入後 12 時間以上効果が持続する。 ・ホルモテロールと同じように疎水性が高いために細胞膜に取り込まれることに加え、疎水性の高い長い側鎖が β_2 受容体の非活性部位に結合するため、細胞外への拡散に時間がかかり、作用が持続すると考えられている。 ・β 受容体の完全作動薬を連用すると、β 受容体のダウンレギュレーション（受容体数の減少）が起こり、薬効が減弱しやすい。サルブタモールやサルメテロールのような部分作動薬はダウンレギュレーションを起こしにくく、長期的な使用に有利と考えられている。
	インダカテロール（L）	・β_2/β_1 選択性はそれほど高くないが、即効性と持続性を兼ね備えている。吸入後 5 分で気管支拡張効果を示し、その効果が 24 時間持続する。1 日 1 回投与でよい。 ・適応症は慢性閉塞性肺疾患（COPD）で、気管支ぜん息には用いられない。

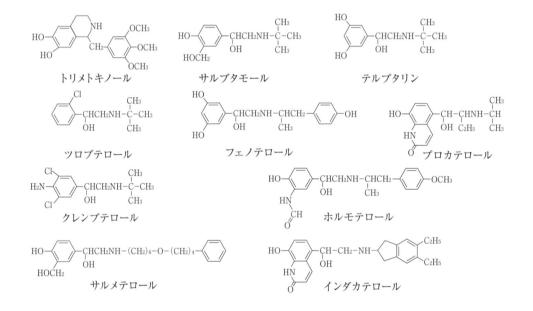

- β_2 受容体作動薬は、膀胱、子宮、血管の平滑筋も弛緩させるので、尿失禁の治療、流産・早産の防止、末梢循環障害の改善にも有用である。

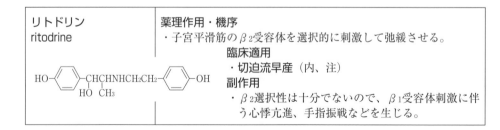

g．β_1，β_2受容体作動薬

イソクスプリン isoxsuprine	薬理作用・機序 ・β_2受容体を刺激して、子宮や血管平滑筋を弛緩させる。 ・β_2/β_1選択性はイソプレナリンより高いが、十分ではない。 ・α受容体遮断作用や平滑筋直接作用も報告されている。
	臨床適用 ・子宮鎮痙薬として、子宮収縮の抑制（切迫流・早産）や月経困難症に用いられる。 ・脳・末梢血行動態改善薬として、頭部外傷後遺症に伴う随伴症状や、ビュルガー病（バージャー病）、閉塞性動脈硬化症、レイノー病及びレイノー症候群、凍傷などの末梢循環機能障害に用いられる。

h．選択的β_3受容体作動薬

| ミラベグロン
mirabegron
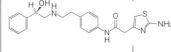\
ビベグロン vibegron 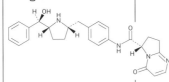	薬理作用・機序 ・β_1，β_2受容体にほとんど作用せず、β_3受容体を選択的に刺激する。 ・膀胱平滑筋のβ_3受容体を刺激して膀胱を弛緩する（cAMPを介する）。 臨床適用 ・過活動膀胱（Overactive Bladder；OAB）における尿意切迫感、頻尿および切迫性尿失禁。

②間接型作動薬

チラミン tyramine HO-⌬-CH$_2$CH$_2$NH$_2$	薬理作用・機序 ・NAトランスポーターで交感神経終末シナプス小胞に取込まれ、NAを遊離させNA類似の作用を示す（これを**チラミン様作用**という）→**代表的な間接型興奮薬**。 ・MAOで速やかに分解される。 臨床適用 ・臨床では使用しない。 副作用（相互作用） 　チーズ、ビール、サラミなどの食品中に含有されており、MAO阻害薬使用時には不活性化を受けず、著明な血圧上昇など交感神経興奮症状がみられるので厳重な注意が必要。

メタンフェタミン、アンフェタミン
- チラミン様交感神経興奮作用を示す。
- 血液－脳関門を通過し、中枢興奮作用を示す（覚せい剤）。

③混合型作動薬

エフェドリン ephedrine 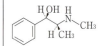 ・麻黄に含まれるアルカロイド ・覚せい剤原料に指定されている。	薬理作用・機序 ・混合型興奮薬であるが、**間接作用の方が強い**。→NA遊離による作用、例えば**昇圧作用**（α作用）は**タキフィラキシー**を起こす。散瞳作用（α作用）。 ・直接作用は主としてβ作用→心拍出量増大（β_1）、気管支拡張（β_2）—タキフィラキシーを起こさない。 ・カテコールアミンでないのでCOMTの作用を受けない。α位にメチル基を有するのでMAOにより分解を受けにくい。→経口投与可能。 ・作用持続が長い。 ・血液脳関門を通過→**中枢興奮作用**が強い。 ・散瞳 臨床適用 ・気管支ぜん息、気管支炎、感冒に伴う咳嗽（経口、注射） 副作用 ・心悸亢進、血圧上昇、中枢興奮による不眠、神経過敏、交感神経症状
メチルエフェドリン methylephedrine ・覚せい剤原料に指定されている。	薬理作用・機序 ・エフェドリンより中枢興奮作用、心臓に対するβ_1作用が弱い。気管支拡張作用（β_2作用）はエフェドリンと同程度。 臨床適用　　副作用 ・同上　　　・同上

3) ノルアドレナリントランスポーター(NAT)阻害薬
〈コカイン様作用〉

- アドレナリン作動性神経終末におけるNAの再取込み機構（ノルアドレナリントランスポーター）を阻害すると、シナプス間隙におけるNA量が増加し、交感神経興奮と類似の作用が起こる。これをコカイン様作用という。局所麻酔作用とは関係ない。
- コカインのほかイミプラミン、デシプラミン、アミトリプチリンなどの三環系抗うつ薬も同様の作用を示す。
- 上記の薬物を適用後NAやアドレナリンを投与すると、カテコールアミンのα作用は増強される。また、チラミン、グアネチジンのようにノルアドレナリントランスポーターを介して交感神経終末に取込まれないと作用を発現できない薬物では、コカイン、三環系抗うつ薬の前投与によって薬理作用が減弱ないし消失する（図2-1-15）。

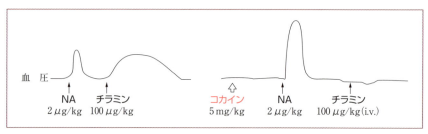

図 2-1-15　ノルアドレナリン、チラミンの血圧上昇作用に及ぼすコカインの影響

3-2 交感神経遮断薬（抗アドレナリン薬）

 交感神経節後線維支配の効果器官へのNAによる化学伝達を遮断する薬物を交感神経遮断薬（sympatholytic drugs; antiadrenergic drugs）または抗アドレナリン薬という。

分類	作用部位	薬物例	
1) アドレナリン作動性神経遮断薬	シナプス前膜	①NA遊離阻害薬	グアネチジン、ブレチリウム
		②NA枯渇薬	レセルピン、グアネチジン
		③NA生合成阻害薬	α-メチルチロシン（メチロシン）
2) アドレナリン受容体遮断薬	シナプス後膜	①α遮断薬	α_1, α_2：フェノキシベンザミン、フェントラミン
			α_1：プラゾシン、ブナゾシン
			α_2：ヨヒンビン、イダゾキサン
		②β遮断薬	β_1, β_2：プロプラノロール、ピンドロール
			β_1：アテノロール、メトプロロール
			β_2：ブトキサミン
		③α、β遮断薬	ラベタロール、アモスラロール

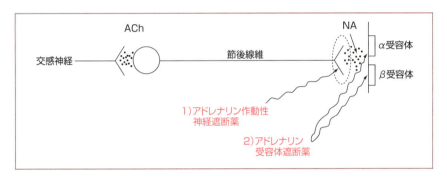

1）アドレナリン作動性神経遮断薬

 交感神経線維（アドレナリン作動性神経）の末端において、①伝達物質NAの生合成を阻害するか、②シナプス小胞のNAを枯渇するか、あるいは③シナプス小胞からのNAの遊離を阻害することにより、交感神経興奮を遮断する薬物である。

 これらは交感神経刺激や間接型交感神経興奮薬による効果を遮断するが、直接型交感神経興奮薬（NA、ノルアドレナリン）の効果を遮断せず、むしろ増強することがある。

 主として降圧薬として用いるが、作用の発現が遅い。

グアネチジン guanethidine	薬理作用・機序 ・ノルアドレナリントランスポーターによって神経終末前膜に高濃度に集まり、膜安定化を起こしてNAの遊離を抑制（ブレチリウム様作用という。ブレチリウムは耐性を生じやすいので臨床的には用いない）。シナプス小胞中のNAと入れかわり、NAの枯渇（レセルピン様作用）をきたし（はじめ一過性の昇圧作用が認められることがある）、NAの遊離が起こらないようにする。 ・血液脳関門を通りにくいので中枢作用はない。 ・降圧作用は発現が遅い（経口投与2〜3日後）が、持続性があり、強力である。 ・副腎髄質には作用しない（節後線維がないので）。 臨床適用 ・重症高血圧症（経口）。 副作用 ・起立性低血圧、インポテンツ、徐脈、食欲不振。 ・下痢、消化性潰瘍、視力障害、流涙、頻尿など。 ・コカイン、三環系抗うつ薬により降圧作用は弱められる（ノルアドレナリントランスポーター阻害によりグアネチジンの取込みが抑制されるため）。 ・グアネチジン投与時にNA、アドレナリンなど α 興奮薬を与えると異常な血圧上昇をきたす（除神経性感受性増大）。
レセルピン reserpine ラウオルフィアアルカロイドの一成分	薬理作用・機序 ・NAおよびドパミンのシナプス小胞への取込みを抑制して神経終末のNAを枯渇（シナプス小胞モノアミントランスポーター阻害作用）（レセルピン様作用）。 ・中枢神経系のカテコールアミン、セロトニン量も減少させる。 ・降圧作用は発現が遅く、持続的であり、中等度の高血圧症に用いる。 ・抗精神病作用もあるが、現在この目的には用いられていない。 ・副腎髄質にも作用する。 臨床適用 ①高血圧症 ②フェノチアジン系薬物の使用困難な統合失調症（ほとんど使われない） ・経口、注射 副作用 ・うつ状態（自殺を招くことあり）、眠気、鎮静、錐体外路系障害のほかに、性欲減退、全身振戦、徐脈、胃潰瘍、口渇、下痢、食欲不振、鼻閉などの副交感神経症状が目立つ。

2) アドレナリン受容体遮断薬

交感神経節後線維シナプスの後膜にある受容体に作用し、交感神経興奮の伝達を遮断する薬物であり、*α受容体遮断薬とβ受容体遮断薬*がある。

(1) α受容体遮断薬
①非選択的α受容体遮断薬
〈競合的遮断薬〉

ジヒドロエルゴタミン dihydroergotamine	薬理作用・機序 ・麦角アルカロイド（ergot alkaloid） ・血管平滑筋収縮作用（α刺激作用による）…特に頭蓋血管収縮作用が強い。片頭痛時の血管拡張を抑制。 ・抗セロトニン作用 ・α遮断作用も有する部分作動薬である 臨床適用　　　　　　副作用 ・片頭痛　　　　　　・下痢、悪心、嘔吐 ・起立性低血圧　　　禁忌 ・経口、皮下注、i.v.　・狭心症患者
エルゴタミン ergotamine	薬理作用・機序　　　臨床適用 ・麦角アルカロイド　・片頭痛 ・同上　　　　　　　　（経口） 副作用 ・心悸亢進、徐脈、チアノーゼ、不眠、不安、四肢筋痛、四肢壊疽。 ・子宮収縮（妊婦に禁忌） 禁忌 ・狭心症患者
トラゾリン tolazoline とフェントラミン phentolamine トラゾリン フェントラミン	薬理作用・機序 ・ともにイミダゾリン誘導体であり、NAなどのα（$α_1$・$α_2$）作用を競合的に遮断する。 ・降圧薬としては不適で、褐色細胞腫の診断に用いる。 臨床適用 ［トラゾリン］ ・末梢循環障害（レイノー病、バージャー病、凍傷など） ・経口、皮下注 ［フェントラミン］ ・褐色細胞腫の診断[※1] 副作用 ［トラゾリン］ ・心悸亢進、起立性低血圧、不整脈、食欲不振、胃痛、悪心、嘔吐。 ［フェントラミン］ ・血圧下降、**頻脈**、不整脈、鼻閉、起立性低血圧

※1：褐色細胞腫は副腎髄質などの腫瘍で、循環アドレナリンが増えて著しい昇圧をみる。α遮断薬は、血液中のアドレナリンのα作用に拮抗し著明に血圧を下げる。$α_1$受容体遮断の結果、アドレナリンの$β_2$作用が強く発現し、血圧が大きく下降するという。血圧反転現象も関与。フェントラミンの注射によって基準以上に大きく血圧下降がみられたら、褐色細胞腫が疑われる。

〈非競合的遮断薬〉

フェノキシベンザミン phenoxybenzamine とダイベナミン dibenamine（ジベナミン）	薬理作用・機序 ・ともにハロアルキルアミンであり、血中でエチレンイモニウムイオンとなってα受容体と共有結合する。したがってα遮断作用は非競合的、非可逆的であり、作用の発現は遅いが持続的である。 臨床適用 ・臨床では現在用いられない。 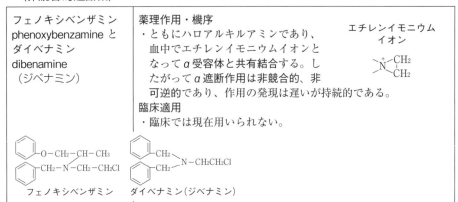

②選択的α₁受容体遮断薬

プラゾシン prazosin	薬理作用・機序 ・$α_1$受容体を選択的に遮断する。 ・$α_2$受容体の遮断ではシナプス前部でNAの遊離の調節を抑制してしまい、NAの遊離は過剰となる。頻脈、起立性低血圧、血圧漸増などが起こり、副作用となる。しかし、$α_1$選択的遮断を示すプラゾシンではこれらの作用は少ない。 臨床適用　　　　　　　副作用 ・高血圧症（経口）・起立性低血圧、心悸亢進 ・前立腺肥大症
ブナゾシン bunazosin	薬理作用・機序 ・同上 臨床適用 ・高血圧症 ・緑内障、高眼圧症
テラゾシン terazosin	薬理作用・機序 ・同上 臨床適用 ・高血圧症 ・前立腺肥大症治療薬
ドキサゾシン doxazosin	薬理作用・機序 ・同上 臨床適用 ・高血圧症、褐色細胞腫による高血圧症
ウラピジル urapidil	薬理作用・機序 ・同上 臨床適用　　　　　　　　　　　　　　副作用 ・高血圧症　　　　　　　　　　　　　・同上 ・前立腺肥大症（排尿障害）治療薬 ・$α_1$受容体遮断薬の中で唯一「神経因性膀胱に伴う排尿困難」にも適応を有する。

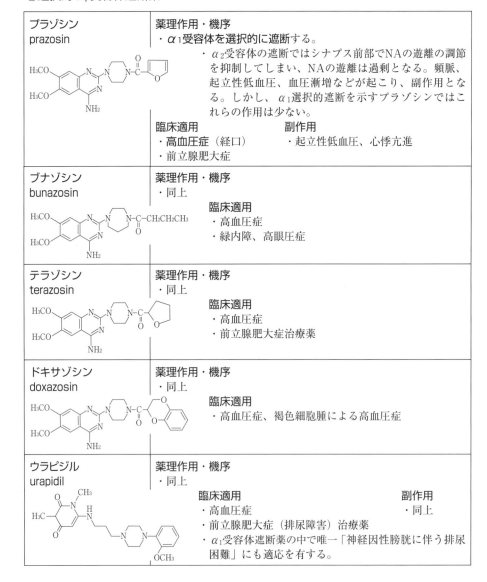

タムスロシン tamsulosin	**薬理作用・機序** ・比較的選択的にα_{1A}受容体を遮断するが、α_{1D}受容体も遮断する。 ・前立腺・尿道平滑筋、膀胱括約筋など下部尿路の収縮を選択的に抑制。α_{1A}とα_{1D}受容体は前立腺に多く存在している。 ・血管拡張（α_{1B}）による起立性低血圧を生じにくい。 **臨床適用（薬物動態）** ・前立腺肥大症（排尿障害）治療薬。 （経口）徐放剤で半減期10時間。 **副作用** ・まれにふらつき感、悪心、嘔吐
シロドシン silodosin	**薬理作用・機序** ・選択的α_{1A}受容体遮断薬 **臨床適用**　・同上 **副作用**　・同上
ナフトピジル naftopidil	**薬理作用・機序** ・選択的α_{1D}受容体遮断薬 ・α_{1D}受容体は膀胱に多く存在している。 ・前立腺肥大によって排尿困難が続くと、その代償として膀胱で平滑筋肥大やα_{1D}受容体増加が起こり、排尿反射が起こりやすくなる。この膀胱刺激症状（頻尿）を抑えるには、α_{1D}受容体遮断薬のほうが有効と期待される。 **臨床適用**　・同上　　　**副作用**　・まれにめまい、立ちくらみ

■表 2-1-3　選択的α_1受容体遮断薬の適応と特徴

選択的α_1受容体遮断薬	高血圧	緑内障	排尿障害	備考
プラゾシン	○		○	
ブナゾシン	○	○		
テラゾシン	○		○	
ドキサゾシン	○			持続性があり、1日1回投与
ウラピジル	○		○	「神経因性膀胱」にも適応
タムスロシン			○	α_{1A}, α_{1D}選択的、1日1回
シロドシン			○	α_{1A}選択的
ナフトピジル			○	α_{1D}選択的、1日1回

③選択的α_2受容体遮断薬

ヨヒンビン yohimbine	**薬理作用・機序** ・ヨヒンビ *Corynanthe yohimbi* のアルカロイドで、催淫薬として有名であるが、α_2受容体の選択的遮断薬として研究に使用されている。 **臨床適用** ・臨床では使用されない。

(2) β受容体遮断薬(「循環器系に作用する薬」の項も参照のこと)

β遮断薬は臨床的に重要な薬物であり、各薬物の作用には微妙な差があり、病態によって選択されている。部分アゴニストのβ遮断薬〔すなわち内因性交感神経刺激作用(内活性、ISA)を有するβ遮断薬〕は弱いβ受容体刺激作用を有するが、その作用はノルアドレナリンやアドレナリンより弱いので、結果的に交感神経興奮によるβ受容体刺激は抑制される。

①非選択的β受容体遮断薬

	臨床用途					内活性 (ISA)
	不整脈	狭心症	高血圧症	慢性心不全	緑内障	
非選択的β遮断薬						
プロプラノロール	○	○	○			
ピンドロール	○		○			○
アルプレノロール	○		○			○
ブフェトロール		○				
カルテオロール	○		○		○	
ニプラジロール			○		○	
チモロール			○		○	
ナドロール	○	○	○			
選択的β₁遮断薬						
アテノロール	○	○	○			
アセブトロール	○	○	○			○
メトプロロール	○	○	○			
ベタキソロール			○		○	
ビソプロロール	○	○	○	○		
セリプロロール			○	○		○
ランジオロール	○					

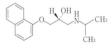
プロプラノロール

- β遮断作用がなぜ上記疾患に有効かは、各疾患の項を参照のこと。
- 最も代表的なものはプロプラノロールである。

〈プロプラノロール〉

①β受容体遮断作用	・β₁受容体、β₂受容体いずれも遮断する。 ・β₁遮断により、心拍数、心拍出量を減少。血圧下降→高血圧症治療。心筋の酸素消費量減少→狭心症の治療。 ・β₂遮断によりアドレナリンの気管支拡張作用を抑制(気管支ぜん息の誘発、悪化の副作用につながる)。
②膜安定化作用	・膜安定化作用により心の房室伝導抑制、自動興奮性を低下→不整脈の治療に応用。
③レニン分泌抑制作用	・腎臓の傍糸球体細胞からのレニン遊離はβ₁作用により促進されるが、プロプラノロールはこれを抑制。 ・レニン分泌抑制によりレニン-アンジオテンシン-アルドステロン系を介する昇圧を抑制→降圧作用を現す。
④中枢作用	・中枢のβ受容体(昇圧性)を遮断→降圧作用を現す。
⑤臨床的応用	・抗高血圧症薬、抗不整脈薬(ジギタリスや麻酔薬による心房性・心室性不整脈に有効)。 ・抗狭心症薬。 ・緑内障治療薬(チモロール、カルテオロール、ニプラジロール)…機序の詳細は不明だが、主に房水産生の抑制により、一部房水流出の増加も関与して眼圧を低下するとされる。
⑥副作用	・気管支ぜん息の誘発・悪化(β₂遮断作用)。 ・心不全(β₁遮断作用)。 ・低血糖(β₂受容体を介するグリコーゲンの分解抑制)…特に血糖降下薬との併用時に注意。 ・間欠性跛行、四肢冷却(骨格筋血管のβ₂-拡張、運動時に交感神経系の興奮による拡張をいずれも抑制)。

ピンドロール　　　　チモロール　　　　ニプラジロール

※構造中にニトロキシ基を有し、
ニトログリセリンに類似した
血管拡張作用を有する。

② 選択的 β_1 受容体遮断薬

アテノロール、メトプロロール、ベタキソロール、ビソプロロール、ランジオロール（以上 ISA −）、アセブトロール、セリプロロール（以上 ISA ＋）

- 高血圧症、労作狭心症、不整脈に適応。
- 非選択的 β 遮断薬に比べて、気管支収縮は弱く、末梢血管抵抗への影響や、血糖値への作用は少ない。気管支ぜん息患者には慎重に投与する。
- ランジオロールは、血漿中のコリンエステラーゼおよび肝臓中のカルボキシエステラーゼで速やかに非活性体に代謝され、血中半減期は約4分と非常に短い。手術時または手術後の頻脈性不整脈に対する緊急処置などに用いられる。

アテノロール　　　メトプロロール　　　セリプロロール

ベタキソロール

ランジオロール

③ 選択的 β_2 受容体遮断薬

ブトキサミン

- 適応はない。

(3) $\alpha_1\beta$受容体遮断薬

ラベタロール、アモスラロール、アロチノロール、カルベジロール、ベバントロール

- α_1受容体遮断作用とβ受容体遮断作用を合わせもつ。
- α_1遮断による末梢血管抵抗の減少とβ_1遮断による心拍出量低下により降圧作用を示す。
- β_1遮断作用があるので、反射性頻脈が起きにくい。
- 適応は高血圧症、カルベジロールは慢性心不全にも用いられる。

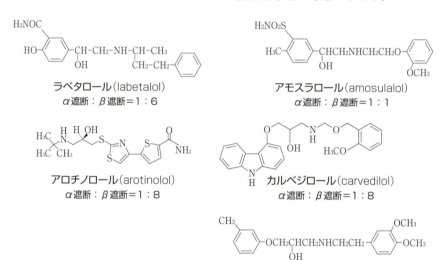

ラベタロール(labetalol)　α遮断：β遮断＝1：6

アモスラロール(amosulalol)　α遮断：β遮断＝1：1

アロチノロール(arotinolol)　α遮断：β遮断＝1：8

カルベジロール(carvedilol)　α遮断：β遮断＝1：8

ベバントロール(bevantolol)　α遮断：β遮断：Ca^{2+}拮抗＝4：56：1

4. 自律神経節に作用する薬

1）基礎生理

神経節で節前線維が興奮し、節前線維終末よりAChが遊離されると三相性のシナプス後電位が生じる（図2-1-16）。

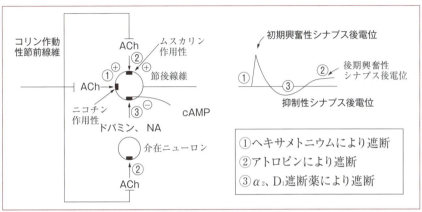

図 2-1-16　交感神経節の興奮伝達機構

①**速い脱分極**（AChによるニコチン受容体の興奮）→初期興奮性シナプス後電位
②**遅い脱分極**（AChによるムスカリン受容体の興奮）→後期興奮性シナプス後電位
③**過分極**（ムスカリン受容体を有する介在ニューロンより、ドパミン、NAが遊離
　　　　→節のcAMPの合成を誘起）→抑制性シナプス後電位

- 神経節での伝達の主役は、**AChのニコチン様作用①**であり、これを遮断すれば十分な節遮断効果が得られる。②と③を遮断しても、節伝達は完全には遮断されない。

2）自律神経の優位性と節遮断効果

神経節は交感神経と副交感神経に存在し、いずれもコリン作動性（ニコチン様作用）であるため節遮断は両者を遮断する。すべての効果器官に対し両神経が同等の強さで支配していれば、節遮断薬は有効な物質になりえないが、実際

表 2-1-4　自律神経の優位性と節遮断効果

部　位	優位な神経	節遮断薬の効果
動　脈	交感のみ	動脈拡張→血圧下降・末梢血流増加
静　脈	交感のみ	静脈拡張→静脈還流の減少・心拍出量減少
心　臓	副交感	心拍数増加
瞳　孔	副交感	散瞳
毛様筋	副交感	眼焦点調節麻痺（遠視性）
胃・小腸	副交感	筋緊張・運動の低下→便秘
膀　胱	副交感	尿貯留
唾液腺	副交感	分泌量減少・口渇
汗　腺	交感（コリン作動性）	分泌量減少・無汗症

には各器官においていずれかの神経が優位である。したがって節遮断薬によって優位な神経の興奮効果が遮断されることになる（表2-1-4）。

神経節による遮断薬の感受性の相違もあり、節遮断薬は主として降圧薬として使われてきた。

3）自律神経節興奮薬（autonomic ganglion stimulants）
①ニコチン（nicotine）
- タバコの葉からのアルカロイド。
- 自律神経節に興奮的に働く。この作用様式は骨格筋におけるスキサメトニウムと同じ。
    a．自律神経節のシナプス後膜のニコチン受容体（N_N）に作用して神経節細胞を脱分極し、各器官において優位支配神経の興奮効果（血圧上昇、心拍数減少、縮瞳、腸管収縮、胃液分泌促進など）がみられる。副腎髄質からのアドレナリンの分泌は増加する。
    b．大量投与においては、シナプス後膜を持続的に脱分極し、優位支配神経の興奮効果は遮断される（aとは逆の効果、表2-1-4参照）。
    c．運動神経筋接合部のニコチン受容体（N_M）に結合してニコチン様作用を現し、骨格筋に収縮をきたす。後に麻痺させ骨格筋を弛緩する。
    d．中枢神経に対しては、興奮作用を示し、振戦、呼吸興奮（頸動脈体化学受容器を興奮）、抗利尿ホルモン分泌（尿量減少）などが現れるが、大量では次いで抑制的に作用し、呼吸中枢、呼吸筋の麻痺によって死にいたる。

〈ニコチン貼付剤〉
- ニコチン置換療法（ニコチンテープ）：1日1回1枚、24時間貼付。最初の4週間は30 cm²/枚から貼付し、次の2週間は20 cm²/枚を貼付し、最後の2週間は10 cm²/枚を貼付する。イライラがなくなり、禁煙に向かう。

②DMPP（1,1-dimethyl-4-phenyl-piperazinium）
自律神経節のニコチン受容体（N_N）に作用して興奮させる実験薬である。

【参照】
ネオニコチノイド（neonicotinoid）系農薬
- 農業用、シロアリ駆除、ペットのシラミ・ノミ取り、ゴキブリ駆除などに使用
- イミダクロプリド、クロチアニジン、ジノテフランなど
- 昆虫の中枢神経シナプスのニコチン受容体に結合して過度に刺激して、麻痺する。コリンエステラーゼで分解されないため強力。哺乳動物よりも昆虫に作用が強く発現。
- 1990年代から有機リン剤に代わって広く使用されている。
- ミツバチなどの昆虫にも毒性が発現するといわれる。

4）ニコチン受容体部分作動薬
①バレニクリン（varenicline）
- 薬理作用・機序：$\alpha_4\beta_2$ニコチン受容体部分作動薬であり、適度に報酬系のドパミン遊離を生じることによってニコチン欠乏に伴う不快感を軽減することができるとともに、依存形成を促さない。さらにバレニクリンを服用中に

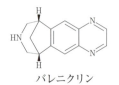

喫煙すると、$\alpha_4\beta_2$受容体上でバレニクリンがニコチンと競合拮抗するため、喫煙しても報酬系は刺激されず、タバコに対する欲求が失われていく。
- 臨床適用：禁煙補助薬（経口投与で使用）
- 副作用：嘔気、不眠、敵意・激越・うつ病などの神経精神症状

5）自律神経節遮断薬（autonomic ganglion blockers）

自律神経節遮断薬は、自律神経節の節後線維細胞体にあるニコチン性アセチルコリン受容体（N_N受容体）に結合して、興奮伝達を遮断する。

薬　　物	特　　徴
ヘキサメトニウム hexamethonium $\begin{array}{cc} CH_3 & CH_3 \\ | & | \\ CH_3N^+-(CH_2)_6-N^+CH_3 \\ | & | \\ CH_3 & CH_3 \end{array}$	・現在では、ヘキサメトニウムはN_N受容体のアセチルコリン結合部位自体には作用せず、受容体Na^+チャネルをuse-blockすると考えられている。アセチルコリンに対する競合的拮抗ではない。 ・2個の四級アンモニウム窒素の間にメチレン基が6個あるのでC_6と略すが、10個のものはデカメトニウム（C_{10}）→神経筋接合部の遮断（脱分極性）が強くなる。 ・C_6、C_{10}いずれも消化管からの吸収が悪く、血液脳関門を通りにくいので中枢作用もない。 ・高血圧症に対する救急用の降圧薬として用いる以外あまり使用しない。 ・副交感神経節遮断による消化運動抑制、便秘、尿閉や交感神経節遮断による起立性低血圧が起こる。副作用が強く、連用により耐性を生じるのであまり使用しない。

2-1 神経系に作用する薬

CHECK

次の記述について、正しいものには「○」を、間違っているものには「×」をつけてその理由を簡潔に述べなさい。

1 迷走神経は、第X脳神経であり、副交感神経線維を主体とする。
2 自律神経系の交感神経と副交感神経は、必要なときだけ神経伝達物質を放出して、効果器官を刺激または抑制する。
3 副交感神経節後線維末端から遊離される神経伝達物質は、アセチルコリンである。
4 副交感神経系は、一般に平常時の生体機能を保つ役割を果たし、エネルギーを蓄積するように働く。
5 アセチルコリンの生合成を担う酵素は、アセチルコリンエステラーゼである。
6 血管内皮細胞のアセチルコリンM_3受容体が刺激されると、Gqタンパク質を介して一酸化窒素合成酵素が阻害される。
7 ベタネコールは、アセチルコリンよりもコリンエステラーゼで分解されにくく、ニコチン様作用が弱い。
8 ピロカルピンは、M_3受容体を刺激して瞳孔括約筋を収縮させ、縮瞳を起こす。
9 ネオスチグミンは、アセチルコリンの生合成を促進して、副交感神経興奮様作用を示す。
10 ジスチグミンは、排尿困難、緑内障、重症筋無力症の治療に用いられる。
11 プラリドキシム（PAM）は、コリンエステラーゼ再賦活化作用を有し、有機リン剤中毒の治療に用いられる。
12 アトロピンは、点眼により眼内圧を低下させる。
13 ブチルスコポラミンは、四級アンモニウム化合物で、中枢作用を示さない。
14 メペンゾラートは、M_2受容体を遮断して、鎮痙作用を発揮する。
15 交感神経節後線維末端から遊離される主な神経伝達物質は、アドレナリンである
16 ノルアドレナリン生合成の律速段階は、ドパ脱炭酸酵素の関与する過程である。
17 ナファゾリンは、選択的α_1受容体刺激薬である。
18 サルブタモールは、β_2受容体を選択的に刺激し、気管支拡張薬として用いられる。
19 エフェドリンは、経口投与では無効である。
20 チラミンは、混合型交感神経アミンである。
21 コカインは、局所麻酔作用により、ノルアドレナリンの交感神経終末への取り込みを抑制する。
22 レセルピンは、アドレナリン作動性神経末端のシナプス小胞に存在するアミン取り込み機構を阻害して、ノルアドレナリンの枯渇を起こす。
23 プラゾシンは、シナプス前膜α_2受容体を特異的に遮断することによって、心機能抑制作用を示す。
24 プロプラノロールは、アドレナリンβ_1受容体に対する選択性が高い刺激薬である。
25 ラベタロールは、アドレナリンβ受容体およびアドレナリンα_1受容体に対して遮断作用を示す。
26 自律神経節にはニコチン性アセチルコリン受容体がある。
27 ニコチンの主な作用部位は、自律神経節と神経筋接合部であり、ニコチンに中枢作用はない。
28 ヘキサメトニウムは、交感神経節を遮断するが、副交感神経節には作用がない。
29 自律神経節遮断薬を処置すると、血圧は下降する。
30 バレニクリンは、ニコチン受容体の部分作動薬である。

【解答】
1 ○
2 ×　自律神経は必要なときだけ働くのではなく、常にある程度の頻度で活動していて、その増減によって臓器の機能を変化させる（持続支配）。
3 ○
4 ○
5 ×　アセチルコリンエステラーゼではなく、コリンアセチルトランスフェラーゼである。
6 ×　一酸化窒素合成酵素が活性化され、産生された一酸化窒素が血管平滑筋を弛緩させ、血管拡張反応が起こる。
7 ○
8 ○
9 ×　ネオスチグミンは、コリンエステラーゼによるアセチルコリンの分解を阻害して、副交感神経興奮様作用を示す。
10 ○
11 ○
12 ×　アトロピンは、眼内圧を上昇させるので、緑内障患者には禁忌である。
13 ○
14 ×　M_2 受容体は心臓に分布し、副交感神経系による心抑制を媒介する。メペンゾラートの鎮痙作用は、M_3 受容体遮断による。
15 ×　アドレナリンではなく、ノルアドレナリンである。
16 ×　ドパ脱炭酸酵素ではなく、チロシン水酸化酵素が関与する過程が律速となる。
17 ×　ナファゾリンは、$α_1/α_2$ 受容体選択性があまり高くなく、血管収縮作用には一部 $α_2$ 受容体刺激が含まれる。
18 ○
19 ×　エフェドリンは、経口投与可能で、感冒薬などとして用いられる。
20 ×　間接型交感神経アミンである。
21 ×　コカインは局所麻酔作用を有するが、ノルアドレナリンの交感神経終末への取り込み抑制は、ノルアドレナリントランスポーター阻害によるものである。
22 ○
23 ×　プラゾシンは、選択的 $α_1$ 受容体遮断薬である。また、シナプス前膜 $α_2$ 受容体が遮断されたときは、交感神経終末からのノルアドレナリン遊離が促進されて、心機能は促進される。
24 ×　プロプラノロールは非選択的 $β$ 受容体遮断薬である。
25 ○
26 ○
27 ×　ニコチンは中枢神経系に移行して、中枢興奮作用を示す。
28 ×　交感神経節も副交感神経節も遮断する。
29 ○
30 ○

2 体性神経系に作用する薬・運動神経系及び骨格筋に作用する薬

到達目標
- 知覚神経に作用する代表的な薬物（局所麻酔薬等）を挙げ、薬理作用、機序、主な副作用を説明できる。
- 運動神経系及び骨格筋に作用する代表的な薬物を挙げ、薬理作用、機序、主な副作用を説明できる。

1. 局所麻酔薬

　末梢知覚神経線維の軸索を可逆的に麻痺させ、求心性のインパルスの発生および伝導を遮断し、痛覚などの感覚を低下、消失させる薬物を局所麻酔薬（local anesthetics）という。これに対し鎮痛薬は知覚神経線維に対する作用ではなく、痛みの伝導路におけるシナプスに作用して痛覚を感じさせないようにするもので、局所麻酔薬とは異なる。

1）基礎生理

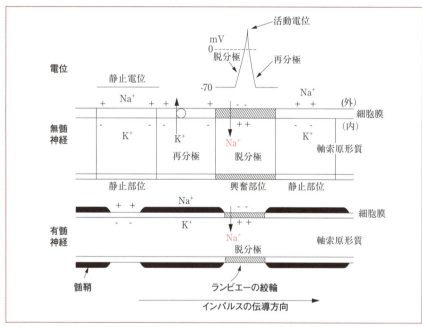

図 2-1-17　神経線維での活動電位（インパルス）の発生と伝導

①神経線維は細胞膜でおおわれ、静止時には外側が（＋）に、内側が（－）に分極している。これを静止膜電位といい、－70mV 前後である。
②神経が興奮すると、細胞膜の電位依存性 Na^+ チャネルが開口し、軸索原形質内に Na^+

が流入し、外側が（－）、内側が（＋）に荷電して脱分極し、活動電位が発生する。
③この神経興奮は隣接する神経細胞膜を伝って移動する。
④有髄神経では髄鞘のない部位（ランビエーの絞輪）で活動電位が発生し、次の絞輪部へとびとびに電位の変化が移る（跳躍伝導）。したがって伝導速度は速い。

2）局所麻酔薬の作用機序

局所麻酔薬の作用部位は神経細胞膜にあり、Na^+の軸索原形質内への流入を遮断し、活動電位の発生を阻止する。すなわち、脱分極の阻止（膜の安定化作用）により神経興奮の発生、伝導を抑制する。局所麻酔薬は電位依存性Na^+チャネル遮断薬である。軸索原形質への直接作用はなく、静止膜電位を変えることもない。一般に細い神経線維のほうが太い神経線維よりも局所麻酔薬の作用を受けやすい。痛みを伝える神経線維は細い線維である。（一般に、無髄線維＞細い有髄線維＞太い有髄線維の順）

発現する伝導阻害の強さは、知覚神経＞交感神経節後線維・同求心線維＞運動神経の順、感覚が失われる順は、鈍い痛覚＞鋭い痛覚・温覚＞触覚・圧覚の順である。また末梢知覚神経のみならず、自律神経さらには用量によっては運動神経、骨格筋、平滑筋、心筋にも遮断作用が及ぶことがある。

局所麻酔薬には刺激頻度/電位依存性の抑制作用により、細胞膜の連続的な脱分極により作用が強く現れ（use-dependent inhibition）知覚神経に作用がより強く発現する。

アミン形の局所麻酔薬は塩酸塩を生体に適用するが、細胞外液のpHで一部遊離塩基（脂溶性形）となって結合組織、細胞膜を通過する。細胞内の作用部位では再びカチオン形（四級アンモニウム形、有効形）となり、軸索膜にある局所麻酔薬の受容体部位であるNa^+チャネルに内側から結合してNa^+チャネルを塞ぎ、Na^+の流入を妨げる（図2-1-18）。多くの局所麻酔薬は3級アミンであり、pKa7.5～9.0。局所麻酔薬は塩基性のため、炎症などで細胞外液が酸性になるとイオン形が増加し、効力は減弱する。

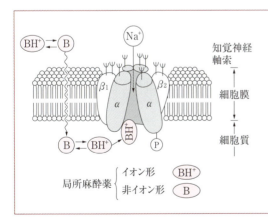

電位依存性Na^+チャネルが開口しているときに、薬物はチャネル内の局所麻酔薬結合部位に到達できる。したがって開口頻度が高いときにチャネルブロック作用が強く発現する（使用依存性抑制）。このことは痛み刺激などで神経が強く刺激されているときに、局所麻酔薬が強く効くことになり、都合がいい。

細胞膜内面から局所麻酔薬の受容体に結合して、電位依存性Na^+チャネルを遮断し、Na^+の流入を妨げる。このため活動電位の発生と伝播は抑制される。Na^+チャネルは、α、β_1、β_2サブユニットから構成されており、チャネル機能はαサブユニットにある。αサブユニットは4つのドメインの反復で構成されており、Na^+透過性を有している。

図2-1-18　局所麻酔薬の作用機序

3）局所麻酔薬の適用法

局所麻酔薬の個々の物理化学的、薬理学的な性質によってそれぞれ適用方法が異なる。

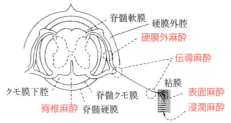

表 2-1-5　局所麻酔薬の適用法

適用	特徴	臨床用途
表面麻酔	粘膜、角膜表面などに適用→組織浸透性のよい薬物を使用	眼の麻酔、気管支鏡など各種挿管のための粘膜麻酔、創面・胃粘膜の鎮痛
浸潤麻酔	神経末端で麻酔するため神経線維が細く、低濃度の薬物で麻酔可能	抜歯、眼科、耳鼻咽喉科の局所小手術
伝導麻酔	神経線維の途中で麻酔。脊髄に近づくほど神経の麻酔効果は広範囲の域に及ぶ。	三叉神経痛、骨折整復など
硬膜外麻酔	知覚神経が脊髄に入る直前の脊髄神経に適用。	下腹部、胸部、上肢の手術
脊椎麻酔	クモ膜下腔に適用→髄液と薬液を混合して注入。薬液の比重と体の傾きの調節で麻酔域を調節。腰椎麻酔が多い。頸髄に薬液が達すると呼吸麻痺を起こしてしまう。	下半身の手術
静脈内区域麻酔	上肢または下肢に止血帯を巻き、その末梢側で手術部位に近い静脈から局所麻酔薬を注入する。	2時間以内の上肢や下肢の手術に使用

4）血管収縮薬との併用

局所麻酔薬は、注射局所の血管網からすみやかに吸入される。

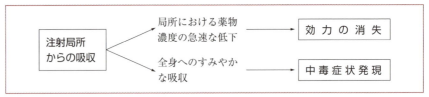

そこで、①局所麻酔の作用時間の延長　②効力増強　③吸収を制限し全身性副作用を低下するために、血管収縮薬が局所麻酔薬に添加して使用される。

血管収縮薬としては、主としてアドレナリンが使用される。しかし、アドレナリンは、血管収縮作用により血圧を上昇させたり、肝におけるグリコーゲン分解の促進やインスリン分泌の抑制により高血糖を招くおそれがあるので、高血圧症や糖尿病の患者には原則禁忌である。

5）局所麻酔薬の理想的条件

最初に見出された局所麻酔薬は、天然資源から得られるコカインであるが、毒性・依存性が強いため、その副作用を除き優れた性質を具えた合成品の開発が試みられてきた。その理想的条件には以下のようなものがある。
①局所刺激作用がないこと。
②組織浸潤性がよいこと。
③局所麻酔作用が強く、可逆的で組織障害を残さないこと。
④安全域が大きいこと（全身吸収された場合、毒性・薬物アレルギー等を生じない）。

⑤作用発現がすみやかで、その持続が少なくとも30分以上であること。
⑥水溶性であること。
⑦適用用途の広いこと（適用部位によって効力差が少ないこと）。
⑧煮沸滅菌が可能で、化学的に安定なこと。
⑨血管収縮薬と併用しうること。

6) 局所麻酔薬各論

エステル型（-COO-）：コカイン、プロカイン、オキシブプロカイン、テトラカイン、アミノ安息香酸エチル
アミド型（＞N-CO-）：リドカイン、メピバカイン、ジブカイン、オキセサゼイン、ブピバカイン、プロピトカイン

芳香族 ── 中間鎖 ── 3級アミン
（エステル結合/アミド結合）

エステル型はアミド型よりアレルギー反応を起こしやすい（代謝物 p-アミノ安息香酸（PABA）によると考えられている）。

また、エステル型局所麻酔薬は、血漿コリンエステラーゼで分解されるため作用時間が短く、アミド型局所麻酔薬はエステラーゼによって分解されず作用持続が長い。

コカイン（cocaine）	・組織浸透性がよいので、表面麻酔のみに使用 ・交感神経終末のアミントランスポーターを阻害し、血管収縮、散瞳を起こす。 ・吸収されると中枢興奮作用を示す。 　→振戦、痙れんが現れたら、ジアゼパムかチオペンタールで処置する。 ・精神的依存を生じる（麻薬）、耐性は生じない。
プロカイン（procaine）	・組織浸透性が低いので、表面麻酔には用いない。 ・血漿コリンエステラーゼで分解され、速効性で作用時間が短い。 ・血管収縮薬を併用する。 ・相互作用：分解すると p-アミノ安息香酸を生じるので、サルファ剤やPASの作用を減弱する。
リドカイン（lidocaine）	・他の局所麻酔薬に比べ、安全域が広い。 ・すべての適用法で用いられ、最も繁用されている。 ・肝のCYP3A4、CYP1A2で分解される。速効性で持続時間が長い。 ・血管収縮薬を併用する。 ・副作用：痙れん、呼吸抑制、不安、ショック、心停止 ・静注で心室性不整脈の治療薬としても用いられる。
ジブカイン（dibucaine）	・硬膜外麻酔を除き、すべての適用法で用いられる。 ・効力も強いが、毒性も強い。

アミノ安息香酸エチル (ethylaminobenzoate) (ベンゾカイン、benzocaine)	・水に不溶で、表面麻酔のみに用いる。 ・胃炎、胃潰瘍に伴う痛みに内服で、外傷、そう痒症、痔疾に軟膏で用いる。 ・本薬物は電荷を生じず、脂溶性が高い。Na^+チャネルに直接作用するのではなく、膜中に入り込むことにより膜を膨張させてNa^+チャネルを圧迫して阻害する。
オキセサゼイン (oxethazaine)	・強酸性下でも作用し、胃粘膜局所麻酔薬として内服で用いる。 ・ガストリンの遊離を抑制して、消化性潰瘍治療にも用いられる。
その他　　オキシブプロカイン	表面麻酔のみ。プロカインよりエステラーゼによる分解がより速やか。
メピバカイン※	硬膜外麻酔、伝達麻酔、浸潤麻酔で使用。
テトラカイン	すべての適用法。
ブピバカイン※	表面麻酔や浸潤麻酔以外で使用。長時間作用型。
プロピトカイン	歯科領域における浸潤麻酔と伝達麻酔で使用。 フェリプレシンとの合剤として用いられる。フェリプレシンは合成バソプレシン誘導体であり、心副作用を起こさずに局所の血管を収縮する。この合剤は心疾患、糖尿病、高血圧患者での局所麻酔に使用。
ロピバカイン※	伝達麻酔と硬膜外麻酔で使用。アドレナリンを添加しても、作用持続時間の延長は認められない（アドレナリン添加せずに使用）。
レボブピバカイン※	ブピバカインのS(−)エナンチオマーのみからなる。長時間作用型。中枢や心臓に対する副作用はブピバカインより弱い。

※アドレナリンの添加は不要。バカインのバは va で、vascular contraction を表す。

〈有害事象〉
- 局所麻酔薬による有害事象として、心因性の迷走神経反射に伴う心拍数および血圧や過換気症候群が認められることがある。このような場合は、必要に応じてベンゾジアゼピン誘導体が用いられる。
- 副作用として、遅延型アレルギーとして皮膚炎が引き起こされることが多い。また、まれではあるが、重症例として、アナフィラキシーショックが認められることがある。これは、アミド型の薬剤に比べ、エステル型局所麻酔薬が血漿中のコリンエステラーゼにより分解されやすいため、パラアミノ安息香酸となり、これが抗原となりアナフィラキシーショックを起こすと考えられている。
- 反応は、局所麻酔薬によるものだけではなく、バイアル瓶に含まれている保存剤やラテックスが抗原となることもある。

2. 末梢性筋弛緩薬

運動神経と骨格筋の接合部、つまり、神経－筋接合部で興奮伝達を遮断する薬物を末梢性筋弛緩薬（peripherally acting muscle relaxants）という。

1）基礎生理
（1）神経－筋接合部（Neuromuscular junction；N-M junction）の構造

運動神経は脊髄前根から出てニューロンを替えることなく骨格筋に到る。骨格筋近くで無髄神経となって分枝し、多数のひだ状になった筋線維膜に間隙をおいて相対している。この筋側のひだ状部を終板（endplate）という。

運動神経終末にはAChを含むシナプス小胞があり、このAChは神経興奮によりシナプス間隙に放出され、終板のACh受容体（ニコチンN_M受容体）と結合して神経側から筋側に興奮を伝える（図2-1-19）。

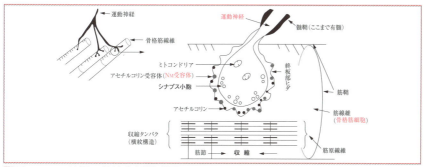

図2-1-19　神経－筋接合部模式図

（2）神経－筋接合部の化学伝達

運動神経から骨格筋への興奮伝達は、AChを介して行われる（図2-1-20）。

① 運動神経にインパルスが伝播
② 神経末端に到着
③ シナプス前膜が脱分極し、細胞膜のCa^{2+}チャネルが開口し、Ca^{2+}が流入する。
④ シナプス小胞がシナプス前膜に融合し、AChを開口分泌する。
⑤ AChがシナプス間隙に拡散
⑥ AChが終板のN_M受容体と結合
⑦ NM受容体のNa^+チャネルが開口→Na^+が筋細胞内に流入して膜の脱分極を生じ、終板電位を発生
⑧ 終板電位が閾値以上に達すると、筋形質膜に活動電位が発生
⑨ 筋細胞に活動電位の伝播→筋小胞体膜に活動電位が伝播
⑩ 筋小胞体からのCa^{2+}の遊離
⑪ 筋原線維の収縮（Ca^{2+}がトロポニンCに結合し、収縮タンパクのアクチン・ミオシン系を賦活）

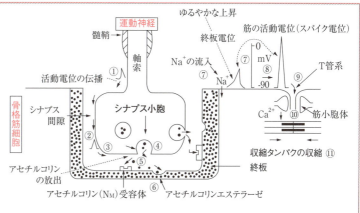

図2-1-20　神経－筋接合部の興奮伝達

(3) 終板の特性

終板はシナプス後膜に相当し、静止時の電位は筋の膜電位と同じ大きさで、−90 mV 前後である。

終板の N_M 受容体に ACh が結合すると Na^+ が流入し、終板は脱分極するが、神経膜と異なりその終板電位は局所的にとどまり伝播しないので、積み重ね式にゆっくり脱分極する。

終板は筋の細胞膜につながっているが、筋の細胞膜と終板の接点で、その部位の電位が閾値まで達すると、筋の細胞膜に大きな活動電位が発生する。これが伝播して筋収縮が一斉に起こる。

終板にはアセチルコリン（N_M）受容体があり、受容体とアセチルコリンの結合したものの数が増すほど Na^+ 透過性は高まり、終板の脱分極が進む。

2) 末梢性筋弛緩薬各論

作用機序から次の4種類に大別される。

競合型遮断薬	ツボクラリン、パンクロニウム、ベンゾキノニウム、ベクロニウム、ロクロニウム
脱分極型遮断薬	スキサメトニウム、デカメトニウム
骨格筋直接弛緩薬	ダントロレン
ACh 遊離阻害薬	ボツリヌス毒素（A型）

テトロドトキシンは運動神経の Na^+ チャネルを細胞膜の外側から遮断して、活動電位の発生を抑制することにより、筋肉を弛緩させ、呼吸麻痺を起こす。

競合型遮断薬と脱分極型遮断薬の臨床的応用は、全身麻酔時の補助薬として骨格筋弛緩を得るために用いられるのが最も多い。

ダントロレンは、痙性麻痺（脳・脊髄病変による錐体路障害）、悪性高熱※、悪性症候群などに使われる。

(1) 競合型遮断薬

終板のニコチン N_M 受容体を ACh と競合して占領し、ACh による興奮伝達を遮断する。代表的な薬物にクラレがあることから、この作用をクラレ様作用という。また、終板電位を活動電位発生の閾値以下に抑制することから安定化作用ともいわれる。

クラレの主成分ツボクラリン、パンクロニウム、ベクロニウム、ロクロニウム、アルクロニウム、ガラミン、ベンゾキノニウム、β-エリスロイジンなどがこの群に属する薬物である。

※ ほとんどの揮発性麻酔薬やスキサメトニウムによって急速な高熱と筋強直が起きる症候群であり、死亡率は15%前後である。リアノジン受容体遺伝子の異常が原因であり、骨格筋細胞の筋小胞体から大量のカルシウムを細胞質内に放出することによる。

ツボクラリン	- クラーレ（矢毒として用いられた）の主成分。四級アンモニウム基をもつので消化管からの吸収は悪く、**経口投与では無効**である。血液－脳関門、血液－胎盤関門を通らない。
- N_M 受容体で ACh と競合して筋弛緩をきたす。筋自体には作用しないので、筋を電気刺激すると筋は収縮する。
- 競合的阻害であるから、アセチルコリンの濃度を高めるとツボクラリンの作用は拮抗される。このためにツボクラリン中毒にはコリンエステラーゼ阻害薬（ネオスチグミンなど）を与える。
- 筋弛緩は目、指などの小さく速く動く筋から現れ、過量では呼吸筋麻痺で死亡。
- 臨床用量で自律神経節や副腎髄質の遮断作用が生じ、血圧を下降する。
- ヒスタミンを遊離し、気管支痙れん、血圧低下などが起きる。
- ツボクラリンの注射によりはじめは神経筋接合部に集まるが、その後他の組織へ移行するので作用時間は短く20〜30分である。再投与では蓄積作用がみられるので、減量しないと危険である。
- **副作用**：呼吸抑制、低血圧、気管支痙れん、気道分泌亢進
- **相互作用**：エーテル、ハロタン等は終板の膜安定化作用をもつので、ツボクラリンの作用増強を起こす。アミノグリコシド系抗生物質は運動神経終末からの ACh 遊離を抑制するので、ツボクラリンの作用は増強される。
パンクロニウム ベクロニウム ロクロニウム	- ステロイド骨格を有する四級アンモニウムである。
- ツボクラリンより強い効力。
- ヒスタミン遊離作用や自律神経節遮断作用はほとんどない。特にベクロニウム、ロクロニウムは作用発現が速やかで循環器系に対する副作用がないので、現在主流の筋弛緩薬である。ロクロニウムはベクロニウムより作用持続時間が短い。
- パンクロニウムには弱い抗コリン作用があり、心拍数増加を起こす。

ツボクラリン（tubocurarine）

R: CH₃　パンクロニウム（pancuronium）
　 H　　ベクロニウム（vecuronium）

ロクロニウム（rocuronium）

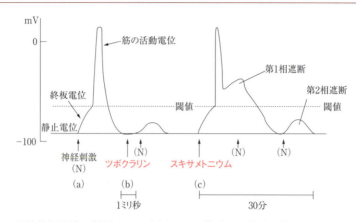

(a) 正常時では骨格筋細胞膜は外側が＋、内側が－に帯電し、静止電位は－90mVの状態にある。電気刺激（N）を行うと、終板が脱分極して終板電位を発生するが、これが閾値以上になると筋形質膜に活動電位が発生して筋は収縮する。
(b) ツボクラリンがACh受容体（N_M）に結合した後では、電気刺激による終板電位は起こりにくく、ツボクラリンの安定化作用によって筋の活動電位は生じない。
(c) スキサメトニウムがACh受容体に結合すると、初期に一過性の筋興奮を起こす。その後は脱分極の持続によってNa^+チャネルが不活性化状態になり、興奮が遮断される（第1相遮断）。再分極後も脱分極の抑制により、電気刺激によっても活動電位はみられず、筋弛緩の状態が持続する（第2相遮断）。

■図2-1-20　終板における電気的変化と筋弛緩薬の作用様式

（2）脱分極型筋弛緩薬

終板のACh受容体と結合して終板に持続的な脱分極を起こし、AChに対する感受性を低下（閾値の上昇）させて、神経の興奮を伝えずに骨格筋の弛緩を生ずる。

スキサメトニウム	・コハク酸とコリンのエステルで、肝や血漿中の血漿コリンエステラーゼで速やかに分解される。静注したとき、5分間程度で筋弛緩作用は消失する。 ・終板の持続的脱分極をきたす→脱分極時に一過性の筋のれん縮がみられ（N_M受容体に刺激薬として働く）、この点競合型筋弛緩薬と異なる。 ・スキサメトニウムによる脱分極が終わって再分極した後もなお神経－筋接合部の遮断は少し続くので、脱分極型遮断以外の作用（第2相遮断）もある。 ・ごく弱いヒスタミン遊離作用がある。 ・ツボクラリンの過量投与にはコリンエステラーゼ阻害薬が解毒薬となるが、スキサメトニウムの過量にはコリンエステラーゼ阻害薬の投与は逆に筋弛緩を増強する。中毒時には人工呼吸をしていると、作用は速やかに切れてくる。解毒薬はない。 ・スキサメトニウムの筋弛緩作用持続時間には個人差が生じやすい。遺伝的に血漿コリンエステラーゼ活性の低い人は無呼吸に陥りやすい。 ・経口投与では無効、中枢作用なし、胎盤関門の移行も悪い。 ・副作用：悪性高熱、筋肉痛（初期に一過性の筋収縮を起こすため）、呼吸停止 ・外眼筋を拘縮するので眼内圧の上昇を起こす→緑内障の患者には禁忌。 ・最近はほとんど用いられない。
デカメトニウム	・四級アンモニウムである。 ・呼吸筋を弛緩しない量で、四肢の筋肉弛緩が生じる。 ・自律神経節遮断作用やヒスタミン遊離作用は弱い。 ・臨床適用はない。

スキサメトニウム(suxamethonium)　　デカメトニウム(decamethonium)

〈ツボクラリンとスキサメトニウムに関する薬物相互作用〉
- 脱分極型筋弛緩薬(スキサメトニウムやデカメトニウム)と競合型のもの(ツボクラリン)は、相互に筋弛緩作用を弱めるおそれがある。
- コリンエステラーゼ阻害薬は、脱分極型と競合型では相互作用効果は逆(既出)。
- ストレプトマイシン、カナマイシン、キニジンなど筋弛緩作用を有するものの併用は脱分極型、競合型ともその**筋弛緩作用を強める**。
- エーテル(後膜に対する安定化作用を有する)は、競合型のものの筋弛緩を強める。
- 低カリウム血症をきたす薬物は、筋脱力傾向があるので筋弛緩を強める。
- プロカインはスキサメトニウムのコリンエステラーゼによる分解を阻害し、筋弛緩を増強する。

(3) 骨格筋直接弛緩薬

ダントロレンナトリウム	・骨格筋の興奮－収縮連関を直接抑制する。主作用部位は**T管系**から**筋小胞体**に**興奮**が伝えられる過程であり、骨格筋の筋小胞体のリアノジン受容体(RyR1)に結合して**遮断する**。その結果、筋小胞体からのCa^{2+}遊離は抑制され、筋は弛緩する。筋直接刺激による筋収縮を抑制する。 ・臨床適用は**痙性麻痺**による筋硬直に用いる。痙性麻痺は脳血管障害後遺症、脳性麻痺、外傷後遺症などで起こる。また全身麻酔の後に起こる**悪性高熱**、抗精神病薬やパーキンソン病治療に用いられるドパミン系薬等によって起こる**悪性症候群**に用いられる。これらの症状は筋線維内のCa^{2+}過剰遊離によるとされている。 ・副作用：脱力、倦怠感、眠気、めまい、痙れん、肝障害、赤血球減少など。

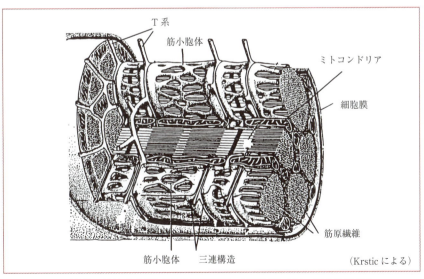

(Krsticによる)

図2-1-21　神経－筋接合部模式図骨格筋細胞(細胞膜-T系-筋小胞体系)

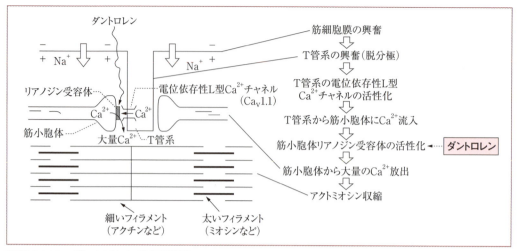

図 2-1-22　ダントロレンの作用機序

（4）ACh 遊離阻害薬

ボツリヌス毒素はボツリヌス菌（*Clostridium botulinum*）のつくる外毒素で、食中毒の原因物質であるが、少量を臨床的に使用する。

〈A 型ボツリヌス毒素〉
　タンパク質であり、毒素には 7 種類あるが、最も安定、強力な A 型が臨床で使用される。
特　徴
- 末梢神経筋接合部神経終末内でのアセチルコリン放出抑制により神経筋伝達を遮断。
- 骨格筋弛緩作用を示す。

臨床適用：眼瞼痙れん、片側顔面痙れん、痙性斜頸、眉間のしわ、上肢・下肢痙縮
- 筋注
- 効果は 3〜4 カ月間持続する。
- 米国では「しわ取り」にも適用が拡大されている（日本では適応外使用されることがある）。

〈インコボツリヌストキシン A〉
　従前の A 型ボツリヌス毒素製剤は神経毒素成分以外に無毒性成分の複合タンパク質も含まれていたため、投与を継続することで中和抗体が産生され、効果が減弱することが問題となっていた。インコボツリヌストキシン A は、複合タンパク質を取り除き、神経毒素成分のみを有効成分とした新しい A 型ボツリヌス毒素製剤で、日本では 2020 年 12 月に発売された。中和抗体産生による効果減弱の可能性が低くなると期待されている。伝達を遮断。

〈B 型ボツリヌス毒素〉
臨床適用：痙性斜頸のみ
- 筋注

〈参考〉筋弛緩回復薬

ロクロニウム、ベクロニウムによる筋弛緩状態から回復させる薬物。

| スガマデクスナトリウム（sugammadex sodium）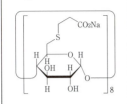 | 薬理作用・機序
・スガマデクスはロクロニウムやベクロニウムにγ-シクロデキストリンとして包接することにより、それらの筋弛緩作用を阻害して、筋弛緩状態から回復させる。
臨床適用
・ロクロニウムやベクロニウムの筋弛緩作用が長引く場合など、筋弛緩状態からの回復を必要とするときに使用。
・静脈内投与で用いる。 |

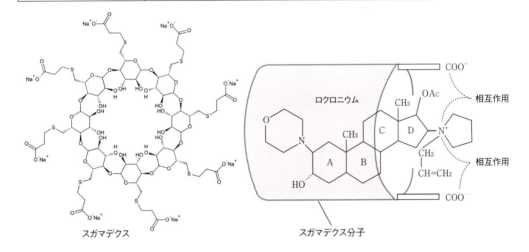

スガマデクス　　　　　　　　　　　スガマデクス分子

2-1 神経系に作用する薬

CHECK

次の記述について、正しいものには「○」を、間違っているものには「×」をつけてその理由を簡潔に述べなさい。

1　局所麻酔薬は、末梢知覚神経の軸索を可逆的に麻痺させる作用をもつ。
2　局所麻酔薬は、神経軸索において Ca^{2+} の流入を遮断する。
3　局所麻酔薬は、知覚神経細胞内に透過してから作用を発現する。
4　局所麻酔薬に血管収縮薬を添加する理由は、当該局所組織への酸素の補給を減らして知覚神経の感度を鈍くするためである。
5　コカインは、強力な作用をもつため、局所麻酔薬として広く用いられる。
6　プロカインは、眼科領域での表面麻酔に用いられる。
7　リドカインは、アミド型局所麻酔薬で、作用の持続が長い。
8　アミノ安息香酸エチルは、胃炎や胃潰瘍に伴う痛みに内服で使用する。
9　神経筋接合部とは、運動神経と骨格筋の間のシナプスをさす。
10　骨格筋細胞終板上にはニコチン性アセチルコリン受容体（NMタイプ）が局在する。
11　ツボクラリンは、運動神経上でアセチルコリンと競合的に拮抗する。
12　ベクロニウムの骨格筋弛緩作用は、ネオスチグミンによって拮抗されない。
13　パンクロニウムは、ステロイド骨格を有する四級アンモニウム化合物である。
14　スキサメトニウムは、筋小胞体のリアノジン受容体を遮断する。
15　ダントロレンは、骨格筋細胞のT管系から筋小胞体に興奮が伝えられる過程を遮断する。

【解答】

1　○
2　×　Na^+ の流入を遮断する。
3　○
4　×　局所から血流に入り全身性副作用が発現するのを抑えるためと、投与した局所に局所麻酔薬を持続的にとどめて作用を増強するためである。
5　×　コカインは、麻薬であり、めったに使用されない。
6　×　プロカインは、組織浸透性が低いので表面麻酔には用いられない。
7　○
8　○
9　○
10　○
11　×　運動神経上ではなく、骨格筋のニコチン性アセチルコリン受容体上である。
12　×　拮抗される。
13　○
14　×　スキサメトニウムは、終板のニコチン受容体を刺激して終板の持続的脱分極を引き起こす。筋小胞体のリアノジン受容体を遮断するのはダントロレン。
15　○

3 中枢神経系に作用する薬

到達目標
- 全身麻酔薬の薬理（薬理作用、機序、主な副作用）を説明できる。
- 麻薬性鎮痛薬、非麻薬性鎮痛薬の薬理（薬理作用、機序、主な副作用）を説明できる。
- 睡眠障害治療薬の薬理（薬理作用、機序、主な副作用）を説明できる。
- 統合失調症治療薬の薬理（薬理作用、機序、主な副作用）を説明できる。
- うつ病・双極性障害治療薬の薬理（薬理作用、機序、主な副作用）を説明できる。
- 神経症治療薬の薬理（薬理作用、機序、主な副作用）を説明できる。
- てんかん治療薬の薬理（薬理作用、機序、主な副作用）を説明できる。
- パーキンソン病治療薬の薬理（薬理作用、機序、主な副作用）を説明できる。
- 認知症治療薬の薬理（薬理作用、機序、主な副作用）を説明できる。
- 脳内出血・脳梗塞等に関連する治療薬の薬理（薬理作用、機序、主な副作用）を説明できる。
- 片頭痛治療薬の薬理（薬理作用、機序、主な副作用）を説明できる。
- 中枢興奮薬、その他の中枢神経系に作用する薬物の薬理（薬理作用、機序、主な副作用）を説明できる。

1. 中枢神経系の基礎生理

1）中枢神経系の構成

中枢神経系（central nervous system；CNS）は脳と脊髄から成る。脳は発生学的にさらに細かく区分される。

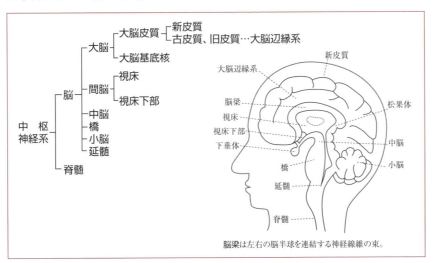

図 2-1-23　中枢神経系の構成

表 2-1-6 各脳部位の役割

新皮質	適応行動、創造行動など高次機能に関与。知覚領（痛みの認知）、運動領（骨格筋の運動）、総合領（理性、判断）などから成り、知・情・意の座。
大脳辺縁系	本能および情動行動の統合中枢。
大脳基底核	骨格筋の運動・緊張を支配する錐体外路系の中枢。
視　床	多くの神経核があり大脳皮質へ投射線維を送る。嗅覚以外の体性感覚（求心性線維）の中継路。情動・感情の形成に関与。
視床下部	自律神経系の中枢として、体温、食欲、血圧、消化機能、睡眠などの調節を行う。視床下部ホルモン、神経ペプチドの産生・分泌。解熱鎮痛薬の解熱作用の作用部位。
橋	腹外側に三叉、外転、顔面および聴神経の神経核がある。橋網様体は脳幹網様体の一部で上位脳と脊髄の活動を制御。
小　脳	姿勢・運動の制御に関与。細胞層のプルキンエ細胞はGABAを伝達物質とする抑制性ニューロン。
延　髄	呼吸・血管運動など生命維持に重要な自律神経中枢と、咳、嘔吐、分泌などの反射中枢がある。
脊　髄	皮膚、深部、筋からの感覚情報を受け取り、筋群に運動指令を出す。

2）神経伝達物質

表 2-1-7 各脳部位の役割

構造による分類	神経伝達物質	分布など	受容体
アセチルコリン	アセチルコリン	アセチルコリン含有神経は、中隔野、線条体、視床下部などに存在。	ニコチン受容体（神経型） Na^+チャネルを形成。 ムスカリン受容体 Gタンパク質共役型（M_1:Gq）
アミン	ノルアドレナリン	ノルアドレナリン含有神経の細胞体は脳幹の青斑核に存在。	Gタンパク質共役型。 α_1：Gq、α_2：Gi、$\beta_1=\beta_2$：Gs
	ドパミン	ドパミン含有神経の細胞体は黒質と腹側被蓋野に存在。	Gタンパク質共役型 D_1：Gs D_2：Gi
	セロトニン	セロトニン含有神経の細胞体は脳幹の縫線核に存在。	主としてGタンパク質共役型 $5-HT_1$：Gi $5-HT_2$：Gq
アミノ酸	グルタミン酸	興奮性伝達物質として中枢神経に広く存在。	NMDA受容体、AMPA受容体、カイニン酸受容体 イオンチャネル内蔵型 代謝型グルタミン酸受容体 mGluR1、mGluR5:Gq mGluR2〜4、mGluR6:Gi
	γ-アミノ酪酸（GABA）	抑制性伝達物質として中枢神経に広く存在。	$GABA_A$受容体 Cl^-チャネルを形成。 $GABA_B$受容体 Gi→cAMP減少、K^+チャネル活性化。
	グリシン	抑制性伝達物質として延髄、脊髄などに存在。	グリシン受容体 Cl^-チャネルを形成。
ペプチド	タキキニン（サブスタンスP、ニューロキニンAおよびBなど）	サブスタンスPは脊髄後角において一次知覚ニューロンの伝達物質として痛みの伝達に関与。	NK_1、NK_2、NK_3受容体 Gq サブスタンスPはNK_1受容体に親和性が高い。
	オピオイド（βエンドルフィン、エンケファリン、ダイノルフィンなど）	脊髄後角における痛み情報の伝達に関与。	μ、δ、κ受容体 Gi→cAMP減少、K^+チャネル活性化。

2. 全身麻酔薬

1）概　論

　全身麻酔薬（general anesthetics）とは、中枢神経の機能を抑制し、意識消失を伴う無痛状態をもたらす薬物である。外科手術の際に、痛みの除去、意識消失、筋弛緩を得る目的に使用される。

表 2-1-8　麻酔深度の段階（第 I 期から第 IV 期）と麻酔の各段階で現れる症状

	麻酔前	I 導入期（無痛期）	II 発揚期	III 手術期				IV 中毒期
				1相	2相	3相	4相	
呼吸（腹式）	～	～	～	～	～	～	～	～
血圧								
脈拍								
瞳孔	○	○	○	○	○	○	○	○
眼球運動	自由	自由	～	～				
角膜反射	+	+	+	+	±	−	−	−
筋緊張								
症状		痛覚鈍麻、酩酊様	うわごと、意識消失	脊髄反射消失、筋弛緩				
麻酔の領域の広がり	正常	皮質の知覚領、総合領	皮質の高等中枢、運動領	間脳中脳	脊髄	脊髄	延髄	延髄

　全身麻酔薬は、麻酔の進み方が示すように大脳→間脳→脊髄→延髄の順で麻痺を起こす（不規則的下行性麻痺※）。

　一方、モルヒネのように下行性麻痺（大脳→間脳→延髄→脊髄の順）をきたす薬は、呼吸・血管運動中枢麻痺をきたしやすいので、強い鎮痛作用があっても全身麻酔薬としては不適当である。

①第 I 期（導入期）

　主に大脳皮質知覚領に作用し、痛覚を消失する。

②第 II 期（発揚期）

　中枢神経系の上位中枢の抑制系が先に麻酔されると抑制系の開放（脱抑制）により、見かけ上の興奮が麻酔初期に起こる。これを発揚期とよぶ。

　発揚期には、呼吸数増大、脈拍増大、血圧上昇、眼球運動の増加、骨格筋の緊張などが見られるが、痛覚は麻痺している。この時期を短くかつ軽くすませることは、手術による侵襲の悪影響を避け、手術を円滑に行ううえでも大切。

※　インパルス（活動電位）は神経軸索上を伝播し、シナプスでは神経伝達物質によって情報が伝達される。連続刺激に疲労しやすく薬物で遮断されやすいのはシナプス伝達の部分である。よって、麻酔薬の効果は最も神経回路が複雑でシナプスの多い新皮質から現れはじめる。延髄の呼吸中枢や血管運動中枢は神経回路が比較的少ないので、脊髄よりも麻酔が効きにくい。

③第Ⅲ期（手術期）

麻酔が脊髄まで到達し、多シナプス反射が抑制され、筋弛緩が起こる（単シナプス反射は抑制しない）。発揚期でみられた骨格筋の緊張がとれ、呼吸は規則正しく深くなってくる。眼球は固定し、角膜反射も消失する。マウスでは、この時期、歩行失調→正向反射消失が起こる。

④第Ⅳ期（中毒期）

麻酔が延髄に到達し、呼吸中枢、血管運動中枢の麻痺により呼吸抑制、血圧下降が起こる。

〈麻酔前投薬〉

麻酔を行う際には、全身麻酔薬だけでなく、さまざまな目的で補助薬が用いられる。このうち、全身麻酔を行う前に与える薬を麻酔前投薬（または麻酔前投与薬）という。

表 2-1-9 麻酔前投薬

目的	薬物
吸入麻酔薬による麻酔の導入をすみやかにする	プロポフォール、ミダゾラム、チオペンタール、チアミラールなどの超短時間作用型の薬物を静注
麻酔時の気道分泌亢進や反射性徐脈を抑える	アトロピン、スコポラミンなどの抗コリン薬
不安感を除き、眠気をもよおさせる（抗不安、鎮静）	ジアゼパムなどのベンゾジアゼピン系抗不安薬やドロペリドール（鎮静薬）
痛みをやわらげる（鎮痛）	モルヒネ、フェンタニルなどの麻薬性鎮痛薬
嘔吐の予防（鎮吐）	クロルプロマジン、メトクロプラミド

麻酔中または麻酔後に用いられる薬物

目的	薬物
骨格筋の弛緩	ベクロニウム、パンクロニウム、アルクロニウム、ツボクラリンなどの筋弛緩薬
心臓のカテコールアミン感受性の増強による不整脈の危険を抑える	プロプラノロールなどのβ遮断薬
血圧下降を防ぐ	ノルアドレナリン、フェニレフリンなどの血管収縮薬

2）全身麻酔薬の種類

表 2-1-10 麻酔前投薬

吸入麻酔薬	気体（亜酸化窒素）や揮発性の液体（イソフルラン、セボフルランなど）。麻酔深度の調節が容易であることが長所。短所は麻酔導入時間（第Ⅰ、Ⅱ期）が長いこと。
静脈麻酔薬	チオペンタール、プロポフォール、ミダゾラム、ケタミンなどを静注する。麻酔導入時間が短いが、用量による深度の調節が困難で、事故を起こしやすい。

一般に、静脈麻酔薬は速効性で発揚期は認められないが、呼吸麻痺を起こす危険性が高い。目的とする麻酔効果の強さおよび持続を得るには、吸入麻酔薬のほうが優れている。

①吸入麻酔薬

エーテル	・刺激臭。引火性のある揮発性液体 ・気道粘膜刺激作用がある（特にエーテル過酸化物はこの作用が強い）。 　← 抗コリン薬を前投与する。 ・発揚期が長く、悪心・嘔吐が多い。 ・クラレ様弛緩作用を示す。 ・臨床ではほとんど用いない。
ハロタン	・不燃性の揮発性液体 ・麻酔力は強力だが、鎮痛、筋弛緩作用は弱い→亜酸化窒素と併用されることが多い。 ・発揚期が短く、回復も早い。 ・心筋のカテコールアミン感受性を増大する→心室性不整脈の誘発←β遮断薬の前投与を行う。 ・副作用：肝障害、悪性高熱
イソフルラン※ セボフルラン※ デスフルラン	・ハロタンの副作用を弱めるように作られた薬で、肝障害はほとんど起こさない。 ・心筋のカテコールアミン感受性を高めて不整脈を起こすことは少ない。 ・導入、回復はハロタンより速やか。 ・イソフルランとセボフルランは気道刺激性もほとんどなく、現在よく用いられている。 ・デスフルランは、麻酔の導入、覚醒が他より速やかで、高齢者や肥満者でも覚醒遅延が少ない。しかし、刺激臭があり気道刺激性が強いため、全身麻酔の維持のみに使用される。
亜酸化窒素 N_2O	・不燃性であるが、助燃性の強い気体 ・麻酔力は弱く、酸素欠乏を防ぐために通常 80% N_2O － 20% O_2 で用いる。 ・鎮痛作用は強力だが、筋弛緩作用はない。 ・作用発現は速やかで、回復も早い。

※ ハロゲン化エーテルとして最初に開発されたエンフルランは、ハロタンに代わり使用されていたが、痙れん誘発作用が報告されて、現在はほとんど使用されなくなった。現在の吸入麻酔薬の主流はセボフルランとイソフルランである。

- MAC（最小肺胞濃度：Minimum Alveolar Concentration）：麻酔力の強さの指標。麻酔薬を吸入し、半数の動物または人が疼痛刺激に反応しなくなったときの肺胞濃度(%)をいう。ED_{50} に相当する。
- 血液／ガス分配係数：麻酔導入の速さの指標。麻酔薬の血中への溶解度が関係し、値が小さい(血液に溶けにくい)ほど、麻酔導入は速やかである。
- 脂肪／ガス分配係数：麻酔回復の速さの指標。麻酔薬が脂肪に溶け込んでしまうと、回復が遅くなるので、値が小さい(脂肪に溶けにくい)ほど、回復が速やかである。

②静脈麻酔薬

チオペンタール チアミラール	超短時間型のバルビツレートで、脂溶性が高いため、脳に移行した薬が他の脂肪組織に速やかに再分配されるため、作用は短い。鎮痛、筋弛緩作用はない。
プロポフォール	麻酔の導入、覚せいが速やかな超短時間型静脈麻酔薬である。 持続静注で麻酔の導入と麻酔維持を一剤でできる。 $GABA_A$受容体-Cl^-チャネル複合体に作用し、Cl^-チャネルを開口する。 非水溶性のため、ロイシン含有エマルジョンとして使用される。 肝で速やかにグルクロン酸抱合、硫酸抱合される。 副作用：低血圧（血管運動中枢抑制）、舌根沈下。
ミダゾラム レミマゾラム	ベンゾジアゼピン系薬物で、GABA作動性ニューロンの活性を上昇する(p.157参照)。 レミマゾラムは2020年8月発売。
ケタミン	NMDA受容体拮抗薬である（NMDA受容体は慢性疼痛にも関与している）。 解離性麻酔薬とよばれる←脳波上、大脳皮質は徐波化、大脳辺縁系は覚醒波を示す。 内臓痛に比べ、体性痛（筋、骨膜、関節などに由来する痛み）を強く抑える。脊髄後角での痛覚情報伝達を遮断する。 副作用：血圧上昇、心拍数増加、回復期の悪心・嘔吐。麻薬指定されている。
フェンタニル ドロペリドール 合剤	フェンタニルはモルヒネより強力な麻薬性鎮痛薬。 ドロペリドールはブチロフェノン系神経遮断薬。強い鎮静作用、鎮吐作用を有する。 合剤では意識の消失なしに手術可能な無痛状態が得られる。→神経遮断性麻酔

ハロタン　イソフルラン　セボフルラン　デスフルラン　プロポフォール　ケタミン

3）エタノール

エタノールにも不規則的下行性の全身麻酔作用がある。飲酒時に見られるさまざまな神経症状は、中枢神経系の上位中枢の抑制系が解除された発揚期に相当する。エタノールは発揚期が非常に長く、手術適応期に達するにはかなり大量を要し、安全域も小さいので全身麻酔薬としては適用されない。

エーテルと薬理作用が類似するが、発揚期が長く麻酔期が短いため全身麻酔薬として使用されない。エタノールの血中濃度が400 mg/100 mL以上では昏睡、呼吸抑制、循環不全などが起こる。

血管運動中枢の抑制により皮膚血管の拡張を起こし、血流増大により顔面が紅潮する。

下垂体後葉からの抗利尿ホルモン（バソプレシン）分泌抑制により利尿作用を示す。また、尿酸の排泄を阻害するため痛風を悪化させる。

長期にわたる飲酒により精神・身体依存性を生じ、禁酒により退薬症候を起こす。退薬症候には、ジアゼパムなどのベンゾジアゼピン系化合物、クロルプロマジンなどが用いられる。また、多量かつ長期の飲酒によりアルコール性肝障害（肝硬変、アルコール性肝炎、脂肪肝など）が起きる。飲酒後に催眠薬や抗不安薬などの中枢抑制薬を服用するときにはエタノールとの協力作用に注意する必要がある。

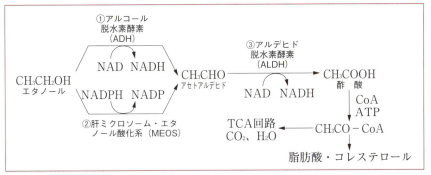

図2-1-24 エタノールの代謝

　エタノールの代謝は主に肝臓で行われる。エタノールの大部分（約90％）は、①のアルコール脱水素酵素（ADH）によってアセトアルデヒドに酸化される。ADHによって代謝されなかった残りのエタノールは、②の肝ミクロソーム・エタノール酸化系（microsomal ethanol-oxidizing system；MEOS）によってアセトアルデヒドに代謝される。さらにアセトアルデヒドは③のアルデヒド脱水素酵素（ALDH）により酢酸に酸化される。ALDHには、Ⅰ～Ⅳ型のアイソザイムがある。Ⅰ型は酵素活性が強く、白人に欠損者はいないが、東洋人の40％で欠損している。Ⅰ型酵素欠損者はアセトアルデヒドの血中濃度が高くなり、アルコールに弱く二日酔い様症状を起こしやすい。③の反応はジスルフィラムやシアナミドで阻害される。③の反応を阻害すると、アセトアルデヒドの蓄積により顔面紅潮、頭痛、不快感（二日酔い）などを生じる。

〈慢性アルコール中毒またはアルコール依存症に対する治療〉

a）抗酒薬（嫌酒薬）

　服薬中に飲酒すると不快な反応が引き起こされるため、心理的に飲酒を断念しやすくなる。

ジスルフィラム	・ALDHを阻害する。服用中に飲酒すると、エタノールがアセトアルデヒドに代謝された後、酢酸への分解が阻害されるために、体内にアセトアルデヒドが蓄積し、悪心・嘔吐、頭痛、動悸、顔面紅潮、呼吸困難などの不快な反応が引き起こされる。 ・作用発現が遅く、効果は少なくとも14日間持続する。
シアナミド	・同じくALDHを阻害し、服用中に飲酒するとアセトアルデヒドによる不快な反応が生じる。 ・ジスルフィラムより速効性で、投与後5分くらいで効果が現れ、持続は短く約12～24時間。

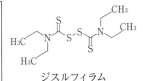

ジスルフィラム

シアナミド

b）断酒補助薬

　抗酒薬は肝障害の患者には適さない。また、抗酒薬を服用すると気持ち悪くなることが分かると、患者は抗酒薬を服用しないで飲酒するようになることも少なくない。継続的な断酒のためには、お酒を飲みたいという欲求を抑える必要がある。

アカンプロサート	・GABA_A 受容体の機能を増強するとともに、NMDA 受容体の機能を阻害する作用を有し、エタノール依存で生じた神経伝達の不均衡を回復することにより、依存症患者の飲酒欲求を抑制する。 ・神経保護作用も有し、グルタミン酸の興奮毒性から神経細胞を保護する。 ・適応：アルコール依存症患者における断酒維持の補助
ナルメフェン	・アルコール依存症に内因性オピオイドの関与が考えられることから、オピオイド系化合物が探索された結果、見出された。 ・オピオイド受容体に選択的に結合し、μ及びδオピオイド受容体に対してはアンタゴニスト、κオピオイド受容体に対しては部分アゴニストとして作用する。 ・アルコール依存症治療薬として 2013 年に欧州で初めて承認を受けた。日本では 2019 年 3 月発売。アルコール依存症の治療への新たな選択肢の一つとして期待されている。

3. 鎮痛薬

1）痛みの生理
①痛覚の伝導路と抑制系

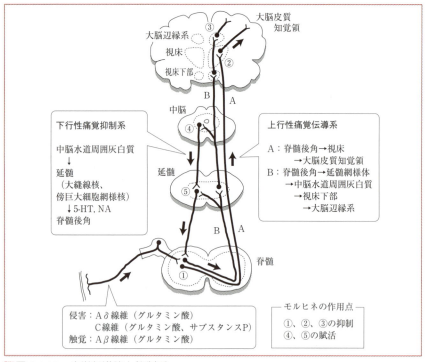

図 2-1-25　痛覚伝導路と抑制系

　一次痛覚ニューロンの細胞体は脊髄後根神経節に存在し、末梢端の自由神経終末で熱、圧、発痛物質（ブラジキニン）を感知する。
　プロスタグランジンは発痛を助長する（痛覚過敏を起こす）。鋭い痛みは有

髄のAδ線維を、鈍い痛みは無髄のC線維を伝導する。

一次痛覚ニューロンの中枢端は脊髄後角に投射し、刺激の種類によりサブスタンスPやソマトスタチンを放出して、二次ニューロンに情報を伝える。次いで、脊髄後角→視床→大脳皮質知覚領と痛みの情報は伝えられる。この経路を上行性痛覚伝導系という。

頸部より上の痛み（頭痛、歯痛、顔面痛など）は、三叉神経により受容され、延髄から視床、大脳皮質知覚領へと伝えられる。また、上位中枢から中脳水道周囲灰白質→延髄（大縫線核、傍巨大細胞網様核）→脊髄後角と至る神経系によって、脊髄後角における痛覚伝導は抑制される。この経路を下行性痛覚抑制系という。

慢性疼痛では、長期にわたるストレスによって、下行性痛覚抑制系の働きが低下したり、脳の病変により知覚の異常が生じていると考えられている。

侵害受容性疼痛 nociceptive pain	・外傷や病気によって体の組織が損傷され、なかなか回復しないときにその損傷部位で炎症が起こり、それが原因で続く痛み。損傷部位では、ブラジキニン、セロトニン、ヒスタミンなどの発痛物質によって侵害受容器が刺激されるとともに、プロスタグランジン類（とくにプロスタグランジンE_2）がその発痛作用を増強する。 ・関連する疾患：肩関節周囲炎（いわゆる五十肩）や腱鞘炎、関節リウマチ、頭痛、歯痛など
神経障害性疼痛 neuropathic pain	・侵害受容器の刺激ではなく、末梢神経あるいは中枢神経の損傷や機能障害に起因する痛み。神経が過敏になり、異常な興奮によって痛みが生じる。 ・関連する疾患：帯状疱疹後神経痛、有痛性糖尿病性神経障害、坐骨神経痛、三叉神経痛、脳卒中後疼痛など
非器質的疼痛 または心因性疼痛	・原因となる損傷や疾患がなく、心理的・社会的ストレスや筋肉の過剰な緊張に伴う痛み。 ・関連する疾患：線維筋痛症など

②内因性オピオイドペプチド

鎮痛薬の研究は植物由来のモルヒネに端を発するが、その後、痛みを抑える物質（ペプチド）が生体内にも存在することがわかった。メチオニンエンケファリン、ロイシンエンケファリン、β-エンドルフィン、ダイノルフィン、キョートルフィンなどが知られ、総称して内因性オピオイドペプチドという。

オピオイドペプチドは共通してN末端にチロシン残基を有し、モルヒネの部分構造と類似している。

モルヒネやオピオイドペプチドが特異的に結合するオピオイド受容体には、3種類のサブタイプ μ、δ、κ がある。すべてGTP結合タンパク質と共役す

チロシン　グリシン　グリシン　フェニルアラニン　ロイシン
【ロイシンエンケファリン】　【モルヒネ】

る7回膜貫通型受容体で、多くの場合 Gi/o タンパク質を介して cAMP 産生の低下、Ca^{2+} チャネルの遮断、K^+ チャネルの活性化などを引き起こし、神経伝達物質の遊離を抑制したり、神経細胞の興奮性を低下させる。

　受容体の分布の違いなどを反映して、受容体刺激によって生じる薬理効果は異なる。中枢神経活動（興奮）、痛み、消化管運動に対しては、いずれのオピオイド受容体も抑制的に作用する。情動制御に対しては、μ受容体とκ受容体は相反する。μ受容体の刺激は多幸感（中脳辺縁系におけるドパミン遊離の促進）を生じ薬物依存性につながるが、κ受容体の刺激は不快感・嫌悪感（中脳辺縁系におけるドパミン遊離の抑制）を生じ薬物嫌悪性をもたらす。呼吸に対しては、μ受容体刺激は強い抑制をもたらすが、δおよびκ受容体刺激による抑制作用は弱い。痒みに関しては、μ受容体刺激は促進的に作用し、κ受容体刺激は抑制的に作用する。

表 2-1-11　オピオイド受容体サブタイプと活性化されたときに現れる効果

受容体サブタイプ		μ	δ	κ
内因性アゴニスト		β-エンドルフィン	エンケファリン	ダイノルフィン
効果	中枢神経活動（興奮）	鎮静	鎮静	鎮静
	痛み	抑制（$μ_1$）	抑制	抑制
	消化管運動	抑制→便秘（$μ_2$）	抑制→便秘	抑制→便秘
	情動	陶酔感・多幸感の発現→薬物依存性		不快感・嫌悪感の発現→薬物嫌悪性
	呼吸	抑制（$μ_2$）	影響少ない	影響少ない
	痒み	促進		抑制

2）がん疼痛治療

　がん疼痛（がん性疼痛ともいう）は、がん患者に生じる苦痛のすべてをさし、侵害受容性疼痛だけでなく、神経障害性疼痛や心因性疼痛も含まれている。がん疼痛の緩和には薬物療法と非薬物療法を組み合わせて行うことが必要であるが、鎮痛薬が中心的役割を果たす。「WHO 方式がん疼痛治療法」では、治療にあたって守るべき「鎮痛薬使用の5原則」と、痛みの強さによる鎮痛薬の選択ならびに鎮痛薬の段階的な使用法を示した3段階除痛ラダーが提案されている。

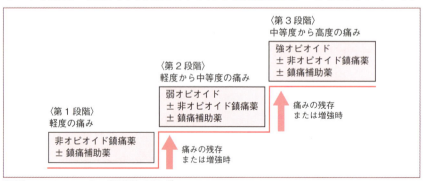

図 2-1-26　WHO 3 段階除痛ラダー

実施にあたっては、患者の予測される生命予後の長短にかかわらず、痛みの程度に応じて躊躇せずに必要な鎮痛薬を選択すること、第2および第3段階でも可能な限り非オピオイド鎮痛薬を併用すること、必要に応じて鎮痛補助薬を併用することが重要である。

■表2-1-12 WHO 3段階除痛ラダーで使用される鎮痛薬

分類	薬物名
非オピオイド鎮痛薬	アスピリンなどのNSAIDs、アセトアミノフェン
弱オピオイド	コデイン、ジヒドロコデイン、オキシコドン（低用量）、トラマドール
強オピオイド	モルヒネ、オキシコドン、ペチジン、フェンタニル、ブプレノルフィン、タペンタドール ※メサドン（他の強オピオイドで治療困難な場合に限り、切り替えて用いることができる）

なお、モルヒネなどの強オピオイドは、連用により耐性ならびに薬物依存を生じやすい。しかし、持続性の痛みをかかえた末期がん患者においては、モルヒネ依存が生じにくいことがわかっており、がん疼痛治療には積極的にモルヒネなどを使用するよう勧められている。慢性疼痛下でモルヒネ依存が形成されない理由は十分解明されていないが、痛み刺激によってκオピオイド神経系（ダイノルフィン神経系）が活性化され、中脳辺縁系ドパミン作動性神経終末のκオピオイド受容体が刺激されてドパミンの遊離が抑制されるためと考えられている。

3）麻薬性鎮痛薬 (opioid analgesics)

アヘンはケシの未熟果皮の乳液を乾燥させたもの。アヘンに含まれるアルカロイドは、モルヒネを代表とするフェナントレン誘導体※と、パパベリンのようなベンジルイソキノリン誘導体に大別される。

※ モルヒネやコデインはフェナントレン誘導体に分類されるが、ベンジルイソキノリン骨格も有している。（右ページの図を参照）

①アヘンアルカロイド

骨格	主要アルカロイド	特徴
フェナントレン誘導体	モルヒネ（約10%）　コデイン（0.7〜2.5%）	麻薬 (1) 鎮痛、鎮咳、呼吸制御など多様な作用を示す (2) 耐性、依存性形成
ベンジルイソキノリン誘導体	パパベリン　ノスカピン	非麻薬 (1) パパベリン：向筋肉性鎮痙作用のみを示す (2) ノスカピン：中枢性鎮咳作用のみを示す

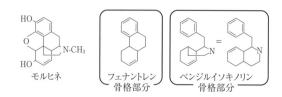

②モルヒネ類の構造活性相関

- モルヒネがオピオイド受容体に結合して鎮痛作用を発揮するには、前頁の下の図の太線で示したように、フェノール性水酸基および平板な周辺構造と塩基性窒素(N-メチルフェニルピペリジン)が重要である。
- 合成麻薬のペチジン (p.133〜134) は、モルヒネの化学構造を単純化したN-メチルフェニルピペリジンを基本骨格とする。その後開発されたほとんどの合成鎮痛薬も類似の構造を含んでいる。
- コデインは、モルヒネより鎮痛作用が弱い。コデインではフェノール性水酸基がメトキシ化されており、メトキシ基がオピオイド受容体への結合を阻害するためである。コデインは、生体内で肝代謝酵素CYP2D6により脱メチル化を受けてモルヒネに変換され、鎮痛作用を示す。同じくメトキシ基を含むオキシコドンが脱メチル化されて生成されるオキシモルフォンは、オキシコドンよりも強い鎮痛作用を有する。
- ヘロイン (3,6-ジアセチルモルヒネ) は、モルヒネよりも強力な鎮痛作用および依存性を示すとされ、現在は医療目的での使用が禁止されているが、実はヘロイン自体のオピオイド受容体に対する親和性は低い。そもそもヘロインは、モルヒネのフェノール性水酸基をアセチル化して脂溶性を高めたプロドラッグであり、薬効はモルヒネより弱い。経口投与時には、吸収後速やかに肝臓で代謝されてモルヒネとなり、薬効を発揮する。注射時には肝初回通過を受けることなく、速やかに血液脳関門を通過して脳に移行するために、強い効果を発揮する。
- オキシモルフォンのN-メチル基がN-アリル基に置き換わったナロキソン (p.135) は、μ受容体に対する親和性が高いがアゴニスト活性がなく、完全拮抗薬として作用する。

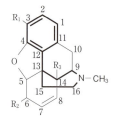

	R_1	R_2	R_3
モルヒネ	OH	OH	H
コデイン	OCH$_3$	OH	H
オキシコドン	OCH$_3$	=O	OH
オキシモルフォン	OH	=O	OH
ヘロイン(ジアセチルモルヒネ)	OCOCH$_3$	OCOCH$_3$	H

③モルヒネの薬理作用

中枢神経系の抑制	鎮痛	・μ受容体を刺激し、 ①脊髄後角における痛覚伝達を遮断 ②大脳皮質知覚領や視床の痛覚伝導路の抑制 ③中脳水道周囲灰白質、延髄網様体および大縫線核に働き、下行性抑制系の活動を亢進する。 ・解熱性鎮痛薬が無効な内臓痛、骨折痛、癌末期の激痛にも有効。
	鎮咳	・延髄の咳中枢の抑制。
	呼吸抑制	・μ受容体刺激により、延髄の呼吸中枢の抑制。 ・Cheyne-Stokes呼吸がみられ、急性中毒の死因となる。
中枢神経系の興奮	催吐	・第四脳室底最後野の化学受容器引金帯(CTZ)を興奮させる。 ・μ受容体刺激→ドパミン遊離の促進→D_2受容体の刺激→嘔吐中枢の刺激
	縮瞳	・中脳の動眼神経核を刺激→動眼神経中の副交感神経興奮→瞳孔括約筋の収縮。したがって点眼ではこの作用はみとめられない。 ・アトロピンやシクロペントラートの点眼で拮抗される。 ・ネコ、マウス、ウマは散瞳。
	Straubの挙尾反応	・マウスにモルヒネ様薬物を与えると、脊髄が興奮する結果、尾がS字状になる症状(挙尾反応)が現れる。
末梢	消化管運動抑制(便秘)	・消化管緊張は上昇し、ぜん動運動は低下する。 ・μ受容体刺激作用による。一部中枢作用による。 ・消化管緊張の上昇は腸壁からのセロトニン遊離促進による。 ・ぜん動運動の低下はコリン作動神経前膜のオピオイドμ受容体刺激による壁内神経叢からのアセチルコリン遊離抑制による。
	胆汁分泌抑制作用	・Oddi括約筋を収縮し、十二指腸への胆汁排出を減少する。 ・胆道内圧を上昇するので、胆石症、胆のう炎にはアトロピンと併用する。
	その他	・ヒスタミン遊離を促進するため、発赤、気管支収縮、かゆみを起こす。気管支ぜん息患者への適用は注意を要する。 ・新生児・乳児、高齢者は呼吸抑制が強く出やすいので、注意が必要。 ・禁忌症：①気管支ぜん息発作(気道分泌抑制による痰の排出妨害) 　　　　②痙れん性疾患(脊髄反射亢進作用があるため) 　　　　③妊婦(胎児に呼吸抑制)

④モルヒネ中毒

急性中毒	・呼吸抑制、縮瞳、昏睡。治療にナロキソン、レバロルファンなどの麻薬拮抗薬。 ・延髄興奮薬(ジモルホラミン)を与えると痙れんのおそれ。
耐性	・連用で著しい耐性を生じる。 ・鎮痛、鎮咳、呼吸抑制、多幸感などの中枢抑制作用は耐性を生じやすい。 ・便秘、縮瞳は耐性を生じない。
慢性中毒	・多幸感による精神依存と身体依存。 ・身体依存が形成された場合は、ナロキソンなどの麻薬拮抗薬の投与により、離脱症状(退薬症候、禁断症状)：激しい下痢、ふるえ、流涎、あくび、くしゃみ、振戦が現れる。

⑤モルヒネ以外のアヘンアルカロイドおよび半合成オピオイド（麻薬）

コデイン	• コデイン服用による鎮痛効果はモルヒネの 1/6 くらいと弱く、WHO 除痛ラダーの第 2 段階で用いられる弱オピオイドの第一選択薬。 • コデイン自体のオピオイド受容体への親和性は極めて低い。生体内の代謝過程で肝代謝酵素 CYP2D6 により脱メチル化を受けて約 10％がモルヒネに変換され、さらにグルクロン酸抱合を受けて生成するモルヒネ-6-グルクロニドが μ 受容体を刺激して、モルヒネと同様の鎮痛効果を発揮する。 • CYP2D6 活性が低い患者（poor metabolizer）では鎮痛効果が現れない。 • 咳中枢抑制作用や消化運動抑制作用を有するので、鎮咳薬や止瀉薬としても用いられる（p.343 参照）。鎮咳作用はコデインそのものの薬理作用と考えられている。
ジヒドロコデイン	• コデインを還元して作られた半合成オピオイド。 • 弱いながらも鎮痛作用があり、WHO 除痛ラダーの第 2 段階で用いられる弱オピオイドの代替薬に位置づけられているが、実際に鎮痛目的で使用されることは少ない。鎮咳薬として広く用いられている（p.343）。 • μ 受容体を刺激して効果を発揮する。延髄の咳中枢に作用し、鎮咳作用を示す。呼吸抑制作用は、モルヒネより弱く、コデインと同等。腸管ぜん動運動を抑制して、止瀉作用を示す。 • コデインと同じくメトキシ基が含まれているため、ジヒドロコデイン自体の μ 受容体に対する親和性は低い。CYP2D6 による脱メチル化を受けて生成される代謝物ジヒドロモルヒネと、さらにグルクロン酸抱合を受けて生成されるジヒドロモルヒネ-6-グルクロニドは、μ 受容体に対してジヒドロモルヒネより約 100 倍高い親和性をもつが、経口投与されたジヒドロコデインの約 30％が未変化体のまま尿中排泄され、ジヒドロモルヒネとジヒドロモルヒネ-6-グルクロニドの割合は 1％前後であるので、未変化体と代謝物の両方が薬効に関係していると考えられる。
オキシコドン	• テバインを原料として作られる半合成オピオイド。 • 海外では当初アセトアミノフェンやアスピリンなどとの配合剤として発売されたため、弱オピオイドと位置づけられていたが、のちに単独でモルヒネより強い鎮痛効果を示すことが明らかとなり、強オピオイドに分類されている。経口投与時の生体利用率が高く、鎮痛効力はモルヒネの 1.5〜2 倍である。WHO 除痛ラダーにおいて、低用量は第 2 段階で用いられ、高用量は第 3 段階でも用いられる。 • μ 受容体を刺激して、強い鎮痛作用を示す。 • コデインと同じくメトキシ基が含まれているため、オキシコドン自体の μ 受容体への親和性は低い。オキシコドンが CYP2D6 によって脱メチル化されて生成される代謝物オキシモルフォンは、オキシコドンの約 14 倍の鎮痛作用を有するが、ごく微量しか生成されないため、経口投与されたオキシコドンの鎮痛効果には、オキシコドン自体の寄与が大きいと考えられている。

⑥合成麻薬性鎮痛薬（麻薬）

ペチジン	・モルヒネの化学構造を簡略化したフェニルピペリジン構造を基本骨格とした最初の完全合成麻薬。 ・主にμオピオイド受容体を刺激することにより中枢性の鎮痛作用を示す。効果はモルヒネの1/6～1/10と弱く、持続時間も2～4時間と短い。 ・化学構造がアトロピンに類似しており、末梢作用として、アトロピン様ならびにパパベリン様の鎮痙作用を有するので、とくに胆道の痙縮や腎疝痛などに有効である。また、電位依存性Na^+チャネルを遮断して、局所麻酔作用も示す。
メサドン	・海外で当初はオピオイド依存の治療薬として用いられた。安価で合成でき、半減期が長く比較的乱用されにくいことから、モルヒネやヘロインの依存患者に対して代わりにメサドンを使用することで、オピオイド依存から脱却することが可能となった。 ・近年は、鎮痛薬としての有用性が注目されるようになった。 ・ラセミ混合物であり、L型異性体のほうがμオピオイド受容体を刺激することにより、モルヒネと同程度の鎮痛作用を示す。D型異性体は、NMDA受容体チャネル遮断薬として作用する。NMDA受容体は神経障害性疼痛の発現やオピオイド耐性の形成に関与しているため、神経障害性疼痛の治療や、オピオイド耐性と痛覚過敏の回復にも有効である。 ・WHO除痛ラダーでは、他の強オピオイドで治療困難な場合に限り、切り替えて用いることができる。
フェンタニル	・当初は全身麻酔用注射薬として発売されたが、のちに経皮吸収型製剤（貼付剤）が開発され、がん疼痛に対する鎮痛薬として広く用いられるようになった。 ・選択的にμ受容体を刺激して、強力な鎮痛作用を発揮する。その効力はモルヒネの50～100倍高い ・モルヒネと同様に、呼吸抑制、徐脈などを生じるが、便秘が起こりにくい。 ・モルヒネにみられるヒスタミン遊離作用がないため、血圧低下作用が緩やかなうえ、心抑制作用はない。このため血行動態が不安定な患者にも使用しやすい。
レミフェンタニル	・麻酔用の鎮痛薬には迅速な鎮痛作用の発現と消失が求められるが、モルヒネやフェンタニルは消失が遅く、用量調節が困難であった。この問題点を克服するために、非特異的エステラーゼによる加水分解を受けやすいメチルエステル基が導入されたレミフェンタニルが作られた。 ・選択的にμ受容体を刺激して、フェンタニルと同等の強力な鎮痛作用を発揮する。 ・静脈内投与後、血液脳関門を通過して、速やかに（約1分）作用を発現する。血液および組織中の非特異的コリンエステラーゼによって速やかに加水分解され、効果の消失が早い。また、脂溶性が低く蓄積されないので、長時間投与後も呼吸抑制などの遅発性の副作用が起こりにくい。 ・〈適応〉全身麻酔の導入及び維持における鎮痛
タペンタドール	・後述のトラマドールを改良して作られた。 ・トラマドールとは異なりメトキシ基がないので、タペンタドール自体がμ受容体刺激作用を示し、加えてノルアドレナリン再取り込み阻害作用をあわせもつことで、強い鎮痛効果を示す。また、セロトニン再取り込みの阻害は、あまり鎮痛効果にはつながらないうえ、セロトニン症候群の原因となったり、神経障害性疼痛をかえって悪化させることがあるため、ラセミ体ではなく、ノルアドレナリン取り込み阻害作用の強い鏡像異性体のみが採用された。

2-1 神経系に作用する薬

ジヒドロコデイン　　ペチジン　　メサドン

フェンタニル　　レミフェンタニル　　タペンタドール

⑦麻薬拮抗性鎮痛薬（非麻薬）

ブプレノルフィン	・オピオイド受容体サブタイプに対する選択性は低く、μ、δ、κ受容体のいずれに対しても部分作動薬として作用する。結合親和性はμ＞δ≒κの順で、内活性（アゴニスト活性）についてはδ＞μ＞κの順である。μ受容体に対する作用をモルヒネと比べると、親和性はモルヒネより高いが、アゴニスト活性が低い。 ・オピオイド受容体を刺激して、中枢神経系の痛覚伝導系の抑制により鎮痛作用を発揮する。 ・モルヒネと併用した場合に競合してモルヒネの鎮痛効果を弱めたり、モルヒネ依存者に離脱症状を引き起こす。
ペンタゾシン	・モルヒネなどにみられる副作用や依存性を少なくする目的で開発された麻薬拮抗性鎮痛薬。 ・μ受容体に対して部分作動薬として作用し、κ受容体に対して完全作動薬として作用する。主にκ受容体の刺激を介して、鎮痛作用を発揮する。 ・μ受容体に対する作用をモルヒネと比べると、親和性がモルヒネよりやや低く、アゴニスト活性が部分的であるため、麻薬拮抗性はそれほど強くないが、モルヒネ依存者に投与すると離脱症状を引き起こす。
エプタゾシン	・ペンタゾシン類似の麻薬拮抗性鎮痛薬。 ・κ受容体作動薬、μ受容体拮抗薬として作用する。κ受容体の刺激により、大縫線核から脊髄後角シナプスへの下行性抑制経路を介して鎮痛作用を示す。
トラマドール	・ラセミ体で、体内で（＋）体と（－）体はそれぞれ、CYP2D6による脱メチル化を受け、（＋）-及び（－）-M1（O-デスメチルトラマドール）に変換される。 ・トラマドール自体は、メトキシ基が含まれているため、オピオイド受容体を介した鎮痛効果はほとんどないが、ノルアドレナリンとセロトニンの再取り込み阻害作用を示す。とくに（＋）-トラマドールはセロトニン再取り込み阻害作用が強く、（－）-トラマドールはノルアドレナリン再取り込み阻害作用が強い。下行性痛覚抑制系に含まれるノルアドレナリンおよびセロトニン作動性神経を賦活し、鎮痛効果をもたらす。 ・代謝物の（＋）-M1はμ受容体の部分刺激薬として作用し、（－）-M1はトラマドールと同程度のノルアドレナリン再取り込み阻害作用を有する。 ・これらの作用の組み合わせによって強い鎮痛効果が発揮されると考えられている。 ・WHO除痛ラダーでは第2段階の弱オピオイドに分類されている。

134

ブプレノルフィン   ペンタゾシン   エプタゾシン

トラマドール → M1（O-デスメチルトラマドール）

⑧麻薬拮抗薬

レバロルファン	・強力な**μ受容体遮断薬**であるが、κ受容体刺激作用もあるので、明確な麻薬拮抗薬ではない。 ・単独で鎮痛作用はほとんど認められない。適量を用いれば、麻薬性鎮痛薬の鎮痛作用を減弱させることなく、呼吸抑制を緩解できる。効果は1～2分で発現し、2～5時間持続する。
ナロキソン	・**選択的にμ受容体を遮断**する。オピオイド受容体に対する親和性はモルヒネより強い。単独で鎮痛も多幸感も引き起こさず、麻薬性鎮痛薬の作用に拮抗する。 ・モルヒネの鎮痛作用に対する拮抗よりも呼吸抑制に対する拮抗の方が2～3倍強力なので、適量を用いれば、麻薬性鎮痛薬の鎮痛作用を減弱させることなく、呼吸抑制を緩解できる。

レバロルファン   ナロキソン

⑨中枢性鎮痒薬
〈ナルフラフィン〉
- 依存性のない強力な鎮痛薬を求めて合成された選択的κ受容体作動薬。
- 非臨床試験で、依存性がなく強力な鎮痛効果が得られることが確認されたので、術後疼痛を適応症と臨床試験が実施されたが、鎮痛が認められる用量で鎮静が生じることが判明し中断された。代わって、モルヒネ投与患者が痒みを訴えることがあるというエピソードをヒントにして、痒みを止める薬として開発が進められ、有効性が確認されたため、そう痒症治療薬として承認された。

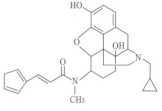
ナルフラフィン

- μ受容体にはほとんど作用しないので依存性を示さず、強力な鎮痛作用を発揮する。
- 痒みに対して、μオピオイド神経系（βエンドルフィン神経系）は促進的に、κオピオイド神経系（ダイノルフィン神経系）は抑制的に作用し、両神経系のバランスによって痒みのレベルが変わる。ナルフラフィンは、痒み抑制系に含まれるκ受容体を刺激することにより、止痒作用を示す。従来の止痒薬（抗ヒスタミン薬や抗アレルギー薬）が効きにくい腎透析患者や慢性肝疾患患者の重篤な痒みに対しても有効性が認められている。
- 適応：血液透析患者におけるそう痒症の改善、慢性肝疾患患者におけるそう痒症の改善（いずれも既存治療で効果不十分な場合に限る）

〈ジフェリケファリン〉
- ナルフラフィンと同様、κオピオイド受容体選択的な作動薬であり、κオピオイド受容体に作用することにより抗そう痒作用を示す。
- 適応：血液透析患者におけるそう痒症の改善（既存治療で効果不十分な場合に限る）

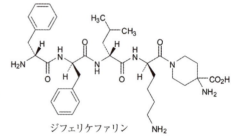
ジフェリケファリン

4）解熱鎮痛薬

非ステロイド性抗炎症薬は抗炎症薬としてのみならず、解熱鎮痛薬（antipyretic analgesics）として使われているが、一方で作用機序のはっきりしない解熱鎮痛薬が総合感冒薬に使われている。

ピラゾロン系 （ピリン系）	スルピリン 比較的強い解熱作用をもつが、鎮痛作用は弱い。 副作用：［重大］ ショック、重症皮膚障害、血液障害
アニリン系	アセトアミノフェン アスピリンに匹敵する解熱・鎮痛作用があるが、抗炎症作用はほとんどない。COX-1、COX-2とも阻害作用はない。 比較的安全性が高いが、ときに肝障害がみられる（解毒薬にアセチルシステインを用いる）。
サリチル酸系	アスピリン（NSAIDsの項参照）

スルピリン　　　アセトアミノフェン

5）神経障害性疼痛治療薬

神経障害性疼痛は神経の損傷やそれに伴う機能異常により起こる痛みで、従来の鎮痛薬では難治性であった。神経伝達の過剰が示唆されている。

神経障害性疼痛の薬物治療は、まだ十分に確立されておらず、様々な試みが行われている。日本で承認されている神経障害性疼痛に関連する医薬品としては、アルドース還元酵素阻害薬のエパルレスタット（関連する適応：糖尿病性神経障害に伴う自覚症状、p.386 参照）、抗不整脈薬のメキシレチン（関連する適応：糖尿病性神経障害に伴う自覚症状の改善、p.387 参照）、抗てんかん薬・抗躁薬のカルバマゼピン（関連する適応：三叉神経痛、p.156 参照）などがあるが、有効性は必ずしも十分ではない。また、炎症性疼痛の治療に汎用される NSAIDs でコントロールすることは困難である。麻薬性鎮痛薬は神経障害性疼痛にもある程度有効であるが、侵害受容性疼痛に対するほどの効果はない。そのため、適応外ではあるが、有効性が期待される三環系抗うつ薬（アミトリプチリン、ノルトリプチリンなど、p.148 参照）や抗てんかん薬（バルプロ酸、p.157 参照）、局所麻酔薬（リドカインの外用剤、p.109 参照）などが使用されることもある。

プレガバリン ミロガバリン	・電位依存性の Ca^{2+} チャネルの $\alpha_2\delta$ サブユニットと高親和性に結合し、神経終末における Ca^{2+} 流入を低下させ、グルタミン酸などの神経伝達物質の遊離を抑制することにより、鎮痛作用を示す。構造上 GABA に類似するが、GABA 受容体には結合しない。 ・ミロガバリンは 2019 年 9 月発売。作用機序はプレガバリンと同じだが、プレガバリンより強力とされている。 〈適応〉神経障害性疼痛、線維筋痛症に伴う疼痛

4. 催眠薬・睡眠障害治療薬

1）眠りのメカニズム

大脳皮質の活動は、末梢からの感覚刺激によって高められる。この上行性賦活系には、脳幹網様体 → 視床 → 新皮質に至る網様体賦活系と視床下部 → 大脳辺縁系に至る視床下部賦活系がある。これらの賦活系の働きにより大脳皮質は覚醒される。

眠りは、REM（Rapid Eye Movement）睡眠と non-REM 睡眠からなる。眠りは通常、ノンレム睡眠から始まり、次第に眠りの深度を増していくが、1 時間前後経過するとレ

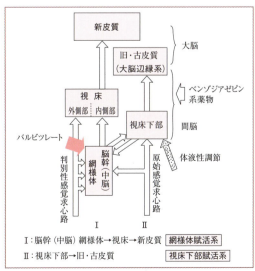

図 2-1-27　眠りのメカニズム

ム睡眠に移行する。これが約20分続いたのち、再びノンレム睡眠となり、その後ノンレム睡眠とレム睡眠を繰り返していく。

ノンレム睡眠とレム睡眠の組み合わせは健康保持に必要である。過量の催眠薬を与薬するとレム睡眠が短縮する。催眠薬（hypnotics）の連用を中止すると、抑制を受けていたレム睡眠が反動的に増加し、このため悪夢の出現率が高くなる。また、レム睡眠が短縮されると情緒不安定に陥りやすい。したがって、催眠薬はレム睡眠に影響を及ぼさないことが望ましい。

代表的な催眠薬として、バルビツール酸誘導体（バルビツレート）とベンゾジアゼピン系薬物がある。バルビツレートは主として網様体賦活系を、ベンゾジアゼピン系薬物は視床下部賦活系を抑制することにより、催眠作用を発揮すると考えられている。一般に、バルビツレートはレム睡眠の短縮を起こしやすく、ベンゾジアゼピン系薬物はレム睡眠に影響しにくい。

2）催眠薬の作用機序

バルビツレートとベンゾジアゼピン系薬物は、ともに中枢神経系の抑制性伝達物質であるGABAの効果を増強することによって作用を発揮すると考えられている。

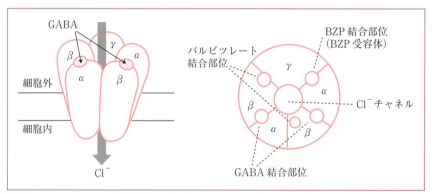

図 2-1-28 GABA$_A$受容体複合体（$\alpha:\beta:\gamma = 2:2:1$）の構造

GABA$_A$受容体は5つのサブユニットで構成されるヘテロ五量体で、Cl$^-$チャネルを形成している。サブユニットには8種19アイソフォーム（$\alpha_{1\sim 6}$、$\beta_{1\sim 3}$、$\gamma_{1\sim 3}$、δ、ε、θ、π、$\rho_{1\sim 3}$）が同定されている。中枢神経系ではα_1とβ_2とγ_2から構成されるものが大部分を占める。$\alpha:\beta:\gamma = 2:2:1$のGABA$_A$受容体（図2-1-28）では、$\alpha$と$\beta$サブユニットの間にGABA結合部位があり、$\alpha$と$\gamma$のサブユニットから成る細胞外領域にベンゾジアゼピン（BZP）系薬物の結合部位（ベンゾジアゼピン受容体）があり、他にバルビツレート結合部位などがある。

GABA$_A$受容体のGABA結合部位にGABAが結合するとCl$^-$チャネルが開き、Cl$^-$が細胞内へ流入して膜電位の過分極が生じ、細胞の興奮性が低下する。ベンゾジアゼピン系薬物がベンゾジアゼピン受容体に作用すると、GABAの結合が促進されCl$^-$チャネルの開口頻度が増加する。バルビツレートがバルビツレート結合部位に作用すると、GABAによるCl$^-$チャネルの開口が促進される。またバルビツレートは単独でCl$^-$チャネルを開口する作用もある。

3）催眠薬の種類

分　類	薬　物
アルコール類	トリブロモエタノールなど
脂肪族アルデヒド	抱水クロラールなど
スルホナール系	スルホナールなど
脂肪酸ウレイド	ブロモバレリル尿素
バルビツレート	バルビタール、フェノバルビタールなど
チオバルビツレート	チオペンタール、チアミラールなど
ベンゾジアゼピン系	ニトラゼパム、エスタゾラム、フルラゼパム、ハロキサゾラム、トリアゾラムなど
非ベンゾジアゼピン系	ブロチゾラム、ゾピクロン、ゾルピデムなど
メラトニン受容体作動薬	ラメルテオン
オレキシン受容体遮断薬	スボレキサント

①バルビツレート系催眠薬（チオバルビツレートを含む）

催眠作用	おもに脳幹（中脳）網様体賦活系の抑制による。 レム睡眠の短縮、出現頻度低下→宿酔感。レムの反跳的増加。
作用時間	長時間作用型：バルビタール、フェノバルビタールなど 中等度作用型：アモバルビタールなど 短時間作用型：ペントバルビタールなど 超短時間作用型：チオペンタール、チアミラールなど
抗痙れん作用	フェノバルビタール、メフォバルビタールなどフェニル基をもつものは催眠用量以下で強い抗痙れん作用→大発作てんかんに使用。
依存性	精神依存性、身体依存性あり、バルビツレート間の交差依存性あり。連用中止で不眠と悪夢、痙れん。
耐　性	肝ミクロソームの薬物代謝酵素系誘導による自己酸化の促進。 中枢神経系の細胞耐性の上昇。 バルビツレート間の交差耐性あり。
中　毒	急性中毒の死因は延髄の呼吸中枢の抑制。ベメグリド、ジモルホラミンなどの脳幹興奮薬を投与。フェノバルビタール中毒では尿をアルカリ性にすると腎からの排泄促進。
相互作用	肝ミクロソームの薬物代謝酵素（CYP2C9、CYP2C19、CYP3A4）の誘導によりクマリン系薬物（ワルファリンなど）やフェニトインなどの代謝促進。 解熱鎮痛薬の鎮痛作用の増強。
その他	バルビツレートの催眠効果に動物種差や性差が認められる。 ハツカネズミ（マウス）にバルビツレートを投与し、その作用が脊髄に達すると、正向反射が消失する。

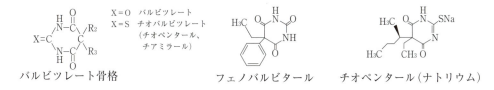

バルビツレート骨格　　フェノバルビタール　　チオペンタール（ナトリウム）

　バルビツレート系催眠薬は現在あまり使用されず、急性で短時間で改善が期待できそうな不眠に限って用いられる。ペントバルビタールは、検査時や麻酔

前投薬などに用いられ、アモバルビタールはベンゾジアゼピン系が無効な場合にまれに用いられる。

②ベンゾジアゼピン系催眠薬[※1]

現在、不眠症の第一選択薬として汎用されている。

長時間型（24時間以上）	フルラゼパム、ハロキサゾラム、クアゼパム
中時間型（12～24時間）	ニトラゼパム、フルニトラゼパム、エスタゾラム
短時間型（6～12時間）	ロルメタゼパム、ブロチゾラム（チエノジアゼピン系）、リルマザホン[※2]（ベンゾジアゼピン系プロドラッグ）
超短時間型（6時間以内）	トリアゾラム、ゾピクロン（非ジアゼピン系）、ゾルピデム（非ジアゼピン系）、エスゾピクロン（非ジアゼピン系）

> [※1] ベンゾジアゼピン系薬物には、抗不安作用、催眠作用、筋弛緩作用、抗痙れん作用があるが、ここでは催眠作用について述べる。
>
> [※2] リルマザホンはベンゾジアゼピンの開環誘導体であり、生体内で閉環してベンゾジアゼピン系化合物となって作用を現すプロドラッグ。

脳波上、入眠時の徐波睡眠時間の短縮がみられ、全睡眠時間の延長が現れる。また、治療量ではレム睡眠は抑制されない。

バルビツレートと比較すると、
①レム睡眠に比較的影響を与えない
②肝薬物代謝酵素の誘導を起こさない
③薬物依存性や離脱（退薬）症状が比較的軽い
④過量服用による安全性に優れている
等の利点がある。

〈副作用〉

　長時間型　　：持ち越し効果（翌日に眠気や精神運動機能抑制が残る）
　超短時間型：連用中止による反跳性不眠（退薬は徐々に行う）
　　　　　　　　他のタイプよりも前向性健忘を起こす（薬服用時点以降の記憶が抜け落ちる）。

大量、連用により精神的依存、身体的依存、耐性を生じる。

ベンゾジアゼピン系催眠薬の中枢性筋弛緩作用は、運動失調を起こし、骨折等の事故を起こしかねない。GABA$_A$受容体を構成するαサブユニットはα1～α6の6種類あるが、ベンゾジアゼピン系薬物（チエノジアゼピン系ならびに非ジアゼピン系を含む）は、α1、α2、α3、α5サブユニットを有する受容体に作用する（α4とα6サブユニットは感受性なし）。またそのうち、α2、α3またはα5サブユニットから成るGABA$_A$受容体が、筋弛緩作用に関与すると考えられている。クアゼパム（ベンゾジアゼピン系）やゾルピデム（非ジアゼピン系）は、大脳皮質を中心として存在するα1サブユニットへの親和性が特に高く、他のαサブユニットへの親和性が低いため、筋弛緩作用が弱い。

エスゾピクロンは、ラセミ体であるゾピクロンの一方のエナンチオマー（(S)-エナンチオマー）であるが、GABA$_A$受容体のαサブユニット親和性に差がある。ゾピクロンがα1, α5 > α2, α3であるのに対して、エスゾピクロンはα2, α3 > α1であり、うつ病に伴う不眠症に有用と考えられている。

■表2-1-13 GABA_A受容体αサブユニットとベンゾジアゼピン系薬物の薬理作用

GABA_A 受容体サブユニット	薬理作用					
	鎮静	催眠	抗不安	抗うつ	抗けいれん	筋弛緩
α1	○	○			○	
α2		○	○			○
α3		○	○	○		○
α5						○

フルラゼパム　ニトラゼパム　トリアゾラム　クアゼパム　ブロチゾラム

ゾピクロン　ゾルピデム　リルマザホン

③メラトニン受容体作動薬
〈ラメルテオン〉

- 松果体ホルモンのメラトニンは、暗環境で合成・分泌が増加し、睡眠と関連すると考えられている。（p.407参照）
- ラメルテオンは、視交叉上核のメラトニン受容体（MT_1/MT_2受容体）を特異的に刺激し、睡眠覚醒リズムを正常に調節する。覚醒までの時間を延長し、睡眠を増強する。従来の睡眠薬で問題となっていた依存性、耐性、反跳性不眠、運動障害、記憶障害などは起こりにくい。

ラメルテオン　スボレキサント

④オレキシン受容体遮断薬
〈スボレキサント、レンボレキサント〉

- オレキシン受容体（OX_1/OX_2受容体）を遮断し、視床下部オレキシン作動性神経の神経支配を受けている覚醒神経核を抑制することで、催眠を誘導する。

2-1 神経系に作用する薬

ブロモバレリル尿素

抱水クロラール

トリクロホスナトリウム

⑤その他の催眠薬

a. ブロモバレリル尿素
- 血中でBr^-を遊離し、鎮痛・催眠作用を現す。
- 作用発現が速く、持続時間は短い。
- 副作用：薬物依存性を起こす。悪心・嘔吐、過敏症（ブロム疹）

b. 抱水クロラール、トリクロホスナトリウム
- 体内でトリクロロエタノールになり、鎮静・催眠、抗痙れん作用を示す。
- 安全域が狭い。
- 副作用：アナフィラキシー症状、連用により薬物依存、過敏症

5. 統合失調症治療薬

1）向精神薬の分類

向精神薬とは、作用部位が主として中枢神経系にあり、精神機能（思考、感情、記憶など）に影響を与える薬物である。以下のように分類されている。

1. 精神抑制薬 ①統合失調症治療薬（抗精神病薬）	（メジャートランキライザー） フェノチアジン誘導体、ブチロフェノン誘導体、ベンズアミド誘導体、SDA、MARTA など
②抗不安薬	（マイナートランキライザー） ベンゾジアゼピン系薬物、タンドスピロンなど
2. 精神賦活薬 ①抗うつ薬	三環系抗うつ薬（イミプラミン、アミトリプチリンなど） 四環系抗うつ薬（マプロチリン、ミアンセリンなど） SSRI（フルボキサミン、パロキセチンなど） SNRI（ミルナシプランなど）、MAO阻害薬（サフラジン）、 NaSSA（ミルタザピン）
3. 抗躁薬	炭酸リチウム、カルバマゼピンなど
4. 幻覚薬	LSD、メスカリン、テトラヒドロカンナビノールなど
5. 精神刺激薬	「中枢興奮薬」を参照

大脳辺縁系は、恐怖・不安などの情動や本能欲求などを統御する脳部位である。向精神薬の作用点として重要である。

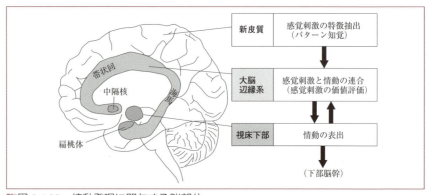

図2-1-29 情動発現に関与する脳部位

2）統合失調症治療薬（抗精神病薬）（antipsychotic drugs）

抗精神病薬は、主として統合失調症の治療に用いられる。統合失調症の陽性症状は、中脳-辺縁系のドパミン作動性神経の機能亢進が原因であるとされる。しかし、陰性症状は必ずしもドパミン作動性神経の活性とは相関しない。

〈統合失調症の症状〉

陽性症状	急性興奮、奇異行動、幻覚、妄想、思考障害
陰性症状	抑うつ気分、無為、自閉、感情鈍麻

統合失調症の治療にはフェノチアジン系、ブチロフェノン系の薬物が用いられるが、これらの示す抗精神病作用は D_2 受容体遮断による。これらは統合失調症の陽性症状をよく抑え、その臨床効力と D_2 受容体遮断力価とはよく相関する（ブチロフェノン系＞フェノチアジン系）。

表2-1-14 クロルプロマジンとハロペリドールの作用

抗精神病作用	・ドパミン D_2 受容体を遮断し、中脳辺縁系のドパミンの働きを抑え、統合失調症の陽性症状（とくに幻覚や妄想）を抑制する。 ・この作用は、ハロペリドールのほうが強い。
静穏作用、鎮静作用	・大脳辺縁系の活動を抑制し、周囲に無関心となる。→条件回避反応（薬理学実験 p.46 参照）抑制。 ・自発運動の抑制、眠気。 ・α_1 受容体や H_1 受容体の遮断作用が関係するといわれる。 ・静穏作用を示すより高用量で鎮静作用が現れる。統合失調症の興奮・緊張を鎮める。 ・この作用は、クロルプロマジンのほうが強い。
制吐作用	・延髄第四脳室底にある化学受容器引金帯（CTZ）にあるドパミン D_2 受容体を遮断。
体温下降作用	・視床下部体温調節中枢に作用（抗ドパミン作用？）し、体温調節不能にする。正常体温以下の室温では室温まで低下→人工冬眠に適応。
錐体外路系障害	・黒質→線条体にいたるドパミンニューロンの遮断により、4つの症状（パーキンソニズム、急性ジストニア[※1]、アカシジア[※1]、遅発性ジスキネジア[※1]）をきたす。
その他	①プロラクチン分泌促進（乳汁分泌亢進、女性化乳房）[ドパミンはプロラクチン分泌を抑制] ②抗アドレナリン作用（α_1 遮断）→起立性低血圧を起こす。 ③抗コリン作用 ④他の中枢抑制薬（麻酔薬、催眠薬など）の作用を相乗的に増強。 ⑤H_1 受容体遮断作用→眠気を起こす。 ⑥悪性症候群[※2]。 ⑦抗利尿ホルモン不適合分泌症候群（SIADH）[※3]。

[※1] 急性ジストニア：眼球がつり上がったり、体が曲がったり、舌が飛び出すなどの異常筋肉緊張。
アカシジア：極度の不安のためいらいらして、じっとしていられない状態（静座不能）。
遅発性ジスキネジア：ドパミン遮断作用の強い抗精神病薬の長期投与によって引き起こされる無意識な口のもぐもぐ運動、舌の回転、出し入れ運動などをさし、患者自身は意識していないことが多い。難治性であり、抗精神病薬の投与を中止しても元に戻らないことがある。長期にわたるドパミン系神経遮断の結果、大脳基底核のドパミン受容体の感受性亢進が引き起こされたためと考えられる。

[※2] 悪性症候群（syndrome malin）：錐体外路症状、自律神経症状、意識障害などを主徴とする症候群で、抗精神病薬などの投与中の患者にみられる副作用。無動、筋硬直、発汗、高熱、頻脈、血清CPK上昇、白血球増加などがみられる。発症機序として、脳内ドパミン作動性ニューロンの抑制、自律神経中枢（視床下部など）の機能障害などが考えられている。

[※3] 抗利尿ホルモン不適合分泌症候群（syndrome of inappropriate secretion of antidiuretic hormone；SIADH）：抗利尿ホルモンのバソプレシンが血漿浸透圧に対して不適切に分泌または作用して起こる。バソプレシンの過剰分泌または過剰作用によって低ナトリウム血症をきたし、重篤では意識障害や痙れんなどを伴う。

表 2-1-15　中枢神経系におけるドパミンの役割と D_2 受容体刺激・遮断の効果

神経経路または脳部位	役　割	D_2 受容体刺激の効果	D_2 受容体遮断の効果
①中脳→大脳辺縁系	正常には感情・情緒の調整に寄与するが、過剰は精神病をきたす	幻覚・妄想などの発現	統合失調症の治療
②黒質→線条体	筋肉運動の協調性維持	パーキンソン症候群の治療	錐体外路障害（パーキンソン症状）の発現
③視床下部→下垂体	プロラクチンの分泌抑制	プロラクチンの分泌低下	プロラクチンの分泌促進
④延髄	嘔吐を生じる	催吐	制吐

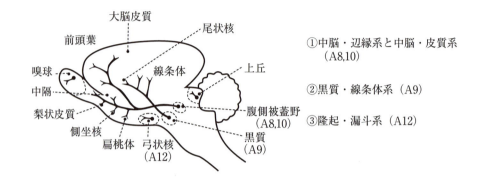

①フェノチアジン誘導体

プロピル側鎖	クロルプロマジン、レボメプロマジン	鎮静・催眠作用が強い
ピペラジン側鎖	フルフェナジン、ペルフェナジン、プロクロルペラジン	抗精神病作用や制吐作用は強いが、鎮静・催眠作用は弱い
ピペリジン側鎖	プロペリシアジン	鎮静・催眠作用が強い

②ブチロフェノン誘導体

ハロペリドール ブロムペリドール ピパンペロン スピペロン チミペロン	・強い D_2 受容体遮断作用を有し、抗精神病（とくに幻覚や妄想を抑える）作用が強い。 ・抗コリン作用、α_1 遮断作用、H_1 遮断作用などはクロルプロマジンに比べて弱く、鎮静作用が弱い。 ・副作用：錐体外路障害、悪性症候群 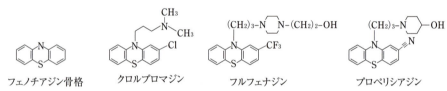 X：Cl　ハロペリドール　Br　ブロムペリドール
ハロペリドールデカン酸エステル	・ハロペリドールのプロドラッグで、リンパ系に徐々に移行し、ハロペリドールに加水分解される。効果が持続するので4週間間隔で筋注される。

③ベンズアミド誘導体

スルピリド	・D_2 受容体遮断により、統合失調症、うつ病に用いられる。抗うつ作用は抗精神病に用いられる量（300〜600 mg/日）より低用量（150〜300 mg/日）で得られる。 ・末梢の迷走神経終末の D_2 遮断作用や視床下部に作用して少量で抗潰瘍作用を示す。 ・副作用：錐体外路障害、悪性症候群（フェノチアジン系、ブチロフェノン系に比べ、発症は少ない）
スルトプリド	・鎮静作用が強く、統合失調症の陽性症状だけでなく、躁病にも用いられる。
ネモナプリド	・幻覚・妄想に効果が強く、鎮静作用は弱い。
チアプリド	・脳血管性疾患に伴う興奮や情緒障害に使用される。

④セロトニン・ドパミン・アンタゴニスト（SDA）

リスペリドン ペロスピロン ブロナンセリン パリペリドン	・強力な $5-HT_2$ 受容体遮断作用と、D_2 受容体遮断作用を併せもつ。 ・錐体外路障害は生じにくい（5-HT は黒質―線条体系のドパミン作動性神経を抑制しているため） ・統合失調症の陽性症状のみならず、陰性症状も改善する。 ・リスペリドンの主活性代謝物が 9-ヒドロキシリスペリドンであることがわかり、この代謝物そのものを統合失調症治療薬として開発したのが、パリペリドンである。 ・副作用：悪性症候群、遅発性ジスキネジア
ルラシドン	・D_2 受容体、$5-HT_{2A}$ 受容体、$5-HT_{1A}$ 受容体及び $5-HT_7$ 受容体に対してアンタゴニストとして作用し、$5-HT_{1A}$ 受容体に対しては部分アゴニストとして作用する。 ・統合失調症、双極性障害におけるうつ症状の改善に用いられる。 ・2020 年 6 月発売。

⑤ MARTA（multi-acting receptor-targeted antipsychotics、多元受容体標的化抗精神病薬）

クロザピン	・海外では以前より抗精神病薬として使用されていたが、無顆粒球症の発現およびその危険性が指摘され、一時販売停止または開発中止の措置がとられた。その後、既存薬では治療困難な統合失調症に対して有効であることが見直され、無顆粒球症の発現予防、早期発見および治療を目的とした血液モニタリングを導入することで安全に使用する方法が検討され、日本では 2009 年に承認・発売。 ・詳細な作用機序は不明だが、D_2 受容体遮断によらない中脳辺縁系ドパミン作動性神経系の選択的抑制を介し、統合失調症の陽性症状を改善する。 ・前頭皮質 $5-HT_{2A}$ 受容体遮断を介し、陰性症状も改善する。 ・大脳皮質 $5-HT_{2C}$、$5-HT_3$、$α_2$ 受容体遮断を介し、抗うつ・抗不安作用を発揮する。 ・D_2 受容体遮断による錐体外路障害やプロラクチン上昇は起きない。
クエチアピン	・D_1 および D_2 受容体、$5-HT_1$ および $5-HT_2$ 受容体、H_1 受容体、$α_1$ および $α_2$ 受容体に対する遮断作用を有する。 ・錐体外路障害を起こしにくい。 ・副作用：悪性症候群、体重増加、高血糖、起立性低血圧 ・相互作用：アドレナリンと併用すると重篤な血圧低下（作用逆転）を起こすので禁忌。
オランザピン	・$5-HT_2$ 受容体、D_2 受容体をはじめ、$α_1$ 受容体、H_1 受容体、ムスカリン受容体等の遮断作用を有する。 ・D_2 遮断作用は抗精神病作用に関係する中脳・辺縁系に選択性がある。→ 錐体外路障害やプロラクチン分泌を起こしにくい。 ・統合失調症の陽性症状、陰性症状に有効である。 ・副作用・相互作用：クエチアピンと同様。

アセナピン	・ドパミン（D_1, D_2）受容体、セロトニン（5-HT1A, 5-HT1B, 5-HT2A, 5-HT2B, 5-HT2C）受容体、アドレナリンα（D_2, α_{2A}, α_{2B}, α_{2C}）受容体、ヒスタミン（H_1, H_2）受容体の各サブタイプを強力に遮断する一方で、ムスカリン性アセチルコリン受容体に対する親和性は低いのが特徴。 ・経口投与時に消化管吸収および肝における初回通過効果が大きく、生物学的利用率が低かったことから、速崩性の舌下錠として開発が行われた。 ・日本での発売は2016年。

⑥ドパミン受容体部分作動薬

アリピプラゾール ブレクスピプラゾール	・前シナプスのドパミン自己調節受容体にも作用し、ドパミン放出量を調節する作用を有するので、dopamine system stabilizer（DSS）とも呼ばれる。 ・ドパミンが過剰に作用している中脳辺縁系ではD_2受容体でドパミンに拮抗して幻覚・妄想などの陽性症状を改善し、ドパミンが不足している中脳皮質系ではドパミンの代わりにD_1受容体を刺激して無為・自閉などの陰性症状を改善すると考えられている。 ・5-HT2A受容体アンタゴニストとしても作用し、錐体外路症状を生じにくい。 ・ブレクスピプラゾールは、アリピプラゾールの後継品として2018年4月に発売された。アリピプラゾールに比べると、セロトニン系への作用がより強く、ドパミンD_2受容体に対する内活性が低い。 ・アリピプラゾールは、「双極性障害における躁症状の改善」「うつ病・うつ状態（既存治療で十分な効果が認められない場合に限る）」「小児期の自閉スペクトラム症に伴う易刺激性」にも適応を有する。 ・副作用：糖尿病悪化、血糖値上昇

スルピリド　　リスペリドン　　ペロスピロン

ルラシドン　クロザピン　クエチアピン　オランザピン

アセナピン　アリピプラゾール

　SDA、MARTAやDSSは「非定型抗精神病薬」とよばれ、統合失調症の陰性症状にも有効で、錐体外路障害が少ないので、統合失調症治療の主流になりつつある。

⑦その他

ピモジド	・ブチロフェノン系と類似の化学構造をもつ。 ・統合失調症の他、小児の自閉性障害、精神遅滞に伴う諸症状にも用いられる。
クロカプラミン モサプラミン	・三環系抗うつ薬と同じ基本骨格をもつイミノジベンジル誘導体。 ・感情鈍麻に対し、意欲賦活作用を示す。
ゾテピン	・ジベンゾチエピン誘導体で、多種受容体の遮断作用をもち、緊張病型や精神運動興奮の強い症例に有効である。また抗躁作用も強い。

■表 2-1-16 各受容体遮断による治療効果と副作用

遮断される受容体	治療効果	副作用
D_2	陽性症状改善	錐体外路障害（パーキンソニズム、ジストニア、アカシジア、遅発性ジスキネジア） 内分泌障害（プロラクチン分泌増加、月経障害、女性化乳房）
α_1	鎮静	起立性低血圧、めまい
H_1	鎮静	眠気、体重増加
ムスカリン	錐体外路症状改善	口渇、便秘、尿閉、緑内障の悪化
5-HT_2	陰性症状改善 錐体外路症状改善	?

6. うつ病・双極性障害治療薬

1）抗うつ薬

　抗うつ薬（antidepressants）は、うつ病の主症状である精神機能の抑制状態（抑うつ気分）を賦活・改善させる効果を有する薬物である。

　ほとんどの抗うつ薬は、中枢神経系のモノアミン、特にノルアドレナリンやセロトニンのシナプス間隙の濃度を高めるが、一般に抗うつ効果が発現するには投薬後1週間以上を要することが多い。したがって、抗うつ薬は単にモノアミン濃度を上昇させるだけでなく、時間をかけてシナプス後膜の受容体や細胞内情報伝達系を変化させることによって臨床効果を発揮すると考えられている。

■表 2-1-17 抗うつ薬の分類

① 三環系抗うつ薬	イミプラミン、アミトリプチリン、ノルトリプチリン、クロミプラミン（以上第Ⅰ世代）、アモキサピン、ロフェプラミン（以上第Ⅱ世代）
② 四環系抗うつ薬（第Ⅱ世代）	マプロチリン、ミアンセリン、セチプチリン
③ その他の第Ⅱ世代抗うつ薬	スルピリド、トラゾドン
④ 選択的セロトニン 　再取り込み阻害薬（SSRI）	フルボキサミン、パロキセチン、セルトラリン
⑤ セロトニン・ノルアドレナリン 　再取り込み阻害薬（SNRI）	ミルナシプラン、デュロキセチン
⑥ モノアミン酸化酵素 　（MAO）阻害薬	サフラジン
⑦ ノルアドレナリン・セロトニン 　作動性抗うつ薬（NaSSA）	ミルタザピン

①三環系抗うつ薬

三環系抗うつ薬は第Ⅰ世代と第Ⅱ世代に大きく分類される。

第Ⅰ世代	イミプラミン、アミトリプチリン、ノルトリプチリン、トリミプラミン、クロミプラミン ・非選択的なセロトニンおよびノルアドレナリンの再取り込み阻害作用が主作用となる。 ・アセチルコリン受容体、$α_1$ 受容体、H_1 受容体遮断作用が強く、副作用の発現頻度が高い。 ・夜尿症、遺尿症の適応がある。
第Ⅱ世代	アモキサピン、ロフェプラミン、ドスレピン ・抗コリン作用が比較的弱く、副作用が軽減する。速効性である。 ・アモキサピンは D_2 受容体遮断作用もあるため、妄想性うつ病に使用されることがあり、また錐体外路障害を起こすことがある。

三環系抗うつ薬の大部分は、肝で代謝を受け活性代謝物が生成される。

例：アミトリプチリン → ノルトリプチリン、イミプラミン → デシプラミン

作用	①モノアミン再取り込み阻害作用（ノルアドレナリントランスポーターまたはセロトニントランスポーターの阻害）：クロミプラミンは比較的選択的にセロトニンの再取り込みを阻害する。2級アミン（ノルトリプチリン、デシプラミン等）、アモキサピンは比較的選択的にノルアドレナリンの再取り込みを阻害する。 ②抗コリン作用：口渇、便秘、頻脈、眼内圧上昇など、副作用の原因となる。 ③$α_1$ 受容体遮断作用：起立性低血圧、めまいなどの原因となる。 ④H_1 受容体遮断作用：眠気・鎮静、ふらつきなどの原因となる。
副作用	（重篤）心毒性、悪性症候群、無顆粒球症 抗コリン作用による口渇、排尿困難、眼内圧上昇、便秘 心毒性はクラスⅠ抗不整脈薬と似た Na^+ チャネル遮断作用などによる（QRS 延長など）。
相互作用	・MAO 阻害薬との併用：発汗、全身痙れん、異常高熱などを起こす。MAO 阻害薬服薬後、少なくとも 2 週間してから三環系抗うつ薬を適用する。 ・グアネチジンと併用するとグアネチジンの降圧作用を減弱する。

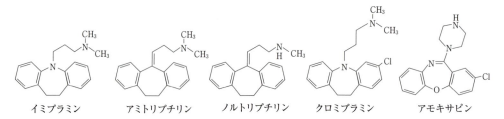

イミプラミン　アミトリプチリン　ノルトリプチリン　クロミプラミン　アモキサピン

②四環系抗うつ薬（第Ⅱ世代）

セロトニン再取り込み阻害作用がなく、主にシナプス間隙におけるノルアドレナリン濃度の上昇を促す。

三環系抗うつ薬と比較し、抗コリン作用は弱く、心臓毒性などの副作用発現が少ない。重篤な副作用として、痙れん、悪性症候群、せん妄等がある。

マプロチリン	・神経終末へのノルアドレナリンの再取り込みを選択的に阻害 ・速効性で半減期が長い。
ミアンセリン セチプチリン	・シナプス前膜の $α_2$ 受容体を遮断して、ノルアドレナリンの放出を促進する。 ・強い H_1 受容体遮断作用があり、眠気を起こすほか、$α_1$、5-HT_2 受容体遮断作用もある。 ・速効性である。

マプロチリン　ミアンセリン　セチプチリン

③その他の第Ⅱ世代抗うつ薬

トラゾドン	・セロトニン再取り込み阻害作用をもつ。代謝産物が$5-HT_1$受容体の部分活性薬、$5-HT_2$受容体の拮抗薬として作用する。 ・抗コリン作用や心臓毒性は弱い（第Ⅱ世代に属する）。 ・重大な副作用に、悪性症候群、せん妄、無顆粒球症などがある。
スルピリド	・D_2受容体遮断薬である。 ・統合失調症（300〜600mg/日）、うつ病（150〜300mg/日）、消化性潰瘍（150mg/日）にも適用される。

トラゾドン

④選択的セロトニン再取り込み阻害薬 (selective serotonin reuptake inhibitor；SSRI)

フルボキサミン パロキセチン セルトラリン エスシタロプラム	・セロトニン作動性神経終末に存在するセロトニントランスポーターを選択的に阻害し、セロトニンの再取り込みを阻害する。その他の神経伝達物質受容体にはほとんど親和性がない。 ・抗うつ効果は三環系抗うつ薬とほぼ同等か弱く、速効性ではない。 ・パロキセチンは、セロトニン神経終末の自己受容体に作用してダウンレギュレーションを引き起こし、シナプス間隙のセロトニン量を増加させる作用も有する。 ・**適応**：うつ病、強迫性障害（フルボキサミン、パロキセチン）、パニック障害（パロキセチン、セルトラリン） ・**副作用**：抗コリン作用、中枢神経や心循環系による副作用が少なく、大量服用時の安全性が高い。悪心・嘔吐の発生が高い。眠気、口渇、便秘重篤な副作用として悪性症候群、せん妄、セロトニン症候群などがある。フルボキサミンはCYP1A2を強力に阻害するので、他剤併用時には注意を要する。

フルボキサミン　パロキセチン　セルトラリン　エスシタロプラム

⑤セロトニン・ノルアドレナリン再取り込み阻害薬
（serotonin noradrenaline reuptake inhibitor；SNRI）

ミルナシプラン デュロキセチン ベンラファキシン	・神経終末におけるセロトニンおよびノルアドレナリンの再取り込みを特異的に阻害する。各種神経伝達物質の受容体にはほとんど親和性を示さない。 ・抗うつ効果は、三環系抗うつ薬とほぼ同程度である。 ・効果発現が三環系抗うつ薬やSSRIよりも速い。また、CYP阻害作用がない。 ・副作用：発生は少ない。口渇、悪心・嘔吐、便秘、重篤な副作用に悪性症候群がある。 ・デュロキセチンは糖尿病性神経障害に伴う疼痛にも適用。

ミルナシプラン　　　デュロキセチン　　　ベンラファキシン

⑥モノアミン酸化酵素（MAO）阻害薬

- MAOにはA型とB型がある。

MAOの種類	基質	阻害薬
A型（MAO$_A$）	セロトニン、ノルアドレナリン	サフラジン
B型（MAO$_B$）	ドパミン、トリプタミン	セレギリン（デプレニル）

- MAO阻害薬の効果は脳と同様に腸や肝臓でも現れる。MAOによる食物中のチラミンの分解をMAO阻害薬は阻害するため、チラミン含有量の多いチーズなどの摂取により高血圧発作、頭痛、発熱などを引き起こし、時に致死的な事故に至ることがある。
- サフラジンは、現在、ほとんど用いられない。

サフラジン

⑦ノルアドレナリン作動性・特異的セロトニン作動性抗うつ薬
（noradrenergic and specific serotonergic antidepressant; NaSSA）

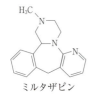

ミルタザピン	・四環系の化学構造を有するが、他の四環系抗うつ薬とは作用が異なる。 ・ノルアドレナリン作動性神経終末およびセロトニン作動性神経終末のα$_2$受容体（それぞれ自己受容体とヘテロ受容体）を遮断して、ノルアドレナリンとセロトニンの放出を促進する。また5-HT$_2$および5-HT$_3$受容体遮断作用があるため、セロトニンによって5-HT$_1$受容体が優先的に活性化されて、抗うつ効果が現れると考えられている。 ・抗うつ効果の発現が比較的早いといわれている。 ・5-HT$_2$および5-HT$_3$受容体遮断作用があるため、悪心・嘔吐などの副作用が少ない。

ミルタザピン

⑧セロトニン再取り込み阻害・セロトニン受容体調節薬

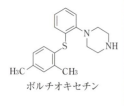

ボルチオキセチン	・セロトニン再取り込み阻害作用並びにセロトニン受容体調節作用を有する。5-HT$_3$、5-HT$_7$及び5-HT$_{1D}$受容体に対してはアゴニスト、5-HT$_{1B}$受容体に対しては部分アゴニスト、5-HT$_{1A}$受容体に対してはアンタゴニストとして働く。セロトニン再取り込み阻害作用は、ノルアドレナリン再取り込み阻害作用やドパミン再取り込み阻害作用より強い。 ・2019年11月発売。

ボルチオキセチン

2）抗そう薬（antimanic drugs）

そう病、そう状態の治療薬として炭酸リチウムが第一選択薬として用いられるが、リチウム抵抗性にはカルバマゼピンが使用される。

〈炭酸リチウム（Li$_2$CO$_3$）〉

作用機序	・抗そう効果の機序は不明であるが、イノシトール-1-リン酸分解酵素を阻害してPI（ホスファチジルイノシトール）代謝回転を抑制する作用をもつ。 PI → PIP → PIP$_2$ —ホスホリパーゼC→ IP$_3$ + DG 　　イノシトール ←╳ IP ← IP$_2$ 　　　　　　　　Li 　PIP$_2$：ホスファチジルイノシトール二リン酸 　IP$_3$ ：イノシトール三リン酸 　DG ：ジアシルグリセロール
作　用	・健常者では治療量のLiはほとんど中枢作用を示さない。 ・服薬により約2週間で抗そう効果がみられる。 ・有効血中濃度（0.4〜1.2 mEq/L）と中毒濃度（1.5 mEq/L）の差が少ない。 ・消化管からよく吸収され、糸球体ろ過により尿中排泄されるが、近位尿細管で70〜80％が再吸収される。この再吸収はNa$^+$と同じ能動輸送系によるので、Na$^+$の再吸収を促進する因子（チアジド系利尿薬、脱水、減塩）によりLi$^+$の再吸収も増加する。 → Li中毒
副作用	・消化器症状（悪心・嘔吐、下痢）、精神神経症状（めまい、発熱、手指振戦、不眠など） ・腎障害、Na$^+$の低下（利尿薬使用、発汗、減塩食）、脱水などではLi$^+$の排泄が低下しているため、Li中毒を起こしやすい。 ・Li中毒では重症になると昏睡、血圧低下、腎障害等を起こし、死に至る。 ・催奇形性（心奇形）がある。また、母乳に移行し、胎児にLi中毒が発生する。
薬物相互作用	・チアジド系利尿薬と併用するとLiの近位尿細管からの再吸収が促進される。 ・非ステロイド性抗炎症薬は、血管拡張作用のあるPGE$_2$産生を抑制するので、腎血流量が低下し、Liの排泄を抑制する。

3）双極性障害治療薬

双極性障害（bipolar disorder）は、躁状態、うつ状態が繰り返し現れる気分障害のひとつで、再発頻度が高く病相が遷延化しやすい。気分エピソード（躁状態およびうつ状態）の急性期治療および再発予防が治療上の重要課題とされる。近年、双極性障害治療が注目され、統合失調症治療薬や抗てんかん薬などが双極性障害に追加適応されている。

ラモトリギン （p.157、抗てんかん薬の項を参照）	・2011年に「双極性障害の気分エピソードの再発・再燃抑制」の適応を追加取得。 ・電位依存性Na$^+$チャネルを抑制することによって神経膜を安定化させ、グルタミン酸等の興奮性神経伝達物質の遊離を抑制することにより抗痙れん作用を示すと考えられているが、双極性障害に対して効果を示す機序は明らかになっていない。

オランザピン (p.145、統合失調症治療薬の項を参照)	• 2010年に「双極性障害におけるうつ症状の改善」、2012年に「双極性障害における躁症状の改善」の適応を追加取得。 • 双極性障害の躁症状には中脳辺縁系ドパミン神経の過活動が関与すると考えられており、主にドパミン D_2 受容体遮断作用により中脳辺縁系ドパミン神経の過活動を抑制し抗躁作用を示すと推察されている。加えて、$5-HT_{2A}$、$5-HT_6$、$α_1$、ムスカリン、H_1 受容体に対する作用も抗躁効果に一部寄与している可能性がある。 • 双極性障害のうつ症状には、セロトニン神経系の異常が示唆されており、$5-HT_{2A}$ 受容体遮断作用が抗うつ効果に寄与していると推察されている。また、大脳皮質前頭前野におけるノルアドレナリンやドパミン遊離促進作用も抗うつ効果に寄与している可能性がある。
アリピプラゾール (p.146、統合失調症治療薬の項を参照)	• 2012年に「双極性障害における躁症状の改善」の適応を追加取得。 • ドパミン D_2 受容体部分刺激作用、ドパミン D_3 受容体部分刺激作用、セロトニン $5-HT_{1A}$ 受容体部分刺激作用及びセロトニン $5-HT_{2A}$ 受容体遮断作用をあわせもつ。これらの薬理作用が臨床における有用性に寄与すると考えられているが、明確な機序は不明である。

7. 神経症治療薬

　神経症は、主に心理的原因によって生じる心身の機能障害の総称である。不安障害ともよばれる。次のようなタイプがある。

社会不安障害 （恐怖症）	日常的に誰もが経験する不安や緊張、身体の症状が、日常の会話や発現にまで支障をきたすほど著しくなり、そのような社会状況や行為を避けられなくなってしまい、学校や会社にいけないなど、社会生活に支障が出てしなう状態。広場恐怖、社会恐怖（対人恐怖）などを含む。
不安神経症	恐怖症とは異なり、特定の状況に限定されないで、不安が出現する状態。パニック障害と全般性不安障害がある。 パニック障害：パニック発作（不安発作）の反復を特徴とする。「このまま死んでしまうのでは」など強い不安や恐怖と共に、動悸、頻脈、激痛、吐き気、発汗、めまい、呼吸難感など種々の自律神経（主に交感神経）症状が突然出現し、その状態が数分〜数十分持続する。 全般性不安障害：「何かの病気になるのではないか」など、様々なことが心配になって落ち着かず、常に緊張してリラックスできないうえ、震え、筋緊張、発汗、めまい、ふらつきなどの身体症状を伴う。
強迫性障害 （強迫神経症）	自分の意に反して、不安あるいは不快な考えが浮かんできて、抑えようとしても抑えられない（強迫観念）、あるいはそのような考えを打ち消そうとして、無意味な行為を繰り返す（強迫行為）。そのような強迫症状を主症状とする。
気分変調症 （抑うつ神経症）	不安や恐怖など一般的な神経質症状と共に、ゆううつや気分や心が貼れないなどの軽いうつ状態が続く。うつ病とは、うつの程度と持続期間によって区別される。「二年以上におよぶ慢性の軽うつ状態を示す」状態が該当する。
解離性障害 （ヒステリー性神経症）	何らかの精神、身体的機能が意識から解離して、意思によるコントロールが失われた状態。背後には解決困難な問題や対人関係の葛藤など心理的原因が認められるが、本人はそれを否認する傾向がある。
身体表現性障害	身体的な基盤がないのに、身体的な症状を訴え、医師が「何も問題ない」と説明しても、医学的な根拠を執拗に追及しようとする状態。
離人性障害 （離人神経症）	周りにたくさんの人がいても、離人感が強く、孤独を感じる状態。

- 神経症の治療は、心理的原因を取り除くための精神療法が重要であるが、症状を和らげるために薬物療法が行われる。症状に応じて、抗不安薬や抗うつ薬が用いられる。
- 抗うつ薬のうち、選択的セロトニン再取り込み阻害薬（SSRI）は、神経症（不安障害）にも効果があると言われている。フルボキサミンは強迫性障害と社会不安障害に、パロキセチンはパニック障害と強迫性障害と社会不安障害、セルトラリンはパニック障害に適応を有する（「抗うつ薬」p.149参照）。
- 抗不安薬は、神経症状の病的な不安・緊張を軽減する効果のある薬物で、次のようなものがある。

1）ベンゾジアゼピン系抗不安薬

ベンゾジアゼピン系薬物は、$GABA_A$受容体複合体のベンゾジアゼピン結合部位に作用して、$GABA_A$受容体の機能を亢進することにより、中枢神経抑制作用を示す。

表2-1-18 ベンゾジアゼピン系薬物の主な5つの薬理作用

	関係する中枢神経領域と作用機序	関与する$GABA_A$受容体サブユニット
鎮静作用	大脳皮質の興奮を抑えることにより現れる。	α_1
催眠作用	視床下部賦活系の抑制により現れる。（「催眠薬」p.138参照）	α_1、α_2、α_3
抗不安作用	不安の発現に関わる大脳辺縁系（海馬、扁桃体など）と視床下部の一部に作用することにより現れる。	α_2、α_3
抗けいれん作用	けいれん発作に関わる大脳の過剰な興奮を抑えることにより現れる。（「てんかん治療薬」p.161参照）	α_1
筋弛緩作用	脊髄反射のシナプス前抑制を増強することにより現れる。（「中枢興奮薬」p.172参照）	α_2、α_3、α_5

- ベンゾジアゼピン結合部位は、$GABA_A$受容体のαとγサブユニットから成る細胞外領域にあり、各ベンゾジアゼピン系薬物のαサブユニットに対する親和性によって薬理作用に違いが認められる。抗不安作用に関わるα_2とα_3サブユニットに対する親和性が高いベンゾジアゼピン系薬物が、抗不安薬として用いられる。（「催眠薬」p.138参照）

表 2-1-19　作用時間と抗不安作用の強さによるベンゾジアゼピン系抗不安薬の分類

作用時間	薬物	抗不安作用の強さ
短時間作用型 （半減期6時間以内）	クロチアゼパム エチゾラム フルタゾラム	弱 強 中
中時間作用型 （半減期12〜24時間）	ロラゼパム アルプラゾラム ブロマゼパム フルジアゼパム	強 中 強 中
長時間作用型 （半減期24時間以上）	ジアゼパム クロキサゾラム クロルジアゼポキシド クロラゼプ酸 メダゼパム オキサゾラム	中 強 弱 中 弱 弱
超長時間作用型 （半減期90時間以上）	ロフラゼプ酸エチル フルトプラゼパム	中 強

ベンゾジアゼピン骨格　　クロルジアゼポキシド　　ジアゼパム　　ロラゼパム

オキサゾラム　　アルプラゾラム　　エチゾラム

- 短時間作用型の薬は、急に不安感や緊張感が高まったときに服用できるメリットがある。
- 長時間作用型の薬は、体内の薬物濃度を一定に保つことができ、状態を安定させやすい。ただし、効果が持続することは、持ち越し効果や蓄積作用などが問題となる。
- 作用時間と抗不安作用強度は一致しない。
- 短時間型、中間型は主に直接グルクロン酸抱合をうけ、尿中排泄される。グルクロン酸抱合は加齢や肝障害の影響を受けにくい。長時間型はCYPで代謝され、活性型となる。CYPは加齢や肝障害の影響を受けやすい。
- バルビツール酸誘導体よりも依存形成が弱いといわれていたが、用量・用法により依存を起こす可能性がある。とくに短時間作用型で比較的作用が強力なエチゾラムは、薬物依存に陥りやすいので注意が必要である。
- 緑内障（弱い抗コリン作用があるため）や重症筋無力症に禁忌である。

- ベンゾジアゼピン系薬物の過量投与による鎮静・呼吸抑制に対しては、ベンゾジアゼピン受容体遮断薬のフルマゼニルが解毒薬として用いられる。

2) 非ベンゾジアゼピン系抗不安薬

ベンゾジアゼピン系抗不安薬は、数多くの種類が広く用いられてきたが、薬物乱用や一過性健忘などの社会的問題や、眠気やふらつきなどの副作用が起こりやすくQOLの低下が問題である。

タンドスピロン	・$5-HT_{1A}$ 受容体作動薬である。 ・$5-HT_{1A}$ 受容体を選択的に刺激すると、縫線核セロトニンニューロンの過分極が起きる（K^+チャネル開口することによる）。→セロトニンニューロンの機能が抑制され、神経からの5-HT放出が抑制される。 ・催眠・鎮静作用、筋弛緩作用、麻酔増強作用をほとんど示さず、抗不安作用と抗うつ作用を示す。抗不安作用はそれほど強くないが、薬物依存性がない。 ・ベンゾジアゼピン系薬物から直ちに切り替えると、ベンゾジアゼピン系薬物の退薬症候が引き起こされ、症状が悪化することがあるので、ベンゾジアゼピン系薬物を中止する際は徐々に減量する。
ヒドロキシジン	・抗アレルギー性精神安定薬に分類される。 ・抗ヒスタミン作用を有し、低用量で蕁麻疹の治療に用いられる。抗セロトニン作用、抗ブラジキニン作用を有し、不安・緊張・抑うつにも効果がある。

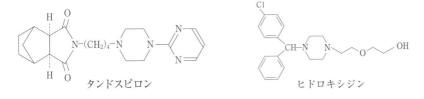

8. てんかん治療薬

1) てんかんの発作型

てんかんは、種々の病因の結果として、大脳灰白質神経細胞の過剰で無秩序な放電による慢性脳疾患で、病巣部位の違いによりさまざまな症状を発現する。発作型によって次のように分類できる（てんかん発作型の国際分類〈1981〉）。

> I. 部分（焦点、局所）発作
> ①単純部分発作（意識の障害なし）
> ②複雑部分発作（＝**精神運動発作**。意識の障害あり）
> ③部分発作で続発性全身性発作に進展するもの
> II. **全般発作（痙れん性または非痙れん性）**
> ①欠神発作（小発作）
> ②ミオクローヌス発作
> ③**強直間代発作（大発作）**
> ④脱力発作（失立性発作、無動性発作）

2) 抗てんかん薬

痙れん発現には、神経細胞膜におけるNa^+、K^+、Ca^{2+}などのイオン透過性と、アセチルコリン、モノアミン、GABA、グリシン、グルタミン酸などの神経伝達物質が関与している。例えば、電位依存性Na^+チャネルを介したNa^+流入は神経発火（活動電位）を形成する。また、T型Ca^{2+}チャネルは低閾値で活性化されて、神経シナプス下膜において自発性発火を起こし、興奮の引き金を担う。

血漿中のCa^{2+}濃度が低下すると（低カルシウム血症）神経筋接合部の興奮性が亢進して筋のれん縮が生じ、四肢の強直性痙れんから全身痙れんに至るテタニーをきたす。

神経伝達物質は、受容体を介して神経細胞の興奮・抑制を調節している。抗てんかん薬は、こうしたイオン流入や神経伝達物質に影響を与え、てんかんの発作焦点部位における異常な神経発火（発射）やてんかんの発作焦点からの興奮の拡がりを抑制する。

①抗てんかん薬一覧

プリミドン

フェニトイン

エトトイン

カルバマゼピン

トリメタジオン

エトスクシミド

バルビツール酸系 フェノバルビタール プリミドン	・プリミドンは代謝されてフェノバルビタール (p.139) を生じる。 ・催眠用量以下の量で抗痙れん作用を示す ・副作用：眠気、薬物代謝酵素誘導
フェニトイン エトトイン	・神経細胞膜の脱分極時のNa^+、Ca^{2+}の流入を減少し、安定化する。発作焦点からのてんかん発射の広がりを抑制する。 ・抗不整脈作用がある。 ・眠気はほとんどない。 ・副作用：眼球振とう、運動失調、歯肉増殖、巨赤芽球性貧血（葉酸吸収障害による）、催奇形性（口唇裂、口蓋裂）
カルバマゼピン	・新皮質より大脳辺縁系に対し比較的選択的に作用する。電撃痙れんを抑制する。弱いがペンテトラゾール痙れんも抑制する。 ・三叉神経痛、躁病、躁状態にも用いる。 ・副作用：めまい、運動失調、汎血球減少、薬物代謝酵素誘導
トリメタジオン エトスクシミド	・エトスクシミドは小発作の第一選択薬である。 ・ペンテトラゾール痙れんを抑制する。 ・副作用 　トリメタジオン：運動失調、骨髄障害、腎障害、催奇形性 　エトスクシミド：食欲不振、眠気、まれに再生不良性貧血

バルプロ酸ナトリウム	・電撃痙れん、ペンテトラゾール痙れんを抑制する。 ・① Na^+ チャネルの抑制、② GABA トランスアミナーゼの阻害による脳内 GABA 濃度の増加、③ T 型 Ca^{2+} チャネルの抑制、という3つの作用により神経の異常発火を抑える。 ・小発作、精神運動発作、大発作に有効で、混合型てんかんの第一選択薬である。 ・副作用：まれに劇症肝炎などの重篤な肝障害、高アンモニア血症。	バルプロ酸ナトリウム
ゾニサミド	・機序は不明であるが、他の薬で抑制されない難治性例に用いられる。 ・副作用：眠気、運動失調	ゾニサミド
ベンゾジアゼピン系	・$GABA_A$ 受容体のベンゾジアゼピン結合部位に結合し、大脳辺縁系において GABA ニューロンの働きを増強して抗痙れん作用を示す。 ・ペンテトラゾール痙れんを強く抑制する。 ・副作用：[重大] 呼吸抑制、依存性 ジアゼパム、ミダゾラム：てんかん重積症の第一選択薬で、静注で用いる。小児の熱性痙れんにも適応。 クロナゼパム：ミオクローヌス発作、精神運動発作に用いる。 クロバザム：他の抗てんかん薬と併用して、ほとんどすべての発作に有効	ミダゾラム クロナゼパム クロバザム
炭酸脱水酵素阻害薬 　アセタゾラミド 　スルチアム	・グリア細胞の炭酸脱水酵素阻害が抗痙れん作用と関係するらしい。 ・精神運動発作に用いられる。 ・副作用：[重大] 腎不全	スルチアム
ガバペンチン	・構造が GABA に類似しているが、GABA 受容体には作用しない。ベンゾジアゼピン受容体や Na^+ チャネルにも作用しない。 ・電位依存性 Ca^{2+} チャネルの $\alpha_2\delta$ サブユニットに結合し、チャネルを遮断する。そのほか、GABA トランスポーターの活性化によって抗てんかん作用を発揮すると考えられている。 ・他の抗てんかん薬で効果不十分なてんかん患者の部分発作に対して、他の抗てんかん薬と併用される。	ガバペンチン
トピラマート	・電位依存性 Na^+ チャネルと Ca^{2+} チャネルの抑制作用、AMPA 型グルタミン酸受容体機能抑制作用、GABA 受容体機能増強作用など幅広い機序で抗てんかん作用を発揮すると考えられている。 ・他の抗てんかん薬が効果不十分な部分発作に対する併用療法。	トピラマート
ラモトリギン	・電位依存性 Na^+ チャネルの抑制、グルタミン酸等の興奮性神経伝達物質の遊離の抑制により抗痙れん作用を示すと考えられている。 ・部分発作、強直間代発作、定型欠伸発作。	ラモトリギン

	レベチラセタム	・各種受容体および主要なイオンチャネルとは結合しないが、神経終末のシナプス小胞タンパク質2A（SV2A）との結合、N型Ca^{2+}チャネル阻害、細胞内Ca^{2+}の遊離抑制、GABA及びグリシン作動性電流に対するアロステリック阻害の抑制、神経細胞間の過剰な同期化の抑制などが確認されている。 ・SV2Aに対する結合親和性と各種てんかん動物モデルにおける発作抑制作用との間に相関が認められることから、SV2Aとの結合が抗てんかん作用に寄与すると考えられている。 ・てんかん部分発作に使用。

②代表的な抗てんかん薬の効力スペクトルと作用機序

薬 物	発作型				作用機序
	強直間代発作（大発作）	欠神発作（小発作）	複雑部分発作（精神運動発作）	てんかん重積状態（発作重積症）	
フェノバルビタール	○		○		GABAの抑制効果を増強
プリミドン	○		○		
フェニトイン	◎	悪化	◎	○	神経細胞膜Na^+流入を抑制
カルバマゼピン	○	悪化	◎		神経細胞膜Na^+流入を抑制
トリメタジオン	悪化	○			T型Ca^{2+}チャネルを抑制
エトスクシミド	悪化	◎			
バルプロ酸ナトリウム	◎	◎	○		①Na^+流入を抑制 ②GABAトランスアミナーゼを阻害して、GABA濃度を高める ③T型Ca^{2+}チャネルを抑制
ゾニサミド	○	(○)	○		
ジアゼパム				◎	GABA_A受容体のベンゾジアゼピン結合部位に作用して、GABAの効果を増強
ミダゾラム				◎	
クロナゼパム			○		
クロバザム	○	(○)	○		
スルチアム			○		
ガバペンチン			○		
トピラマート			○		
ラモトリギン	○		○		
レベチラセタム			○		

○：抑制（治療に有効）　（○）：非定型のみに適応

9. パーキンソン症候群治療薬

1) パーキンソン症候群

パーキンソン病（parkinson's disease）は、安静時振戦、筋固縮、寡動または無動、姿勢反射障害を主徴とする錐体外路系変性疾患のひとつである。表情が乏しく仮面様になったり、歩行障害が現れる。

狭義（本態性）のパーキンソン病以外にも、薬物の副作用や他の疾患に伴いパーキンソン病様症状が現れることがあり、それらを総称してパーキンソン症候群とよぶ。

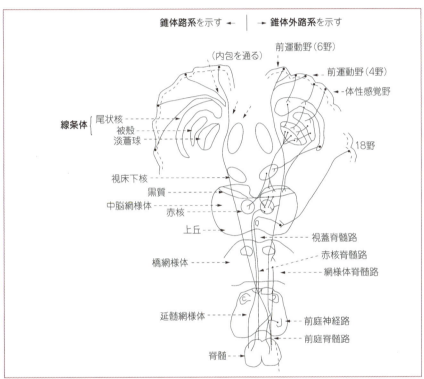

図 2-1-29　錐体路と錐体外路

脊髄前角の運動ニューロンは、上位中枢からの入力を受けている。脊髄前角に終わる運動性の神経経路のうち、大脳皮質運動野の錐体細胞が延髄錐体を経て脊髄前角に投射する経路を錐体路とよび、それ以外を錐体外路とよぶ。

錐体路の障害では運動麻痺が現れるのに対して、パーキンソン病のような錐体外路系障害では不随意運動と筋緊張の異常が現れるのが特徴。

①パーキンソン病発症のメカニズム

パーキンソン病患者では中脳黒質に病変が認められる。黒質から線条体に至るドパミン作動性神経が変性し、線条体におけるドパミン含量が著しく低下。

ドパミンは、D_2受容体を介して興奮性のコリン作動性介在ニューロンを抑制する働きをしているので、ドパミンの減少は、コリン作動性ニューロンの活

性上昇を引き起こす。

錐体外路に含まれる線条体の異常興奮は、運動制御の異常をきたす。

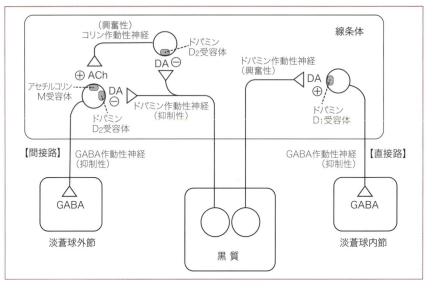

図 2-1-30 黒質線条体系におけるドパミン作動性神経の役割

② ドパミン作動性神経毒：MPTP

ヒトやサルで MPTP（1-methyl-4-phenyl-1,2,3,6-tetrahydropyridine）がパーキンソン病と似た症状を起こす。

$$\text{MPTP} \xrightarrow{\text{MAO}_B} \text{MPDP}^+ \longrightarrow \text{MPP}^+ \text{（活性体）}$$

脳内で生じたピリジウム体（MPP^+）が神経毒性を発現する。

2）パーキンソン症候群治療薬

上述の発症メカニズムに基づき、パーキンソン病の治療には、線条体におけるドパミン系の増強またはアセチルコリン系の抑制が有効。

機　序	薬　物
ドパミンを補給する	レボドパ（ドパミンの前駆体）
ドパミンの代わりにドパミン受容体を刺激する	ブロモクリプチン、タリペキソール（D_2受容体作動薬）
ドパミンの放出を促進する	アマンタジン
ドパミンの分解を抑える	セレギリン（デプレニル：MAO_B阻害薬）
ドパミンの合成を促進する	ゾニサミド
コリン作動性ニューロン活性を遮断する	トリヘキシフェニジル、ビペリデン（中枢性抗コリン薬）
ノルアドレナリンを補給する	ドロキシドパ

レボドパ	・ドパミンの前駆体。ドパミンは血液−脳関門を通過しにくいので、代わりに通過できる前駆体のレボドパを用いる。 ・経口投与されたレボドパのうち、脳内に移行するのはごく微量である（1〜3%）。移行量を増やし、レボドパの投与量を減量するために、末梢性芳香族L−アミノ酸脱炭酸酵素阻害薬（カルビドパ、ベンセラジド）を併用する。 ・COMT阻害薬のエンタカポンやオピカポンはは、COMTによるレボドパの代謝を阻害することにより、レボドパの血中濃度を保ち、レボドパの脳内移行を増加させるので、レボドパ・カルビドパ合剤またはレボドパ・ベンセラジド合剤と併用される。 ・レボドパの長期投与（3〜5年）により、wearing-off現象、on-off現象が出現することがある。 　wearing-off現象：L-ドパの薬効時間が短縮し、次の服薬前に症状が悪くなる現象。持続型ドパミンD_2受容体刺激薬との併用が有効 　on-off現象：服薬時間に関係なく、急激な症状の軽快と増悪がくり返される現象 ・ドパ誘発性ジスキネジア（体が意志とは無関係に動く）、特にカルビドパの併用で増大。 ・ピリドキシンとの併用で作用減弱（ビタミンB_6は芳香族L−アミノ酸脱炭酸酵素の補酵素のため、末梢でのドパミンへの変換量が増えるため） ・副作用：悪心・嘔吐（ドパミンがCTZを刺激）、起立性低血圧、急激な減量・中止により悪性症候群
ドパミンD_2受容体刺激薬 麦角アルカロイド誘導体 　ブロモクリプチン、カベルゴリン 非麦角アルカロイド 　タリペキソール、プラミペキソール、ロピニロール（経口）、ロチゴチン（貼付）	・線条体のD_2受容体を刺激して抗パーキンソン病作用を示す。ペルゴリド、カベルゴリンにはD_1受容体刺激作用もある。 ・効果はレボドパより弱い。 ・レボドパ長期投与により、wearing-off現象、on-off現象の現れたときにも有効である。 ・下垂体前葉のD_2受容体を刺激してプロラクチン分泌を抑制する。 　→ 高プロラクチン血症による乳汁漏出症に適応（ブロモクリプチン） ・副作用：悪心、嘔吐、[重大] 幻覚、妄想
ドパミン放出促進薬 アマンタジン	・黒質−線条体系のドパミン作動性神経からドパミンの放出を促進する。 ・効果が弱く、耐性を生じやすい。 ・A型インフルエンザウイルス感染症にも有効である。 ・副作用：幻覚、せん妄、催奇形性
MAO_B阻害薬 　セレギリン 　ラサギリン 　サフィナミド	・セレギリンとラサギリンは、非可逆的な選択的MAO_B阻害薬で、ドパミンの分解を抑える。 ・サフィナミド（2019年11月発売）は、選択的かつ可逆的にMAO_Bを阻害し、内因性及びレボドパ製剤由来のドパミンの脳内濃度を高める。また、非ドパミン作動性作用（電位依存性ナトリウムチャネル阻害作用を介するグルタミン酸放出抑制作用）を併せ持つ。 ・レボドパ含有製剤で十分な効果が得られない症例に、レボドパ含有製剤と併用等で用いられる。 ・副作用：[重大] 幻覚、妄想、錯乱
ゾニサミド （p.157参照）	・もともとてんかんの治療薬だったが、パーキンソン病にも有効なことが偶然発見された。 ・チロシン水酸化酵素mRNA発現を増加し、ドパミンの合成を促進する。

2-1 神経系に作用する薬

中枢性抗コリン薬 トリヘキシフェニジル、ビペリデン、ピロヘプチン、マザチコール	・黒質－線条体のドパミン作動性神経の機能低下により生じた、コリン作動性神経の相対的機能亢進を抑制するために用いる。 ・アトロピンに比べ、末梢性抗コリン作用が弱く、中枢性抗コリン作用が強い。 ・パーキンソン病症状のうち、振戦、筋固縮に有効。 ・薬剤性パーキンソン症候群（統合失調症治療薬などの D_2 遮断薬による）に有効。 ・副作用：末梢性抗コリン作用による口渇、便秘、尿閉 　　　　中枢性抗コリン作用による幻覚、せん妄
ドロキシドパ	・青斑核－視床下部などのノルアドレナリン作動性神経で、芳香族 L-アミノ酸脱炭酸酵素により、ノルアドレナリンに変換される。 ・すくみ足、立ちくらみ、ドパ抵抗性の無動を改善する。 ・末梢性芳香族 L-アミノ酸脱炭酸酵素阻害薬を併用する。 ・副作用：幻覚・妄想、高熱、意識障害
イストラデフィリン	・アデノシン A_{2A} 受容体拮抗薬。ドパミン受容体やドパミン代謝酵素に作用しない。 ・大脳基底核回路内の線条体－淡蒼球経路（間接経路）を構成する GABA/エンケファリン含有ニューロン（中型有棘ニューロン）は、D_2 受容体による抑制を受けているが、パーキンソン病ではドパミン欠乏のため抑制が解除され、間接経路で GABA 遊離が過剰となり、運動機能が低下すると考えられる。A_{2A} 受容体は、間接経路の GABA/エンケファリン含有ニューロンに特異的に発現し興奮性を調節する。A_{2A} 受容体の遮断は、パーキンソン病で亢進された GABA 遊離を減少させ、運動機能の改善をもたらす。 ・レボドパ治療で問題となる wearing-off 現象を改善する。 ・2013 年 5 月より発売。適応は「レボドパ含有製剤で治療中のパーキンソン病におけるウェアリングオフ現象の改善」。

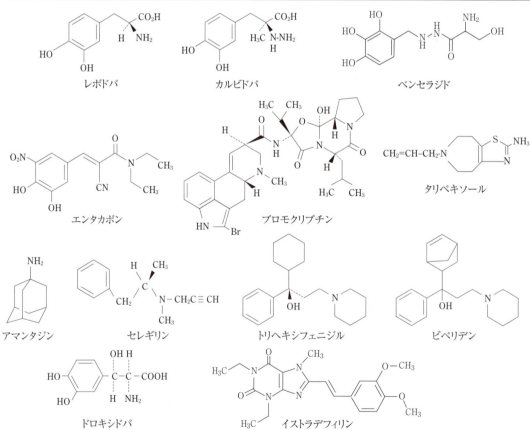

10. 不随意運動治療薬

　ハンチントン病は、常染色体顕性遺伝（優性遺伝）型式を示す遺伝性の神経変性疾患であり、原因不明に大脳基底核や大脳皮質が変性・脱落することで、舞踏運動（顔や手足の素早い不規則な運動）などの不随意運動、精神症状、行動異常、認知障害などを生じる。第4染色体に局在する *IT15* 遺伝子（ハンチンチンとも呼ばれる）に CAG リピートの延長が認められる。

　遅発性ジスキネジアは、抗精神病薬を長期間使用したときに生じる難治性の不随意運動として知られ、繰り返し唇をすぼめる、舌を不規則に動かす、口をモグモグさせる、眉をひそめるなど、顔に特徴的な症状が出ることが多い。

　これらの症状発現にドパミンが関係していると考えられている。

〈テトラベナジン〉

- 当初ドパミン誘導体の一つとして合成されたが、その後の研究から、ドパミンなどのモノアミン類をシナプス小胞へ取り込むトランスポーター（VMAT2）を阻害することが判明し、神経終末のモノアミンを枯渇させる薬と位置付けられた。当初は、欧州で、ドパミン過剰によって生じる精神症状を抑える抗精神病薬として開発が開始されたが、有用性に乏しく、その後使用されなくなった。日本でも1960年代に精神病・神経症等に対する治療薬として発売されていたが、販売中止となった。しかし、その後、過多性運動障害に対する治療効果が注目され、世界各国でハンチントン病、遅発性ジスキネジアなど不随意運動の治療薬として用いられるようになった。日本でも、2009年に厚生労働省による未承認薬開発支援事業の対象品目として指定され、ハンチントン病に伴う舞踏運動に対する治療薬として開発が開始され、2013年に再発売に至った。
- 抗舞踏運動作用は、ハンチントン病の主病変部位である線条体においてドパミンを枯渇することによるものであると考えられている。
- 適応：ハンチントン病に伴う舞踏運動

〈バルベナジン〉

- テトラベナジンは経口投与後 α- および β- ジヒドロテトラベナジン（DHTBZ）に代謝され、未変化体と α- および β-DHTBZ が同等の VMAT2 阻害活性を示すことが明らかになり、VMAT2 に対する選択性が高い α-DHTBZ をバリンエステル化した経口プロドラッグとして創出されたのがバルベナジン。
- 遅発性ジスキネジアの病態生理に関する詳細は不明であるが、脳内線条体におけるシナプス後のドパミン過感受性等が考えられている。バルベナジン及びその活性代謝物である α-DHTBZ は、中枢神経系の前シナプスにおいて、細胞質からシナプス小胞へのモノアミンの取込みを制御している VMAT2 を選択的に阻害することで、遅発性ジスキネジアに対する治療効果を発揮すると考えられている。
- 適応：遅発性ジスキネジア
- 2022年6月発売。

11. 認知症治療薬

認知症の原因となる疾患は多数知られるが、70～80％は脳血管障害とアルツハイマー病である。

1）アルツハイマー病

アルツハイマー（alzheimer）病では、脳（とくに海馬や大脳皮質）の神経細胞が変性・脱落するため、進行すると脳が萎縮する。遺伝子の異常による家族性のものがごく一部知られるが、大部分は遺伝子異常によらず加齢に伴い（65歳以上）発症する。

アルツハイマー病患者の脳には、βアミロイドタンパク（Aβ）を主成分とする「老人斑」が出現する。Aβは神経毒性を示し、神経細胞は「神経原線維変化」（微小管結合タンパク質タウの過剰リン酸化と凝集を伴う）を起こして死滅していく。

アルツハイマー病を原因とする（あるいは推定される）認知症をアルツハイマー型認知症という。

> 〈アルツハイマー型認知症〉
> 中核症状：記憶障害、見当識障害、判断・実行機能障害、失語・失行・失認、病識欠如
> 周辺症状：精神症状（幻覚・妄想、不眠、抑うつ、不安、焦燥など）、意識障害（せん妄）、行動異常（徘徊、不潔行動、暴言・暴力、過食・異食、多動、多弁など）

2）アルツハイマー型認知症治療薬

アルツハイマー病では大脳皮質や海馬などのコリン作動性神経系の顕著な障害が認められている。そこで、脳内のアセチルコリン濃度を高め、コリン作動性神経伝達を促進する薬が開発された。

ドネペジル	・中枢性選択的**アセチルコリンエステラーゼ阻害作用**（可逆的）を示す。 ・脳内移行性がよく、血漿コリンエステラーゼ阻害作用が少ないので、末梢性の副作用が少ない。 ・発売当初は「軽度及び中等度アルツハイマー型認知症」を対象に認められていたが、2007年に重症度に関係なく軽度から高度に至るアルツハイマー型認知症に対する適応が承認された。また2014年に、国内臨床試験成績等に基づき、レビー小体型認知症※に対する適応が承認された。 ・適応：アルツハイマー型認知症およびレビー小体型認知症における認知症状の進行抑制 ・2023年4月に、ドネペジルの経皮吸収型製剤（アリドネパッチ）が発売され、貼付でも使用可能となった。

※ レビー小体（lewy body）は、パーキンソン病脳の神経細胞内にみられる異常な円形状の構造物で、主にα-シヌクレインから成る。パーキンソン病ではレビー小体の出現が中脳を中心に始まるが、大脳皮質を中心にレビー小体が出現して神経変性が進行するケースを、狭義のレビー小体病という。幻覚や妄想で始まり、認知・記憶障害に次いで運動障害が現われ、数年で寝たきりになることが多い。レビー小体型認知症の患者数は、アルツハイマー型認知症に比べて少ないが、全認知症患の20％近くに達する。アルツハイマー型認知症と同様、コリン作動性神経機能の低下が認められる。

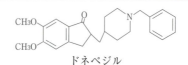

ドネペジル

ガランタミン	・ドネペジルと同様のアセチルコリンエステラーゼ阻害作用を有するのに加え、ニコチン受容体のアロステリック部位に結合し、シナプス前膜ではアセチルコリン放出を促進し、シナプス後膜ではニコチン受容体の感受性を亢進する。 ・適応：軽度および中等度のアルツハイマー型認知症における認知症状の進行抑制
リバスチグミン	・脳移行性が高く、脳内のアセチルコリンエステラーゼならびにブチリルコリンエステラーゼの両方を阻害し、脳内アセチルコリン量を増加させる。 ・貼付（パッチ）剤が利用できる。 ・適応：軽度および中等度のアルツハイマー型認知症における認知症状の進行抑制
メマンチン	・アマンタジン（p.70、167、490）がNMDA型グルタミン酸受容体を遮断して神経細胞を保護することが知られていたため、アマンタジンを改良して作られ、アルツハイマー病治療薬に応用された。 ・NMDA受容体チャネル遮断薬。イオンチャネル内に結合し、イオンチャネルが開口状態のときに遮断作用を発揮する（開口チャネル遮断薬：open channel blocker）。ただし、以前から知られていたNMDA受容体の開口チャネル遮断薬であるケタミンなどとは異なり、低親和性で、結合および解離速度が速い。また、その作用には膜電位依存性があり、膜電位が浅くなるほど遮断効果は小さくなる。 ・アルツハイマー病の脳では、グルタミン酸神経系の異常により、弱くかつ持続的なNMDA受容体の活性化とCa^{2+}流入が起きており、記憶・学習に必要なシグナルの伝達がシナプティックノイズによって妨げられていると考えられる。メマンチンは、NMDA受容体チャネルに作用してCa^{2+}流入を抑え、シナプティックノイズを減少させて、正常なシナプス伝達を可能にし、認知機能を改善すると考えられている（シグナル／ノイズ仮説）。ただし、生理的な神経興奮により一過性に高濃度のグルタミン酸が遊離され、シナプス後膜電位が強く脱分極したときは、NMDA受容体から解離するため、阻害しない。 ・適応：中等度および高度アルツハイマー型認知症における認知症症状の進行抑制
レカネマブ	・ヒト化抗ヒト可溶性Aβ凝集体モノクローナル抗体 ・可溶性Aβ凝集体（プロトフィブリル）に選択的に結合するが、アミロイド斑の主要構成成分である不溶性Aβ凝集体（フィブリル）にも結合性を示す。神経細胞へのAβプロトフィブリルの結合を阻害することで神経細胞死を抑制するとともに、ミクログリア細胞によるFc受容体を介したAβの貪食を促進することで脳内Aβを減少させると考えられる。 ・適応：アルツハイマー病による軽度認知障害及び軽度の認知症の進行抑制 ・2週間に1回、約1時間かけて点滴静注 ・2023年12月発売。

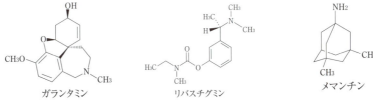

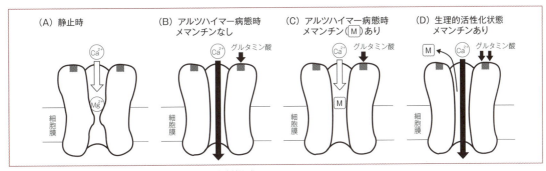

図2-1-31　メマンチンのNMDA受容体遮断様式

12. 脳内出血・脳梗塞等に関連する治療薬

老齢人口の増加とともに脳動脈硬化に起因する虚血性脳血管障害患者が増え、この種の薬物の需要が高まっている。脳血管障害後遺症や多発梗塞性痴呆患者の意欲低下や行動異常に治療効果があるとされる。

1）脳循環改善薬（脳血管拡張薬）

脳血管を拡張し、脳血流を増加して脳循環を改善する。ただし、脳出血急性期や脳梗塞急性期の患者には禁忌である。それは虚血部血管よりも健常部血管が拡張し、病巣部への血流がさらに減少するためである。

イフェンプロジル	・血管直接弛緩作用、α_1 受容体遮断作用により、脳血管拡張を示す。血小板凝集抑制作用ももつ。 ・適応：脳梗塞・脳出血後遺症によるめまい、頭痛、不安
ニセルゴリン	・麦角アルカロイド誘導体である。 ・選択的 α_{1A} 受容体遮断薬として作用し、脳血流増加、血小板凝集抑制作用を示す。 ・適応：脳梗塞・脳出血後遺症による意欲低下、情緒障害
イブジラスト	・ホスホジエステラーゼを非選択的に阻害して、細胞内 cAMP および cGMP 濃度を高める。 ・PGI_2 増強作用により脳血管を拡張し、脳血流を改善する。 ・抗血栓作用も有する。
オザグレルナトリウム	・トロンボキサン合成酵素阻害薬で、TXA_2 産生を抑制する。その結果、血小板凝集の抑制、脳血流量の改善を示す。 ・適応：くも膜下出血、脳血栓急性期に用いる。
ファスジル	・**Rho キナーゼ阻害薬**である ・血管平滑筋の収縮に関わるミオシン軽鎖のリン酸化レベルは、ミオシン軽鎖キナーゼによるリン酸化とミオシンホスファターゼによる脱リン酸化のバランスによって決まる。Rho キナーゼは、ミオシンホスファターゼを阻害することにより脱リン酸化を抑え、ミオシン軽鎖のリン酸化レベルを増加させることで収縮タンパク質の Ca^{2+} 感受性亢進を生じる。 ・**くも膜下出血後の脳血管攣縮**は、血管平滑筋内の Rho キナーゼ系が活性化されて Ca^{2+} 感受性が亢進することによって起こるので、Rho キナーゼを阻害することによって特異的に**抑制する**ことができる。 ・Rho キナーゼは、炎症性細胞の活性化、血管内皮細胞の損傷などにも関与しているので、Rho キナーゼの阻害は他の脳血管障害を抑制することにもつながる。 ・適応：くも膜下出血後の脳血管れん縮とこれに伴う脳虚血 図 2-1-32 Rho キナーゼによる平滑筋収縮の調節

イフェンプロジル　ニセルゴリン　イブジラスト　ファスジル

2）脳神経賦活薬

脳梗塞や頭蓋内出血の後遺症は、脳機能の低下によって起こるので、脳神経細胞に作用して機能を賦活させることができれば、意識障害、精神症状、行動異常の改善に有効と考えられる。

メクロフェノキサート	・脳幹網様体を介する賦活作用と、脳の低酸素状態に対する抵抗性を高める作用が知られている。 ・適応：脳手術後、頭部外傷急性期の意識障害
アマンタジン (p.164 参照)	・ドパミン遊離促進により、パーキンソン病治療薬として使われるとともに、脳血管障害による意欲低下、自発性減退に有効である。
チアプリド	・シナプス前膜のドパミン D_2 受容体を遮断し、アセチルコリン遊離を促進することにより、神経伝達機能を改善させる。 ・高齢者や脳梗塞による精神症状、徘徊、せん妄を改善する。

メクロフェノキサート　チアプリド

3）脳保護薬・ALS 治療薬

脳梗塞や頭蓋内出血で脳組織が虚血状態に陥ると、神経細胞の ATP が急速に低下して Na^+,K^+-ATPase が機能しなくなり脱分極が起こる。脱分極に伴い興奮性神経伝達物質のグルタミン酸が大量に放出されると、その刺激によって神経細胞内 Ca^{2+} 濃度が上昇し、ミトコンドリア機能が低下する。また、アラキドン酸代謝系の異常亢進等によりヒドロキシラジカル（・OH）等のフリーラジカル産生が増加し、細胞膜脂質の不飽和脂肪酸が過酸化されることにより神経細胞死が生じる。こうしたカスケードを遮断できる薬物は、脳保護薬として、脳虚血後の症状発現や進行の抑制に有用と期待される。

筋委縮性側索硬化症（amyotrophic lateral sclerosis；ALS）は、運動ニューロンが原因不明に脱落し、重篤な骨格筋の委縮と筋力低下をきたす神経変性疾患である。脊髄の中央外側の神経線維が縦走する「側索」の部分が病理学的に瘢痕化して硬くなっていることから、病名がつけられた。虚血性脳疾患ではないが、グルタミン酸が過剰に作用してその興奮毒性によって神経細胞死が起こるという仮説（グルタミン酸仮説）が提唱されている点で、脳卒中と共通性がある。

脳保護薬のエダラボンは、虚血性脳血管障害に用いられていたが、ALS 治

療への応用が検討され有効性が確認されたため、2015年にALSに対する効能が追加承認された。また、リルゾールはグルタミン酸仮説に従って開発されたALS治療薬である。

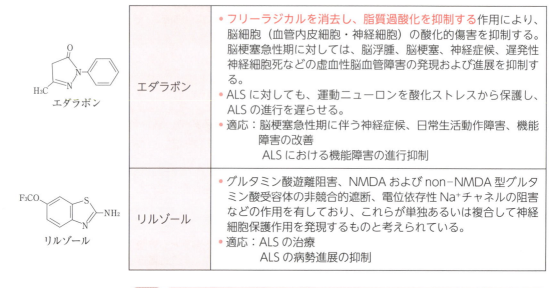

エダラボン	・フリーラジカルを消去し、脂質過酸化を抑制する作用により、脳細胞（血管内皮細胞・神経細胞）の酸化的傷害を抑制する。脳梗塞急性期に対しては、脳浮腫、脳梗塞、神経症候、遅発性神経細胞死などの虚血性脳血管障害の発現および進展を抑制する。 ・ALSに対しても、運動ニューロンを酸化ストレスから保護し、ALSの進行を遅らせる。 ・適応：脳梗塞急性期に伴う神経症候、日常生活動作障害、機能障害の改善 　　　　ALSにおける機能障害の進行抑制
リルゾール	・グルタミン酸遊離阻害、NMDAおよびnon-NMDA型グルタミン酸受容体の非競合的遮断、電位依存性Na⁺チャネルの阻害などの作用を有しており、これらが単独あるいは複合して神経細胞保護作用を発現するものと考えられている。 ・適応：ALSの治療 　　　　ALSの病勢進展の抑制

13. 片頭痛治療薬

　片頭痛（migraine）は、主に片側（両側のこともある）のこめかみから目のあたりにかけて、脈を打つようにズキンズキンと痛むのが特徴である。発作は4～72時間持続し、週2回から月1回程度の間隔で繰り返され、日常生活に支障をきたす。

1）片頭痛の治療

　片頭痛発作が月2回以上起こる場合や、急性期治療薬だけでは日常生活に支障がある場合には、予防薬の使用が検討される。β受容体遮断薬は、片頭痛予防薬として古くから使用され、機序は不明だが、近年の臨床試験でも有効性が確認されている。2013年にはプロプラノロールが「片頭痛発作の発症抑制」の適応を正式に認められた。Ca拮抗薬のうちロメリジンは、脳血管収縮を抑制する作用があり、国内で最初に保険適用が可能となった片頭痛予防薬である。バルプロ酸やトピラマートなどの抗てんかん薬（p.157参照）は、即効性はないが、長期間の服用後に片頭痛発作の頻度を減少させる効果が認められ、使用されてきた。2011年にはバルプロ酸が「片頭痛発作の発症抑制」の適応を正式に認められている。アミトリプチリンなどの抗うつ薬は、片頭痛に関連するセロトニンの代謝を改善するので予防に有効と考えられ、適用外ではあるが広く使用されている。とくに抑うつを伴う患者には向いている。

　一方、急性期治療薬は、重症度に応じて選択される。軽度～中等度の片頭痛にはアセトアミノフェンやNSAIDsの鎮痛薬（p.136、181）が有効で、中等度以上の片頭痛にはトリプタン製剤が推奨される。エルゴタミン製剤は、片頭痛治療薬として古くから用いられてきたが、現在はトリプタン製剤が使用できな

いか、あまり効かない患者に限って用いられる。また、頭痛の程度にかかわらず、吐き気がある場合には制吐薬（p.369）が併用される。

片頭痛の発症機序としては、「三叉神経血管説」が有力視されている。何らかの原因で三叉神経が刺激されると、CGRP（カルシトニン遺伝子関連ペプチド）などの血管作動性物質が分泌される。CGRPが血管のCGRP受容体に作用すると、血管の過度な拡張によって周囲の神経が圧迫されて痛みを生じる。またCGRPには炎症反応や痛みを増強させる作用もあるため、これらの作用によって片頭痛が引き起こされる。最近、このCGRPの作用を阻害して予防効果を発揮すると期待される抗体医薬品が使用可能になった。

表 2-1-20　片頭痛治療薬の分類

予防薬	・β受容体遮断薬（プロプラノロールなど）　・Ca拮抗薬（ロメリジン） ・抗てんかん薬（バルプロ酸、トピラマート※など）・抗うつ薬（アミトリプチリン※など） ※適応外 ・抗CGRP薬（抗CGRP抗体、抗CGRP受容体抗体）
急性期治療薬 （発作治療薬）	・アセトアミノフェン、NSAIDs　・エルゴタミン製剤　・トリプタン製剤 ・ラスミジタン　・制吐薬

2）片頭痛治療薬各論

ロメリジン	・ピペラジン系 Ca^{2+} 拮抗薬で、脳血管に選択的に作用し、血管収縮抑制、脳血流量増加を起こす。 ・有効性が出てくるまでに約1カ月かかる。副作用：肝障害、ほてり
エルゴタミン ジヒドロエルゴタミン	・麦角アルカロイドの1つで、動静脈を収縮するので過剰な血管拡張を抑制して鎮痛作用を示す。 ・子宮筋の収縮作用を示すので、妊婦には禁忌である。
スマトリプタン ゾルミトリプタン エレトリプタン リザトリプタン ナラトリプタン	・片頭痛の第一選択薬。 ・5-HT$_{1B/1D}$ 作動薬。頭痛発作時に拡張している脳血管を比較的選択的に収縮させるとともに、三叉神経終末からの炎症誘起性神経ペプチド（CGRP、サブスタンスPなど）の放出を抑制する。 ・頭痛発現時にのみ使用（予防的には使用しない）。 ・1カ月10日以上の使用は避ける（薬物乱用頭痛を起こす）。 ・心血管性障害、脳血管障害、重篤な肝障害の患者には禁忌である。 ・エルゴタミン系との併用は禁忌。 ・SSRIとの併用は作用増強を起こすので、注意を要する。 ・副作用：頭頸部や四肢のピリピリ感、胸部症状（胸部圧迫感、胸痛）［重大］ショック
ガルカネズマブ フレマネズマブ エレヌマブ	・ガルカネズマブ（2021年4月発売）とフレマネズマブ（2021年8月発売）は、ともに遺伝子組換えヒト化抗ヒトCGRPモノクローナル抗体。 ・エレヌマブ（2021年8月発売）は、遺伝子組換えヒト抗ヒトCGRP1型受容体モノクローナル抗体。 ・いずれも、片頭痛の発症に関与していると考えられているCGRPの作用を選択的に阻害する。 ・ガルカネズマブは1カ月間隔、フレマネズマブは4週（低用量）または12週（高用量）間隔、エレヌマブは4週間隔で皮下投与。
ラスミジタン	・2022年6月に発売された片頭痛発作の急性期治療薬。 ・中枢移行性を有し、セロトニン 5-HT$_{1F}$ 受容体に高い親和性と選択性を示す作動薬であり、三叉神経終末に存在するセロトニン 5-HT$_{1F}$ 受容体を刺激することによってCGRP放出を抑制する。血管収縮と関連する 5-HT$_{1B}$ 受容体及び 5-HT$_{1D}$ 受容体に対する作用は極めて弱く、血管収縮に影響を与えない。 ・急性期の片頭痛治療薬としてトリプタン製剤が使用できなかった心血管障害や脳血管障害の患者にも使えると期待される。 ・片頭痛発作時に経口投与

ロメリジン　エルゴタミン　ジヒドロエルゴタミン

スマトリプタン　ゾルミトリプタン　エレトリプタン

リザトリプタン　ナラトリプタン　ラスミジタン

14. 中枢興奮薬

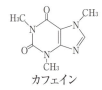
カフェイン

1) 大脳皮質興奮薬

主として大脳皮質に作用し、精神活動を亢進させる薬物。

①キサンチン誘導体：カフェイン、テオフィリン、テオブロミン

中枢興奮作用	・効力順位はカフェイン＞テオフィリン＞テオブロミンで、テオブロミンはほとんど中枢作用なし ・大脳皮質をまず興奮→眠気や疲労感の消失 ・睡眠物質アデノシンの作用に拮抗することにより覚醒効果を示すと考えられている。 ・延髄の血管運動中枢も興奮→血管収縮
強心作用 平滑筋弛緩作用 利尿作用	・この3つの作用についての効力は、 テオフィリン＞テオブロミン＞カフェインの順。 ・この3つの作用とも、ホスホジエステラーゼ阻害によるcAMP増加が関係している。 ATP →(アデニル酸シクラーゼ)→ cAMP⇑ →(ホスホジエステラーゼ)→ 5'AMP 　　　　　　　　　　　　　　　　↑阻害 ・心筋細胞におけるcAMP増加は、収縮力増大（強心）につながる。 ・平滑筋細胞におけるcAMP増加は、弛緩につながる。 ・血管平滑筋の弛緩は血管拡張をもたらし、気道平滑筋の弛緩は気道拡張をもたらす。 ・強心作用に基づく心拍出量増加と腎血管拡張による糸球体ろ過量増加によって、利尿が生じる。
胃酸分泌	促進→潰瘍
その他	解熱鎮痛薬と併用し、鎮痛作用の増強（脳細動脈収縮による）。

テオフィリン

・適応：カフェイン：眠気、倦怠感、血管拡張症、脳圧亢進性頭痛
　　　　テオフィリン、アミノフィリン（テオフィリンのエチレンジアミン塩で水溶性を増す）：気管支ぜん息、うっ血性心不全

②覚せい剤（覚醒アミン）：メタンフェタミン、アンフェタミン

中枢作用	①不眠、覚せい　②気分の高揚　③疲労感消失 ④食欲抑制　⑤動物で自発運動の亢進や闘争的ポーズ
作用機序	中枢のモノアミン作動性ニューロンからドパミン、ノルアドレナリンの遊離
交感神経系	間接作用型の交感神経興奮
連用効果	①長期連用で耐性の形成　②精神依存の形成 ③妄想型分裂病症状の発現（遊離ドパミン量が増加するため）
その他	視床下部外側部の**摂食中枢抑制**による食欲減退作用

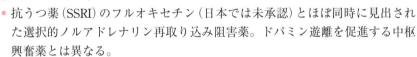
メタンフェタミン

③ナルコレプシー・ADHD（Attention Deficit Hyperactivity Disorder; 注意欠陥多動性障害）治療薬

〈メチルフェニデート〉
- 緩和な中枢興奮作用を示す。
- ドパミン遊離を促進する。末梢交感神経興奮作用はない。
- 適応：ナルコレプシー、ADHD（もともとうつ病治療薬として発売されたが、乱用に対する措置として、うつ病は適応から除外された）

メチルフェニデート

〈モダフィニル〉
- 1970年代に精神刺激作用を有することが見出されたアドラフィニルの活性代謝物。
- 覚醒中枢である結節乳頭核を活性化し、ヒスタミン神経系を介して大脳皮質を賦活化すると考えられている。
- ドパミン受容体およびドパミントランスポーターにはほとんど作用しないが、ドパミン遊離作用を示す（GABA神経系を介した間接的な作用）。
- 適応：ナルコレプシーと閉塞性睡眠時無呼吸症候群に伴う日中の過度の眠気。

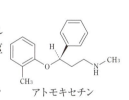
モダフィニル

〈アトモキセチン〉
- 抗うつ薬（SSRI）のフルオキセチン（日本では未承認）とほぼ同時に見出された選択的ノルアドレナリン再取り込み阻害薬。ドパミン遊離を促進する中枢興奮薬とは異なる。
- ノルアドレナリン神経系の機能異常がADHDを生じるという仮説に基づき、開発された。
- 適応：ADHD

アトモキセチン

〈グアンファシン〉
- 中枢性アドレナリンα_2受容体刺激薬。治療効果における詳細な作用機序は不明だが、α_2受容体を介したノルアドレナリンのシナプス伝達調整により、前頭前皮質及び大脳基底核におけるシグナルを調整している可能性が示唆されている。
- 適応：ADHD

グアンファシン

〈リスデキサンフェタミン〉
- 別名L-リシン-D-アンフェタミン。デキストロアンフェタミンのプロドラッグ。2019年12月発売。
- 適応：小児期におけるADHD

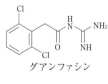
リスデキサンフェタミン

2) 脳幹（延髄）興奮薬

脳幹とくに延髄に作用し、呼吸中枢と血管運動中枢を興奮させる。嘔吐中枢や分泌中枢などは興奮させない。中毒量で間代性痙れんを起こす。

ジモルホラミンは、催眠薬や麻酔薬の中毒時に呼吸中枢および血管運動中枢を刺激する目的で蘇生薬として用いられるが、モルヒネ急性中毒時には痙れん誘発のおそれがあるので用いない。

ペンテトラゾール、ピクロトキシン※は間代性痙れん誘発作用が強く、動物実験における痙れん誘発剤として用いられる。いずれも GABA 受容体に作用して、Cl^- チャネルを遮断する。

ジモルホラミン

※ ピクロトキシンは厳密には活性本体のピクロトキシニンと活性のないピクロチンの化合物である。

ペンテトラゾール

ピクロトキシン
（ピクロトキシニン）

3) 脊髄興奮薬

〈ストリキニーネ〉

脊髄の反射興奮性を高める。カエルに注射すると、外来の音、振動で強直性痙れんを起こす。これは屈筋と伸筋が同時に収縮するため。ストリキニーネによる痙れん（脊髄反射亢進）はメフェネシンやジアゼパムで拮抗される。

ストリキニーネ

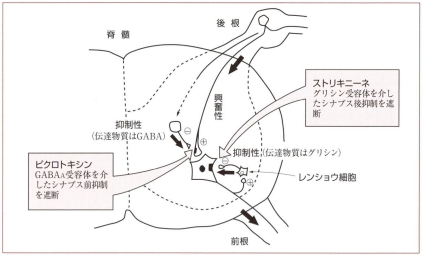

図 2-1-33　脊髄反射におけるピクロトキシンとストリキニーネの作用点の違い

脊髄前角の運動神経細胞に投射する興奮性の一次知覚ニューロンの終末には、GABA を伝達物質とする抑制性ニューロンが投射しており、一次知覚ニューロンの興奮を抑える働きをしている。この機構をシナプス前抑制という。

ピクロトキシンは、この抑制性シナプス下に存在する GABA_A 受容体複合体の Cl^- チャネルを遮断することにより、一次知覚ニューロンの脱抑制を生じ、結果的に脊髄反射を促進するように作用する。

脊髄前角の運動神経の軸索の一部はレンショウ細胞に投射している。レンショウ細胞はグリシンを神経伝達物質とする抑制性ニューロンで、脊髄前角の運動神経の細胞体に投射し、運動神経の興奮を抑えるように働く。すなわち、脊髄前角運動神経が興奮すると、その信号がレンショウ細胞に伝わり、フィードバック的に運動神経の過度の興奮を抑える仕組みになっている。この機構をシナプス後抑制という。

ストリキニーネは、グリシン受容体を遮断して、このシナプス後抑制を解除して、脊髄反射を亢進する。

15. 中枢性筋弛緩薬

　中枢性筋弛緩薬（centrally acting muscle relaxants）とは、主として脊髄における単または多シナプス反射を抑制して骨格筋弛緩を起こす薬物で、痙性麻痺や腰痛症、肩関節周囲点などにおける局所性筋緊張を緩和するために用いられる。

1）脊髄反射

　外力により骨格筋が引き伸ばされると、筋紡錘が感知して、一次感覚ニューロンの末梢軸索に相当するIa群線維に求心性のインパルスが発生する。

　一次感覚ニューロンの中枢末端は、直接α運動ニューロンに投射するか（単シナプス反射）介在ニューロンを介してα運動ニューロンに情報を伝え（多シナプス反射）、骨格筋の収縮をもたらす。

　上位中枢の錐体路からの情報は、α運動ニューロンに伝えられ、随意運動を起こす。一方、錐体外路からの情報は、γ運動ニューロンに伝えられ、脊髄反射を調節する。γ運動ニューロンは筋紡錘の極部（両端部）に投射して、筋紡錘の感度を上げる役割を果たす。

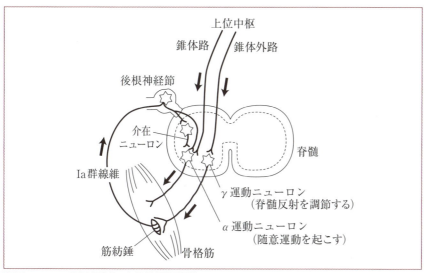

図 2-1-34　脊髄反射による筋緊張調節

2）中枢性筋弛緩薬各論

　最初に見出された中枢性筋弛緩薬のメフェネシンは、作用持続時間が非常に短いうえ、静脈内注射で溶血を生じるという問題があった。メフェネシン類縁化合物の中から溶血作用がほとんどない化合物としてグアイフェネシンが見出され、さらにグアイフェネシンより作用持続時間の長い筋弛緩薬として、グアイフェネシンのカルバミン酸エステルであるメトカルバモールが見出された。

2-1 神経系に作用する薬

薬 物	機序・その他
メトカルバモール	・主に脊髄における多シナプス反射経路の介在ニューロンを抑制して、骨格筋の異常緊張を緩解する。 ・一般用医薬品としても用いられる。
クロルフェネシンカルバミン酸エステル	・メトカルバモールより低用量で作用持続時間が長い。 ・脊髄の多シナプス反射経路における介在ニューロンを選択的に抑制する。また、膜安定化作用により、脊髄におけるαおよびγ運動ニューロンの興奮性を低下させ、筋紡錘活動も低下させる。 ・経口投与した場合に大部分が未変化体のグルクロン酸抱合体として排泄されることと、本化合物自体が in vitro で脊髄反射抑制作用を示すことから、クロルフェネシンではなく、クロルフェネシンカルバミン酸エステルとして薬効を示すと考えられる。
トルペリゾン エペリゾン	・脊髄における多シナプス反射および単シナプス反射を抑制するとともに、γ運動ニューロンに投射する脳幹からの下行性経路を遮断する。 ・エペリゾンは、Ia 群線維の活動を低下させることにより脊髄反射を抑制する作用や、Ca^{2+} チャネル遮断および交感神経遮断により血管を拡張させて筋組織等の血流を改善する作用も有する。
バクロフェン	・GABA の構造を変えて血液脳関門の通過性を高めた誘導体。 ・選択的に $GABA_B$ 受容体を刺激する。 ・シナプス前膜 $GABA_B$ 受容体が刺激されると、Ca^{2+} チャネルが抑制され、神経伝達物質の放出が減少する。シナプス後膜 $GABA_B$ 受容体が刺激されると、K^+ チャネルの活性化により膜の過分極が生じ、神経の過活動が抑制される。これらの作用を通して、脊髄の多シナプス反射および単シナプス反射を抑制するとともに、γ運動ニューロンの活性を低下させる。
アフロクアロン	・$GABA_A$ 受容体のアロステリック調節薬として作用し、鎮静作用と中枢性筋弛緩作用を示す。 ・脊髄及び脳幹網様体に作用して、多シナプス反射及び単シナプス反射を抑制する。

メトカルバモール

クロルフェネシン カルバミン酸エステル

トルペリゾン

エペリゾン

バクロフェン

アフロクアロン

チザニジン	・クロニジンと類似の中枢性アドレナリンα₂受容体刺激薬。 ・青斑核から脊髄に投射する下行性ノルアドレナリン作動性神経のα₂受容体を刺激することにより、脊髄におけるノルアドレナリンの遊離を抑制し、主に脊髄多シナプス反射を抑制することによって、骨格筋の緊張を緩和すると考えられる。 ・α₂（とくにα₂ₐとα₂c）受容体は鎮痛作用に関与しているので、抗侵害作用 (疼痛緩和作用) も認められ、筋緊張と疼痛の両方を抑制する効果が期待できる。
クロルゾキサゾン	・詳細な機序は不明であるが、脊髄の介在ニューロンに作用し、多シナプス反射路を抑制する。 ・一般用医薬品としても用いられる。
プリジノール	・中枢作用として、抗痙攣作用が認められている。 ・末梢作用として、骨格筋の痙攣を抑制する作用や、腸管および気管支平滑筋の収縮反応を抑制する作用が報告されている。
ジアゼパム エチゾラム	・代表的なベンゾジアゼピン系薬物（p.153～154 参照）。 ・GABA_A受容体機能を促進することにより中枢性筋弛緩作用を示す。中枢性筋弛緩作用は、催眠薬や抗不安薬として使用するときには副作用となるが、筋緊張状態に対して応用できる。 ・適応：脳脊髄疾患に伴う筋痙攣・疼痛における筋緊張の軽減（ジアゼパム）、頸椎症、腰痛症、筋収縮性頭痛における筋緊張（エチゾラム）

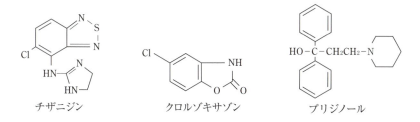

チザニジン　　クロルゾキサゾン　　プリジノール

16. 中枢性食欲抑制薬

　肥満は種々の疾病（糖尿病、高血圧、代謝異常症など）の誘因となることが知られており、近年その治療の必要性が高まっている。

　肥満症の治療は、食事療法と運動療法が基本となるが、その長期継続はきわめて困難である。そのため肥満症における有用な薬物療法の導入が望まれている。わが国で唯一食欲抑制薬として認められている薬物は、マジンドールである。

〈マジンドール〉

薬理作用・機序	①視床下部にある食欲中枢である視床下部腹内側核（VMH：満腹中枢）、視床下部外側野（LHA：摂取中枢）を抑制する。 ②その抑制機序としては、これら中枢に対する直接抑制作用および神経終末におけるノルアドレナリン、ドパミン、セロトニンの再取り込み抑制を介すると考えられている。 ③摂取エネルギー抑制（摂食抑制、消化吸収抑制）および消費エネルギー促進（グルコース利用、熱産生促進）をもたらし、さらに肥満時の代謝変動を改善して、肥満症を是正する。
臨床用途 （薬物動態）	・あらかじめ適用した食事療法および運動療法の効果が不十分な高度肥満症（肥満度が＋70％以上またはBMIが35以上）における食事療法および運動療法の補助。 ・1日1回昼食前に服用、3カ月投与を限度とする。
副作用 （相互作用）	・アンフェタミン様作用、中枢興奮、依存、口渇感、便秘、悪心、嘔吐。

〈参考：末梢性肥満治療薬〉

セチリスタット
- 適応：2型糖尿病と脂質異常症を伴う肥満症（BMI 25以上）。1日3回毎食後に服用
- 作用機序：膵臓から分泌されるリパーゼの活性を阻害し、脂質の吸収を抑制する。
- 副作用：脂肪便、下痢

マジンドール　　セチリスタット

CHECK

次の記述について、正しいものには「○」を、間違っているものには「×」をつけてその理由を簡潔に述べなさい。

1 吸入麻酔薬は、静脈麻酔薬に比べて、麻酔導入時間が短く麻酔深度の持続が難しい。
2 亜酸化窒素は、ハロタンより麻酔力が強い。
3 エンフルランは、ハロタンのカテコールアミン誘発性不整脈の発現を弱めるように作られた麻酔薬である。
4 モルヒネは、下行性の痛覚抑制系を賦活させて鎮痛作用を示す。
5 フェンタニルは、選択的にμ受容体を刺激して強力な鎮痛作用を示す合成麻薬性鎮痛薬である。
6 ペンタゾシンは、μおよびκ受容体を遮断する鎮痛薬である。
7 ナロキソンは、モルヒネの呼吸抑制作用に拮抗する。
8 バルビツレート系催眠薬は、ベンゾジアゼピン系催眠薬に比べて、レム睡眠の短縮を生じやすい。
9 バルビツレート系催眠薬とベンゾジアゼピン系催眠薬は、$GABA_A$受容体複合体の同じ場所に結合する。
10 トリアゾラムは、長時間作用型の催眠薬で、眠りが浅い人に向いている。
11 ラメルテオンは、オレキシン受容体を刺激して、睡眠覚醒リズムを調節する。
12 ハロペリドールは、クロルプロマジンより強いドパミンD_2受容体遮断作用をもつ。
13 リスペリドンは、セロトニン$5-HT_{1A}$受容体を刺激して、統合失調症の陰性症状を改善する。
14 オランザピンは、ドパミン受容体の部分作動薬として働き、ドパミン放出量を調節する。
15 アミトリプチリンは、フルボキサミンよりも抗コリン作用が弱い。
16 ミアンセリンは、ノルアドレナリンの再取り込みを阻害して、ノルアドレナリンのシナプス間隙濃度を上昇させる。
17 ミルナシプランは、神経終末におけるセロトニンおよびノルアドレナリンの再取り込みを特異的に阻害する。
18 炭酸リチウムはホスファチジルイノシトール代謝回転を抑制する。
19 クロルジアゼポキシドは、$GABA_A$受容体複合体のベンゾジアゼピン結合部位に作用して、抗不安作用を示す。
20 タンドスピロンは、セロトニン$5-HT_3$受容体を遮断して、抗不安作用と抗うつ作用を示す。
21 フェニトインは、神経細胞膜のNa^+流入を抑制し、強直間代発作と欠神発作の治療に用いられる。
22 バルプロ酸は、T型Ca^{2+}チャネルを遮断する。
23 ガバペンチンは、化学構造がGABAに類似していて、GABA受容体に作用する。
24 レボドパの脳内移行量を増加させるために、末梢性芳香族L-アミノ酸脱炭酸酵素阻害薬のカルビドパが併用される。
25 ブロモクリプチンは、ドパミン作動性神経からドパミンの放出を促進して、パーキンソン症状を軽減する。
26 ドネペジルは、中枢のアセチルコリンエステラーゼを阻害し、アルツハイマー病の治療に用いられる。
27 ファスジルは、フリーラジカルを消去して、脳神経細胞を保護する。
28 スマトリプタンは、セロトニン$5-HT_{1B/1D}$受容体を刺激して、脳血管の収縮と三叉神経終末からの炎症誘発性神経ペプチドの放出を抑制する。
29 テオフィリンは、カフェインよりも中枢興奮作用が強く、平滑筋弛緩作用が弱い。
30 バクロフェンは、選択的に$GABA_B$受容体を刺激して、脊髄の多シナプス反射および単シナプス反射を抑制する。

2-1 神経系に作用する薬

【解答】
1 × 吸入麻酔薬は導入に時間がかかるが、麻酔深度の調整と持続が容易。
2 × 亜酸化窒素は、麻酔力が弱いため高濃度で使用しなければならず、酸素欠乏を起こしやすいので注意が必要である。
3 ○
4 ○ 加えて上行性痛覚伝導系の遮断もモルヒネの鎮痛作用に含まれる。
5 ○
6 × ペンタゾシンは、主に κ 受容体の刺激を介して、鎮痛作用を発揮する。
7 ○
8 ○
9 × バルビツレート系催眠薬とベンゾジアゼピン系催眠薬は、ともに $GABA_A$ 受容体複合体に結合するが、結合部位が異なる。
10 × トリアゾラムは、超短時間型で、寝つきが悪い場合に適している。
11 × ラメルテオンはメラトニン受容体刺激薬。オレキシン受容体遮断薬としてスボレキサントがある。
12 ○
13 × リスペリドンは、$5-HT_2$ 受容体と D_2 受容体を遮断するセロトニン・ドパミン・アンタゴニスト。
14 × オランザピンはMARTAの一つ。ドパミン受容体部分作動薬として働くのはアリピプラゾール。
15 × 三環系抗うつ薬のアミトリプチリンは抗コリン作用が比較的強い。SSRIのフルボキサミンには抗コリン作用がない。
16 × ミアンセリンは、アドレナリン $α_2$ 受容体を遮断してノルアドレナリンの放出を促進する。
17 ○
18 ○
19 ○
20 × タンドスピロンはセロトニン $5-HT_{1A}$ 受容体刺激薬。
21 × フェニトインは欠神発作（小発作）を悪化することがあるので用いない。
22 ○
23 × ガバペンチンはGABA受容体に作用せず、電位依存性 Ca^{2+} チャネルの $α_2δ$ サブユニットに結合してチャネルを遮断する。
24 ○
25 × ブロモクリプチンはドパミン D_2 受容体刺激薬。ドパミン放出を促進するのはアマンタジン。
26 ○
27 × ファスジルはRhoキナーゼ阻害薬で、くも膜下出血後の脳血管れん縮を防ぐ。フリーラジカルを消去するのはエダラボン。
28 ○
29 × テオフィリンは、カフェインよりも中枢興奮作用が弱く、平滑筋弛緩作用が強い。
30 ○

2-2 免疫・炎症・アレルギー及び骨・関節に作用する薬

1 抗炎症薬

到達目標
- 抗炎症薬（ステロイド性及び非ステロイド性）及び解熱性鎮痛薬の薬理（薬理作用、機序、主な副作用）を説明できる。

1. 炎症の基礎生理

　炎症（inflammation）は組織に加えられた侵害刺激に対し生体を防御する反応で、普通、第1期の血管透過性亢進期、第2期の白血球遊走期、第3期の修復期の一連の過程をとる。

　まず、ヒスタミンやブラジキニン等の化学因子が放出され、疼痛を起こさせて警告し、血管を拡張させ、細静脈の内皮細胞の間隙を開かせ、また白血球を動員し、停滞させる。動員された白血球が異物や組織の崩壊物を貪食し、その際リソゾーム酵素を放出し異物を分解し、ロイコトリエンB_4等の白血球遊走因子も放出して白血球をさらに動員する。動員された白血球はサイトカインを放出し、さらに白血球を動員したり、免疫系を賦活したりする。

　好中球やマクロファージからは活性酸素も放出される。活性酸素は殺菌のほ

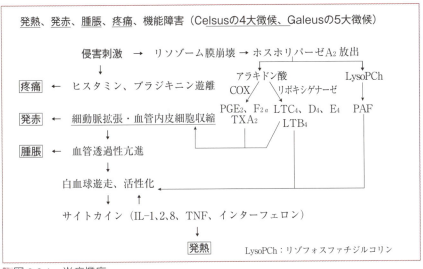

図 2-2-1　炎症機序

かプロスタグランジン（PG）合成などにも関与し、炎症を起こさせる。

リソゾーム酵素中のホスホリパーゼはアラキドン酸をつくりPG合成を開始させ、プロテアーゼは起炎因子を生じさせる。その後、線維芽細胞が増殖して肉芽をつくって修復し、血管再生と組織の再生により修復が終了する。

炎症部位で多形核白血球から遊離されたインターロイキン-1（IL-1）や腫瘍壊死因子（TNF）などのサイトカインが、体温調節中枢である視床下部視索前野に達すると、発熱作用を有するプロスタグランジン E_2 の合成が促進され、全身の体温上昇が起きる。IL-1やTNFは、内因性発熱物質とも総称される。

2. 抗炎症薬

1）ステロイド性抗炎症薬（「糖質コルチコイド」p.414 参照）

標的細胞の細胞質の糖質コルチコイド受容体（GR）に結合する。

天然コルチコイド	コルチゾン酢酸エステル、ヒドロコルチゾン
合成コルチコイド	デキサメタゾン、トリアムシノロン、フルオシノニド、フルオシノロンアセトニド、フルオロメトロン、メチルプレドニゾロン、プレドニゾロン、ベタメタゾン、ベクロメタゾン、フルチカゾン、ブデソニド、シクレソニド

〈アラキドン酸カスケードの抑制〉

主にホスホリパーゼA_2（PLA_2）の抑制による。PLA_2抑制のメカニズムとして、内因性PLA_2阻害タンパク質であるannexin-A1（lipocortin-1）の発現増加（ステロイド-GR複合体によるannexin-A1転写活性亢進による）と、PLA_2自体の発現抑制（下記のNF-κB転写活性抑制による）が考えられている。

① 抗炎症作用
　ホスホリパーゼA_2阻害、COX-2生成阻害 → すべてのエイコサノイドの生合成阻害
② 抗アレルギー作用、免疫抑制作用
　多形核白血球遊走阻止、サイトカイン産生抑制、リンパ系細胞の増殖抑制
　　→ 抗アレルギー作用、免疫抑制作用
　　　↘感染防御力低下
③ 糖新生促進、グルコース利用抑制 → 血糖↑ → 糖尿病悪化
　　　　　　　　　　　　　　糖新生
④ タンパク異化促進 → タンパク同化抑制 → 筋萎縮、骨形成阻害、創傷治癒遅延、潰瘍悪化
⑤ 脂質代謝：脂肪合成阻害
　　長期連用によりステロイド薬感受性組織からの脂肪動員上昇
　　→ 他組織への脂肪再分配 → moon face（満月顔貌）
⑥ 下垂体からのACTH分泌低下（negative feedback）
　　→ 離脱症状が現れやすくなる。
⑦ ヒドロコルチゾン：弱い鉱質コルチコイド作用 → Na^+再吸収促進、
　（合成コルチコイドにはない）　　　　　　　　　K^+排泄増加
　　長期連用による浮腫、低K性アルカローシス、高血圧

またステロイドは、このNF-κB転写活性抑制によりCOX-2発現も抑制する。

炎症過程において転写因子AP-1（activator protein-1）が活性化され、タンパク分解酵素を誘導する。また、T細胞に特異的に発現しているカルシニューリンはNF-AT（nuclear factor activated T cell）を脱リン酸化してAP-1とNF-ATの結合を促進する。このAP-1とNF-ATの複合体はT細胞活性化に必要な転写を開始する。ステロイドはグルココルチコイド受容体（GR）と結合し、AP-1を失活させT細胞を不活化する。

炎症過程でIκB（inhibitor κB）と結合して細胞質に存在していたNF-κB（nuclear factor-κB）が遊離され核内に移行し、サイトカインなどを誘導する。ステロイドはGRと結合してNFκBと結びつきNF-κBの転写活性を抑制したり、ステロイドがIκBを誘導してNF-κBを再不活性状態に戻す。

リンパ系細胞、特に未熟なT細胞はステロイドの感受性が高いが、IL-2などの増殖促進因子の合成抑制とステロイドによる直接的な細胞死の誘導により、リンパ系細胞死が起こる。

2）非ステロイド性抗炎症薬 (non-steroidal anti-inflammatory drugs；NSAIDs)
①酸性抗炎症薬

- 炎症症状の発現にはプロスタグラジン（PG）による末梢血流増加に基づく発赤、熱感、腫脹および痛み閾値の低下による発痛が関与する。一方、PGは視床下部でも産生されて体温上昇を起こす。
- 酸性NSAIDsはシクロオキシゲナーゼ（COX）を阻害することによりPGの生成を抑制し、抗炎症、鎮痛、解熱作用を示す。一方、PGには体の恒常性維持に働く作用、例えば止血、胃保護、腎血流調整等があり、COXを阻害するとこれらの機能に障害が生じる。
- COXにはCOX-1とCOX-2の2種のアイソザイムが存在する。COX-1はほとんどすべての細胞、組織に常時発現し、恒常性機能の調節に関与しているPGの産生に働く。一方、COX-2は炎症時にサイトカイン（IL-1やTNF-αなど）やエンドトキシンによって誘導され、炎症病態に関与するPGの産生に働く。したがって、NSAIDsの抗炎症、鎮痛作用はCOX-2の阻害、胃腸障害などの副作用はCOX-1の阻害によるものであるといわれており、COX-2を選択的に阻害する薬は、副作用が少ないことになる。しかし、最近になってCOX-2由来のPGも別の機序で胃粘膜防御に働いていることがわかってきており、選択的COX-2阻害薬は胃粘膜障害を起こさない、あるいは起こしにくいという理論は崩れつつある。またCOX-2は心血管系、腎臓系の病態で生体防御的に働いており、ロフェコキシブ、メロキシカムなどのCOX-2選択的阻害薬で心血管系（心臓発作、脳卒中など）や腎臓系の副作用のリスクが高くなるとの報告が相次いでいる。
- 酸性NSAIDsは、炎症部位が酸性を呈するため、炎症部位へ移行しやすい。
- 血中では血漿アルブミンとの結合力が強いので、他の血漿タンパクとの結合が強い薬物、抗凝血薬（ワルファリン）、経口糖尿病薬（スルホニル尿素剤）、サルファ剤などと併用すると、これらの薬の作用増強を起こす。
- ニューキノロン系抗菌薬（シプロフロキサシン、エノキサシン、ノルフロキサシン、オフロキサシンなど）と非ステロイド性酸性抗炎症薬、特にフェニ

ル酢酸系、プロピオン酸系との併用により痙れんを誘発する。これは中枢のGABA$_A$受容体に対するニューキノロン系薬物の結合性をNSAIDsが上昇させるためである。

- 副作用　胃腸障害：PGE$_2$、PGI$_2$の産生抑制
　　　　　腎障害　：腎血流量低下、糸球体ろ過量低下により、急性腎不全を起こす。
　　　　　肝障害　：肝血流量低下
　　　　　出血傾向：TXA$_2$の産生抑制
　　　　　アレルギー：アスピリンぜん息やショック

サリチル酸系：アスピリン	・COXをアセチル化することにより、不可逆的に活性を阻害する。他の酸性NSAIDsは可逆的阻害である。 ・少量では選択的に血小板でのTXA$_2$産生を抑制し、抗血栓薬として用いられる。 ・副作用としてアスピリンぜん息がみられるが、これはCOXが阻害された結果、リポキシゲナーゼの活性が上昇し、LTC$_4$、LTD$_4$などの産生が増加するためである。 ・水痘やインフルエンザに感染している小児への投与はReye症候群を引き起こす危険性がある。
インドール酢酸系	**インドメタシン**：作用は強力だが毒性も強く、日常的な解熱・鎮痛薬としては用いない。 **インドメタシン ファルネシル**：インドメタシンのプロドラッグ。胃腸障害が少ない。 **アセメタシン**：インドメタシンのプロドラッグ。胃腸障害が少ない。 **スリンダク**：インドール骨格をもたないが、インドール酢酸系の類似薬として分類される。プロドラッグであり、活性代謝物であるスルフィド体がCOX阻害作用を示す。インドメタシンと同等の抗炎症作用を示すが、毒性は低い。ほとんどのNSAIDsは腎排泄され腎障害を起こしやすいが、スリンダクは腎臓で再び非活性型に戻るため、腎におけるプロスタノイド産生を抑制しにくく、比較的腎障害が少なく、腎障害患者に使いやすい。
フェニル酢酸系：ジクロフェナク、フェルビナク	・インドメタシンとほぼ同等の抗炎症作用を示す。しかし、副作用は少ない。 ・インフルエンザ脳症、脳炎：インフルエンザ患者に解熱目的でジクロフェナク（全年齢）、メフェナム酸（小児のみ）を投与した患者での死亡率が高いので、インフルエンザ患者への使用禁止。小児への解熱目的には、ジクロフェナクやメフェナム酸、アスピリンを使わずに、アセトアミノフェンを用いる。 ・フェルビナクは外用（軟膏、貼付剤など）。

アスピリン　　インドメタシン　　インドメタシン ファルネシル

アセメタシン　　スリンダク　　ジクロフェナク

(フェニル)プロピオン酸系（プロフェン系）	・抗炎症効果はインドメタシンとアスピリンの中間である。副作用は両者より低い。 **イブプロフェン、ナプロキセン、ケトプロフェン、ザルトプロフェン** ・このなかでは、ナプロキセンが最も強力で、白血球浸潤阻止作用も強いので、痛風発作にも用いられる。ザルトプロフェンは抗炎症、鎮痛作用が強い。ケトプロフェンは主に外用で用いる。光線過敏症に注意。 **ロキソプロフェン** ・プロドラッグで胃腸障害等の副作用が少なく、最も頻用されている。
オキシカム系 ピロキシカム、 メロキシカム	・強力な作用を有し、COX阻害はインドメタシンと同程度。 ・半減期が長く、1日1回の内服でよい。 ・メロキシカムは比較的選択的COX-2阻害薬で、消化器障害が少ない。
アントラニル酸系	メフェナム酸：鎮痛作用と解熱作用が強く、主に鎮痛目的に用いる。
選択的COX-2阻害薬	セレコキシブ、メロキシカム、エトドラク ・比較的選択的COX-2阻害薬で、胃障害が少ないとされている。

イブプロフェン　ケトプロフェン　ナプロキセン　ロキソプロフェン

メロキシカム　メフェナム酸　セレコキシブ　エトドラク

②塩基性抗炎症薬

・作用機序は明らかでなく、COX阻害作用はみられない。
　〈チアラミド、エピリゾール（メピリゾール）、エモルファゾン〉
　・抗炎症、鎮痛作用を示す。解熱作用はない。強い副作用はみられない。

チアラミド　エピリゾール

3）解熱・鎮痛薬

酸性 NSAIDs に比べて、関節リウマチの痛みには不十分である。

ピラゾロン系（ピリン系） スルピリン	・抗炎症作用は弱いが、解熱作用は強い。
アニリン系 アセトアミノフェン	・抗炎症作用はない。 ・比較的安全性が高く、繁用されている。 ・副作用に肝障害がみられる（解毒薬：アセチルシステイン）

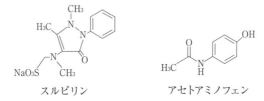

スルピリン　　　　アセトアミノフェン

4）消炎酵素

消炎酵素は生体高分子の分解酵素であり、炎症巣ないしその周囲に蓄積した変性タンパク、ムコイドなどを分解し、炎症巣を正常化する。

- 抗炎症作用を有するが、経口での抗炎症効果は NSAIDs より劣る。鎮痛作用はない。
- タンパク分解酵素：ブロメライン、セラペプターゼ
- 多糖体分解酵素：リゾチーム塩酸塩
- 大量投与すると、悪寒、発熱、ショックを起こす。

5）炎症性腸疾患（IBD）治療薬

クローン病や潰瘍性大腸炎の特異的治療薬。

サラゾスルファピリジン	・持続性サルファ剤であり、腸内細菌によりアゾ基が開裂して生じる 5-アミノサリチル酸が作用本体とされる。 ・炎症性細胞から放出される活性酸素を消去し、炎症の広がりと組織障害を抑制したり、インターロイキン、ロイコトリエンの生成抑制により炎症性細胞の組織への浸潤を抑制したりする。
メサラジン	・5-アミノサリチル酸をエチルセルロースでコーティングした徐放剤。

その他、他の免疫疾患の治療に用いられる薬が、クローン病や大腸性潰瘍炎の治療にも用いられている。

- クローン病を適応とする主な薬
  ステロイド：プレドニゾロン、ブデソニド
  免疫調節薬：アザチオプリン
  抗 TNFα抗体：インフリキシマブ、アダリムマブ
  抗 IL-12/23 抗体：ウステキヌマブ

JAK 阻害薬：ウパダシチニブ

- **潰瘍性大腸炎を適応とする主な薬**
  ステロイド：プレドニゾロン、ベタメタゾン、ブデゾニド
  免疫調節薬：アザチオプリン
  カルシニューリン阻害薬：タクロリムス
  抗TNFα抗体：インフリキシマブ、アダリムマブ、ゴリムマブ、抗IL-12/23抗体：ウステキヌマブ
  JAK阻害薬：トファシチニブ、フィルゴチニブ、ウパダシチニブ

クローン病または潰瘍性大腸炎のみに用いられる薬として次のようなものもある。

ミリキズマブ	・ヒト化抗ヒトIL-23p19モノクローナル抗体で、ヒトIL-23のp19サブユニットに特異的に結合し、IL-23受容体との相互作用を阻害する。 ・適応：潰瘍性大腸炎 ・2023年6月発売。
ベドリズマブ	・ヒト化抗ヒト$α_4β_7$インテグリンモノクローナル抗体 ・$α_4β_7$インテグリンは、メモリーTリンパ球表面に発現し、消化管粘膜の血管内皮細胞表面の粘膜アドレシン細胞接着分子-1（MAdCAM-1）に接着することによって消化管粘膜及び腸管関連リンパ系組織へのリンパ球浸潤を媒介する。ベドリズマブは$α_4β_7$インテグリンに特異的に結合し、$α_4β_7$インテグリンと主に消化管に発現するMAdCAM-1との結合を阻害する一方で、中枢神経、皮膚等多くの臓器に発現する血管細胞接着分子-1（VCAM-1）との結合は阻害しない。 ・適応：クローン病、潰瘍性大腸炎
カロテグラストメチル	・経口$α_4$インテグリン阻害薬 ・生体内で活性代謝物カロテグラストとなり、$α_4β_1$インテグリンとVCAM-1との結合及び$α_4β_7$インテグリンとMAdCAM-1との結合を阻害することによって、T細胞を含む炎症性細胞の血管内皮細胞への接着及び炎症部位への浸潤を阻害し、抗炎症作用を発揮する。 ・適応：潰瘍性大腸炎 ・2022年5月発売。

カロテグラストメチル

2-2 免疫・炎症・アレルギー及び骨・関節に作用する薬

CHECK

次の記述について、正しいものには「○」を、間違っているものには「×」をつけてその理由を簡潔に述べなさい。

1 ステロイド性抗炎症薬は、プロスタノイドの産生を抑制するが、ロイコトリエン類の産生は抑制しない。
2 アスピリンは、構成・誘導型両方のシクロオキシゲナーゼをアセチル化して不可逆的に阻害する。
3 アスピリンは、インフルエンザに感染している小児に投与すると、ライ症候群を引き起こす危険性がある。
4 インドメタシンは、シクロオキシゲナーゼ阻害作用がアスピリンより弱く、日常的な解熱・鎮痛薬として汎用される。
5 ロキソプロフェンは、体内で活性体に代謝され、抗炎症作用を発揮する。
6 ケトプロフェンは、外用で用いられ、光線過敏症に注意が必要である。
7 メロキシカムは、COX-2 に対する阻害作用が強く、胃腸障害作用は弱い。
8 非ステロイド性抗炎症薬は、ぜん息を誘発することがある。
9 スリンダクは、他の抗炎症薬に比べて、腎障害を起こしやすい。
10 アセトアミノフェンは、リポキシゲナーゼを阻害して、抗炎症作用を示す。

【解答】
1 × ステロイド性抗炎症薬は、すべてのエイコサノイドの生合成を抑制する。
2 ○
3 ○
4 × インドメタシンは、アスピリンよりも COX 阻害作用が強く、毒性も強い。
5 ○
6 ○ ケトプロフェンを含む貼付剤を使用した皮膚に紫外線があたると、光接触皮膚炎という有害反応が起こる。
7 ○
8 ○ アラキドン酸代謝系において、COX 阻害の結果、気管支収縮作用のあるロイコトリエン類の産生が増えるため。
9 × スリンダクは、比較的腎障害を起こしにくい。
10 × アセトアミノフェンは、アラキドン酸代謝に対する作用は弱いが、解熱・鎮痛作用を示す。

2 免疫・アレルギーに作用する薬

> **到達目標**
> - アレルギー治療薬（抗ヒスタミン薬、抗アレルギー薬等）の薬理（薬理作用、機序、主な副作用）を説明できる。
> - 免疫抑制薬の薬理（薬理作用、機序、主な副作用）を説明できる。
> - 関節リウマチ治療薬の薬理（薬理作用、機序、主な副作用）を説明できる。

1. 抗アレルギー薬

アレルギーは抗原の種類、侵入経路、部位、反応にあずかる因子、動物の種類によって、その表現を異にする。

症状の発現までの時間の長短により、即時型の反応と遅延型の反応に大別され、さらに機序の面から即時型はⅠ～Ⅲ型に、遅延型はⅣ型に分類される。

■ 表 2-2-1 発現機序によるアレルギーの分類（Coombs と Gell による分類）

型		表現	反応の担い手	化学伝達物質	標的臓器	反応、疾患の例
即時型	Ⅰ	アナフィラキシー型	主に IgE（肥満細胞、好塩基球）	ヒスタミン、セロトニン、LTC₄、LTD₄、PAF（補体の関与なし）	皮膚、肺、腸管など	アナフィラキシーショック、ぜん息、花粉症、アトピー、腸管アレルギー、アレルギー性鼻炎、薬物アナフィラキシー
	Ⅱ	細胞障害型	IgG、IgM（マクロファージ、K 細胞）	補体活性化	赤血球、白血球、血小板、腎、甲状腺	溶血性貧血、再生不良性貧血、血小板減少症、橋本病、薬物誘発血球減少症、Goodpasture 症候群、Basedow 病
	Ⅲ	アルサス型（免疫複合体反応）	抗原抗体複合体	補体活性化、タンパク分解酵素、走化性因子、活性アミン	血管、皮膚、関節、腎、肺など	Arthus 反応、血清病、SLE、糸球体腎炎、薬物アレルギー
遅延型	Ⅳ	遅延型（細胞性免疫反応）	感作リンパ球	サイトカイン（補体の関与なし）	皮膚、肺、甲状腺、中枢神経系など	ツベルクリン反応、接触性皮膚炎、アレルギー性脳炎、同種移植拒絶

抗アレルギー薬は広義にはアレルギー疾患の治療薬をさすが、狭義には「Ⅰ型アレルギー反応に関与する化学伝達物質の合成、遊離および作用を調節する薬物および Th2 サイトカイン阻害薬の総称」と定義されている。

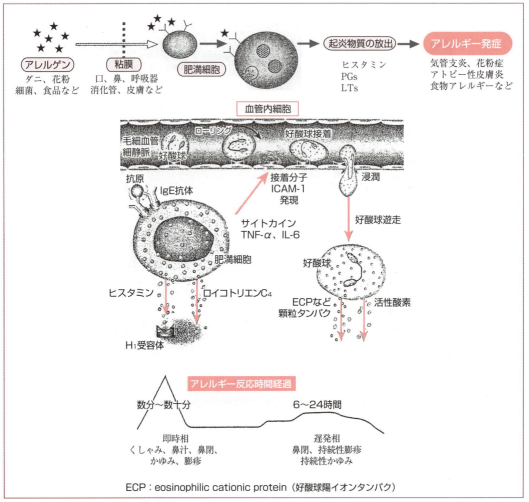

図2-2-2　Ⅰ型アレルギー発症機序

　Ⅰ型アレルギーにより発症する気管支ぜん息、アレルギー性鼻炎、花粉症、アレルギー性結膜炎、アトピー性皮膚炎などが適応となる。

1）化学伝達物質遊離抑制薬
①化学伝達物質への拮抗作用のないもの
- 肥満細胞膜を安定化し、ヒスタミンやロイコトリエン類の遊離を抑制する。
- ぜん息発作が始まった後では無効だが、予防効果があり、気管支ぜん息や花粉症に用いる。
- 化学伝達物質への直接的拮抗作用はない。

　a．クロモグリク酸ナトリウム
　　水溶性で胃腸管からの吸収が悪いので吸入で用いる。アレルギー性結膜炎には点眼される。食物アレルギーに基づくアトピー性皮膚炎には内服で用いられる。

　b．トラニラスト、レピリナスト、ペミロラスト
　　クロモグリク酸と異なり内服で気管支ぜん息に用いられる。ペミロラスト

はホスホリパーゼC活性を阻害して細胞膜のイノシトールリン脂質代謝を阻害。その結果、細胞内遊離Ca^{2+}濃度の上昇を抑制して肥満細胞などからの化学伝達物質の遊離を阻害する。

クロモグリク酸ナトリウム　　トラニラスト　　ペミロラスト

②抗ロイコトリエン作用をもつが抗ヒスタミン作用をもたないもの
　イブジラスト、アンレキサノクス
　イブジラストはPGI_2の作用増強により、脳局所血流量増加、抗血栓作用を示し、脳血管障害の治療にも適応される。

イブジラスト

③第二世代抗ヒスタミン薬
　いずれも H_1 遮断作用 および ケミカルメディエーター（ヒスタミンやロイコトリエンなど）遊離抑制作用 をあわせもつ。多くが抗ロイコトリエン作用、抗PAF作用ももつ。
・鎮静性（眠気を生じる）：ケトチフェン、アゼラスチン、オキサトミド、エメダスチン、ルパタジン
・軽度鎮静性（比較的眠気を生じにくい）：メキタジン
・非鎮静性（眠気を生じにくい）：エピナスチン、セチリジン、レボセチリジン、フェキソフェナジン、エバスチン、ロラタジン、デスロラタジン、オロパタジン、ベポタスチン、ビラスチン

2）化学伝達物質の生合成を抑制する薬物

・トロンボキサン合成酵素阻害薬：オザグレル
　TXA_2産生抑制により気管支ぜん息の気道過敏性と気道収縮を抑制。
・ロイコトリエン生合成阻害薬：ザイリュートン（zileuton）
　LTB_4、LTC_4、LTD_4、LTE_4の合成酵素5-リポキシゲナーゼを阻害して、気管支ぜん息に用いられる。日本では未承認。

3）ロイコトリエン受容体遮断薬

　ロイコトリエンC_4、D_4、E_4は、従来SRS-Aとよばれ、IgE抗体を含む免疫反応で放出され、気管支ぜん息などのアレルギーやショックに関連する遅延性の起炎物質である。
　ロイコトリエン(LT)受容体遮断薬としてプランルカスト（C_4, D_4, E_4 blocker）、モンテルカスト（D_4 blocker）、ザフィルルカスト（D_4, E_4 blocker）が気管支ぜん息に適用される。プランルカスト、モンテルカストはアレルギー性鼻炎にも適用される。

プランルカスト

4）トロンボキサン A₂ 受容体（プロスタノイド TP 受容体）遮断薬

トロンボキサン A₂（TXA₂）は、気道や肺で産生され、気道過敏性の発現や気管支収縮に関与している。

セラトロダスト	・気管支ぜん息に用いられる。トロンボキサン A₂ の受容体であるプロスタノイド TP 受容体を遮断して、即時型及び遅発型前息反応並びに気道過敏性の亢進を抑制する。
ラマトロバン	・アレルギー性鼻炎に用いられる。プロスタノイド TP 受容体だけではなく、プロスタグランジン D₂ 受容体の１つである CRTH2（Chemoattractant Receptor-homologous molecule expressed on T-Helper type2 cells）も遮断するデュアルアンタゴニストである。TP 受容体を介するシグナルは鼻粘膜の血管透過性亢進や鼻腔抵抗の上昇に寄与し、CRTH2 を介するシグナルは鼻粘膜局所の好酸球浸潤を促進する。ラマトロバンはこれらのシグナルをブロックすることによりアレルギー性鼻炎の三主徴（くしゃみ、鼻漏、鼻閉）に作用を示す。

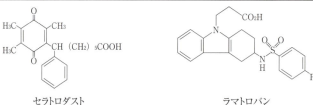

セラトロダスト　　　　ラマトロバン

5）Th2 サイトカイン産生阻害薬

スプラタスト	・臨床適応：気管支ぜん息、アトピー性皮膚炎、アレルギー性鼻炎 ・作用機序：2 型ヘルパー T（Th2）細胞からの IL-4 および IL-5 の産生抑制を起こし、その結果、IgE 抗体産生抑制作用、好酸球浸潤抑制作用によって I 型アレルギー反応を抑制する。

$$H_3C\text{-}\overset{+}{S}\text{-}CH_2CH_2CONH\text{-}\bigcirc\text{-}OCH_2CHCH_2OCH_2CH_3$$
$$H_3C \qquad\qquad\qquad\qquad\qquad\qquad\qquad OH$$

スプラタスト

6）Th1 サイトカイン産生阻害薬

タクロリムス	・臨床適応：外用でアトピー性皮膚炎に用いる。 ・作用機序：Th1 細胞内でイムノフィリンと結合し、カルシニューリンを阻害し、リンフォカイン遺伝子の転写を阻害して、IL-2 の産生を抑制することにより、細胞性免疫を阻害する。

7）TSLP 阻害薬

テゼペルマブ	・TSLP（胸腺間質性リンパ球新生因子）に対するヒト IgG2λ モノクローナル抗体で、ヒト TSLP に結合し、ヘテロ二量体の TSLP 受容体との相互作用を阻害する。 ・TSLP は、ぜん息における炎症誘導経路の上流に位置する上皮細胞由来サイトカインであり、ぜん息に伴う気道炎症の発症及び持続に関与すると考えられている。ぜん息では、アレルギー性及び非アレルギー性曝露のいずれによっても TSLP 産生が誘導される。 ・血中好酸球、IgE、FeNO、IL-5、IL-13 等の炎症に関連する広範囲のバイオマーカー及びサイトカインを減少させ、気道過敏性を軽減する。 ・適応：気管支ぜん息（既存治療によってもぜん息症状をコントロールできない重症または難治の患者に限る） ・2022 年 11 月発売。

2. 免疫に作用する薬

1）免疫系について

免疫系に作用する薬物は種々の自己免疫疾患、臓器移植における拒絶反応、悪性腫瘍などの治療に使用される。

免疫系は、生体内で病原体などの非自己物質やがん細胞などの異常な細胞を認識して殺すことにより、生体を病気から守っている。免疫系は抗体や補体などの血中タンパク質による体液性免疫の他に、リンパ球などの細胞による細胞性免疫によって担われている。リンパ球にはT細胞やB細胞がある。

免疫抑制薬は免疫系の活動を抑制するため、感染や悪性腫瘍の発現や拡大を起こすので使用に際しては注意が必要である。

〈自己免疫疾患〉

自己免疫疾患には、特定の臓器だけが影響を受ける臓器特異性自己免疫疾患と全身にわたり影響が及ぶ全身性自己免疫疾患がある。女性に多い。それぞれの代表的疾患を表 2-2-2 に示した。

表 2-2-2 臓器特異性自己免疫疾患と全身性自己免疫疾患

臓器特異性自己疾患

罹患臓器	疾患	標的組織	説明
神経・筋	重症筋無力症 ギラン・バレー症候群	骨格筋	神経ニコチン性 N_M 受容体に対する抗体産生 ガングリオシドに対する抗体産生
消化器	慢性胃炎の一部 潰瘍性大腸炎 クローン病	胃粘膜 大腸 食道〜大腸	胃粘膜に対する自己免疫
血液	巨赤芽球性貧血 特発性再生不良性貧血 自己免疫性溶血性貧血 特発性血小板減少性紫斑病	赤芽球 骨髄 赤血球 血小板	内因子や壁細胞に対する抗体産生 血幹細胞に対する自己免疫 赤血球に対する抗体産生 血小板に対する抗体産生
内分泌・代謝	1 型糖尿病	膵臓ランゲルハンス島	ランゲルハンス島などに対する抗体
皮膚	円形脱毛症	毛母細胞	
産婦人科	習慣性流産		抗リン脂質抗体などの産生

全身性自己免疫疾患

疾患	標的臓器・組織	説明
関節リウマチ	関節滑膜	CCP やリウマトイド因子に対する抗体産生
全身性エリテマトーデス	多臓器	二本鎖 DNA や核に対する抗体産生
多発性硬化症	脳および脊髄	ミエリン鞘に対する抗体産生
シェーグレン症候群	涙腺、唾液腺、多臓器	
血管炎症候群	血管	

〈T細胞、B細胞、ナチュラルキラー細胞（図2-2-3）〉

T細胞は骨髄の造血幹細胞に由来し、胸腺に異動したあと胸腺細胞になる。その後分化してCD4陽性T細胞とCD8陽性T細胞になる。

CD4陽性T細胞はヘルパーT細胞ともいわれる。抗原提示細胞（樹状細胞、マクロファージ、B細胞など）に発現するMHC-II（主要組織適合遺伝子複合体-II）の先端に表示された外因性抗原断片とT細胞受容体（TCR）を介して結合し、ヘルパーT細胞は活性化される。活性化されると、Th1細胞、Th2細胞などになる。

Th1細胞はインターロイキン（IL）-2やインターフェロン（IFN）-γを産生・分泌し、細胞傷害性T細胞（CTL、キラーT細胞）やマクロファージを活性化し、細胞性免疫を介して自己免疫疾患や遅延型アレルギー反応を起こす。Th2細胞はIL-4やIL-5などを産生・分泌し、B細胞を刺激して抗体産生細胞である形質細胞に変化させて抗体（IgG、IgA、IgM、IgD、IgE）産生を促し、液性免疫を介して即時型アレルギー反応などを引き起こす。

CD8陽性T細胞の活性化は、ウイルス感染細胞、がん細胞、臓器移植細胞などに発現しているMHC-Iの先端に表示された内因性抗原断片とTCRを介して結合して活性化され、CTLになる。CTLはパーフォリン/グランザイムを放出して感染細胞、がん細胞、移植細胞などの標的細胞に傷害を与え殺す。

ナチュラルキラー細胞（NK細胞）は、サイズが大きく、T細胞に存在するCD3やTCRをもたないのでT細胞には分類されない。定常状態でも活性化しており、ウイルス感染細胞やがん細胞などMHC-Iの発現が低下している細胞を殺す。

B細胞は骨髄の造血幹細胞に由来し、脾臓や消化管などで成熟する。細胞表

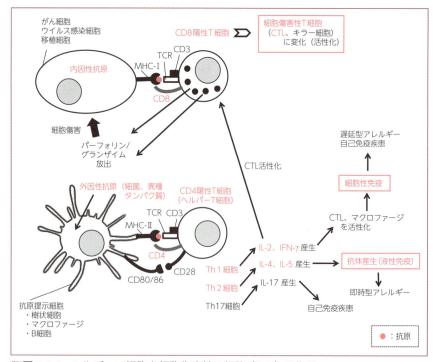

図2-2-3　ヘルパーT細胞と細胞傷害性T細胞（CTL）の作用

面に抗原受容体として免疫グロブリン（IgM）を発現している。B 細胞は過去に侵入した抗原を記憶しているが、個々の B 細胞はそれぞれ分担するかたちで単一の抗体を保持・産生するよう末梢リンパ組織（リンパ節や脾臓）で待機している。B 細胞は、自分と一致する非自己抗原に遭遇した場合、T 細胞依存性あるいは非依存性に IL-2、IL-4、IL-5、IL-13 などの補助によりクローン増殖を行ってその数を増やし、同一の抗体（モノクローナル抗体）を急速につくりだす。

2）免疫抑制薬（図 2-2-4、図 2-2-5）

ここでいう免疫抑制薬は、自己免疫疾患および臓器移植における拒絶反応の抑制に用いられる薬物とし、慢性関節リウマチや悪性腫瘍に用いる治療薬は省く。これらについてはそれらの項を参照のこと。

〈自己免疫疾患の治療薬〉

自己免疫疾患のほとんどが、発症機序不明の難治性疾患である。現在、自己免疫疾患に対する治療法は、免疫抑制薬や血漿交換療法など免疫系全般を抑制するものが主流。より選択的で特異的な免疫抑制療法の開発が望まれている。

〈臓器移植における免疫抑制療法〉

臓器移植後の急性拒絶反応を抑制するため、免疫抑制薬を使用する。免疫抑制薬は、カルシニューリン(CN)阻害薬（シクロスポリン、タクロリムス）が中心となるが、腎障害などの副作用が強く発現するため、核酸合成阻害薬（ミコフェノール酸モフェチル、ミゾリビン、アザチオプリン）や副腎皮質ステロイドなどを内服併用する。これに加えて、mTOR 阻害薬であるエベロリムスが注目されている。一般に移植後 3 カ月を経過して安定期に入ったら免疫抑制薬の用量を減らすことができ、少用量の CN 阻害薬だけを一生継続して服用する。

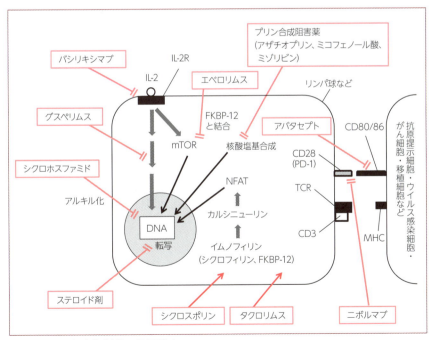

図 2-2-4　免疫抑制薬の作用機序

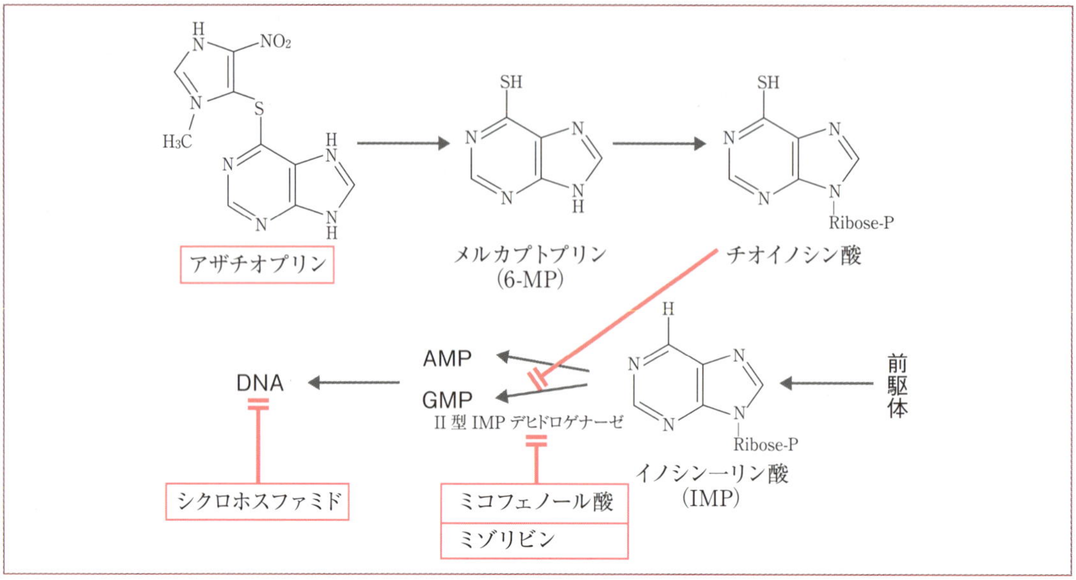

■図 2-2-5　アザチオプリン、ミコフェノール酸、ミゾリビン、シクロホスファミドの免疫抑制作用機序

　内服剤のほか、移植時や拒絶反応が起きた場合に注射剤が使用されることがある。副腎皮質ステロイド（パルス療法）、グスペリムス、抗IL-2受容体抗体バシリキシマブなどがある。

カルシニューリン（CN）阻害薬	
シクロスポリン ciclosporin	土壌中の真菌（白癬菌）の代謝産物であり、11個のアミノ酸からなる環状ポリペプチド。 【作用機序】 ・Tリンパ球内のタンパク質であるシクロフィリン（イムノフィリンの一種）と結合し、脱リン酸化酵素であるカルシニューリンを阻害する。その結果、転写因子NFATの脱リン酸化が抑制され、NFATの核内移行が妨げられる（血液の項p.289、図2-3-26も参照）。 ・NFATが活発に働くと、IL-2遺伝子の転写が促進されて、IL-2産生が増え免疫反応が亢進する。しかしシクロスポリンの投与によってIL-2産生が阻害されると、細胞傷害性T細胞（CTL）やナチュラルキラー細胞などの機能は抑制され、強力な免疫抑制作用が発現する。 【臨床適用】臓器移植における拒絶反応の抑制、再生不良性貧血、ネフローゼ症候群、溶血性貧血、重症筋無力症、アトピー性皮膚炎（経口、注射） ・血中濃度を測定して内服量を決定する。 ・CYP3A4で代謝。投薬中はグレープフルーツを摂取しないこと。 【副作用】腎障害が強い。高血圧、多毛、歯肉肥厚

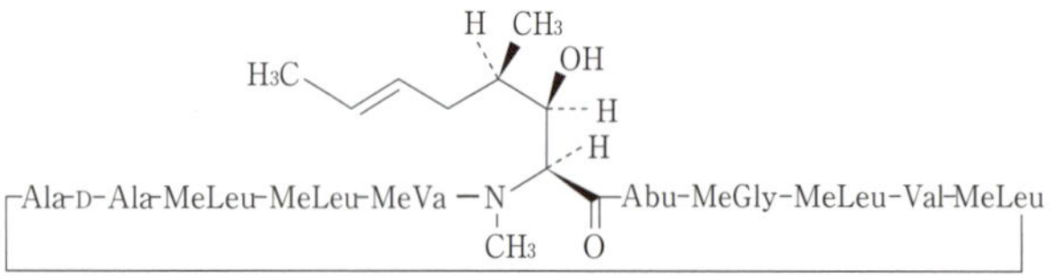

タクロリムス tacrolimus	筑波山の土壌中の放線菌から発見されたマクロライド系薬物。 【作用機序】 ・シクロスポリンと同様。ただしTリンパ球内のタンパク質であるFKBP（イムノフィリンの一種、FK506結合タンパク質）と結合して作用を発現。 【臨床適用】臓器移植における拒絶反応の抑制、重症筋無力症、関節リウマチ、潰瘍性大腸炎（作用はシクロスポリンよりさらに強力であり、投与量は数十分の一でよい）（経口、注射） ・CYP3A4で代謝される。投薬中はグレープフルーツを摂取しないこと。 【副作用】腎障害が強い。高血圧、高血糖
核酸合成阻害薬（図 2-2-5）	
アザチオプリン azathioprine 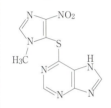	プリン代謝拮抗薬で、メルカプトプリンのプロドラッグ。 【作用機序】 ・生体内で酵素を介さずにメルカプトプリンに変換されて活性化。メルカプトプリンの代謝物であるチオイノシン酸がイノシン-リン酸（IMP）デヒドロゲナーゼ（II型 IMPDH）を阻害。その結果、グアノシン-リン酸（GMP）の生成が抑制され、DNA合成材料であるプリン体の合成が阻害される。リンパ球で特に作用が強くみられ、増殖が抑制される。 【臨床適用】臓器移植における拒絶反応の抑制、クローン病、潰瘍性大腸炎、全身性エリテマトーデス、全身性血管炎など（経口） 【副作用】骨髄抑制に伴う血液障害、肝障害、感染症
ミコフェノール酸 モフェチル mycophenolate mofetil	ミコフェノール酸は真菌の発酵生成物の一つで、プリン代謝拮抗薬。バイオアベイラビリティの優れた誘導体としてミコフェノール酸 モフェチル（MMF）が開発された。 【作用機序】 ・体内で活性体であるミコフェノール酸となり、II型 IMPDHを阻害。リンパ球においてプリン体の合成が阻害される。 【臨床適用】臓器移植における拒絶反応の抑制（経口） 【副作用】感染症、骨髄抑制に伴う血液障害
ミゾリビン mizoribine 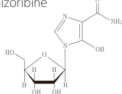	糸状菌の培養液より発見されたイミダゾール系の核酸関連物質。プリン代謝拮抗薬。 【作用機序】ミコフェノール酸と同様 【臨床適用】腎移植における拒絶反応の抑制、関節リウマチ、ネフローゼ症候群（経口） 【副作用】骨髄抑制に伴う血液障害、肝障害、感染症
シクロホスファミド cyclophosphamide	アルキル化薬に分類される抗悪性腫瘍薬、免疫抑制薬。 【作用機序】 ・生体内で活性化された後、DNA（グアニン塩基）をアルキル化し、二本鎖DNA間に架橋を形成。これによってDNAが複製できなくなり、リンパ球やがん細胞などの増殖が阻害され、免疫抑制や抗悪性腫瘍作用が現れる。 【臨床適用】リウマチ性疾患、全身性エリテマトーデス、全身性血管炎（経口、静注） 【副作用】骨髄抑制に伴う血液障害、脱毛、出血性膀胱炎

副腎皮質ステロイド	
プレドニゾロン メチルプレドニゾロン デキサメタゾンなど	各種のアレルギー性、炎症性、自己免疫疾患に使用される。 【作用機序】 ・細胞質内のステロイド受容体に結合したあと核内に移行し、遺伝子転写に作用する。その結果、種々の炎症性サイトカイン、ケモカイン、細胞接着分子などの発現を抑制する。 ・増殖の盛んながん細胞やリンパ球などに強く作用する。 【臨床適用（免疫疾患）】臓器移植における拒絶反応の抑制、関節リウマチ、全身性エリテマトーデス、全身性血管炎、再生不良性貧血、溶血性貧血、円形脱毛症など（経口、静注、外用）
インターロイキン（IL）−2の作用を阻害する薬物	
バシリキシマブ basiliximab 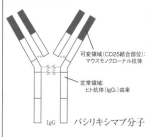	IL−2 受容体α鎖（CD25）に対するヒト/マウスキメラ型モノクローナル抗体。免疫グロブリンの可変領域部分（CD25 結合部位）はマウスモノクローナル抗体であり、これとヒト抗体由来の定常領域部分を連結させてある。 【作用機序】 ・T 細胞や NK 細胞の細胞膜上において、活性化された IL−2 受容体にα鎖（CD25）が発現し、β鎖、γ鎖とで複合体を形成する。この IL−2 受容体に IL−2 が結合すると、T 細胞や NK 細胞が活性化され増殖が促進される。バシリキシマブは IL−2 受容体に結合することによって、IL−2 受容体と IL−2 の結合を競合的に阻害する。 【臨床適用】腎移植後の急性拒絶反応の抑制（静注） 【副作用】急性過敏性反応、感染症
エベロリムス everolimus 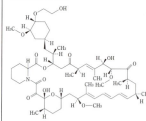	mTOR 阻害薬。放線菌代謝物ラパマイシンの誘導体。 【作用機序】 ・細胞内結合タンパク質の FKBP−12 と複合体を形成したのち、細胞周期の G1 期から S 期への誘導に関与する調節タンパク質である mTOR（mammalian target of rapamycin）に結合し阻害する。その結果、T 細胞や B 細胞の増殖を抑制する。（IL−2 が IL−2 受容体に結合することによって mTOR が活性化されることが知られている。） 【臨床適用】臓器移植における拒絶反応の抑制（経口） 【副作用】間質性肺炎、感染症

グスペリムス
gusperimus
H₂NCNH(CH₂)₆CONHCHCONH(CH₂)₄NH(CH₂)₃NH₂・3HCl
   || |
   NH   OH
	細菌の培養液から得られた物質の誘導体。細胞傷害性 T 細胞（CTL）の活性化や増殖を抑制する。抗体産生も抑制する。
	【作用機序】
	・IL−2 受容体を発現した CTL が IL−2 に反応して活性化され、エフェクター細胞となるまでの増殖および分化の過程を直接抑制すると考えられる。
	【臨床適用】腎移植後の拒絶反応の抑制（静注）
	【副作用】間質性肺炎、感染症

ヒドロキシクロロキン hydroxylchloroquine 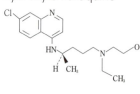	【作用機序】 ・リソソームに蓄積し、その塩基性によりリソソーム内 pH を上昇させ、免疫に関連した以下の種々の機能を抑制する。 ・①マクロファージの抗原提示作用の抑制、②T 細胞による IFN−γ、TNF−α、IL−6 といったサイトカインの産生の抑制、③ヒト形質細胞様樹状細胞によるトール様受容体（TLR）を介する IFN−α、TNF−α 産生の抑制。 【臨床適用】全身性エリテマトーデス 【副作用】高用量の長期投与で網膜症発現

3）免疫増強薬

生体応答調節薬（BRM）には免疫機構を特異的に修飾するサイトカイン類と非特異的免疫活性化薬がある。

非特異的免疫活性化薬には細菌成分とキノコ成分がある。

サイトカイン		
インターフェロン（IFN）製剤 　インターフェロンα 　interferon alfa	動物体内でウイルスなどの異物の侵入に反応して細胞が分泌するタンパク質。 【作用機序】 ・腫瘍細胞に対する直接的増殖抑制作用＋BRM作用：NK細胞、CTL細胞、単球、マクロファージを活性化。 【臨床適用】腎癌、慢性骨髄性白血病（CML）、多発性骨髄腫、ウイルス性肝炎（筋注）。 【副作用】自己免疫疾患の悪化（禁忌）、抑うつ（自殺企図）、間質性肺炎、インフルエンザ様症状	
インターロイキン（IL）-2製剤 　テセロイキン 　teceleukin 　セルモロイキン 　celmoleukin	ヒト脾臓由来のリンパ球あるいは白血球から得たmRNAを出発材料として、遺伝子組換え技術により大腸菌内で産生されたヒトIL-2製剤。 【作用機序】・サイトカイン作用：T細胞、NK細胞を増殖させて細胞性免疫および体液性免疫を増強。 【臨床適用】血管肉腫、腎癌（点滴静注、腫瘍周縁部局所投与） 【副作用】体液貯留（浮腫、肺水腫）、抑うつ、インフルエンザ様症状、感染症悪化	
非特異的免疫賦活薬		
細菌成分 　ピシバニール 　乾燥BCG キノコ成分 　クレスチン 　レンチナン	・溶連菌製剤（乾燥菌体） ・弱毒化した牛型結核生菌 ・カワラタケ菌糸体から分離した多糖類 ・シイタケ子実体から抽出した高分子グルカン	

3. 関節リウマチ治療薬

1）関節リウマチ

関節リウマチ（rheumatoid arthritis; RA）は、多発性関節炎を主訴とする慢性の炎症性疾患。関節の中でも特に滑膜がおかされ、疼痛や腫脹を伴う。進行すると、軟骨・骨の破壊が起こる。

80％前後のRA患者の血清及び骨髄中にリウマトイド因子が認められる。リウマトイド因子は、変性したヒトIgGのFc部分と強く反応する自己抗体（主にIgMおよびIgG）で、免疫複合体を形成してRA発症に関与すると考えられている。

腫瘍壊死因子（TNF-α）やインターロイキン（IL-6）などの炎症性サイトカインの関与が示唆されている。

2）関節リウマチ治療薬

鎮痛、炎症の抑制、免疫異常の正常化を目的とした薬物治療が行われる。

表 2-2-3 関節リウマチ治療薬の分類と代表的な薬物

分類			薬物
NSAIDs			アスピリン、セレコキシブ、エトドラク、ジクロフェナク、ロキソプロフェンなど
ステロイド薬			プレドニゾロンなど
DMARDs	免疫調節薬	金化合物	金チオリンゴ酸ナトリウム、オーラノフィン
		SH化合物	ペニシラミン、ブシラミン
		その他	ロベンザリットニナトリウム、アクタリット、サラゾスルファピリジン、イグラチモド
	免疫抑制薬		ミゾリビン、メトトレキサート、レフルノミド、タクロリムス水和物
生物学的製剤			インフリキシマブ、アダリムマブ、ゴリムマブ、エタネルセプト、トシリズマブ、アバタセプト
JAK阻害薬			トファシチニブ

①非ステロイド性抗炎症薬（NSAIDs、p.181 参照）：
　アスピリン、ジクロフェナク、ロキソプロフェンなど
- 短期的な痛みを抑えるのに効果的。速効性。胃腸障害などの副作用に留意。現在も RA 治療には必要だが、炎症反応は低下させず、免疫異常に伴う関節破壊を止めることもできない。

②副腎皮質ステロイド（p.180 参照）：プレドニゾロンなど
- 強い抗炎症作用に加え、免疫抑制作用を有する。画期的な改善が認められたことから、発見当初はRAの特効薬として多く利用されたが、様々な強い副作用が問題となり、現在では使用が限られる。

③疾患修飾性抗リウマチ薬
　（disease-modifying anti-rheumatic drugs, DMARDs）
- 従来の抗炎症薬が対症的に痛みを抑えるのに対して、免疫異常を是正しRAの経過（関節破壊）を食い止めることができると期待される薬の総称。狭義の抗リウマチ薬。
- 治療効果の発現に数カ月要するものもあり、"遅効性抗リウマチ薬"とも呼ばれる。

〈金製剤〉

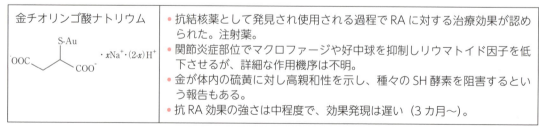

金チオリンゴ酸ナトリウム	・抗結核薬として発見され使用される過程でRAに対する治療効果が認められた。注射薬。 ・関節炎症部位でマクロファージや好中球を抑制しリウマトイド因子を低下させるが、詳細な作用機序は不明。 ・金が体内の硫黄に対し高親和性を示し、種々のSH酵素を阻害するという報告もある。 ・抗RA効果の強さは中程度で、効果発現は遅い（3カ月～）。

オーラノフィン	・経口可能な金化合物。 ・リウマトイド因子増加、補体活性化などの異常な免疫反応を是正する。抗炎症作用も有する。詳細な機序は不明。 ・抗 RA 効果は弱く、発現は遅い（3～6 カ月）。

〈SH 化合物〉

ペニシラミン	・ペニシリン服用患者の尿から見出されたペニシリン代謝物で、SH 基を 1 個有する。 ・ヘルパー T 細胞を介して細胞性免疫系に作用して免疫抑制作用を示すが、詳細な作用機序は不明。 ・メルカプト基により、免疫複合体内のジスルフィド結合（S–S）を解離させる。 ・銅、水銀、亜鉛、鉛などの重金属と可溶性キレート錯体を形成し尿中排泄を促すので、重金属中毒や銅沈着を主徴とするウイルソン病に用いられる。 ・抗 RA 効果は中程度で、発現は中程度（1～3 カ月）。
ブシラミン	・SH 基を 2 個有する。 ・SH 基が免疫複合体やリウマトイド因子のジスルフィド結合（S–S）を解離させる。 ・ペニシラミンよりも重篤な副作用が少ない。 ・抗 RA 効果は中程度で、発現は中程度（1～3 カ月）。

〈その他の免疫調節薬〉

ロベンザリット二ナトリウム	・サプレッサー T 細胞の分化誘導を促進し、III 型および IV 型アレルギーが関与する免疫異常を正常化する。 ・抗 RA 効果は弱く、発現は遅い（3～6 カ月）。 ・腎障害もあるため推奨されていない。
アクタリット	・サプレッサー T 細胞の分化誘導を促進し、免疫異常を正常化する。 ・抗 RA 効果は弱く、発現は遅い（3～6 カ月）。
サラゾスルファピリジン	・抗炎症作用を有する 5-アミノサリチル酸（メサラジン）と抗菌作用を有するスルファピリジンをアゾ結合させた化合物。 ・T 細胞およびマクロファージでのサイトカイン（IL-1, 2, 6）産生を抑制して、異常な抗体産生を抑制する。抗炎症作用も有する。詳細な作用機序は不明。 ・抗 RA 効果はサラゾスルファピリジン自身の作用による。 ・潰瘍性大腸炎にも用いるが、その作用は活性代謝物の 5-アミノサリチル酸（メサラジン）による。 ・抗 RA 効果は中程度～強力で、発現は比較的速い（1～2 カ月）。

イグラチモド	・免疫グロブリンや炎症性サイトカイン（TNFα，IL-1β，IL-6など）の産生を抑制する。 ・転写因子NFκBの活性化を阻害する作用の関与が示唆されている。 ・免疫抑制薬に比べてリンパ球の増殖抑制作用は弱い。〈薬物相互作用〉ワルファリンの抗凝固作用を増強し出血を起こす。

〈免疫抑制薬〉

ミゾリビン	・核酸のプリン合成系を阻害する代謝拮抗物質 ・核酸の合成を阻害することによりリンパ球の増殖を抑制し、非特異的な免疫抑制作用を示す。 ・抗RA効果は弱く、発現は遅い（3～6カ月）。
メトトレキサート	・葉酸代謝拮抗作用に基づく抗悪性腫瘍薬。 ・現在、早期から抗リウマチ薬の主流（標準治療薬）。 ・RAに対する効果は、①抗体産生及びリンパ球増殖の抑制、②血管内皮細胞及び滑膜線維芽細胞の増殖抑制、③炎症部位への好中球遊走の抑制（一部はアデノシン遊離を介する）、④マクロファージによるIL-1産生の抑制、⑤ヒト滑膜線維芽細胞によるコラゲナーゼ産生の抑制などの作用に基づくと考えられている。 ・抗RA効果は強く、発現は比較的速い（2～4週）。
レフルノミド 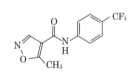	・プロドラッグ。 ・活性代謝物（A771726）がピリミジン de novo 生合成に関与する酵素ジヒドロオロテートデヒドロゲナーゼ（DHODH）の活性を阻害することにより、RAの原因とされている自己反応性のリンパ球の増殖抑制作用を示す。活性化リンパ球の増殖には de novo 経路による UMP 合成が必要である。 ・抗RA効果は強く、発現は比較的速い（2～4週）。 ジヒドロオロト酸 →（DHODH）→ オロト酸 → ウリジン一リン酸（UMP）
タクロリムス水和物 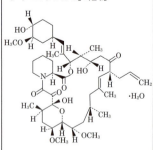	・臓器移植後の拒絶反応を抑制する薬として広く用いられている。RAに適応追加された。 ・ヘルパーT細胞内でFKBP（FK506結合タンパク質）と複合体を形成して、カルシニューリン（Ca^{2+}依存性セリン/トレオニンホスファターゼ）を阻害する。その結果、IL-2遺伝子に働く転写因子NF-AT（nuclear factor of activated T cells）の核内移行が阻害され、IL-2の産生が抑制される。 ・炎症性サイトカイン（TNF-α，IL-1β，IL-6など）の産生も抑制する。 ・主にT細胞に作用し、免疫系以外の骨髄細胞などへの影響が少ない。 ・抗RA効果は強く、発現は比較的速い（2～4週）。

④生物学的製剤
〈TNF 阻害薬〉

インフリキシマブ アダリムマブ	・遺伝子組換え抗ヒト TNF αモノクローナル抗体。 ・インフリキシマブはキメラ型抗体（マウス＋ヒト）でメトトレキサート（MTX）と併用。MTX 併用の目的は、①インフリキシマブに対する抗体産生を抑制するため、②より強力な効果を得るため。アダリムマブとゴリムマブはヒト抗体で原則 MTX 併用不要。 ・可溶性および膜結合型 TNF-αに特異的に結合し、TNF-αの作用を妨げる。 ・抗 RA 効果は強く、発現は比較的速い（1〜4 週間）。 ・インフリキシマブは、関節リウマチのほかに、ベーチェット病、クローン病、潰瘍性大腸炎にも使用される。
セルトリズマブ ペゴル	・ヒト化 TNF モノクローナル抗体の Fab' 断片にポリエチレングリコール（PEG）を結合させた抗 TNF αモノクローナル抗体製剤。 ・Fc 領域がないため、抗原性が低下。 ・PEG が結合しているため、抗体分子として安定性と持続性が高まっている。
エタネルセプト	・ヒト IgG1 の Fc 領域と、ヒト TNF Ⅱ型受容体（TNFR-Ⅱ）の細胞外ドメイン（可溶性部分）二量体を融合させた遺伝子組換えタンパク質。 ・TNF 可溶性受容体部分が、おとり受容体として、TNF-αおよび TNF-β（リンホトキシン（IL）-α）を捕捉し、細胞表面の受容体との結合を阻害する。 ・抗 TNF α抗体と違い、TNF-α／β両方の作用を妨げられる。 ・すべてヒトタンパク質でできているので、MTX 併用は原則不要。 ・抗 RA 効果は強く、発現は比較的速い（1〜4 週間）。
オゾラリズマブ	・ラクダ科動物のラマから得られた 3 種類の重鎖抗体；(heavy chain antibody) の可変領域ドメイン（VHH；Variable domain of Heavy chain of Heavy chain antibody）を融合して作られた一本鎖三価二重特異性モノクローナル抗体。具体的には、全部で 363 個のアミノ酸残基から成るが、1〜115 番目はヒト化抗ヒト TNF αナノボディ、125〜239 番目はヒト化抗ヒト血清アルブミンナノボディ、そして 249〜363 番目は別種のヒト化抗ヒト TNFαナノボディに相当する。 ・作用機序は、既存の抗 TNFα薬とほぼ同じではあるが、2 つの抗 TNF αナノボディ領域が TNFαの異なる部分に結合することで TNFαを強力に阻害するとともに、アルブミンと結合することで血中半減期が長くなっているため、4 週間毎の皮下投与で有効である。 ・2022 年 12 月発売。

〈IL-6 阻害薬〉

トシリズマブ サリルマブ	・遺伝子組換え抗ヒト IL-6 受容体モノクローナル抗体。 ・トシリズマブはヒト化抗体で、サリルマブはヒト抗体。 ・可溶性および膜結合型 IL-6 受容体に特異的に結合し、IL-6 と受容体の結合を阻害し、IL-6 の作用発現を抑える。 ・抗 RA 効果は強く、発現は比較的速い（1〜4 週間）。

※抗体医薬品のうち、マウス抗体は〜 omab (o=mouse)、キメラ抗体は〜 ximab (xi=chimeric)、ヒト化抗体は〜 zumab (humanized)、ヒト抗体は〜 umab (u=human) と命名される。

〈T細胞選択的共刺激調節薬〉

アバタセプト	・CTLA-4 (Cytotoxic T-Lymphocyte Antigen 4) は、活性化されたT細胞表面に発現されるT細胞の活性調節タンパクで、CD28分子と競合して抗原提示細胞上のCD80/86に結合して選択的に共刺激シグナルを阻害しT細胞の活性化を抑制する。アバタセプトは、ヒトIgG1のFc領域と、ヒトCTLA-4の細胞外ドメインを融合させた遺伝子組換えタンパクで、CD80/86に結合してT細胞の活性化を抑制する。その結果、炎症性サイトカインの産生や組織破壊に関与する炎症性エフェクター細胞の活性化も抑制する。 ・抗RA効果は強く、発現は比較的速い（2〜6週間）。 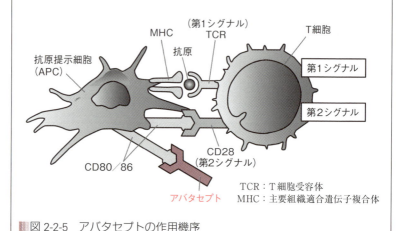 図2-2-5　アバタセプトの作用機序

⑤ JAK（ヤヌスキナーゼ）阻害薬

トファシチニブ バリシチニブ ペフィシチニブ ウパダシチニブ フィルゴチニブ	・ヤヌスキナーゼ（JAK：Janus kinase）阻害薬 ・JAK-STAT経路を利用するサイトカインによる細胞内のシグナル伝達を選択的に阻害する（JAK1,2,3を阻害）。 ・JAK阻害によって、IL-2,4,7,9,15,21など共通のγ鎖を有するサイトカイン受容体を介したシグナル伝達が遮断される。そのためリンパ球の活性化、増殖および機能発現や、IL-6やインターフェロンなどの作用も抑制される。 ・トファシチニブはJAK1、JAK2、JAK3とも阻害するが、JAK1とJAK3に対する阻害作用が比較的強い。バリシチニブはJAK1とJAK2に高い選択性を有する。 〈臨床適用〉メトトレキサートなど既存治療で効果不十分な関節リウマチに使用・経口投与（1日2回）。肝・腎機能障害患者には減量。 ・免疫抑制作用を有する他の薬物とは併用しない。 ・CYP3A4による代謝を阻害するので、薬物相互作用に注意する。 〈副作用〉感染症の発現あるいは悪化、悪性腫瘍の発現の可能性

※ 2021年4月に、バリシチニブが「SARS-CoV-2による肺炎（ただし、酸素吸入を要する患者に限る）」に適応拡大された。

トファシチニブ　　バリシチニブ

2 免疫・アレルギーに作用する薬

CHECK

次の記述について、正しいものには「○」を、間違っているものには「×」をつけてその理由を簡潔に述べなさい。

1　ケトチフェンは、リンパ球からのサイトカイン遊離抑制作用を有し、アレルギー性鼻炎の予防に有効である。
2　フェキソフェナジンは、ヒスタミンおよびロイコトリエン遊離抑制作用を有し、I型アレルギー反応を抑制する。
3　ロラタジンは、第一世代抗ヒスタミン薬に比べて、眠気を生じやすい。
4　オザグレルは、トロンボキサン受容体拮抗薬で、アレルギー性気管支ぜん息における気道過敏性を抑制する。
5　プランルカストは、ロイコトリエン受容体を遮断する。
6　スプラタストには、インターフェロン-γ（IFN-γ）の産生を阻害する作用がある。
7　シクロスポリンは、Tリンパ球内のシクロフィリンと結合し、カルシニューリンを阻害する。
8　非ステロイド性抗炎症薬（NSAIDs）は、抗炎症作用により関節リウマチの経過（関節破壊）を食い止めることができる。
9　疾患修飾性抗リウマチ薬は、速効性に関節リウマチの免疫異常を是正する。
10　ブシラミンは、免疫複合体のジスルフィド結合を解離させる。
11　サラゾスルファピリジンは、体内で活性代謝物の5-アミノサリチル酸に変化して、抗リウマチ作用を発揮する。
12　メトトレキサートは、リンパ球の増殖抑制作用が弱い。
13　インフリキシマブは、キメラ型抗ヒトTNFαモノクローナル抗体である。
14　エタネルセプトは、おとり受容体としてTNFαおよびTNFβ（ILα）を捕捉する。
15　トシリズマブは、ヒトIL-6に対する抗体である。

【解答】
1　×　肥満細胞や好塩基球からのヒスタミンやロイコトリエンなどの遊離阻害により、アレルギー性鼻炎の予防に有効。
2　○
3　×　催眠作用が少ない。
4　×　オザグレルは、トロンボキサン合成酵素阻害薬。
5　○
6　×　Th2細胞からのインターロイキン-4およびインターロイキン-5の産生を抑制する。
7　○
8　×　NSAIDsは痛みの除去に有効だが、関節リウマチの進行を抑制できない。
9　×　DMARDsは遅効性である。
10　○
11　×　サラゾスルファピリジンの抗リウマチ効果は、それ自身の作用による。
12　×　メトトレキサートは、葉酸代謝拮抗により強力な細胞増殖抑制作用を示す。
13　○
14　○
15　×　トシリズマブは、ヒトIL-6受容体に対する抗体である。

3 骨・カルシウムに作用する薬

> **到達目標**
> - 骨粗しょう症治療薬の薬理（薬理作用、機序、主な副作用）を説明できる。
> - カルシウム代謝異常に関連する治療薬の薬理（薬理作用、機序、主な副作用）を説明できる。

1. 骨粗しょう症治療薬

1）骨代謝

> 骨の組成：骨基質（コラーゲン、オステオカルシン）に骨塩（ヒドロキシアパタイト；水酸化リン酸カルシウム塩）が沈着して形成（骨形成）

オステオカルシンは分子中にγ-カルボキシグルタミン酸を含むアミノ酸49～50残基、分子量約5,900のカルシウム結合タンパク質で、骨芽細胞でのみ産生される。オステオカルシンの合成は活性型ビタミンD_3によって促進される。骨芽細胞で合成されたオステオカルシンは細胞内でビタミンK依存性カルボキシラーゼにより17, 21, 24位のグルタミン酸がγ-カルボキシ化（Gla化）されてカルシウムポケットを形成し、ヒドロキシアパタイトと結合して骨に蓄えられる。低カルボキシ化オステオカルシンは骨基質と親和性が弱く、血中に放出される。

骨組織は骨代謝回転（リモデリング、骨形成と骨吸収）により更新、維持されている（正常状態ではリモデリングは動的平衡にあり、骨量は一定に保たれている）。骨代謝回転では、破骨細胞が古くなった骨を溶解して（骨吸収：血液中にCa放出）、その後、骨芽細胞が溶解面に新たに骨塩を沈着させる（骨形成）。

〈骨代謝と血清Ca^{2+}の調節〉
- カルシトニンは血清Ca^{2+}の上昇によって分泌が促進され、破骨細胞の受容体を刺激して骨吸収を抑制し、血清Ca^{2+}濃度を低下させる。
- エストロゲンは破骨細胞の受容体を刺激して骨吸収を抑制する。
- 副甲状腺（上皮小体）ホルモン（パラトルモン）は、血清Ca^{2+}低下によって分泌が促進され、間接的に破骨細胞を刺激して骨吸収を促進し、血清Ca^{2+}濃度を上昇させる。
- ビタミンD_3は肝で代謝されて25-OHビタミンD_3となり、さらに腎で代謝されて活性型ビタミンD_3（1, 25-OHビタミンD_3；カルシトリオール）となる。
- 活性型ビタミンD_3は細胞質受容体と結合して核の遺伝子転写を活性化し、

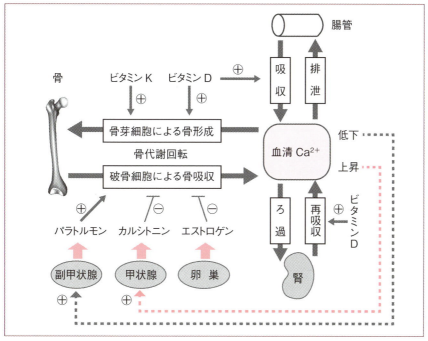

図 2-2-6　骨代謝と血清 Ca^{2+} の調節

骨芽細胞を直接刺激して骨形成を促進する。また、小腸上皮細胞のカルシウム結合タンパク質の合成促進によりカルシウム吸収を促進し、副甲状腺に作用してPTHの合成・分泌を抑制する。最終的に血清 Ca^{2+} 濃度を上昇させる。
- ビタミンKはオステオカルシンのカルボキシ化を介して骨形成を促進する。

2）骨粗しょう症

骨粗しょう症は「低骨量と骨組織の微細構造の異常を特徴とし、骨の脆弱性が増大し、骨折の危険性が増大する疾患」と定義される(WHO)。

骨強度は、骨塩（骨密度：70%、リン酸Caなど）＋骨基質（骨質：30%、コラーゲンやオステオカルシンなど）の要因で規定され、骨強度の低下は骨塩の低下と骨基質の脆弱化によって生じる。骨量は、骨基質量と骨塩量を足したもので、骨粗しょう症では、骨量の低下が起きるが、骨の質的変化はほとんどみられない。つまり骨基質と骨塩の量がバランスよく減る。

要約すると、骨粗しょう症は、骨形成と骨吸収のバランスが崩れ、骨形成より骨吸収が大きくなり、骨量の低下と骨微細構造の劣化を生じ、骨折リスクが増加した状態と定義できる。

〈骨粗しょう症の分類〉

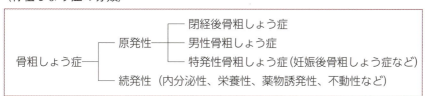

3) 骨粗しょう症治療薬

（退行期）骨粗しょう症治療薬は、①骨吸収抑制薬、②骨形成促進薬、③その他に分けられる。

骨吸収抑制薬	ビスホスホネート（アレンドロン酸、リセドロン酸）、ラロキシフェン、カルシトニン、イプリフラボン
骨形成促進薬	テリパラチド、ビタミン D_3 製剤、ビタミン K_2 製剤
その他	カルシウム製剤

①ビスホスホネート（ビス剤）

薬物	第一世代：エチドロン酸…窒素を含まない。安全域が狭く現在は使用されなくなった。 第二世代：アレンドロン酸、パミドロン酸、イバンドロン酸…窒素を含む。 第三世代：リセドロン酸、ミノドロン酸、ゾレドロン酸…環状窒素を含む。
作用機序	・骨表面のヒドロキシアパタイトに結合し、骨吸収の際に破骨細胞に取り込まれて、破骨細胞の機能を抑制したり、波状縁（骨吸収面）を消失させて破骨細胞のアポトーシスを誘導する［骨吸収抑制］。 ・破骨細胞中のメバロン酸代謝経路にあるファルネシルピロリン酸合成酵素を阻害して、ファルネシルピロリン酸やゲラニルゲラニルピロリン酸を減少させることによって、低分子GTP結合タンパクのプレニル化を阻害し、破骨細胞の機能障害やアポトーシスを誘導すると考えられている。ビスホスホネートにより誘導される破骨細胞のアポトーシスはゲラニルゲラニルピロリン酸の添加によって回復する。
特徴	・閉経後骨粗しょう症以外の骨粗しょう症の第一選択薬 ・骨密度増加作用も認められる。 ・①Caなど食物中の金属と結合して吸収が阻害されるので、服用前後の摂食を避ける（起床後、飲食前に服用する）。服用後30分は水以外の飲食は避ける。 ②食道に貯留すると粘膜細胞を傷害して食道炎や食道潰瘍を起こすことがあるので、立位あるいは座位で十分量（約180 mL）の水で服用して30分は横にならない。 ・アレンドロン酸、リセドロン酸は、週1回あるいは月1回投与など（食道障害は投与量より投与頻度に依存するので、週1回製剤は傷害回避に有利）。前者は点滴静注でも用い、月1回投与。イバンドロン酸は1カ月に1回静注で使用。
副作用	上部消化管障害、抜歯の後に顎骨の壊死、大腿骨の非定型骨折、肝機能障害、消化器症状

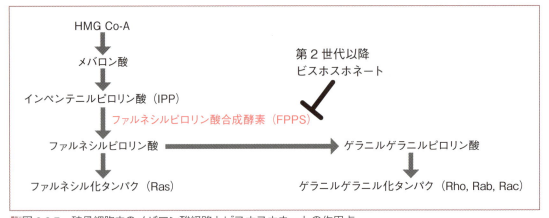

■図 2-2-7　破骨細胞内のメバロン酸経路とビスホスホネートの作用点

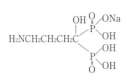

アレンドロン酸ナトリウム　　リセドロン酸ナトリウム

②エストロゲン受容体刺激薬

薬　物	ラロキシフェン、バゼドキシフェン（選択的エストロゲン受容体モジュレーター；SERM）、エストラジオール、エストリオール（エストロゲン）
作用機序	①破骨細胞のエストロゲン受容体にアゴニストとして作用して、破骨細胞の活性を抑制する（直接作用による骨吸収抑制）。 ②カルシトニン分泌を促進して、その結果破骨細胞を抑制する（間接作用）。
特　徴	〈SERM〉 ・エストロゲン受容体に結合して骨・脂質代謝にはアゴニストとして、子宮内膜・乳房組織にはアンタゴニストとして作用する（発癌のリスク回避）。 ・閉経後骨粗しょう症の第一選択薬。 ・大規模臨床試験で椎体骨折の予防効果が確認されている。 ・乳癌発生も有意に低下させる。 ・LDLコレステロールを持続的に低下させ心血管障害の予防効果も認められている。 〈エストロゲン〉 ・エストロゲンは、子宮内膜や乳房組織に作用して子宮体癌、乳癌の頻度を高めるおそれがある（骨粗しょう症治療目的の使用頻度は低い）。 ・エストロゲンは更年期障害のホルモン補充療法（HRT）に用いられる。
禁　忌	静脈血栓塞栓症、長期不動状態、抗リン脂質抗体症候群、妊婦、授乳婦
副作用	静脈血栓塞栓症、肝機能障害、乳房緊満

ラロキシフェン

③カルシトニン製剤

薬　物	エルカトニン（合成ウナギカルシトニン誘導体）、サケカルシトニン
作用機序	中枢性に痛覚の抑制系を正常化して痛覚過敏を改善（鎮痛作用）。 破骨細胞のカルシトニン受容体を刺激して細胞活性を低下させ、骨吸収を抑制する。
特　徴	・骨粗しょう症における疼痛に臨床適用 ・エルカトニンはウナギカルシトニンの合成誘導体。 ・血漿Ca低下（骨吸収抑制作用による低カルシウム血症） ・週1～2回筋注（6カ月が限度）
副作用	ショック、顔面潮紅、テタニー（低カルシウム血症性）、ぜん息発作

④イソフラボン誘導体

薬　物	イプリフラボン
作用機序	・骨に直接作用して骨吸収を抑制するとともに、内因性エストロゲンのカルシトニン分泌促進作用を増強して骨吸収を抑制する（最近、本薬の有効性のエビデンスは疑問視されている）。 ・1日3回食後内服

イプリフラボン

⑤活性型ビタミン D₃

薬　物	**カルシトリオール**（活性型ビタミン D₃、1, 25-OH ビタミン D₃）、アルファカルシドール（プロドラッグ）、マキサカルシトール、ファレカルシトリオール、**エルデカルシトール**
作用機序	・核内受容体に結合して核の遺伝子転写過程に作用して細胞活性を変化させる。 ・小腸粘膜細胞の膜カルシウムチャネルとカルシウム結合タンパクの合成促進（Ca、P　吸収促進）⇒ 血清 Ca 上昇 ← 腎遠位尿細管で Ca^{2+} 再吸収を促進 ・骨芽細胞を刺激して石灰化促進
特　徴	・アルファカルシドール（1-ヒドロキシビタミン D₃）は、肝で 25 位が水酸化されて活性型ビタミン D₃ となる（肝障害患者にはカルシトリオールを投与）。 ・エルデカルシトールは、強い破骨細胞機能抑制作用をもち骨吸収効果を有する。 ・ビスホスホネートや SERM の補助剤として使用 ・ビタミン D 欠乏性くる病・骨軟化症の治療薬
副作用	急性腎不全、肝機能障害、悪心・嘔吐、関節周囲の石灰化
相互作用	Ca 剤との併用で高 Ca 血症

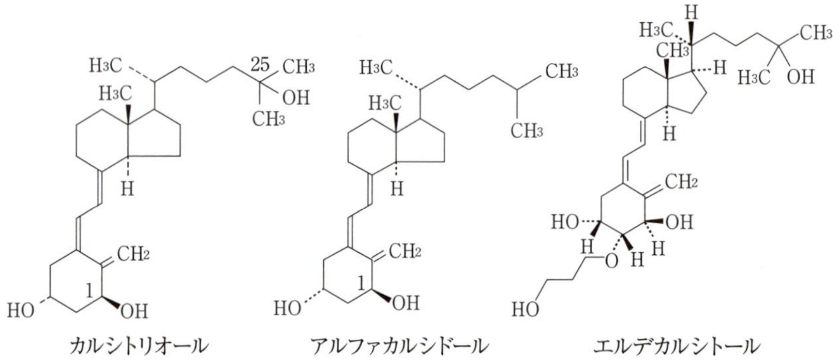

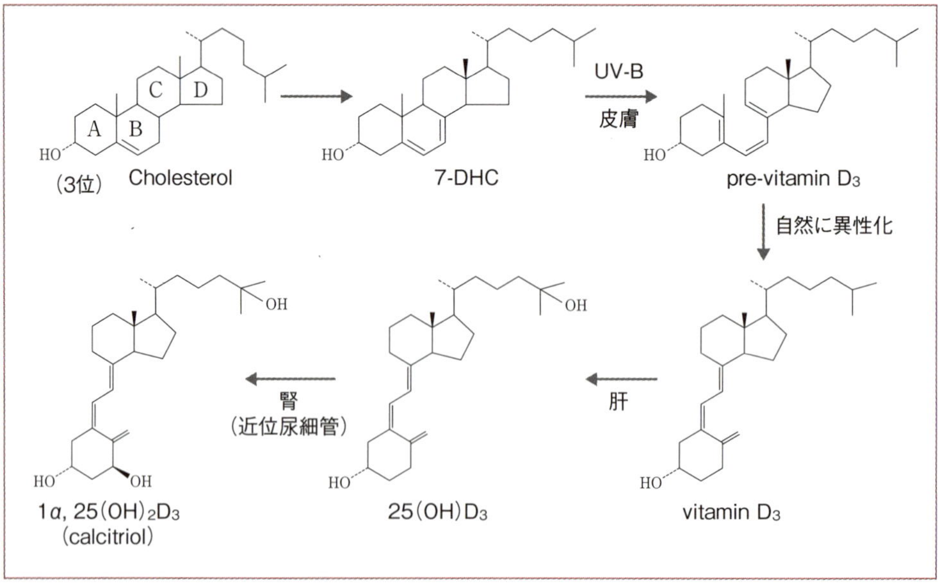

カルシトリオール　　アルファカルシドール　　エルデカルシトール

図 2-2-8　ビタミン D₃ の活性化

⑥ ビタミン K

薬　物	メナテトレノン（ビタミン K_2）
作用機序	骨芽細胞において活性型ビタミン D_3 存在下で、骨基質タンパクであるオステオカルシンの生成（グルタミン酸残基のカルボキシ化）反応の補酵素として作用し、骨形成を促進する（ヒドロキシアパタイトの骨への沈着を促進）。
特　徴	・骨折予防効果が認められている。 ・ビタミン K 摂取不足が予想される患者（肝・胆障害、抗生物質長期使用）の骨粗しょう症治療に有効。 ・食後に服用（脂溶性ビタミンであり、食事中の脂肪含量に応じて吸収増大）
相互作用	ワルファリン

メナテトレノン

⑦ 副甲状腺ホルモン類似製剤

薬　物	テリパラチド、アバロパラチド
作用機序と特徴	・ともに骨形成促進作用を示す。 ・テリパラチドは、ヒト PTH の N 末端フラグメントで、34 個のアミノ酸で構成されている。1 日 1 回の投与頻度で間欠的に投与すると、骨梁並びに皮質骨の内膜及び外膜面において骨芽細胞機能が活性化され、破骨細胞機能を上回るため、骨新生が誘発されると考えられている。 ・アバロパラチドは、ヒト PTH 関連タンパク質（hPTHrP）類縁体で、hPTHrP のアミノ酸配列の 1 ～ 34 番目に相当し、そのうち 22、23、25、26、28、29、30、31 及び 34 番目のアミノ酸残基がそれぞれ Glu、Leu、Glu、Lys、Leu、2-methylAla、Lys、Leu 及び Ala-NH2 に置換された合成ペプチド。骨芽細胞の PTH 1 型受容体に選択的に作用する。1 日 1 回の投与頻度で皮下投与すると、骨芽細胞が増加して骨形成が促進され、骨量が増加すると考えられている。 ・アバロパラチドは、2023 年 1 月発売。 ・適応：骨折の危険性の高い骨粗しょう症

⑧ カルシウム製剤

薬　物	L-アスパラギン酸カルシウム、乳酸カルシウム、リン酸水素カルシウムなど
作用機序	・Ca 剤は低下している血清 Ca 値を回復させることにより、副甲状腺ホルモン（PTH）の分泌を抑え、骨吸収作用を抑制する。
特　徴	・Ca 剤単独では、発症している骨粗しょう症患者の骨折発現を抑えることはできないので、他の骨粗しょう症治療薬の補助剤としての位置づけになる。

⑨ RANKL 阻害抗体

薬　物	デノスマブ
作用機序	・骨芽細胞で RANKL 分子の産生促進 → 破骨細胞上の RANKL 受容体（RANK）に結合 → 破骨細胞を活性化 → ①骨吸収、②破骨細胞から腫瘍増殖因子の分泌亢進 ・この過程において、デノスマブは、RANKL を阻害して、以降の反応を抑制する。
特　徴	ヒト型抗 RANKL モノクローナル抗体
適　用	骨粗しょう症、多発性骨髄腫による骨病変および固形癌骨転移による骨病変

⑩抗スクレロスチン抗体

薬　物	ロモソズマブ
作用機序 特　徴	・骨細胞から分泌されるスクレロスチンの作用を中和するヒト化モノクローナル抗体。 ・スクレロスチンは骨細胞によって骨の内部で産生される糖タンパク質で、骨形成の抑制因子として機能するので、その阻害は、骨形成を促進し、骨折リスクを低下させると考えられる。 ・「骨折の危険性の高い骨粗鬆症」を適応として、2019年3月発売。

2. カルシウム代謝異常に関連する治療薬

　カルシウム代謝異常は、副甲状腺ホルモン（パラトルモン、PTH）やビタミンDの作用障害によって生じる。さらに、近年、低リン血症性くる病・骨軟化症の惹起因子として線維芽細胞増殖因子23（Fibroblast growth factor-23；FGF-23）が同定され、病因・病態の解明に向けた研究が新たに展開されている。

1）副甲状腺機能亢進症・低下症

　副甲状腺機能亢進症では、副甲状腺の異常によってPTHが過剰に分泌されることによって骨吸収が亢進され、血中カルシウム値が高くなる。骨が弱くなり、腰痛や関節痛を起こしたり、骨折しやすくなる。尿路結石や腎結石ができて腎機能障害が起きたり、高カルシウム血症のため、疲れやすい、うつ状態、血圧上昇、悪心・嘔吐、胃・十二指腸潰瘍、筋力低下など様々な症状が現れる。副甲状腺摘出手術によって治療される。

　副甲状腺機能低下症では、PTHの分泌や作用が低下することにより、低カルシウム血症、高リン血症が起こる。治療には、血中カルシウム濃度を維持するのに有効な、活性型ビタミンD_3製剤（アルファカルシドール、カルシトリオール、「骨粗しょう症」p.208参照）が用いられる。低カルシウム血症によって引き起こされる症状を軽減するのが主目的であり、必ずしもカルシウム濃度を完全に正常化するわけではない。

　活性型ビタミンD_3を内服している副甲状腺機能低下症患者では、血中のカルシウム濃度に比べて尿中のカルシウム排泄が増えやすくなるため、腎機能低下の予防に注意が必要である。

〈エボカルセト、ウパシカルセト〉

・先に開発されたカルシウム受容体刺激薬シナカルセトと同類。副甲状腺細胞のカルシウム受容体を刺激して、PTHの分泌を抑制する。

エボカルセト

・シナカルセトが上部消化管に対する副作用を発現し、薬物代謝酵素CYP2D6を阻害するのに対して、エボカルセトは上部消化管に対する副作用が軽減され、CYP分子種に対して強い阻害作用を示さない。

・エボカルセトは、「維持透析下の二次性副甲状腺機能亢進症」を適応として、2018年5月発売。ウパシカルセトは、「血液透析下の二次性副甲状腺機能亢進症」を適応として、2021年8月発売。

〈エテルカルセチド〉
- 副甲状腺細胞のカルシウム受容体に対してアロステリックに作用し、細胞外 Ca^{2+} による受容体活性化を増強するカルシウム受容体刺激薬の合成ペプチド（7つの D-アミノ酸から成る）。PTH の分泌を抑制する。
- 2017 年 2 月発売。適応は「血液透析下の二次性副甲状腺機能亢進症」。

2）骨軟化症・くる病

ビタミン D 欠乏や代謝異常により生じる骨の石灰化障害のうち、骨成長前の小児に発症するものをくる病といい、骨成長後に発症するものを骨軟化症という。

ビタミン D は、食物から摂取すると同時に、皮膚で紫外線により合成される。天然型ビタミン D には生物学的活性は認められず、肝で 25 位が水酸化され、次いで腎で 1 位が水酸化されて、活性型の 1,25-OH-ビタミン D となる（「骨粗しょう症治療薬」p.208 参照）。

ビタミン D 欠乏に伴って起こる骨軟化症の症状は、骨脆弱性そのものによる骨折、骨変形および疼痛とビタミン D 欠乏による低リン血症に基づく筋力低下や疼痛などである。ビタミン D 欠乏により血清カルシウムが低下しても、代償的に副甲状腺機能が亢進して、症状を呈するほどの低カルシウム血症をきたすことは少ない。一方で、ビタミン D の作用不足によって腸管からのリン吸収低下に加えて、副甲状腺機能亢進により腎からのリン排泄が増加して、低リン血症が著しくなることが多い。

FGF-23 は、腫瘍性骨軟化症の惹起因子として同定されたが、先天性の低リン血症骨軟化症（くる病）では FGF-23 遺伝子変異が病態発症の原因となっていることも明らかになり、遺伝性低リン血症および腫瘍性骨軟化症を対象とした完全ヒト抗 FGF-23 抗体（ブロスマブなど）の臨床試験が進行中である。一方、ビタミン D 欠乏性の骨軟化症は FGF-23 非依存性である。

ビタミン D 欠乏性のくる病ならびに骨軟化症の治療には、活性型ビタミンD_3製剤（アルファカルシドール、カルシトリオール、「骨粗しょう症」p.208 参照）が用いられる。

3）副甲状腺癌に伴う高カルシウム血症

副甲状腺癌は、比較的の生命予後が良好であるが、再発や転移をきたした症例の多くで、コントロール困難な高カルシウム血症が問題となる。

副甲状腺細胞および腎尿細管細胞に作用し、PTH 分泌抑制と血清カルシウム低下をもたらすことが期待されるシナカルセト等が治療薬として用いられる。

〈シナカルセト、エボカルセト〉
- 副甲状腺細胞表面のカルシウム受容体は、PTH 分泌に加え、PTH 生合成及び副甲状腺細胞増殖を制御している。シナカルセトとエボカルセトは、カルシウム受容体に作用し、主として PTH 分泌を抑制することで、血清 PTH 濃度を低下させる。また、反復投与では、副甲状腺細胞の増殖を抑制する。
- 適応：維持透析下の二次性副甲状腺機能亢進症、副甲状腺癌における高カルシウム血症、副甲状腺摘出術不能または術後再発の原発性副甲状腺機能亢進症における高カルシウム血症

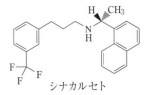

シナカルセト

2-2 免疫・炎症・アレルギー及び骨・関節に作用する薬

CHECK

次の記述について、正しいものには「○」を、間違っているものには「×」をつけてその理由を簡潔に述べなさい。

1　アレンドロン酸は、骨表面のヒドロキシアパタイトに結合して、骨吸収の際に骨芽細胞に取り込まれる。
2　リセドロン酸は、破骨細胞中のファルネシルピロリン酸合成酵素を阻害する。
3　ラロキシフェンは、破骨細胞のエストロゲン受容体を遮断して骨吸収を抑制する。
4　エルカトニンは、骨吸収を抑制するとともに、骨粗しょう症性疼痛に有効である。
5　アルファカルシドールは、肝臓で水酸化を受けてビタミンK_2になる。
6　デノスマブは、RANKL に結合して破骨細胞へのシグナル伝達を抑制し、骨吸収を抑制する。
7　カルシトリオールは、ビタミンD欠乏性のくる病ならびに骨軟化症の治療に用いられる。
8　シナカルセトは、FGF-23 受容体を遮断する。

【解答】
1　×　アレンドロン酸などのビスホスホネートは破骨細胞に取り込まれる。
2　○
3　×　ラロキシフェンは、破骨細胞のエストロゲン受容体を刺激して、破骨細胞による骨吸収を抑制する。
4　○
5　×　アルファカルシドールは、活性型ビタミン D_3 のプロドラッグである。
6　○
7　○
8　×　シナカルセトは、カルシウム受容体のアロステリック活性化薬で、副甲状腺細胞のカルシウム受容体の細胞外 Ca^{2+} 濃度に対する感度を上昇させることにより副甲状腺ホルモンの産生・分泌を減少させる。

2-3 循環器系・血液系・造血器系・泌尿器系・生殖器系に作用する薬

1 循環器系に作用する薬

到達目標
- 不整脈治療薬の薬理（薬理作用、機序、主な副作用）を説明できる。
- 心不全治療薬の薬理（薬理作用、機序、主な副作用）を説明できる。
- 虚血性心疾患治療薬の薬理（薬理作用、機序、主な副作用）を説明できる。
- 高血圧症治療薬の薬理（薬理作用、機序、主な副作用）を説明できる。
- 低血圧治療薬・末梢血管拡張薬等の薬理（薬理作用、機序、主な副作用）を説明できる。

1. 心臓と血管の基礎生理

1）血液の循環
血液の循環は心臓のポンプ作用によって行われており、その循環路は2つある。

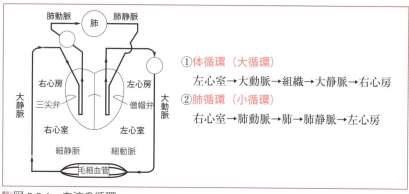

図 2-3-1　血液の循環

2）心臓の機能
心臓自体の固有の自動能と伝導速度は、生体内では交感神経系（β_1作用）によって促進性に、副交感神経系（ムスカリン様作用）によって抑制性に調節されている。

心臓は、表2-3-1に示すように独立した4つの機能をもっている。したがって"心臓が悪い"という場合、そのうちどの機能が悪いか、また"心臓の薬"という場合も心臓の4つの機能のうちどの機能に作用する薬物かを区別して考える必要がある。

■ 表 2-3-1　心臓の 4 つの機能

〈神経要素として〉

機　能	主な関与部位	現象（指標）	交感神経	副交感神経
変力作用※	固有心室	心収縮力の変化	正（β_1）	－
変時作用	洞房結節（ペースメーカー）	心拍数の変化	正（β_1）	負（M_2）
変伝導作用	刺激伝導系	興奮伝導速度	正（β_1）	負（M_2）
変閾作用	刺激伝導系各所	自動興奮性	正（β_1）	－

※ "正の"または"陽性"変力作用という場合には変力作用が増強される（収縮力増大）ことを、"負の"または"陰性"変力作用という場合には変力作用が減少（収縮力減少）されることを意味する。

3）刺激伝導系（impulse conducting system）

　心臓は自動性をもち、生体より摘出した心臓も O_2 を飽和させた栄養液中では一定のリズムで拍動を繰り返す。これは右心房壁中の洞房結節（ペースメーカー）で発生した興奮リズムが刺激伝導系を介して心臓全体に伝えられるからである（図 2-3-2）。

　刺激伝導系は神経組織ではなく、興奮を伝えるために分化した特殊心筋組織である。

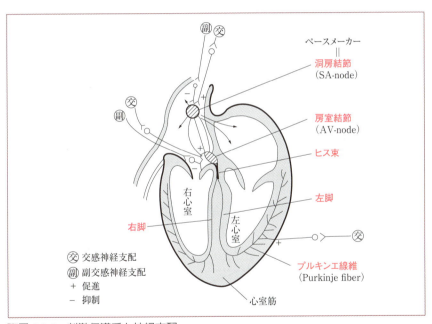

■ 図 2-3-2　刺激伝導系と神経支配

　洞房結節で発生した興奮は心房筋に伝わり、右心房、左心房がほぼ同時に収縮する。心房筋から直接心室筋に興奮が伝わることはない。
　興奮は房室結節、ヒス束に伝えられ、さらに左右両脚から細かく分枝するプルキンエ線維に達し、心室筋に伝わり、右心室と左心室がほぼ同時に収縮する。
　房室結節では興奮の伝導は特徴的に遅い。このことは次の結果をもたらす。
　①心房が収縮した後に心室の収縮が起こる。血液はこれによって心房から心室に送り込まれた後で心室は収縮し、心房と心室は交互に収縮する。
　②心房のリズムが必要以上に速くなったとき、房室結節での遅い伝導の結果、

一部の興奮リズムに フィルター効果 がかかって、適度な興奮リズムが心室に伝わっていく。

③欠点としては、薬物の副作用が房室結節で現れやすい。心抑制性の薬物によりここでの伝導が過度に抑制され、房室ブロックを招くことがある。

4）心筋の電気的活動

心筋細胞膜は興奮に伴って特徴的な活動電位を示す。

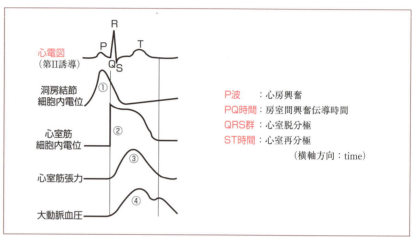

図 2-3-3　心筋細胞内電位、心電図、心室筋収縮などの関係

- 心臓各部位の細胞の電気現象のベクトル和が心電図（ECG；electrocardiogram）であり、P波は心房の興奮を、QRS群は心室の興奮を反映している。心室筋細胞の脱分極が起こると、心室筋の機械的収縮が生じ、それが収縮期血圧を生じていく。（①→④の順に反応は進行する）

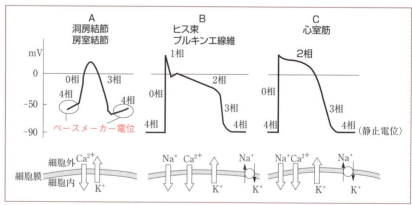

図 2-3-4　心筋細胞の活動電位

- 洞房結節細胞の活動電位は、Ca^{2+}の流入（0相）で発生する。
- 一方、心室筋細胞の活動電位は、すばやいNa^+の流入（第0相）とゆっくりしたCa^{2+}の流入（第2相）によってもたらされる。

5）心臓反射

循環反射のなかで、とくに心臓を効果器とする反射を心臓反射という。

〈ベインブリッジ反射（Bainbridge reflex）〉
- ベインブリッジ反射は、心臓（右心）に血液がたくさん戻ってくると、反射的に心拍数や心収縮力が増し、たくさんの血液を心臓（左心）から送りだすように仕組まれた一種の生体反射である。

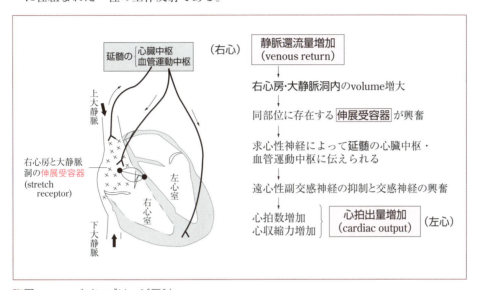

図 2-3-5　ベインブリッジ反射

6）血圧の調節機構

血管運動中枢は延髄にあり、大脳皮質や視床下部などの高次中枢の影響を受けている。

図 2-3-6 に示したように、血圧は血管の緊張度合いを示す末梢血管抵抗と、心臓から全身へ拍出される血液量（1分間）である心拍出量によってほぼ決定される（もう一つの要素として循環血液量も関係している）。

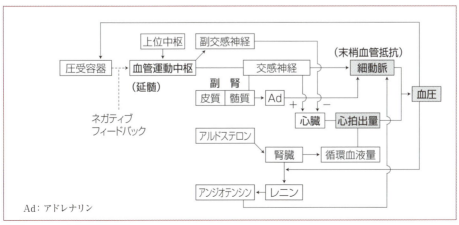

図 2-3-6　血圧調節機構

2-3 循環器系・血液系・造血器系・泌尿器系・生殖器系に作用する薬

- 心臓と血管は中枢からの自律神経支配を受けている（図2-3-7）。図の右側に示すように、心室筋と血管は原則として交感神経単独支配であり、それぞれ主として β_1 作用と α_1 作用によって興奮（促進）する。
- 一方、図2-3-7および図2-3-8に示したように、血圧を感じとる部位（圧受容器、baroreceptor）が頸動脈洞と大動脈弓に存在する。
- 血圧が高い時には求心性神経を介して中枢にこの情報を伝え、この反射調節系を介して血圧を低下させるように働く。また血圧が低い時には血圧を上昇させるように作動している。例えば、動物実験で両側総頸動脈を一時的に閉塞（BCO）すると、血圧上昇が観察される。このことはこの反射機構で説明できる。

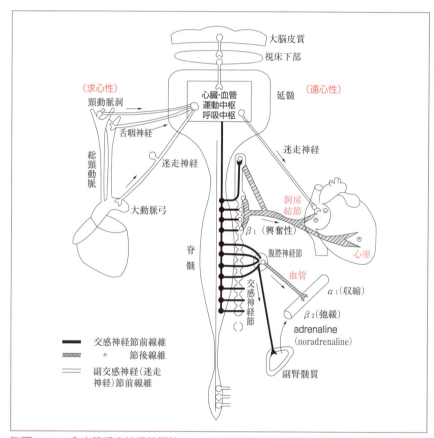

図 2-3-7　心血管系の神経性調節

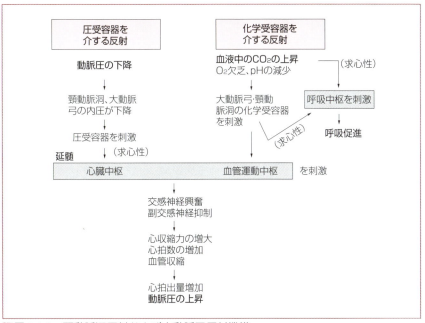

図 2-3-8　頸動脈洞反射および大動脈弓反射機構

〈参考〉　ノルアドレナリン（NA）の血圧、心拍数反応（麻酔犬）

- **ノルアドレナリン**は、血管のα受容体を介して血管収縮を起こし、末梢血管抵抗上昇により血圧を上昇させる。心臓に対しては$β_1$受容体を介して心拍数増加（洞房結節）と心収縮力増加（心室筋、心房筋）を起こす。しかし、普通ノルアドレナリンを静注すると心拍数は増加せず、図のように減少する。

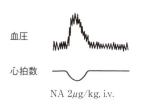

- この**心拍数の減少**はノルアドレナリンの心臓に対する直接作用では説明できない。**血圧上昇**による**反射作用**である。
- 血圧が上昇すると、頸動脈洞と大動脈弓の圧受容器が圧上昇を感知し、求心性神経を介して延髄の心臓・血管運動中枢に情報を伝える。心臓・血管運動中枢は血圧をできるだけ一定に保つため、遠心性自律神経を介してすぐに血圧下降の指令を出す。すなわち迷走神経（副交感神経）の緊張亢進を起こし、洞房結節の心拍数は反射性に減少する。この反射作用が洞房結節に対する直接刺激作用を上回ると、図にあるような心拍数の減少が出現する。
- アトロピン処置後にはこの迷走神経を介する反射は抑制され、洞房結節の$β_1$受容体に対する直接刺激がそのまま現れるため、ノルアドレナリンを注射すると心拍数は増加する。

2. 心不全治療薬

1）急性心不全と慢性心不全

心不全（heart failure）とは、心臓のポンプ機能が低下し、体の需要に応じた血液を十分に循環させられなくなった状態のことである。心不全をもたらす基礎疾患には次のようなものがある。

〈基礎疾患〉

①高血圧症	慢性的に血圧が高いために心臓に負担がかかり、心不全となる。
②冠不全（狭心症・心筋梗塞）	冠動脈狭窄により冠血流量が乏しくなり、心筋障害が起こる。
③弁膜症	心臓からの血液の拍出が障害され、心臓に負担がかかるし、血液が効率よく出ていかない。
④心筋症（拡張型・肥大型）・心筋炎	心筋の変性や炎症といった器質的障害。
⑤重症不整脈	心拍出が有効に行われない。
⑥肥満	慢性的に心臓に負担がかかる。
⑦甲状腺機能亢進症	慢性的に心機能亢進→心疲労

- 心不全のうち、心筋梗塞などにより突然発症するものが急性心不全である。血圧が急激に低下し、血液があらゆる臓器に十分供給されなくなる。尿量の低下や肺うっ血が見られることが多く、肺水腫にまで至ると生命の危険がある。
- 急性心不全の長期化、高血圧症、肥満、心臓弁膜症などが原因で心不全が長期間持続するのが、慢性心不全である。慢性心不全になると、次のような変化が認められる。

〈症状〉

①後方障害を起こす（左図）
　障害を受けた心室の血液拍出が弱いため、それより後方に血液がうっ血する。普通、うっ血性心不全と称される。

- 左心不全→肺うっ血→呼吸困難・咳・ピンク色の痰・息切れ
- 右心不全→全身静脈のうっ血→全身性浮腫（特に足で著明）、静脈怒張
- 右心不全の多くは左心不全から続発する（肺うっ血により肺高血圧症をきたすため）。右心不全のみを起こすのは、肺性心や肺梗塞などに限られる。

②代償性心肥大・頻脈を起こす
　心拍出量の減少を補おうとする現れ。心機能が低下すると次のような症状が現れる。
- 交感神経の活性化が生じる。
- レニン-アンジオテンシン-アルドステロン系が活性化する機構が働く。これ

によって血圧を上昇させようとするが、むしろ心不全に増悪的に働いていることが明らかとなっている。

- BNP（B型ナトリウム利尿ペプチド；心室から分泌）とANP（心房性あるいはA型ナトリウム利尿ペプチド；右心房から分泌）の遊離が増加。心筋に過剰な負荷が加わったとき、利尿によって体液を減らし、心負担を減少しようという機構が働く。ANPはカルペリチドという一般名で、臨床において心負担軽減や血圧下降のために使われている（腎尿細管に働いて利尿作用、血管平滑筋に働いて血管拡張作用を発現する）。BNP遊離量は心不全や心筋梗塞の重症度と相関するので、BNPはその診断薬として用いられている。ANP受容体は酵素活性内蔵型受容体であり、グアニル酸シクラーゼを含有する。cGMP生成を促進して薬理作用を引き起こす。

2）前負荷と後負荷

心臓機能を考えるうえで重要な要素に負荷（load）がある。負荷が大きいほど心臓の仕事量が増え、負担が大きくなる。前負荷と後負荷がある。

前負荷とは心臓が収縮する直前にかかる負荷で、拡張期末期の心室容積に代表される。前負荷が大きいほど心臓が駆出するべき血液量が増える。前負荷を規定する要因のひとつが、静脈還流量、すなわち拡張末期までに静脈から心臓に戻ってくる血液の量である。

後負荷とは心臓が収縮を開始した直後にかかる負荷で、左心室では大動脈圧（いわゆる血圧）、右心室では肺動脈圧に代表される。

心不全の治療においては、心臓にかかる負担、つまり前負荷と後負荷をいかに軽減するかが重要な要素となる。

3）急性心不全の治療

急性心不全に対しては、アドレナリンβ受容体刺激薬など即効性の強心薬を用いて心臓を活性化したり、即効性のニトログリセリン（p.247参照）やヒト心房性ナトリウム利尿ペプチド（human atrial natriuretic peptide；hANP）に

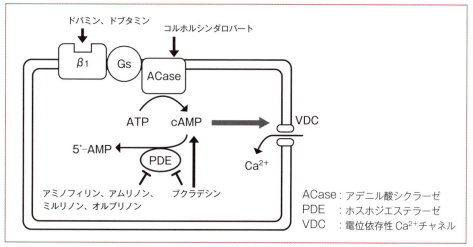

図 2-3-9　交感神経興奮様作用に関連した強心薬の作用機序

より血管を拡張させて心臓負荷を軽減して、血液の循環を維持する必要がある。強心薬は、心筋収縮力を増強させる薬物（正の変力作用を示す薬物）であり、交感神経系による心興奮作用を応用したものが多く開発されている。

①アドレナリン$β_1$受容体刺激薬：ドパミン、ドブタミン、ドカルパミン
- $β_1$受容体に作用して心収縮力を増大させるが、心拍数をあまり増加させない。
- ドパミンには、$α_1$受容体刺激作用があるため、高用量では血管収縮による昇圧作用が生じる。またドパミンは、D_1受容体刺激作用により腎動脈を拡張して、利尿効果を生じる。
- ドパミンとドブタミンは、急性心不全に静注または点滴静注で用いられる。
- ドカルパミンは、ドパミンのプロドラッグで、経口で用いられる。体内で代謝され徐々にドパミンとなり作用を発現する。ドパミンやドブタミンの点滴静注を受けている患者において点滴剤からの早期離脱が必要な場合に切り換えて用いられる。

②アデニル酸シクラーゼ活性化薬：コルホルシンダロパート

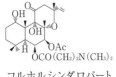
コルホルシンダロパート

- コルホルシンダロパートは、シソ科の多年草コレウス・フォルスコリの根に含まれる薬効成分フォルスコリンの水溶性誘導体。
- 心筋のアデニル酸シクラーゼ（V型）を直接活性化して、cAMP産生増加により心筋収縮力を増大させる。
- 血管平滑筋のアデニル酸シクラーゼ活性化により血管拡張を生じ、血圧を低下させることによって、心臓の後負荷減少ももたらす。
- 急性心不全に点滴静注で用いられる。

③サイクリックAMP誘導体：ブクラデシン
- ブクラデシンは、別名ジブチリルサイクリックAMPで、細胞膜を透過するように設計されたcAMPの誘導体である。
- 細胞膜を通過したブクラデシンは、細胞内でcAMPの分解酵素であるホスホジエステラーゼに結合するが、ホスホジエステラーゼによって分解されず、ホスホジエステラーゼ活性を阻害する。また、細胞内で脱アシル化酵素によって分解されてcAMPとなり、心筋収縮力増強作用と血管拡張作用を発揮する。
- 急性心不全に静注で用いられる。

④ホスホジエステラーゼ阻害薬：アミノフィリン、アムリノン、ミルリノン、オルプリノン
- アミノフィリンは、水に難溶性のテオフィリンを水溶液として用いるために作られたエチレンジアミン塩で、非選択的ホスホジエステラーゼ（PDE I～IV）阻害作用により心筋細胞内cAMPを増加させ、心筋収縮力を増大。血管拡張

作用により、心臓の後負荷減少ももたらす。
- アムリノン、ミルリノン、オルプリノンは、ホスホジエステラーゼⅢを選択的に阻害し、cAMPによる強心作用を選択的に発現するが、心拍数の増加を起こしにくい。血管拡張作用も強い。
- いずれも、急性心不全に対して静注および点滴静注で用いられる。

アミノフィリン　　ミルリノン　　アムリノン　　オルプリノン

⑤ α型ヒト心房性ナトリウム利尿ペプチド（hANP）：カルペリチド
- ANPは、心房から分泌され、利尿により体液量を減らし、心負担を軽減する効果のあるペプチドである。カルペリチドは、28個のアミノ酸から成る遺伝子組み換え型のANP製剤。
- ANP受容体に作用して、膜結合型グラニル酸シクラーゼを活性化し、細胞内cGMPの増大により、利尿作用と血管拡張作用を示す。
- 急性心不全に点滴静注で用いられる。

⑥ 硝酸薬：ニトログリセリン、硝酸イソソルビド
（「虚血性心疾患治療薬」p.241参照）
- グアニル酸シクラーゼを活性化して、血管平滑筋細胞内のcGMP量を増加させて、血管拡張作用を示す。
- 静脈拡張作用により静脈還流量を減少させることで心臓の前負荷を低下させるとともに、末梢動脈拡張作用により末梢血管抵抗（血圧）を減少させることで心臓の後負荷を低下させ、これらの作用により、心不全の血行動態を改善する。
- 硝酸イソソルビドは、ニトログリセリンより安定性に優れ、作用時間が長い。
- 急性心不全に点滴静注で用いられる。

4）慢性心不全の治療

　以前の心不全治療では、もっぱら強心薬が用いられていたが、強心薬を服用した心不全患者はむしろ寿命が短縮するという知見が報告され、慢性心不全に対しては「心臓をいかに刺激してよく働かせるか」よりも「心筋の機能をいかに長期的に維持するか」が重要と考えられるようになってきた。

　強心配糖体は、心筋収縮力を増大させる一方で、心拍数はむしろ低下させるのが特徴である。

　急性心不全から慢性心不全に移行する際に、アンジオテンシンⅡが心不全の悪化を招くと考えられ、アンジオテンシン変換酵素阻害薬やアンジオテンシン受容体拮抗薬が用いられる。

　アドレナリンβ受容体遮断薬は心筋収縮力を低下させるため、従来は心不全患者に禁忌とされてきたが、少量の長期投与ではむしろ心不全が改善されることが判明し、慢性心不全の薬として用いられるようになっている。

①アドレナリンβ_1受容体刺激薬：デノパミン
- 非カテコラミンなので、経口投与可能。慢性心不全に対して、多くの場合他剤（ジギタリス、利尿薬、血管拡張薬など）と併用される。
- β_1受容体に作用して心収縮力のみを選択的に増大させ、心拍数や血圧にはあまり影響しない。高親和性β_1受容体に作用して、Gsタンパク質から直接心筋細胞膜の電位依存性Ca^{2+}チャネルを活性化する（アデニル酸シクラーゼの活性化によらない）と考えられている。耐性を生じにくいといわれる。

②カルシウム感受性増強薬：ピモベンダン
- 心筋収縮調節タンパクであるトロポニンCのCa^{2+}に対する感受性を亢進して、心筋収縮力を増大させる。ホスホジエステラーゼⅢ阻害作用も有する。
- 急性心不全ならびに慢性心不全（軽症〜中等症）に経口投与される。

デノパミン　　　　　　ピモベンダン

③強心配糖体（ジギタリス）：ジギトキシン、ジゴキシン、メチルジゴキシン、ラナトシドC、デスラノシド
- 植物ジギタリスの葉に含まれ、強心作用を有する配糖体を総称して、強心配糖体またはジギタリスという。
- 主要な強心配糖体は化学構造に共通点があり、不飽和ラクトン環をもったステロイドである。

〈ジギタリスの構造活性相関〉
- a．A−B環結合は *cis*、B−C環結合は *trans*、C−D環結合は *cis* であること。
　（非常に折れ曲がったステロイド構造で、天然ではジギタリスだけ）
- b．C_{17}位に不飽和ラクトンがβ配位についていること。
- c．C_{14}位にOHがβ配位についていること。
- d．3位にOHまたはO−糖がついていること。
　ただし3位の糖を失ったゲニンは活性（効力、持続時間）が弱くなる。

〈強心配糖体を含有する植物・動物〉
ジギタリスプルプレア（ゴマノハグサ科）
夾竹桃（キョウチクトウ科）
福寿草（キンポウゲ科）
スズラン（ユリ科）
ガマ毒

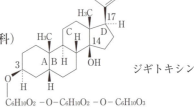

ジギトキシン

表 2-3-2　強心配糖体の化学構造と体内動態

タイプ	アグリコンにつくOH基数	名称	消化管吸収率（%）	最大効果発現時間（時間）	腸肝循環率（%）	腎排泄	効果持続時間（日）	適用
遅効型	1個（脂溶性）	ジギトキシン	90-100	6-12（遅効性）	25	遅い（尿細管再吸収）	20（蓄積）	経口 維持用量
中間型（右の4つの薬物は糖の部分の構造が異なる）	2個（中間）	ジゴキシン	50-90	2-5	5	85%が未変化体のまま腎から排泄（腎機能低下患者では慎重投与）	6	静注、経口 飽和用量、維持用量
		メチルジゴキシン	ジゴキシンより良い	ジゴキシンより良い	6			経口 他は同上
		ラナトシドC						経口
		デスラノシド						静注、筋注
速効型	5個（水溶性）	G-ストロファンチン（別名：ウアバイン）	不良（内服で無効）	0.5-2（速効性）	−	速い	1	静注 飽和用量 緊急時

- 強心配糖体は、共通して、心臓に対して4つの薬理作用を有する。

表 2-3-3　強心配糖体の心臓に対する薬理作用

正の変力作用	心筋細胞膜の Na^+,K^+-ATPase 阻害による心筋の収縮力増大
負の変時作用	圧受容器の刺激を介した反射性徐脈（間接作用）
負の変伝導作用	刺激伝統系（主に房室結節）の抑制（直接作用）
正の変閾作用	心室筋の自動興奮性の増大

- うっ血性心不全に対する強心配糖体の主な作用は、正の変力作用、すなわち強心作用により全身の血行を改善することで、低下している組織への酸素および栄養の供給が良くなることである。また、強心作用（一次作用）によってもたらされる腎血流量増大により、二次作用として利尿作用も生じ、浮腫の改善をもたらす。

- 強心配糖体は、頸動脈洞や大動脈弓の圧受容器に作用して感受性を亢進させ、延髄の心臓・血管運動中枢と迷走神経を介した反射性徐脈を引き起こす（負の変時作用）。また、房室結節を直接抑制して、負の変伝導作用を示す。不規則で早い心室拍動のリズムが、強心配糖体のこの両作用によって正常に近づくので、頻脈性の上室性不整脈（心房粗動、心房細動、発作性上室性頻拍）にも用いられる。

- ただし、強心配糖体は安全域がきわめて狭く、薬用量の1.5～3倍で中毒が起こる。また、作用の持続が長いもの（とくにジギトキシン）は、蓄積作用に注意しなければならない。

- 強心配糖体は、上室性不整脈の治療に用いられる一方で、過量だと重篤な心室性不整脈を起こす。負の変伝導作用が過度になると房室ブロックをまねき、

2-3 循環器系・血液系・造血器系・泌尿器系・生殖器系に作用する薬

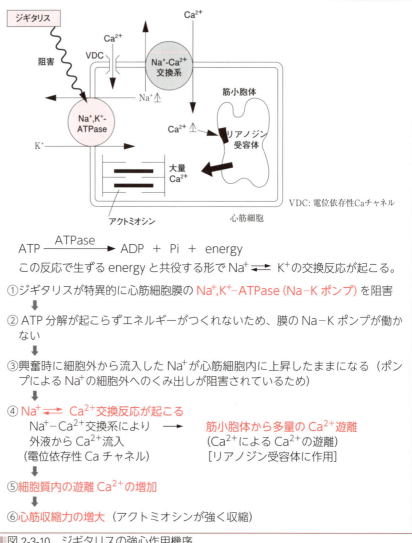

$$ATP \xrightarrow{ATPase} ADP + Pi + energy$$

この反応で生ずる energy と共役する形で $Na^+ \rightleftharpoons K^+$ の交換反応が起こる。

① ジギタリスが特異的に心筋細胞膜の $Na^+, K^+-ATPase$（Na-K ポンプ）を阻害

⇩

② ATP 分解が起こらずエネルギーがつくれないため、膜の Na-K ポンプが働かない

⇩

③ 興奮時に細胞外から流入した Na^+ が心筋細胞内に上昇したままになる（ポンプによる Na^+ の細胞外へのくみ出しが阻害されているため）

⇩

④ $Na^+ \rightleftharpoons Ca^{2+}$ 交換反応が起こる

　Na^+-Ca^{2+} 交換系により　→　筋小胞体から多量の Ca^{2+} 遊離
　外液から Ca^{2+} 流入　　　　　　（Ca^{2+} による Ca^{2+} の遊離）
　（電位依存性 Ca チャネル）　　　　［リアノジン受容体に作用］

⑤ 細胞質内の遊離 Ca^{2+} の増加

⇩

⑥ 心筋収縮力の増大（アクトミオシンが強く収縮）

図 2-3-10　ジギタリスの強心作用機序

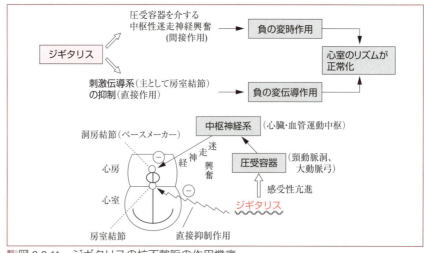

図 2-3-11　ジギタリスの抗不整脈の作用機序

正の変閾作用によって自動興奮性が増大すると心室性期外収縮が起こり、これらの相乗効果によって心室細動に至り、死亡する場合もある。
- 強心配糖体は、心電図に特徴的な変化（PQ間隔の延長、STの盆状下降、T波の平低化）をもたらす。
- 強心配糖体は、副作用として悪心・嘔吐を起こす。延髄のCTZを刺激して嘔吐中枢を刺激するとともに、経口投与の場合には胃粘膜刺激による反射性嘔吐も加わる。
- 低カリウム血症時にはジギタリス中毒が起こりやすいので、低カリウム血症患者には慎重投与。チアジド系利尿薬、フロセミドなどとは併用注意。

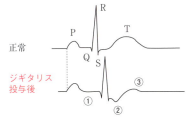

- ジギタリスは腎排泄を受け、腎不全患者では血中濃度が高くなりやすいので、慎重投与。

④**アンジオテンシン変換酵素（ACE）阻害薬**：エナラプリル、リシノプリル
アンジオテンシンⅡ受容体拮抗薬（ARB）：ロサルタン、カンデサルタン シレキセチル、バルサルタン（p.12、268～271参照）、サクビトリル バルサルタン（p.272参照）
- レニン-アンジオテンシン系が亢進すると心不全の悪化、アンジオテンシンⅡの産生を抑制すると動脈硬化の進展阻止、脳・心・腎などの臓器障害の阻止等が認められる。
- 一方、ACE阻害薬は血管拡張により後負荷も軽減する。慢性心不全に用いられる。

⑤**アドレナリンβ受容体遮断薬**：カルベジロール（$\alpha_1\beta$遮断薬）、ビソプロロール（選択的β_1遮断薬）
- β遮断薬は従来、心収縮力を低下、心拍出量を減少させるため、心不全患者への投与は禁忌とされてきた。しかし、β遮断薬を長期投与すると、慢性心不全患者の生命予後が改善されることが判明し、治療薬として用いられるようになった。
  - 【作用機序】 a．徐脈に伴う心筋酸素消費量の減少
  -           b．拡張期冠血管流量の増加
  -           c．心筋β受容体数増加→カテコラミン感受性の改善
  -           d．カテコラミン心筋毒性の抑制
  -           e．レニン-アンギオテンシン系の抑制
- 薬用量は高血圧症や狭心症に用いられる量よりも低用量で、過度の心機能低下を起こさないように注意しながら、少量（1/8量）から投与量を開始し、4週間隔で忍容性を確認しながら増量していく。

⑥**利尿薬**（p.313～320参照）
- 心不全患者のうっ血に基づく労作時呼吸困難、浮腫などの症状を軽減するのに有効である。

⑦ HCNチャネル阻害薬：イバブラジン

- HCN（過分極活性化環状ヌクレオチド依存性）チャネル遮断薬であり、洞房結節のペースメーカー電流Ifを構成するHCN4チャネルを阻害し、活動電位の拡張期脱分極相における立ち上がり時間を遅延させ、心拍数を減少させる。
- 適応：洞調律かつ投与開始時の安静時心拍数が75回／分以上の慢性心不全。ただし、β遮断薬を含む慢性心不全の標準的な治療を受けている患者に限る。
- 2019年11月発売。

イバブラジン

⑧可溶性グアニル酸シクラーゼ刺激薬：ベルイシグアト

- 可溶性グアニル酸シクラーゼ(soluble guanylate cyclase：sGC)刺激薬であり、選択的かつ特異的にsGCと結合し、濃度依存的にサイクリックGMP(cGMP)の産生を増加させる。
- 慢性心不全では、一酸化窒素(NO)の利用能障害によってsGCが十分に刺激されずにcGMPが低下し、血管収縮や心機能の低下が引き起こされているため、血管と心臓におけるcGMP産生の促進は、血管拡張と心機能改善をもたらす。
- 適応：慢性心不全。ただし、慢性心不全の標準的な治療を受けている患者に限る。
- 2021年9月発売。

ベルイシグアト

3. 不整脈治療薬

1）不整脈の種類

不整脈（arrhythmia）とは心臓の律動リズムが ①異常に速いか、②異常に遅いか、または、③不規則な場合をいう。

不整脈の診断は心電図によって行われる。

①洞房結節（ペースメーカー）での興奮形成に異常があるとき

洞性頻脈	ペースメーカーの発生するリズムが速い
洞性徐脈※	ペースメーカーの発生するリズムが遅い

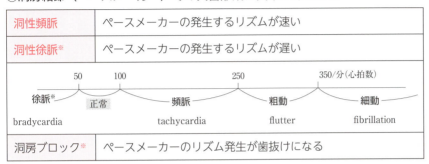

洞房ブロック※	ペースメーカーのリズム発生が歯抜けになる

不整脈の種類①～③のうち、※印をつけたものは徐脈性不整脈、残りは頻脈性不整脈。

②異所性（洞房結節以外の場所）に興奮が起こるとき

期外収縮	不整脈の中で最もよく見られる型。興奮発生の部位により心房性あるいは心室性期外収縮とよぶ。心室性期外収縮が多発すると発作性心室性頻拍や心室細動に移行するおそれがある。
発作性頻拍	上室性（心房と房室接合部）頻拍と心室性頻拍に分かれる。一時的に頻脈が発生する。
Torsades de pointes（多形性心室性頻拍）	捻れるような波形。QT延長をきたす薬物の副作用として起こることがある。
心房細動	心房全体としてのまとまった収縮が消失。心室リズム（脈拍）も速くかつ不規則になる。
心房粗動	心房の全体としてまとまった収縮がないが、部分的な心房収縮が一定の順序で速やかに繰りかえす。
心室細動	最も重篤な不整脈で、心室は小刻みな震えがみられるだけで拍動はなくなる。心室からの血液の拍出はなくなり、直ちに死亡の危険。
WPW症候群	心房と心室とを直接連結する副伝導路（Kent束）が存在する人で発生。心室の早期興奮が生ずる。デルタ波（PQ短縮、QRS延長を伴う）という特徴的な心電図がみられる。

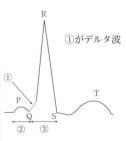

①がデルタ波

③興奮伝導異常のために起こる不整脈

房室ブロック* (A-Vブロック)	房室結節での伝導が障害されて心房のリズムが心室に正常に伝わらない。一部振り落として伝わる場合を不完全ブロック、全く伝わらない場合を完全ブロックという。後者は特に危険。
脚ブロック*	左脚または右脚の部位で伝導障害が起こる場合にみられる。

（洞性徐脈、洞房ブロック、房室ブロック、脚ブロックなど）

2）不整脈の原因

不整脈は図 2-3-12 に示したように、器質的または機能的心疾患、薬物の副作用などによって発生する。

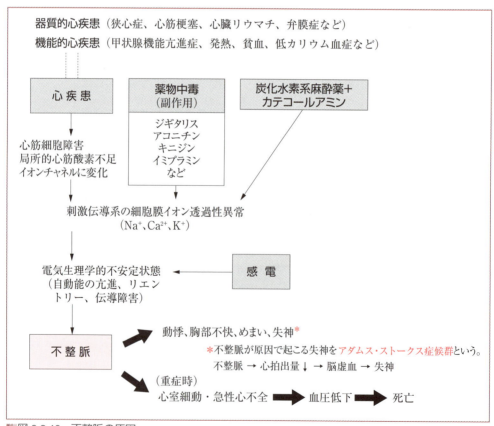

図 2-3-12　不整脈の原因

3）抗不整脈薬の分類

表 2-3-4 抗不整脈薬の分類（Ⅰ～Ⅳ：Vaughan Williams による）

クラス			薬　物
Ⅰ	Na⁺チャネル遮断薬		
	Ⅰa	（上室性・心室性）	キニジン、プロカインアミド、ジソピラミド、シベンゾリン、ピルメノール
	Ⅰb	（主として心室性）	リドカイン、メキシレチン、フェニトイン、アプリンジン
	Ⅰc	（上室性・心室性）	プロパフェノン、ピルシカイニド、フレカイニド
Ⅱ	β遮断薬（β1） （上室性・心室性）		プロプラノロール、ピンドロール、アテノロール、カルテオロール
Ⅲ	K⁺チャネル遮断薬 （心室細動など）		アミオダロン、ソタロール、ニフェカラント
Ⅳ	Ca²⁺チャネル遮断薬 （上室性）		ベラパミル、ジルチアゼム、ベプリジル
その他	ジギタリス（上室性）		ジゴキシン、メチルジゴキシン、ジギトキシン、G-ストロファンチン
	ATP製剤		ATP
	徐脈性不整脈に対して		アトロピン、イソプレナリン、オルシプレナリン

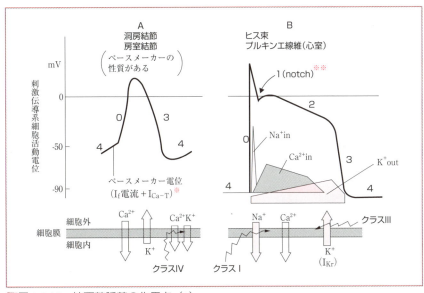

図 2-3-13 抗不整脈薬の作用点（1）

※ I_f電流：Na⁺, K⁺の流入による。
I_{Ca-T}：T型 Ca²⁺チャネルを介した Ca²⁺流入による（0相の立ち上がりはL型 Ca²⁺チャネルを介した Ca²⁺流入による）。

※※ I_{to}：第0相とプラトー相（第2相）の間にみられる切り込み（ノッチ）は、一過性外向き K⁺電流（I_{to}）によって形成される。

〈参考〉Pill-in-the-pocket 法（使用法の一部）
- 狭心症発作時にニトログリセリンを使用するときのように、発作性心房細動などの発作性不整脈の発作時に、患者自身が常時携帯している薬剤を服用させる（心電図自己検査で不整脈を確認後に）。
  例：ピルシカイニド、フレカイニド、プロパフェノン、シベンゾリン（吸収がよいので、血中濃度上昇が速やか）

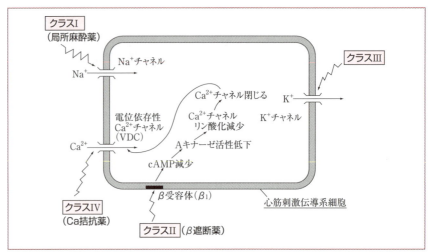

■図 2-3-14　抗不整脈薬の作用点（2）

（1）クラスⅠ抗不整脈薬

- 刺激伝導系細胞において細胞膜の電位依存性Na^+チャネル（Nav1.5）を遮断する薬物である。いいかえれば局所麻酔作用を示す薬物である。
- この心筋細胞に対する局所麻酔作用（膜安定化作用）のことを特にキニジン様作用という。Na^+チャネルが遮断されるため、活動電位の立ち上がり速度（第0相）が抑制され、伝導速度を遅くする。

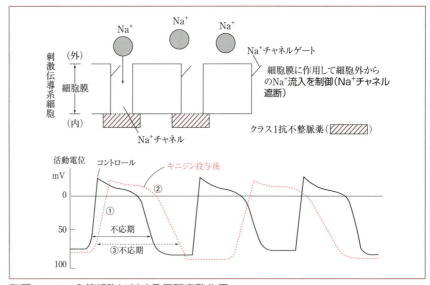

■図 2-3-15　心筋細胞に対する局所麻酔作用

①脱分極相（depolarization）の立ち上がり速度の減少
②再分極相（repolarization）の遅延（活動電位持続も延長）　｝Iaタイプ
③不応期の延長
→〔その結果〕　①異常興奮性の低下、②刺激伝導速度の遅延
→〔その結果〕　頻脈性不整脈を改善

※ Ibタイプでは、活動電位持続は短縮する（p.234参照）。
　Icタイプでは、活動電位持続時間はほとんど変化しない。

①クラスⅠa抗不整脈薬

- （活性化）Na⁺チャネル遮断に加え、K⁺チャネルも遮断するため<mark>活動電位持続時間を延長</mark>し、有効不応期も延長する。その結果、細胞の異常伝導による不整脈を抑制する。抗コリン作用をもつ薬が多い。
- <mark>キニジン</mark>はキニーネの光学異性体である。副作用として、QT間隔延長、突然の心室細動、または心室頻拍症をおこす。
- <mark>プロカインアミド</mark>はプロカインのエステル結合をアミド結合に代え、血中でのエステラーゼによる分解を阻止し、作用の持続化を図った薬である。まれにSLE様症状を起こす。
- <mark>ジソピラミド</mark>は比較的抗コリン作用が強い。血圧下降が他の薬より少ないので、使いやすい。
- その他、アジマリン（ラウオルフィアアルカロイド）、シベンゾリン、ピルメノールなどがある。

	薬理作用・機序	臨床適用
キニジン quinidine キニジンはキニーネとともにキナ皮アルカロイドである。**キニーネ**（左旋性、抗マラリア薬）の右旋性光学異性体である。 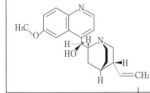	①キニジン様作用 ②抗コリン作用（弱い） 副作用 〈心副作用〉 ・QT間隔延長　　・房室ブロック→心室細動 ・心筋収縮力抑制 〈心外副作用〉 ・聴器障害（目まい、耳鳴、聴力低下）…第8脳神経障害 　・中枢…頭痛、発熱 　・消化器障害…悪心、嘔吐、下痢 　・薬物アレルギー…発疹、ショック 　・血液障害…無顆粒球症、再生不良性貧血、溶血性貧血、血小板減少症 〈禁忌〉房室ブロック、洞房ブロック、重篤な心不全	・上室性にも心室性にも有効 ・経口のみ ・原則として入院患者に用いる
プロカインアミド procainamide プロカインのエステル結合をアミド結合に代えたものであり、血中での**分解速度は遅く**、持続が長い。 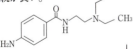	薬理作用・機序 ・キニジン様作用 臨床適用 ・上室性にも心室性にも有効 ・経口 　点滴静注 　　副作用 　　・キニジンより中枢性副作用少ない 　　・房室ブロック、心室細動 　　・まれにSLE様症状	
ジソピラミド disopyramide	薬理作用・機序 ①キニジン様作用 ②抗コリン作用 副作用　・房室ブロック、心室細動、口渇、便秘、尿閉、低血糖発現など 〈禁　忌〉 ・重篤な心不全　・高度の房室ブロック　・洞房ブロック ・緑内障　　　　・尿閉患者	・上室性にも心室性にも有効 ・経口～点滴静注 ・血圧下降が少なく使いやすい

シベンゾリン cibenzoline	薬理作用・機序 キニジン様作用 臨床適用 ・上室性にも心室性にも有効　・経口～点滴静注 ・血圧下降が少なく使いやすい 副作用　・房室ブロック、心室細動、口渇、便秘、尿閉、低血糖 　　　　　発現など

②クラスⅠb抗不整脈薬

- Na^+チャネル遮断作用によって活動電位の立ち上がりが抑制されて刺激伝導は抑制されるが、K^+チャネル開口作用も有するため活動電位持続時間は短縮される。
- 刺激伝導系細胞の活性化Na^+チャネルだけでなく、不活性化Na^+チャネルも阻害する。不活性化Na^+チャネルを阻害するため、活動電位の相対不応期を延長し、次の活動電位の発生に抑制的に作用する。
- そのため、活動電位持続時間の短い心房筋細胞には作用は弱いが、同時間の長い心室筋細胞には強く現れる。
- リドカインは局所麻酔薬としても繁用され、心筋梗塞に伴う心室性不整脈やジギタリス中毒による心室性不整脈にも有効である。心室性不整脈に対する第一選択薬とされる。静注で用いられる。
- 類似薬メキシレチンは経口剤として繁用されている。なお、メキシレチンには、糖尿病性神経障害に伴う自発痛やしびれ感の改善作用がある。

リドカイン lidocaine	薬理作用・機序 ・広義のキニジン様作用 臨床適用 ・心室性に特に有効（上室性にも用いる） ・静注か点滴静注 ・一般の局所麻酔薬としても現在の主流 副作用 ・大量で痙れん、呼吸抑制、不安、嘔吐、ショックを起こす 〈禁忌〉完全房室ブロック
メキシレチン mexiletine	薬理作用・機序 ・広義のキニジン様作用 臨床適用 ・心室性のみ ・経口、点滴静注 ・糖尿病性神経障害に伴う自覚症状（自発痛、しびれ感）にも適応。 副作用 ・中枢神経興奮作用、血圧下降 〈禁忌〉完全房室ブロック
アプリンジン aprindine	薬理作用・機序 ・広義のキニジン様作用 　臨床適用 　・頻脈性上室性不整脈、心室性不整脈 　副作用 　・徐脈など。比較的安全性が高い。

フェニトイン phenytoin（ジフェニルヒダントイン）	薬理作用・機序　[①②ともジギタリスと反対] ①房室伝導を促進 ②心室の自動興奮性を抑制 臨床適用 ・特にジギタリス不整脈に対して有効であり、ジギタリス毒性の解毒薬として用いる。 ・その他抗てんかん薬として有名 副作用 ・過敏症（発疹）　・血球減少　・神経過敏 ・歯肉肥厚（増殖）　・眼振　・運動失調

③クラスⅠc抗不整脈薬

- 活性化Naチャネルを強力に阻害する(Ic＞Ia＞Ib)。活動電位持続時間には影響しない。
- 主に自動興奮性を抑制する。興奮の伝導抑制作用も強力である。

ピルシカイニド pilsicainide	薬理作用・機序 ①Na^+チャネルを選択的に抑制 ②α、βおよびムスカリン受容体には影響ない ③主に自動興奮性を抑制して作用。興奮の伝導抑制作用も強力 臨床適用　　　　　　　　　　　　　副作用 ・頻脈性不整脈（上室性、心室性）　・心室細動 ・経口、点滴静注　　　　　　　　　・房室ブロック ・他の抗不整脈薬が使用できないか、〈禁忌〉 　無効の場合に使用　　　　　　　　・うっ血性心不全
フレカイニド flecainide	薬理作用・機序 ・①②③同上 ・頻脈性不整脈（上室性、心室性） 　　　臨床適用　　　　　　　　　　副作用 　　　・同上（点滴静注）　　　　　・同上 　　　・頻脈性不整脈（経口）　　　〈禁忌〉 　　　・他の抗不整脈薬が使用できな　・うっ血性心不全 　　　　いか、無効の場合に使用。
プロパフェノン propafenone	薬理作用・機序 ・同上。特に特徴はない。 　　　臨床適用 　　　・同上（経口投与のみ） 　　　副作用 　　　・同上

(2) クラスⅡ抗不整脈薬（β遮断薬）(p.232、図 2-3-14 参照)

- 洞房結節と房室結節でのペースメーカ電位の立ち上りを遅くして、頻脈を改善する。
- 心筋の異常自動能による不整脈が交感神経の興奮により発生した場合の治療薬である。β_1受容体を遮断して心筋の興奮を抑制する。
- カテコールアミン誘発の異所性ペースメーカ活性の抑制と不応期の延長を起こす。
- β遮断薬は特に、カテコールアミン不整脈に第一選択（例：吸入麻酔薬＋カテコールアミン）。
- 抗不整脈薬のなかでは最も徐脈作用が強いので、使用時には注意が必要である。
- クラスⅠ抗不整脈にくらべて抗不整脈作用は弱いが、催不整脈作用は少ない。
- ランジオロールは手術時の頻脈性上室性不整脈に対する緊急処置のための、作用時間が短く、β_1選択性が高い薬物として開発された。

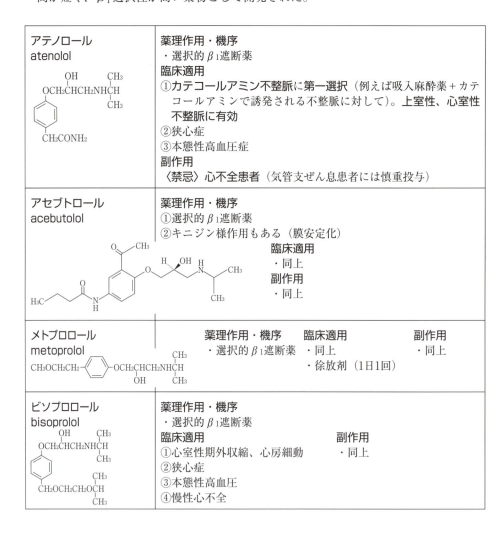

アテノロール atenolol	薬理作用・機序 ・選択的β_1遮断薬 臨床適用 ①カテコールアミン不整脈に第一選択（例えば吸入麻酔薬＋カテコールアミンで誘発される不整脈に対して）。上室性、心室性不整脈に有効 ②狭心症 ③本態性高血圧症 副作用 〈禁忌〉心不全患者（気管支ぜん息患者には慎重投与）
アセブトロール acebutolol	薬理作用・機序 ①選択的β_1遮断薬 ②キニジン様作用もある（膜安定化） 臨床適用 ・同上 副作用 ・同上
メトプロロール metoprolol	薬理作用・機序　　臨床適用　　　　　副作用 ・選択的β_1遮断薬　・同上　　　　　・同上 　　　　　　　　　・徐放剤（1日1回）
ビソプロロール bisoprolol	薬理作用・機序 ・選択的β_1遮断薬 臨床適用　　　　　　　　　副作用 ①心室性期外収縮、心房細動　・同上 ②狭心症 ③本態性高血圧 ④慢性心不全

薬物	薬理作用・機序／臨床適用／副作用
ランジオロール landiolol 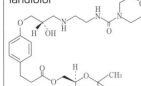	**薬理作用・機序** ①選択的β_1遮断薬 ②短時間作用型（$t_{1/2}=4$分） **臨床適用** ・手術時や心機能低下時の頻脈性上室性不整脈に用いる。（持続注入） 　手術後に長時間の不必要な心機能低下は起こさないですむ。
プロプラノロール propranolol	**薬理作用・機序** ①β_1、β_2非選択的遮断薬 ②キニジン様作用もある（膜安定化）。 **臨床適用** ・アテノロールに同じ ・主に肝（CYP2D6、CYP1A2）で代謝される。 ・高齢者では、血中濃度（AUC）が増大傾向であるため、用量に注意する。 **副作用** 〈禁忌〉心不全患者・気管支ぜん息患者
ピンドロール pindolol	**薬理作用・機序** ・β_1、β_2非選択的遮断薬 **臨床適用** ・同上 **副作用** ・同上
カルテオロール carteolol	**薬理作用・機序** ・β_1、β_2非選択的遮断薬、β内因活性（ISA）あり 　**臨床適用** 　・同上 　・緑内障（内服、点眼） 　［緑内障に用いるβ遮断薬にはほかにチモロールがある］ **副作用** ・同上。ISAがあるため心拍数はほとんど減少しないですむ。
ナドロール nadolol	**薬理作用・機序** ・β_1、β_2非選択的遮断薬 　**臨床適用** 　・アテノロールに同じ 　**副作用** 　・同上
アロチノロール arotinolol	**薬理作用・機序** ・α、β受容体遮断薬。 　遮断作用の効力は$\alpha:\beta=1:8$ 　　**臨床適用** 　　・同上 　　・本態性振戦　末梢性β_2遮断（骨格筋）により有効 　　　（BBB通過しにくい） 　　**副作用** 　　・同上

(3) クラスIII抗不整脈薬（K⁺チャネル阻害薬）（p.232、図 2-3-14 参照）

- 心筋刺激伝導系細胞膜上の電位依存性K⁺チャネル（I_{Kr}電流を選択的に）を抑制し、活動電位持続時間を延長して不応期を延長し、抗不整脈作用を示す。他剤が無効な場合に用いる。
- **アミオダロン**は薬物代謝酵素の阻害、P-糖タンパクの阻害作用を有するので、他剤との併用には注意を要する。副作用として肺線維症、間質性肺炎、肝障害、甲状腺機能異常がある。
- **ソタロール**はβ遮断作用も併せもつ。

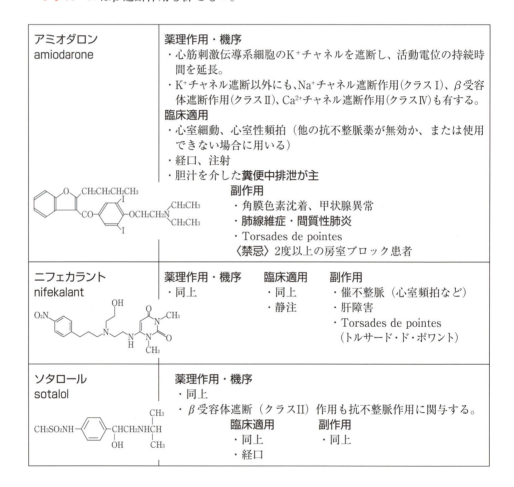

アミオダロン amiodarone	薬理作用・機序 ・心筋刺激伝導系細胞のK⁺チャネルを遮断し、活動電位の持続時間を延長。 ・K⁺チャネル遮断以外にも、Na⁺チャネル遮断作用（クラスI）、β受容体遮断作用（クラスII）、Ca²⁺チャネル遮断作用（クラスIV）も有する。 **臨床適用** ・心室細動、心室性頻拍（他の抗不整脈薬が無効か、または使用できない場合に用いる） ・経口、注射 ・**胆汁を介した糞便中排泄が主** 　　副作用 　　・角膜色素沈着、甲状腺異常 　　・**肺線維症・間質性肺炎** 　　・Torsades de pointes 〈禁忌〉2度以上の房室ブロック患者
ニフェカラント nifekalant	薬理作用・機序　臨床適用　副作用 ・同上　　　　　・同上　　・催不整脈（心室頻拍など） 　　　　　　　　・静注　　・肝障害 　　　　　　　　　　　　　・Torsades de pointes 　　　　　　　　　　　　　　（トルサード・ド・ポワント）
ソタロール sotalol	薬理作用・機序 ・同上 ・β受容体遮断（クラスII）作用も抗不整脈作用に関与する。 　　臨床適用　　　　　副作用 　　・同上　　　　　　・同上 　　・経口

(4) クラスIV抗不整脈薬（Ca 拮抗薬）（p.232、図 2-3-14 参照）

- 心筋刺激伝導系細胞、特に房室結節の細胞膜上の電位依存性L型Ca²⁺チャネル（VDC）を抑制し、細胞内へのCa²⁺流入を抑制することにより、不応期を延長させ、刺激伝導を抑制して抗不整脈作用を示す。心房細動や心房粗動に用いられる。
- **ベラパミル、ジルチアゼム**は心臓機能の抑制を示すので、徐脈や房室ブロックを起こしやすい。ジルチアゼムは血管平滑筋の弛緩作用も示す。両者ともβ遮断薬との併用には注意を要する。副作用として、頭痛、めまい、顔面紅潮、便秘、歯肉肥厚がみられる。

ベラパミル verapamil	薬理作用・機序 ①心筋刺激伝導系細胞のCa^{2+}チャネルを比較的選択的に阻害し、細胞内へのCa^{2+}流入を抑制 ②刺激伝導時間延長、不応期延長 　臨床適用 　　・上室性頻脈性不整脈 　　・狭心症 　　・点滴静注 副作用 　・心抑制（負の変力作用）、血圧低下、房室ブロック、**徐脈** 　・頭痛・めまい 　・歯肉肥厚 〈相互作用〉β遮断薬との併用は併用注意である 〈禁忌〉重症心不全、第Ⅱ度以上の房室ブロック、洞性ブロック
ジルチアゼム diltiazem	薬理作用・機序 ①心筋刺激伝導系細胞のCa^{2+}チャネルを阻害し、細胞内へのCa^{2+}流入を抑制 ②同上 ③冠血管や末梢血管一般においても電位依存症Ca^{2+}チャネルを遮断する 臨床適用 　・上室性頻脈性不整脈（点滴静注） 　・狭心症 　・本態性高血圧症 副作用 　・血圧低下・心筋収縮抑制作用 　・房室ブロック、徐脈 　・頭痛、めまい、顔面紅潮、歯肉肥厚
ベプリジル bepridil	薬理作用・機序 Ca^{2+}チャネル遮断作用（クラスⅣ）以外に、Na^+チャネル遮断作用（クラスⅠ）、K^+チャネル遮断作用（クラスⅢ）を有する。 　臨床適用 　　・持続性心房細動、頻脈性心室性不整脈 　副作用 　　・不整脈、間質性肺炎

(5) その他の頻脈性不整脈治療薬

ATP（アデノシン三リン酸）	薬理作用・機序 脱リン酸化を経てアデノシンとして作用する。 　臨床適用（添付文書の効能効果には未記載） 　　・発作性上室性頻拍（房室伝導を強力に抑制するため） 　　・半減期が短いため、急速静注で使用 　　・一時的に頻拍を抑制できてもその後の再発予防効果は期待できない。 　副作用 　　・負の変力作用がないため、血圧低下時に使いやすい。 〈相互作用〉ジピリダモールと併用注意（併用で作用が増強されるため）

(6) 徐脈性不整脈を改善する薬物

- 徐脈や心臓の刺激伝導障害による心ブロックなどには、正の変時作用や正の変伝導作用をもつ薬物、抗コリン薬としてアトロピン、$β_1$作動薬としてイソプレナリンなどが用いられる。
- これら薬物では対応しにくい場合には、人工ペースメーカー(植込み型、体外型)が用いられる。

〈参考〉電気生理学的治療機器

種類	適応	説明
除細動器	心室細動 心室性頻拍 心房細動	直流ショック(210ジュール/秒) 瞬時興奮が同期化→正常リズムに。 近年、自動体外式除細動器(AED)が各地に設置され、一般人でも使用が可能になった。
(植込み型除細動器)	〃	胸部皮下に植込み、心表面に電極。15〜20秒間細動を感じると電気ショックが加わる。
抗頻拍ペースメーカー	心室性頻拍	頻脈発作をペースメーカーが感知し、自動的にプログラムが作動し、適正なリズムを導く。
カテーテルアブレーション	上室性頻拍 心室性頻拍	上室性・心室性頻拍の起源であるリエントリー回路を焼灼する。
抗徐脈ペースメーカー	徐脈	右心耳と右心室に電極を留置(経静脈ペーシング)。皮膚下にリチウム電池を植え込む(電池寿命4〜8年)。

4. 虚血性心疾患治療薬 (Ischemic heart disease, IHD)

4-1 抗狭心症薬 (Antianginal drugs)

1) 狭心症 (angina pectoris)
(1) 冠血管 (coronary blood vessels) の構造と特徴

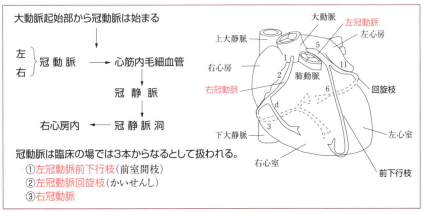

図 2-3-16　冠血管の構造

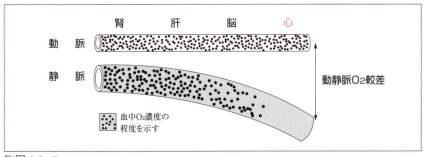

図 2-3-17

a. 心筋は血中 O_2 依存性が強い
- 心筋では動静脈O_2較差は非常に大きい。すなわち冠動脈中のO_2は、心筋を通り抜ける間にふだんでも最大限に心筋組織に取込まれる。したがって、冠静脈血にはO_2はきわめて少なく、血液の色はどす黒い。
- 心筋におけるO_2の需要が高まったとき、心筋はO_2の取込み率を上昇することによって余分にO_2を取込むことはできない（すでにふだんでも最大限取込んでいるから）。
- 多量のO_2が供給される唯一の手段は冠血流量の増加しかない。この点が他の器官と様相が異なる。
- したがって、冠血流量が増加しにくい状況に陥っている患者では、心身の労作やストレスにより心筋酸素要求が高まった場合、O_2の需要と供給のバランスが崩れ、O_2需要＞O_2供給の状態となり、心筋に破綻を生ずる。これが狭心症発作である。

b．O_2 不足で著しい冠拡張を起こす

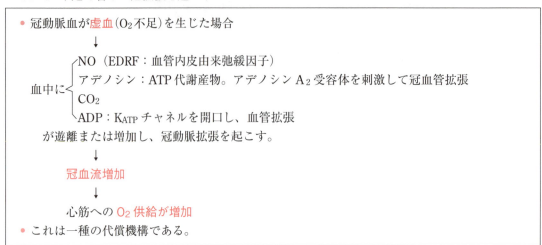

- 冠動脈血が虚血（O_2 不足）を生じた場合
  ↓
  血中に
  - NO（EDRF：血管内皮由来弛緩因子）
  - アデノシン：ATP 代謝産物。アデノシン A_2 受容体を刺激して冠血管拡張
  - CO_2
  - ADP：K_{ATP} チャネルを開口し、血管拡張

  が遊離または増加し、冠動脈拡張を起こす。
  ↓
  冠血流増加
  ↓
  心筋への O_2 供給が増加
- これは一種の代償機構である。

c．吻合（anastomose）が発達している

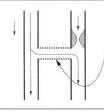

動脈硬化などで血管が障害を受けても、血管を結ぶ吻合があると、他の血管から吻合を介してバイパス血量が流れ込んできて、心筋障害を起こしにくい。
これも一種の安全弁的機能である。

d．長期的血行障害の進行中に側副血行路（吻合）が新たに形成される

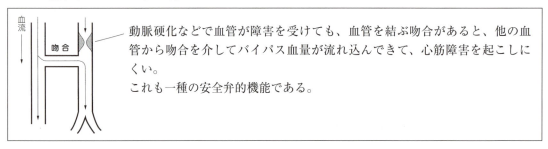

側副血行路
右側の血管が動脈硬化などで徐々に狭窄を起こしてくると、比較的近くにある血管との間で各々血管の枝を伸ばし始め、やがて結合して吻合が形成される。冠動脈ではこのような性質が強い。これも一つの安全弁である。

- 冠血管は生命維持にとって大切な血管であるので、何重にも安全弁的機構が備わっている。
- **狭心症**とは、心筋での酸素の需要と供給のバランスが崩れて、心筋収縮に必要なエネルギー産生に見合うだけの冠血流量が確保できない状態をいう。

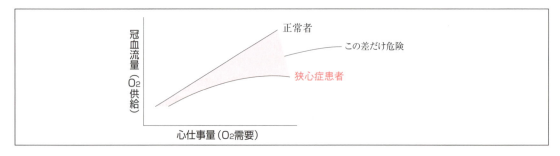

(2) 原因・誘因別分類※

分類	原因	特徴	発作時心電図変化
労作性狭心症	冠硬化が根本原因。冠動脈の太い基幹部の管腔が動脈硬化で狭窄を起こし、冠血流が極端に減少してしまう。	発作が運動、ストレス、大食、寒冷などの労作により誘発される。労作により心筋O_2の需要と供給のバランスがくずれ、心筋に虚血障害を生じる。このタイプが最も多い。	正常 → ST低下 T反転
安静時狭心症（冠攣縮性狭心症）	冠動脈の突発的な攣縮（spasm）によって動脈管腔が狭窄し、冠血流量が著明に減少してしまう。	特別な誘因がなく、安静時に発作を生ずるタイプのもの。夜間から早朝に発作の起きることが多い。異型狭心症もこの中に入る。	ST低下 T反転 あるいは ST上昇 T上昇（異型狭心症）

(3) 経過からの分類

- 安定狭心症
- 不安定狭心症：初発、増悪期 → 心筋梗塞へ移行の恐れ ┐
- 急性心筋梗塞 ┘ → 急性冠症候群

※ 両者の混合型も存在する。中高年で好発。男性は女性より3〜4倍罹患率が高い。

(4) 狭心症の症状

a．狭心痛発作

- 心虚血（低酸素状態になること）→ 嫌気性代謝産物（キニン？、プロスタグランジン？）→ 冠動脈壁刺激 → 求心性心臓神経 → 胸髄（T_1〜T_5）→ 中枢（痛覚域）
- 狭心痛は一般に"締めつけられる""はり裂けそう""鈍器で刺される"といった強烈な激痛と灼熱感であり、死の不安を感じる。普通、1回の発作の持続時間は2〜10分間である。

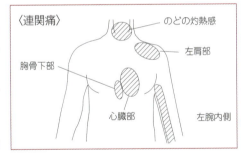

〈連関痛〉 のどの灼熱感／左肩部／胸骨下部／心臓部／左腕内側

- 脊髄の同一経路を通って痛みを感じるため、図に示したような放散痛（連関痛）が起こる。糖尿病患者や高齢者などで知覚感受性が低下している場合は、狭心痛がほとんど発現しないときもある。

b．心筋梗塞（myocardial infarction）に移行

- 狭心症が進行すると、冠動脈管腔が動脈硬化で完全に閉塞したり、硬化部位に血栓が生ずる。こうなると血流の行かない心筋部位に非可逆的変性、壊死を生じる。発作は30分〜数時間続く。
- 心不全(50％)、不整脈(80〜90％)、心原性ショック(10〜15％)、心破裂(4〜5％)などを誘発して、致死率が高い。
- 心筋酵素の血中への漏出：（経時的に）血清クレアチンキナーゼ（CK）＞AST（GOT）＞乳酸デヒドロゲナーゼ（LDH）の順に上昇する。
- 血中心筋トロポニンTの上昇：心筋トロポニンは骨格筋トロポニンとアミノ酸配列が異なり、心筋特異性の高いマーカーである。

(5) 狭心症発作の予防と治療

〈リスク・ファクター〉
　①高血圧　　②脂質異常症　　③喫煙　　④糖尿病

〈予　防〉
- 過度の労作を避ける
  精神的ストレス、過度の身体運動、疲労・寒冷などを避ける。
- 食事制限
  大食を避ける：心負担を与えないため
  過脂肪食を避ける：動脈硬化による冠狭窄の進展を防ぐため
- 禁　煙
  たばこの煙中にはニコチンが含まれる。ニコチンは交感神経節を刺激して交感神経末端からノルアドレナリンを遊離し冠血管を収縮してしまう。
  また、たばこの煙には一酸化炭素も含まれる。一酸化炭素は血管内皮細胞を傷害し、冠血管の拡張物質であるNOの産生を阻害するとともに、障害された血管壁の血中コレステロールの透過性が高まり、冠硬化を促進する。

〈治　療〉
- 経皮的冠動脈インターベンション(PCI) (バルーン法)

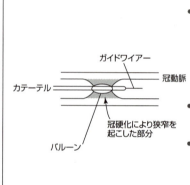

- 皮膚を切開して動脈に逆行性にカテーテルを挿入し、冠動脈の狭窄部位にカテーテル先端を置き、そこについたバルーン（風船）を外から膨らませる。物理的圧力によって狭窄部位は開大する。
- PTCAの長所は手術的侵襲が少ないことである。
- 最近はステント留置法、薬剤溶出性ステント、ロタブレーター法、冠動脈アテレクトミー、レスキュー法が採用されつつある。

- 冠動脈バイパス手術(CABG)

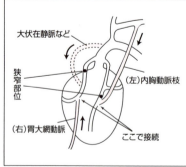

- 狭窄を起こしている冠動脈部位をバイパスするように他の血管を狭窄部位の下流に連結する。
- そのためによく使用される血管は、左内胸動脈枝と右胃大網動脈である。
- 開胸下に行う大がかりな手術であるが現在成功率は高く、その後の再発作は起きにくい。

2）抗狭心症薬

狭心症治療の基本は、次の4点に集約できる。
①心仕事量を速やかに低下させる。
②酸素不足を生じた心筋（虚血部心筋）への冠血流量を増加させる。
③冠れん縮（スパスム）を緩解し、予防する。
④長期的に抗動脈硬化と側副血行路の発達を促す。

抗狭心症薬の開発目標は

$$\frac{冠血流量（O_2 供給）}{心仕事量（O_2 需要）} \text{比}$$ を増加させることにある。

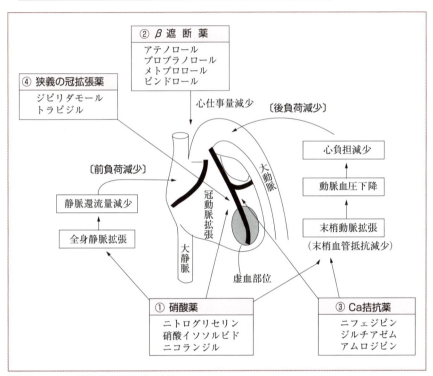

図 2-3-18　抗狭心症薬の作用点

（1）硝酸薬

- 労作性狭心症・安静時狭心症ともに有効、狭心症発作の寛解にも用いる。
- ニトログリセリン、硝酸イソソルビドなどは、血管平滑筋細胞内でSH基と反応してNOラジカルを生成し、これが血管平滑筋細胞内の可溶性グアニル酸シクラーゼを活性化する。その結果、細胞内cGMPを増加して細胞内遊離Ca^{2+}を減少することとなり、血管平滑筋弛緩を起こす（図2-3-19）。

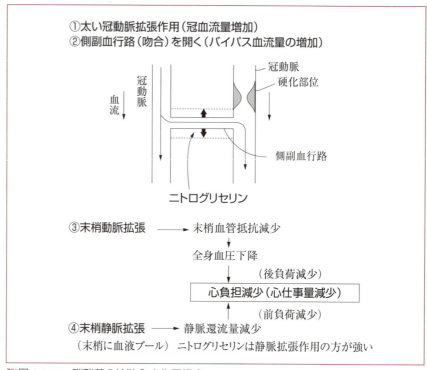

■図 2-3-19 硝酸薬の抗狭心症作用機序

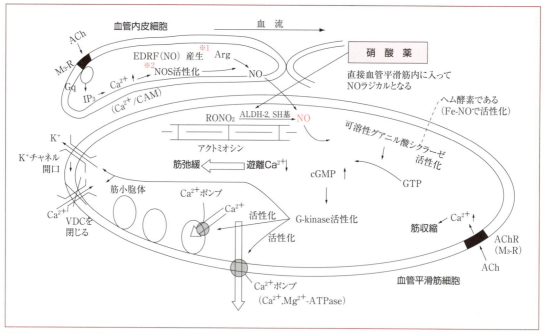

■図 2-3-20 硝酸薬の血管平滑筋弛緩の作用機序

※1 血管内皮細胞では EDRF（内皮由来弛緩因子）が内因性に産生されているが、EDRF は NO（一酸化窒素）であることがわかっている。
※2 NOS：NO 合成酵素、ALDH-2：aldehyde dehydrogenase-2

ニトログリセリン nitroglycerin CH₂ONO₂ | CHONO₂ | CH₂ONO₂ 1879年以来、狭心症の特効薬	薬理作用・機序 ①冠血管拡張作用 　比較的太い冠血管に作用する。血管平滑筋細胞でNO（一酸化窒素）ラジカルを生成し、グアニル酸シクラーゼを活性化する。その結果、cyclic GMPを増加して血管拡張を起こす。 ②冠動脈の側副血行路を開く ③末梢動脈拡張による血圧下降と、末梢静脈拡張による静脈還流量減少により心仕事量を減らす。（脳血管も拡張する） ④抗血小板作用 臨床適用 ①狭心症、心筋梗塞、急性心不全 ②舌下錠、舌下エアゾール、静注、テープ剤（内服では無効） ③舌下錠では作用発現まで1〜2分、持続は約20分（治療的） 副作用 ・頭痛、顔面紅潮、起立性低血圧、めまい ・メトヘモグロビン形成 ・耐性が生ずることがある。 〈禁忌〉 ・閉塞隅角緑内障、頭蓋内圧亢進、高度の貧血患者 ・シルデナフィルを投与中の患者
硝酸イソソルビド isosorbide dinitrate (構造式)	薬理作用・機序 ・同上 ・1つだけNO₂のついた一硝酸イソソルビドも使用されている（硝酸イソソルビドの活性代謝物である）。 臨床適用 ①は同上 ②内服、舌下錠、テープ、口腔内噴霧 ③内服（徐放剤）では作用発現まで30分、持続は12時間（予防的） 副作用 ・同上（ただし耐性はつきにくい） 〈禁忌〉緑内障、頭部外傷や脳出血（頭蓋内圧上昇のおそれ）
ニコランジル nicorandil 	薬理作用・機序 ①冠血管を比較的選択的に拡張 ②冠血管平滑筋のK⁺チャネル(K_ATP)開口→過分極（活動電位の短縮）→電位依存性Ca²⁺チャネルを閉じる→冠血管平滑筋弛緩 ③刺激伝導系のK⁺チャネル開口→再分極を早め、活動電位持続時間を短縮 臨床適用　　　副作用 ①狭心症　　　・頭痛（少ない）、顔面紅潮 ②内服注射　　　めまい 　　　　　　　・耐性はつきにくい
亜硝酸アミル amyl nitrite CH₃ 　＼ 　　CHCH₂CH₂NO 　／ CH₃	薬理作用・機序 ・ニトログリセリンと同様 臨床適用 ・液体の吸入。現在使われない。

(2) β遮断薬

労作性狭心症に有効（安静時狭心症ではむしろ悪化することがある）。

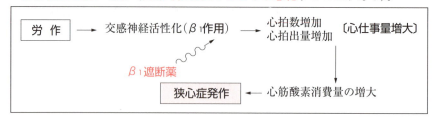

- β₁遮断作用によって、労作 → 狭心症発作の連関を断ち、心筋酸素消費量を減少する。
- 安静時狭心症の悪化の理由として、β遮断薬により血管のβ₂受容体が遮断されると、α₁受容体が優位となり、冠血管の収縮が増悪されることが考えられる。
- 安静時（異型）狭心症には、
  非選択的β遮断薬（プロプラノロール、ナドロール）：禁忌
  選択的β₁遮断薬：慎重投与

〈β遮断薬の選択〉
  ① 非選択的β遮断薬は、気管支ぜん息の悪化などの副作用を生じ、また冠血管収縮を起こしやすいので、β₁選択的遮断薬の方が狭心症には向いている。
  ② 内因性交感神経刺激作用（β作用）を合わせもつβ遮断薬（部分作動薬）は、高齢者などの心機能が低下している患者には向いている。

β遮断薬		膜安定化作用	内因性交感神経刺激作用
非選択的 （β₁, β₂）	プロプラノロール	＋	－
	アルプレノロール	＋	＋
	ピンドロール	－	＋
	カルテオロール	－	＋
	ナドロール	－	－
	ニプラジロール	－	－
	ボピンドロール（活性体）	＋	＋
選択的 （β₁）	アセブトロール	＋	＋
	アテノロール	－	－
	メトプロロール	－	－
	ビソプロロール	－	－
	ペンブトロール	－	＋
	セリプロロール	－	＋
	ベタキソロール	－	－

〈重要な基本的注意〉
- β遮断薬を突然中止すると、中断症候群として狭心症の悪化が起こる。投与を中止するときは徐々に減量しなければならない。

(3) Ca 拮抗薬

- 安静時狭心症と労作性狭心症に有効であるが、安静時狭心症発作の予防には特に効果がある。
- Ca拮抗薬は電位依存性L型Ca^{2+}チャネルを遮断し、主に心臓の抑制（洞房結節・房室結節の活動電位発生抑制、心筋収縮抑制）と血管拡張を起こす薬物である。
- フェニルアルキルアミン系（ベラパミル）、ベンゾジアゼピン系（ジルチアゼム）、ジヒドロピリジン系の3つに分類される。各系の薬物は、心筋、血管平滑筋に対する選択性が異なる。

	ベラパミル	ジルチアゼム	ジヒドロピリジン系
心臓抑制	∨	∨	∧
血管拡張	>	>	<

（作用強度：大＞小）

- ジヒドロピリジン系薬物が血管選択性が高いのは、血管平滑筋の膜電位が心室筋と比べて浅いことに関連がある。
- Ca拮抗薬の臨床適応は、不整脈、狭心症、高血圧である。

①不整脈

- 心臓の刺激伝導系に対する作用が強いベラパミル、ジルチアゼムが用いられる。洞房結節・房室結節のCa^{2+}チャネル遮断による活動電位発生抑制が主作用となる。

②狭心症

- ベラパミル、ジルチアゼム、ジヒドロピリジン系薬物が用いられる。安静時狭心症、労作性狭心症のいずれにも適応があるが、冠血管のれん縮にはL型Ca^{2+}チャネルを介したCa^{2+}流入が関与しているので、安静時狭心症に高い効果がみられる。
- 労作狭心症には心臓抑制が強いベラパミルやジルチアゼムが有効である。短時間型のジヒドロピリジン系は血管拡張による反射性頻脈により心仕事量を増加させるので狭心症を悪化させることもある。
- Ca拮抗薬は　1) 冠動脈直接拡張作用と、2) 末梢動脈拡張作用による血圧下降で抗狭心症効果を示す。
- 冠動脈拡張作用

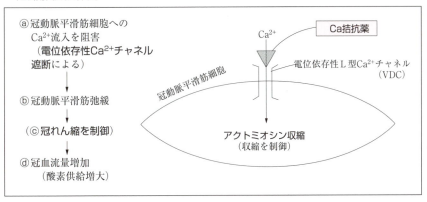

- 末梢血管拡張作用
  末梢血管拡張（動脈系） → 全身血圧低下 → 心負担軽減
  　　　　　　（後負荷減少）　　（心仕事量減少）
  　　　　　　　　　　　　　　　〔酸素需要減少〕

③高血圧
- ジヒドロピリジン系とジルチアゼムが用いられる。細動脈の拡張による末梢血管抵抗の減少が主作用である。
- Ca拮抗薬、なかでもジヒドロピリジン系薬物は、高血圧治療の中心的薬物である。ジヒドロピリジン系薬物は降圧作用による反射性の交感神経興奮、特に頻脈を起こすため、短時間作用型の薬物では特に問題となり、作用発現が穏やかで持続時間が長い長時間作用型の薬物が用いられる。

作用持続時間	短い　第一世代：ニフェジピン、ニカルジピン
	中間　第二世代：ニトレンジピン、ニソルジピン、マニジピン
	長い　第三世代：アムロジピン、シルニジピン

- シルニジピンはN型Ca^{2+}チャネル遮断作用ももち、交感神経終末からのノルアドレナリン遊離を抑制するため、頻脈を起こしにくい。

〈狭心症に用いるCa拮抗薬〉

第1世代	ニフェジピン nifedipine （ジヒドロピリジン系）	薬理作用・機序 ①血管選択性が強い。Ca^{2+}チャネルを遮断することにより、冠動脈平滑筋の弛緩を起こし、冠血流を増加する（心筋酸素供給の増加）。 ②同様に、全身の末梢動脈平滑筋の弛緩を起こし、血圧を下降し、心臓の後負荷を軽減する（心仕事量の減少）。 臨床適用　　　　副作用 ①狭心症　　　　・血圧低下 ②高血圧症　　　・頭痛、顔面紅潮 ・1日3回　　　　・めまい、便秘 ・徐放剤　　　　・歯肉肥厚 　1日1～2回　　・（反射性）頻脈（動悸）、下肢の浮腫 〈禁忌〉妊婦または妊娠している可能性のある婦人（催奇形性、胎児致死作用）
	ジルチアゼム diltiazem （ベンゾジアゼピン系）	薬理作用・機序 ①②同上 ③心機能を抑制して心筋の酸素消費量を減少させる。 ④心筋刺激伝導系の細胞に対する効果は抗不整脈薬の項を参照のこと 臨床適用　　　　副作用 ①狭心症　　　　・血圧低下 ②上室性頻脈性不整脈　房室ブロック ③高血圧症　　　徐脈 ・1日3回　　　　頭痛 ・徐放カプセル　めまい 　1日1回　　　　〈禁忌〉同上

第2世代	ニトレンジピン nitrendipine 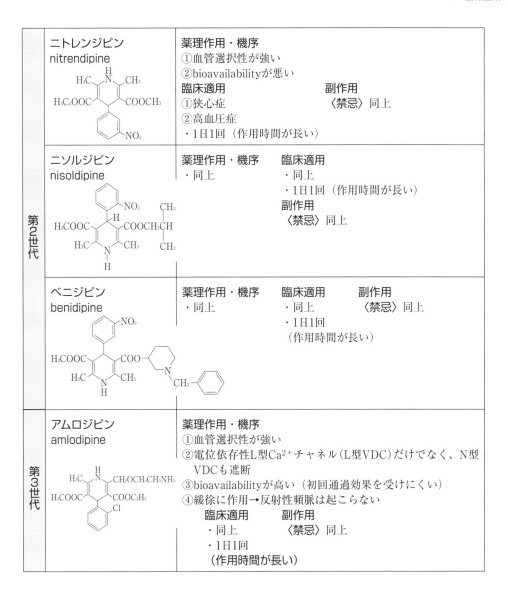	薬理作用・機序 ①血管選択性が強い ②bioavailabilityが悪い 臨床適用　　　　　　　副作用 ①狭心症　　　　　　　〈禁忌〉同上 ②高血圧症 ・1日1回（作用時間が長い）
	ニソルジピン nisoldipine	薬理作用・機序　　　臨床適用 ・同上　　　　　　　・同上 　　　　　　　　　　・1日1回（作用時間が長い） 　　　　　　　　　　副作用 　　　　　　　　　　〈禁忌〉同上
	ベニジピン benidipine	薬理作用・機序　　　臨床適用　　　　副作用 ・同上　　　　　　　・同上　　　　　　〈禁忌〉同上 　　　　　　　　　　・1日1回 　　　　　　　　　　（作用時間が長い）
第3世代	アムロジピン amlodipine	薬理作用・機序 ①血管選択性が強い ②電位依存性L型Ca^{2+}チャネル（L型VDC）だけでなく、N型 　VDCも遮断 ③bioavailabilityが高い（初回通過効果を受けにくい） ④緩徐に作用→反射性頻脈は起こらない 臨床適用　　　　副作用 ・同上　　　　　　〈禁忌〉同上 ・1日1回 （作用時間が長い）

（4）狭義の冠血管拡張薬

冠動脈を拡張することによって冠血流量を増加する薬物。

ジピリダモール dipyridamole	薬理作用・機序 ①冠動脈平滑筋細胞の直接弛緩作用 ②内因性冠拡張物質であるアデノシンの赤血球や血管壁への取込みを抑制。その結果、冠血管内にアデノシンが蓄積し、冠拡張（アデノシンA_2受容体を介して）。 ③長期投与により側副血行路の発達を促進 ④ホスホジエステラーゼ3・4を阻害し、cAMPとcGMPを増加することによって血小板凝集を阻害 …心筋梗塞にもよい（血栓形成抑制） 臨床適用 ・狭心症、心筋梗塞、血栓・塞栓 ・ネフローゼ症候群（血小板がネフローゼ発症にも関与するとされる） 副作用 ・動悸、頭痛、悪心
トラピジル trapidil	薬理作用・機序 ①冠血流量増加作用（ニトログリセリンと同様、比較的太い動脈を拡張） ②側副血行路の形成を促進 ③静脈拡張により、静脈還流量を減少し、心負担を軽減 ④トロンボキサンA_2合成阻害作用 ⑤プロスタサイクリン（PGI_2）産生 臨床適用 ・狭心症 副作用 ・胃部不快感、食欲不振、頭痛、めまい

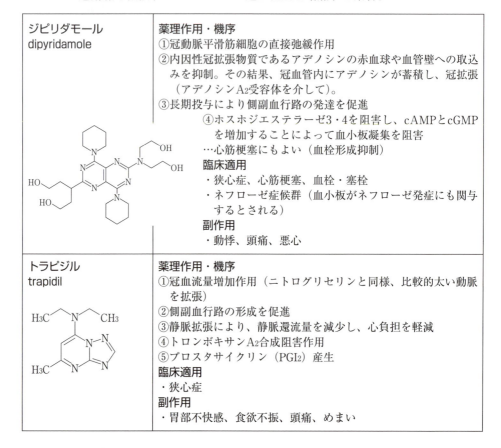

4-2　心筋梗塞治療薬(Drugs for myocardial infarction)

①ニトログリセリン
- 心筋梗塞患者では冠動脈が閉塞しているため薬物は到達できず、虚血部位の冠血管拡張は起こせない。胸痛にはこの場合無効。
- ニトログリセリン舌下錠使用後5分以上経過しても胸痛が消失しない場合、急性心筋梗塞へ移行する可能性のある不安定狭心症や急性心筋梗塞の可能性が強い。
- 急性心筋梗塞でニトログリセリンを大量点滴静注する目的は、全身血圧を下降し、心負担を軽減すること、そして梗塞の拡大防止のためである。

②強力鎮痛薬
- 発作時の激痛を和らげ、ショック等で発作が悪化するのを防ぐ。
- モルヒネ（塩酸塩水和物、麻薬）、ブプレノルフィン（非麻薬）：いずれも静注。

③抗不整脈薬
- 心筋梗塞患者の直接死因の80～90％が心室性不整脈によるので、この抑制を目的とする。
- リドカイン、アミオダロン、ソタロール、ニフェカラント

④血栓溶解薬
- 冠動脈にできた血栓を溶解することを目的とする。
- 血栓ができて6時間以内でないと効きにくい（6時間以上経つと急速に心筋壊死が起きてしまう）。
  ウロキナーゼ：点滴静注
  組織プラスミノーゲン・アクチベータ（t-PA）
    薬物名：アルテプラーゼ：静注（持続注入）
           モンテプラーゼ（改変型）：静注（1分間で投与）
    血栓中のフィブリンと親和性が高く、血栓内でプラスミノーゲンを活性化し、プラスミンを生成する。その結果、フィブリンを溶解する。
  ［禁忌］胃潰瘍、頭蓋内出血性疾患

⑤抗血小板薬
- 血小板の凝集を阻害することにより血栓の形成を抑制。ただし、できた血栓には作用しない。
- クロピドグレル、チクロピジン→ADP受容体（P2Y受容体）を遮断→血小板活性を阻害。
  アスピリン（抗血小板用）、シロスタゾール（PDE3阻害）、ベラプロストNa（PGI_2誘導体）、サルポグレラート（5-HT_2受容体遮断）
- 虚血性心疾患者において経皮的冠動脈形成術（PCI）を行う場合、クロピドグレルとアスピリン（81～100 mg）を併用処置する。クロピドグレルは、投与開始日にloading dose（300 mg経口）を投与し、その後維持量として1日1回75 mgを経口投与する。

⑥抗凝血薬
- 血液凝固を阻害することにより血栓の形成を抑制
  ヘパリン（点滴静注）、ワルファリン（経口）…〈禁忌〉出血性胃・十二指腸潰瘍

⑦アンジオテンシンⅡ受容体拮抗薬（ARB）、アンジオテンシン変換酵素阻害薬（ACEI）
- 血圧下降による心負担軽減
- 心筋リモデリング（壁肥厚・増殖）の抑制
  カンデサルタンシレキセチルなど

5. 高血圧症治療薬 (Antihypertensive drugs)

1) 高血圧症 (Hypertension)

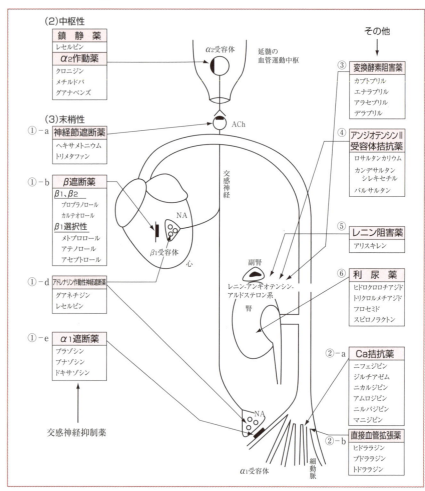

図 2-3-21　高血圧症治療薬の作用点

(1) 高血圧症とは

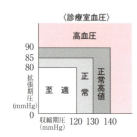

- 診療室血圧では、収縮期圧140 mmHg以上または拡張期圧90 mmHg以上 (140/90 mmHg以上)のとき高血圧症という。
- 家庭血圧(家庭での血圧測定)では、135/85 mmHg以上をもって高血圧と診断する(JSH2014ガイドライン)。
- 高血圧症は本態性高血圧症(原因不明)と二次性高血圧症(症候性高血圧症)に大別される(分類参照)。
- 症候性のものはその原因を除くことにより治療できるものがある。
- 一方、本態性高血圧症は全高血圧症の90%以上を占め、食塩制限、適性体重の維持、運動、節酒、禁煙、ストレスを避けるなどの一般的療法に加えて薬物療法が重要である。

(2) 高血圧症の分類

本態性高血圧症		遺伝要素が約70%。35～50歳頃発症
二次性高血圧症	腎性高血圧症	a. 腎実質性高血圧症（慢性糸球体腎炎・腎盂腎炎など） b. 腎血管性高血圧症（腎動脈硬化症など）
	内分泌性高血圧症	a. 原発性アルドステロン症 b. クッシング症候群 c. 褐色細胞腫 d. 甲状腺機能亢進症

(3) 患者数

高血圧症潜在患者はわが国では約4,300万人いるといわれ、高血圧症治療患者数は約700万人である。

(4) 症状

頭痛、頭重、目まい、耳鳴り、不眠、疲れやすい、肩こり、貧血など。しかし、症状が現れない患者が圧倒的に多い（したがって、長期にわたる投薬のコンコーダンス/アドヒアランスの維持が重要である）。

(5) 合併症

高血圧症を放置できないのは合併症が危険だからである。

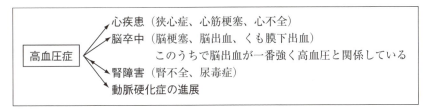

(6) 高血圧症の治療

治療目標——血圧を下げ合併症の出現を抑制すること。
　本態性高血圧症：下記(高血圧の危険因子を制御するため生活習慣を修正する)
　二次性高血圧症：一次疾患の治療を最優先する。

①食塩制限（減塩）

食塩（NaCl）の摂取は6g／日未満にする（NaClに伴い水が動くので、体内にNaClが多く入ると体内水分量も増える。循環血液量も増えて血圧は上昇する）。ただし10％の患者（主に二次性高血圧症）では減塩は有効でないといわれる（食塩非感受性高血圧症患者）。

②ストレスを避け、規則的な生活をする

交感神経活性が低下し、血圧が下降する。

③体重コントロール

BMI＜25（BMI＝体重kg／(身長m)^2）にコントロールする。

肥満＜心負担の増加
　　　インスリン分泌亢進→腎尿細管でのNa$^+$再吸収増加→体液量増加
　　　→血圧上昇（耐糖能異常）

④寒冷に注意
　冬期には寒冷で血管収縮→血圧上昇を起こしやすい。
⑤適度な運動（有酸素運動を毎日30分以上）
⑥禁　煙
　たばこの煙の中のニコチンは交感神経節刺激により交感神経末端からノルアドレナリンを放出する。またニコチンは副腎髄質からアドレナリン、一部ノルアドレナリンを放出し、ともに血圧上昇を悪化する。虚血性心疾患や脳卒中の強力な危険因子でもある。
⑦節　酒
　過度の長期的アルコール摂取→アセトアルデヒドによる交感神経刺激効果とコルチゾール分泌亢進効果→血圧上昇
⑧高血圧症治療薬の使用
　こうした「生活習慣の修正（life style modification）」を行っても血圧コントロールが不十分な場合には、高血圧症治療薬を使用する。

（7）高血圧症治療薬の使用法

診察室高血圧の程度（Ⅰ度高血圧、Ⅱ度高血圧、Ⅲ度高血圧）に加え、危険因子等の有無（リスク第一層、第二層、第三層）を考慮し、患者は低リスク、中等リスク、高リスクの3群に分類される（表2-3-5）。それら3群の患者の治療はそれぞれ以下のように行われる。

表 2-3-5　診療室血圧に基づいた心血管病リスク階層化

リスク層 （血圧以外の予後影響因子）	Ⅰ度高血圧 140-159/90-99 mmHg	Ⅱ度高血圧 160-179/100-109 mmHg	Ⅲ度高血圧 ≧180/≧110 mmHg
リスク第一層 （予後影響因子がない）	低リスク	中等リスク	高リスク
リスク第二層 （糖尿病以外の1-2個の危険因子、3項目を満たすMetSのいずれかがある）	中等リスク	高リスク	高リスク
リスク第三層 （糖尿病、CKD、臓器障害／心血管病、4項目を満たすMetS、3個以上の危険因子のいずれかがある）	高リスク	高リスク	高リスク

（高血圧治療ガイドライン2014）

- **高リスク群**：糖尿病、慢性腎障害、臓器障害／心血管病、あるいは中リスクに示す危険因子が3個以上あり：高リスク患者では、生活習慣の修正を待たずに直ちに薬物治療を開始する。なおかつ、糖尿病あるいは腎障害のある患者では130/80 mmHg以上で投与を始める。
- **中等リスク群**：肥満、喫煙、65歳以上、脂質異常症、家族歴、メタボリックシンドロームのうちの1～2個の危険因子あり：生活習慣の修正を1カ月以内試みてそれでも血圧が高い場合投薬を開始する。
- **低リスク群**：上記リスクファクターなし：生活習慣の修正を3カ月以内試みて、それでも血圧が高い場合投薬を始める。

原則として高血圧症治療薬は使い始めたら一生中止してはいけない。

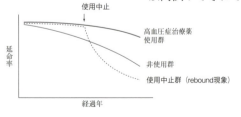

2）高血圧症治療薬
（1）高血圧症治療薬の投与法（図2-3-21）（表2-3-6）

- 最初に投与すべき降圧薬（第一選択薬）は、quality of lifeを維持しやすく効果が強いCa拮抗薬、アンジオテンシンII受容体遮断薬（ARB）、変換酵素阻害薬（ACE阻害薬）、少量の利尿薬の中から選択する。
- 患者ごとに積極的適応、禁忌、慎重投与となる病態や合併症の有無などを考慮して、適切な降圧薬を選択する。心疾患関連の積極的適応がある場合には、β受容体遮断薬も主要降圧薬となる。
- 降圧目標を達成するためには、多くの場合、異なるクラスの降圧薬2〜4薬併用が必要。併用によって降圧効果が増強され、副作用の発現が抑えられる。
- 1日1回投与を原則とする。高齢者では常用量の1/2から開始する。

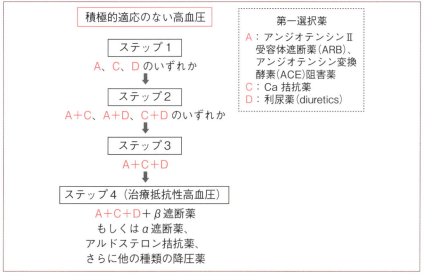

図2-3-22 積極的適応のない場合の降圧薬の選択

表2-3-6 主要降圧薬の積極的適応

		Ca拮抗薬	ARB/ACE阻害薬	チアジド系利尿薬	β遮断薬
左室肥大		●	●		
心不全			●[※1]	●	●[※1]
頻脈		●[※2]			●
狭心症		●			●[※3]
心筋梗塞後			●		●
慢性腎臓病	タンパク尿−	●	●		
	タンパク尿＋		●		
脳血管障害慢性期		●	●	●	
糖尿病/メタボリック症候群			●		
骨粗鬆症				●	
誤嚥性肺炎			●[※4]		

※1 少量から開始し、注意深く漸増する　※3 冠攣縮性狭心症には注意
※2 非ジヒドロピリジン系　　　　　　　※4 ACE阻害薬

（高血圧治療ガイドライン2014を一部改変）

(2) 中枢性降圧薬
①鎮静薬
- レセルピン (reserpine)：アドレナリン作動性神経遮断作用による末梢性降圧作用も有している。

②中枢性α₂作動薬
〈作用機序〉

① 延髄血管運動中枢のα₂受容体を刺激
　　↓
② 末梢への交感神経衝撃(インパルス)を減少
　　↓
③ 交感神経末端でのノルアドレナリン放出減少
　　↓
④ α₁作用低下　　β₁作用低下
　　↓　　　　　　↓
　　血管拡張　　　心抑制
　　　　↓
⑤ 血圧下降

- この作用機序に基づく降圧作用を"クロニジン様作用"という。

クロニジン clonidine 	薬理作用・機序 ・延髄血管運動中枢のα₂受容体を興奮させる。その結果末梢交感神経活性を抑制し、血管拡張・心抑制を起こして血圧を下降する（クロニジン様作用）。 ・α₂アゴニスト。 ・この系統の薬物は使用頻度が低下している。 臨床適用　　　　　副作用 ・各種高血圧症　　・眠気・口渇、徐脈 ・経口：1日3回　　・休薬するとリバウンド現象で血圧上昇を起こしやすい。投薬をやめる時は用量を徐々に下げること（このことは他のすべての抗高血圧症薬にも当てはまる）。
メチルドパ methyldopa	薬理作用・機序 ・中枢のアドレナリン作動性ニューロン内でα-メチルノルアドレナリンになり、神経衝撃によって放出されて延髄血管運動中枢のα₂受容体を興奮させ、クロニジン様作用を起こす。 ・妊娠高血圧症に用いられる。 臨床適用　　　　副作用 ・各種高血圧症　　・眠気、肝障害 ・経口　　　　　　・性欲減退
グアナベンズ guanabenz	薬理作用・機序 ・クロニジンとほぼ同様の作用による。 臨床適用 ・本態性高血圧症 ・1日2回 副作用 ・眠気、口渇 ・クロニジンよりリバウンド現象を起こしにくい。

(3) 末梢性降圧薬
①交感神経抑制薬（「自律神経系」参照）

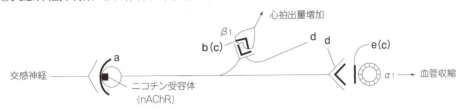

a．神経節遮断薬
- 副交感神経遮断に基づく副作用が多いことなどからあまり用いられない。カンシル酸トリメタファンが外科手術時の低血圧維持に用いられる程度。

ヘキサメトニウム hexamethonium $CH_3N^+-(CH_2)_6-N^+CH_3$ の構造 （両端 CH_3, CH_3）	**薬理作用・機序** ・節遮断により交感神経支配の優位な血管は弛緩する。また、副腎髄質からのカテコールアミン遊離も抑制され、血圧は急激に下降する。 ・作用が激しいため虚血を招き、脳などに循環障害を起こす。 ・緊急に血圧を下げる必要があるときにのみ使用。 ・血液－脳関門は不通過。 **臨床適用** ・手術時の低血圧維持などのみ **副作用** ・交感、副交感両神経の遮断による副作用が多い。 ・起立性低血圧、徐脈、インポテンツ ・口渇
トリメタファン trimethaphan （構造式）	**薬理作用・機序** ・同上 **臨床適用** ・同上 ・点滴静注 　持続がヘキサメトニウムより短い。低血圧の必要な時間だけ点滴で低血圧を維持したい時（外科的手術時） **副作用** ・四肢末梢のチアノーゼ ・呼吸停止があらわれることがある（筋弛緩薬の作用も増強）

b．β受容体遮断薬
- 交感神経活性の亢進している若年者の高血圧や、労作性狭心症、頻脈を合併している高血圧患者に用いる。降圧機序として、心拍数および心拍出量の減少とレニン分泌の抑制が主作用となる。
- 初期には末梢血管抵抗は上昇するが、長期的には元に戻る。
- β遮断薬は糖・脂質代謝に悪影響を及ぼすことがある。したがって高齢者や糖尿病を合併する患者には、第一選択薬とはならない。
- 非選択的β遮断薬は気管支ぜん息患者には使えない。選択的 $β_1$ 遮断薬は慎重に投与すればぜん息患者にも使用できる。
- ビソプロロールを除いて心不全患者には禁忌である。内因性交感神経刺激作用をもつ薬物は、過度の心抑制は起こしにくい。

薬物	薬理作用・機序など
プロプラノロール propranolol （β_1、β_2遮断薬）	**薬理作用・機序** ①心臓を抑制（β_1遮断作用）し、心拍出量を減少 ②腎の傍糸球体装置においてレニンの産生を抑制（β_1遮断作用） ③血管運動中枢のβ受容体（昇圧性）を遮断 　**臨床適用** 　①本態性高血圧症 　②狭心症（労作） 　③上室性、心室性頻脈性不整脈 ・急に服薬を中止すると狭心症の誘発や一過性の血圧上昇が起こることがある（他のβ遮断薬も同様）。 **副作用** ・眠気、頭痛、心不全、悪夢（脂溶性が高く、血液─脳関門を通りやすいため） ・使用初期には心拍出量の低下に伴って末梢血管抵抗が増加するが、その後長期使用で徐々に元に回復してくる。 〈禁忌〉 ①気管支ぜん息患者（β_2遮断作用で気管支収縮悪化） ②心不全患者（β_1遮断作用により心抑制が増強される）
カルテオロール carteolol （β_1、β_2遮断薬）	**薬理作用・機序** ①②③プロプラノロールと同様 ④内因性β活性を有していて、過度の心抑制を起こしにくい。 　**臨床適用**　　　　　　**副作用** 　・同上（①〜③）　　　・眠気、頭痛、食欲不振 　④緑内障　　　　　　　〈禁忌〉同上
ナドロール nadolol	**薬理作用・機序** ・プロプラノロールと同様 　**臨床適用**　　　　　　**副作用** 　・同上（①〜③）　　　・同上 　・1日1回　　　　　　　〈禁忌〉同上
メトプロロール metoprolol （選択的β_1遮断薬）	**薬理作用・機序**　　　　　　**臨床適用** ・プロプラノロールと同様　　・同上（①〜③） 　　　　　　　　　　　　　　・徐放剤（1日1回） 　　**副作用** 　　・頭痛、徐脈、悪夢 　　〈禁忌〉心不全患者 　　〈慎重投与〉気管支ぜん息
ビソプロロール bisoprolol	**薬理作用・機序** ・同上 **臨床適用** ・高血圧 ・虚血性心疾患または拡張型心筋症に基づく慢性心不全 ・経口、テープ剤 **副作用** ・同上 〈禁忌〉非代償性心不全患者 〈慎重投与〉気管支ぜん息

アセブトロール acebutolol （選択的β_1遮断薬）	薬理作用・機序 ①②③プロプラノロールと同様 ④内因性β活性を有しているので過度の心抑制は起こしにくい。 臨床適用 ・プロプラノロールと同様 副作用 ・心不全、息苦しさ、眠気
アテノロール atenolol （選択的β_1遮断薬）	薬理作用・機序 ①②③同上 臨床適用 ・同上 副作用 ・心不全、頭痛 〈禁忌〉心不全患者
ベタキソロール betaxolol （選択的β_1遮断薬）	薬理作用・機序 ・プロプラノロールと同様 臨床適用 ・①②、緑内障 副作用 ・メトプロロールと同様 〈禁忌〉心不全患者

c．$\alpha_1\beta$受容体遮断薬

- α_1受容体遮断による血管拡張作用とβ_1受容体遮断による心拍数および心拍出量の減少やレニン分泌抑制などにより降圧作用を示す。β_1遮断作用があるので、α_1遮断により生じる反射性頻脈の発症が抑えられる。
- β遮断薬はβ_2遮断により末梢循環障害が生じやすいが、α、β遮断薬はα_1遮断作用があるので、この発症が抑えられ、高齢者に用いやすい。

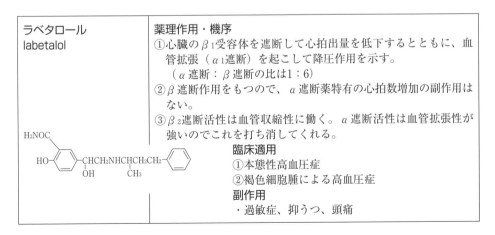

ラベタロール labetalol	薬理作用・機序 ①心臓のβ_1受容体を遮断して心拍出量を低下するとともに、血管拡張（α_1遮断）を起こして降圧作用を示す。 　（α遮断：β遮断の比は1：6） ②β遮断作用をもつので、α遮断薬特有の心拍数増加の副作用はない。 ③β_2遮断活性は血管収縮性に働く。α遮断活性は血管拡張性が強いのでこれを打ち消してくれる。 臨床適用 ①本態性高血圧症 ②褐色細胞腫による高血圧症 副作用 ・過敏症、抑うつ、頭痛

薬剤	薬理作用・機序／臨床適用／副作用
アモスラロール amosulalol 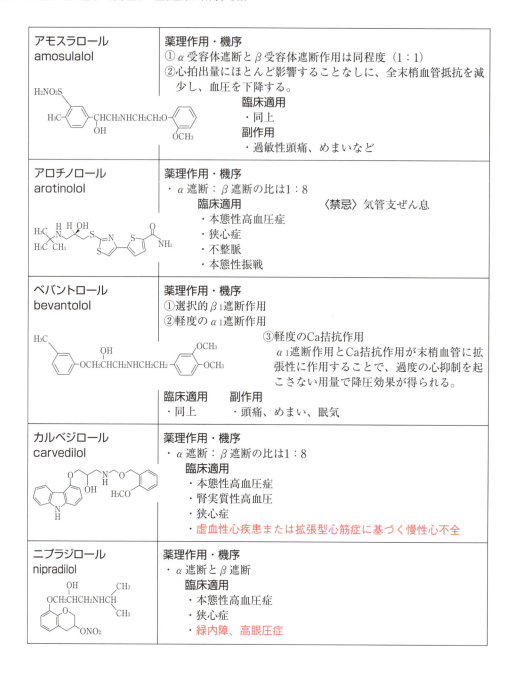	**薬理作用・機序** ①α受容体遮断とβ受容体遮断作用は同程度（1：1） ②心拍出量にほとんど影響することなしに、全末梢血管抵抗を減少し、血圧を下降する。 **臨床適用** ・同上 **副作用** ・過敏性頭痛、めまいなど
アロチノロール arotinolol	**薬理作用・機序** ・α遮断：β遮断の比は1：8 **臨床適用**　〈禁忌〉気管支ぜん息 ・本態性高血圧症 ・狭心症 ・不整脈 ・本態性振戦
ベバントロール bevantolol	**薬理作用・機序** ①選択的 β_1 遮断作用 ②軽度の α_1 遮断作用 ③軽度のCa拮抗作用 　α_1 遮断作用とCa拮抗作用が末梢血管に拡張性に作用することで、過度の心抑制を起こさない用量で降圧効果が得られる。 **臨床適用**　**副作用** ・同上　　　・頭痛、めまい、眠気
カルベジロール carvedilol	**薬理作用・機序** ・α遮断：β遮断の比は1：8 **臨床適用** ・本態性高血圧症 ・腎実質性高血圧 ・狭心症 ・虚血性心疾患または拡張型心筋症に基づく慢性心不全
ニプラジロール nipradilol	**薬理作用・機序** ・α遮断とβ遮断 **臨床適用** ・本態性高血圧症 ・狭心症 ・緑内障、高眼圧症

d．アドレナリン作動性神経遮断薬

- レセルピンは交感神経終末のノルアドレナリンの枯渇、グアネチジンはノルアドレナリンの遊離抑制、次いで枯渇により交感神経の機能を抑制して降圧作用を示す。副交感神経優位となるため副作用が多くなり、最近ではあまり使われない。

レセルピン reserpine ラウオルフィアアルカロイドの一成分	薬理作用・機序 ①中枢抑制作用（鎮静） ②交感神経末端のシナプス小胞膜のアミントランスポーターを阻害する結果、NAの枯渇を起こし、交感神経を遮断する（**レセルピン様作用**）。 ③その結果、血圧は下降する。 臨床適用 ・各種高血圧症 ・一部の精神分裂病 ・いずれも使用頻度が低下している。 副作用 ・錐体外路系障害（パーキンソニズム様症状） ・抑うつ、眠気 ・鼻づまり、下痢、胃潰瘍悪化
グアネチジン guanethidine	薬理作用・機序 ①神経末端からのNA遊離を抑制する。 ②またシナプス小胞のNAと置換してNAを枯渇させる。これらの作用により、血管拡張と心拍出量減少が起こり、血圧を強力かつ持続的に下降する。 臨床適用 ・本態性高血圧症 ・悪性高血圧症（段階的投与法では最終段階で用いる） 副作用 ・起立性低血圧 ・インポテンツ（射精不能） ・鼻閉・下痢 ※血液－脳関門を通過しないので**中枢性副作用は生じない**。

e．選択的α₁受容体遮断薬

- 従来のα_1、α_2非選択性のα遮断薬（例えばフェントラミン）は高血圧症の治療に用いることはできなかった。
- すなわち、交感神経末端のシナプス前部にはα_2受容体が存在する。ニューロンから遊離されたノルアドレナリン(**NA**)はこのα_2受容体に結合すると、

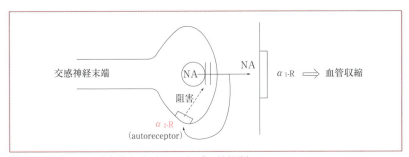

図 2-3-23　α₂受容体を介するシナプス前抑制

シナプス小胞からのNAの遊離を抑制するようになっている。これはネガティブ・フィードバックであり、NAが過剰に遊離しないための機構である。
- α_2受容体に非選択的α遮断薬が結合すると、この受容体効果を遮断し、ネガティブ・フィードバック機構を解消してしまい、NAは神経外にどんどん流出する(NAのオーバーフロー)。
- オーバーフローしたNAは、α受容体が遮断されているが、β受容体には結合できるので、著しい心促進作用(動悸)をもたらしてしまう。
- 選択的α_1遮断薬は、α_2受容体には作用しないので、このようなNAのオーバーフロー現象は起こさない。したがって選択的α_1遮断薬の出現によって、α遮断薬が高血圧症の治療に使用可能となった。

〈プラゾシン、ブナゾシン、ドキサゾシン、テラゾシン〉
- α_2遮断作用がないので、頻脈を起こしにくい。
- 起立性低血圧を起こしやすいので、少量から投与する。
- 褐色細胞腫による高血圧に第一選択で使われる。

プラゾシン prazosin	薬理作用・機序 ・血管のα_1受容体を特異的に遮断して血管拡張をきたす。 ・シナプス前膜のα_2受容体遮断作用はないので、頻脈を起こしにくい。 　　臨床適用 　　①各種高血圧症 　　②経口(1日2〜3回) 　　③使用にあたっては1mg→6mgと漸増していく。初回から高用量を用いると、起立性低血圧でめまいや意識を失うことがある。 副作用 ・起立性低血圧 　めまい、脱力感 ・長期連用で耐性も発現しない。
ブナゾシン bunazosin	薬理作用・機序 ・同上 ・プラゾシンよりα_1選択性が高い、作用発現も緩徐である。 　　臨床適用 　　①各種高血圧症 　　　褐色細胞腫 　　　緑内障(点眼)…ぶどう膜強膜流出路からの房水流出を促進 　　②経口(1日2〜3回) 　　③1日1.5mg→6mgと漸増して用いる。 副作用 ・同上

ドキサゾシン doxazosin	薬理作用・機序 ・同上
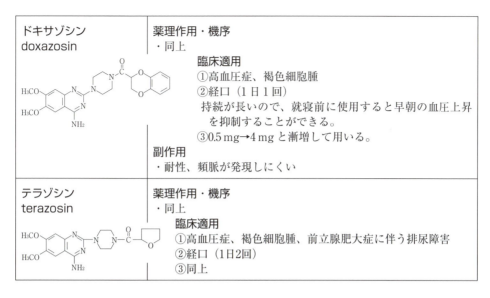	臨床適用 ①高血圧症、褐色細胞腫 ②経口（1日1回） 　持続が長いので、就寝前に使用すると早朝の血圧上昇を抑制することができる。 ③0.5 mg→4 mgと漸増して用いる。
	副作用 ・耐性、頻脈が発現しにくい
テラゾシン terazosin	薬理作用・機序 ・同上
	臨床適用 ①高血圧症、褐色細胞腫、前立腺肥大症に伴う排尿障害 ②経口（1日2回） ③同上

②血管平滑筋直接弛緩薬

　交感神経系とは無関係に、血管（動脈）平滑筋に直接作用し弛緩を起こし、血圧を下降する薬物。従来のヒドララジンタイプのもののほか、Ca拮抗薬もこの分類に入る。

a．Ca拮抗薬（p.238、249参照）

- ジルチアゼム、ジヒドロピリジン系薬物が用いられる。強力であり作用発現も速やかで、現在広く用いられている高血圧治療薬である。
- 冠循環、脳循環を良好に保ち、糖質・脂質代謝などに影響が少ないので、高齢者、狭心症や脳血管障害などを伴った人に積極的に用いられる。
- ジヒドロピリジン系薬物は主としてCYP3A4で代謝されるので、HIVプロテアーゼ阻害薬、シメチジン、イトラコナゾール、エリスロマイシン等により代謝が阻害され、作用増強が起きる。また、グレープフルーツジュースで服用すると腸内での代謝が阻害され、吸収量が増加し作用増強を起こす。

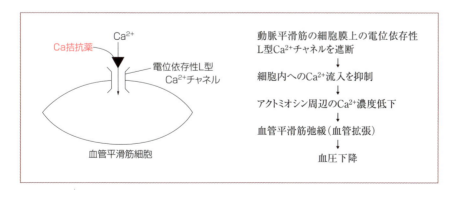

薬品名	薬理作用・機序／臨床適用／副作用
ニフェジピン nifedipine	**薬理作用・機序** ・冠血管拡張とともに全身細動脈の拡張により全身末梢抵抗を減少。 ・血管平滑筋細胞へのCa^{2+}チャネルを通る細胞外からのCa^{2+}流入を抑制し、血管平滑筋を弛緩する。 **臨床適用** ・本態性高血圧症 ・経口（1日2～3回）で用いる。徐放剤（1日1～2回）もある。 ・狭心症にも用いる。 **副作用** ・頭痛、頭重、顔面紅潮、めまい、浮腫、歯肉肥厚 ・頻脈（反射性） 〈禁忌〉妊婦 〈慎重投与〉高齢者…過度の降圧は脳硬塞を起こすことがある。
ジルチアゼム diltiazem	**薬理作用・機序** ・同上 ・心筋のCa^{2+}チャネルも抑制する。 **臨床適用** ・本態性高血圧症 ・経口（1日3回）、徐放カプセル1日1回、まれに点滴静注で使用。 ・頻脈性不整脈、狭心症にも用いる。 **副作用** ・胃部不快感、便秘 ・徐脈、めまい、顔面紅潮、房室ブロック、頭痛 〈禁忌〉妊婦
ニカルジピン nicardipine	**薬理作用・機序**　**臨床適用** ・ニフェジピンと同様　・本態性高血圧症 　　　　　　　　　　　・経口（1日2～3回）。まれに点滴静注。 **副作用** ・顔面紅潮、のぼせ、動悸、胃部不快感。 ・頭痛、めまい、頻脈、浮腫、歯肉肥厚 〈禁忌〉妊婦
ニルバジピン nilvadipine	**薬理作用・機序** ・同上。脳血管拡張作用もある。 **臨床適用** ・本態性高血圧症。脳循環改善にも用いる。（1日2回経口） **副作用** ・同上
マニジピン manidipine	**薬理作用・機序** ・ニフェジピンと同様 　　　　**臨床適用** 　　　　・高血圧症 　　　　　（1日1回経口）

ニトレンジピン nitrendipine 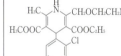	**薬理作用・機序** ・同上 **臨床適用** ・高血圧症 ・狭心症 （1日1回経口）
シルニジピン cilnidipine	**薬理作用・機序** ・同上 ・交感神経の細胞膜に存在するN型電位依存性Ca^{2+}チャネルからのCa^{2+}流入も抑制する。その結果、交感神経末端からのノルアドレナリンの遊離も抑制する。 **臨床適用** ・高血圧症（1日1回経口）
アゼルニジピン azelnidipine	**薬理作用・機序** ・ニフェジピンと同様 **臨床適用** ・高血圧症（1日1回経口）
アムロジピン amlodipine	**薬理作用・機序** ①血管選択性が強い ②bioavailabilityが高い ③緩徐に作用→反射性頻脈は起こらない（電位依存性N型Ca^{2+}チャネルを遮断→交感神経からノルアドレナリン遊離を抑制） **臨床適用** ・高血圧症　・狭心症 ・1日1回（作用時間が長い。VDCとの結合が長く続くため）

- その他、フェロジピン、ベニジピン、エホニジピンなどが市販されている。

b．ヒドララジンタイプの薬物

- このタイプの薬物は動脈平滑筋細胞内の筋小胞体からのCa^{2+}遊離を抑制すると考えられている。その結果、血管平滑筋を弛緩し、血圧下降を起こす（最近はほとんど使用されない）。

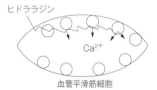

- ヒドララジン、ブドララジン、トドララジン、カドララジンは降圧に伴う反射性頻脈を起こす。

ヒドララジン hydralazine	**薬理作用・機序** ・末梢細動脈血管平滑筋に直接作用し、血管拡張を起こす。末梢血管抵抗が減少し、血圧下降。 **臨床適用**　・経口（1日3～4回） **副作用** ・降圧に伴う反射として著しい頻脈。顔面紅潮、悪心、嘔吐、耐性。 ・まれにSLE様症状として紅斑や関節炎が現れる（抗核抗体をつくる）。 ・遺伝的にアセチル化酵素（肝上清アセチル転移酵素）の活性が低い人（遅延アセチレーター）は、ヒドララジンを蓄積し、毒性が出やすい。

③アンジオテンシン変換酵素阻害薬（ACE 阻害薬；Angiotensin converting enzyme inhibitors , ACEI）（p.12 参照）

〈レニン−アンジオテンシン−アルドステロン系〉

- 昇圧系としてレニン−アンジオテンシン−アルドステロン系が、一方、降圧系としてカリクレイン−キニン系が関与しているが、特に前者が重要である。
- 血圧の低下、腎灌流圧の低下により腎傍糸球体細胞よりレニンが血中に遊離。
- レニンは血中のアンジオテンシノーゲンに作用してアンジオテンシンⅠを生成するが、これは変換酵素によりアンジオテンシンⅡに変換される。

〈ACE 阻害薬〉

- アンジオテンシンⅡ受容体拮抗薬（ARB）に先駆けて臨床応用され、現在高血圧症治療の第一選択薬の1つとして汎用されている。しかし、ACEがブラジキニン代謝に関与するキニナーゼⅡと同一酵素であることから、その抑制作用に基づくと考えられる特異的な副作用として、乾性咳嗽などの発現が報告されている。
- ACE阻害薬の主たる降圧効果は、循環血中および心血管系などの諸臓器に存在するACEを阻害して、アンジオテンシンⅡ産生を減少させることによる。したがって、レニン−アンジオテンシン−アルドステロン系の活性亢進をきたしている例で降圧効果が著明である。
- しかし、キニナーゼⅡの阻害によってブラジキニン、プロスタグランジンE_2やI_2、さらにNOの増量をきたすことから、レニン−アンジオテンシン−アルドステロン系が活性化されていない例でも降圧効果を呈する。
- 降圧効果は末梢血管の拡張に基づくが、降圧に伴う心拍数の増加やナトリウム−水貯留を起こさない。
- アルドステロンの分泌が低下するので高K血症の傾向を示す。K^+保持性利尿薬とは「併用注意」。
- リバウンド現象はない。

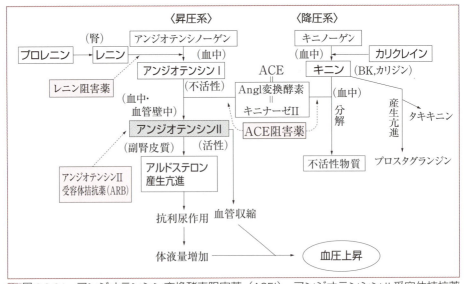

■ 図 2-3-24　アンジオテンシン変換酵素阻害薬（ACEI）、アンジオテンシンⅡ受容体拮抗薬（ARB）、レニン阻害薬の作用機序

- 耐性を生じない。

〈一般的注意〉
- 厳重な減塩療法中の患者や利尿薬投与中の患者には、少量から開始し、増量していく。（初回投与後、一過性の急激な血圧低下を起こす場合がある）
- ときに血清カリウムを上昇させるので、カリウム保持性利尿薬との併用は要注意。［併用注意］（ACEIはアルドステロン分泌↓ →K排泄↓ →高K血症傾向）
- 妊婦もしくは妊娠している可能性のある婦人には用いない[禁忌]。（羊水過少症、胎児・新生児異常、低血圧、死亡を起こす）
- ACE阻害薬は降圧作用のみならず、高血圧の標的臓器である心臓、腎臓、脳などの臓器保護作用を有したり、動脈硬化の進展阻止効果を示す。また、糖質・脂質代謝に悪影響を与えない。
- このように優れた作用を有するACE阻害薬は多くの高血圧患者に有用であるが、特に心疾患、腎疾患患者に推奨される。

カプトプリル captopril HS-CH₂-CH-CO-N⟨COOH⟩ (CH₃) 蛇毒ペプチドに由来して開発された	薬理作用・機序 ・アンジオテンシン変換酵素を阻害 　その結果、アンジオテンシンⅡの生成を抑える。 　これによって、末梢血管は拡張し、また副腎皮質からのアルドステロンの分泌も抑制されるため、利尿による降圧作用も発現する。 臨床適用 ・腎性高血圧症ばかりでなく本態性高血圧症にも有効。 ・経口（1日2回） ・反射性頻脈は起こしにくい。 副作用 ・発疹、かゆみ（特にSH基を有するACEIで強い）、血管浮腫 ・空咳（これはキニン不活性化を抑制することによる肺でのキニンとタキキニンの蓄積によると考えられる） 〈禁忌〉妊婦
エナラプリル enalapril 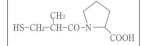	薬理作用・機序 ①同上 ②プロドラッグであり、腸管吸収がよく、経口投与後速やかに脱エステル化により活性型にかわる。 ③持続性 臨床適用　　　　　　　　　　　　副作用 ・高血圧症、慢性心不全　　　　　・同上 ・経口（1日1回）
アラセプリル alacepril 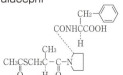	薬理作用・機序 ①同上 ②脱アセチル化された代謝物にも活性がある（プロドラッグ）。 　作用の一部は活性代謝物カプトプリルによる。 臨床適用　　　　　　　　　　　　副作用 ・本態性高血圧症、腎性高血圧症　・同上 ・経口（1日1～2回）

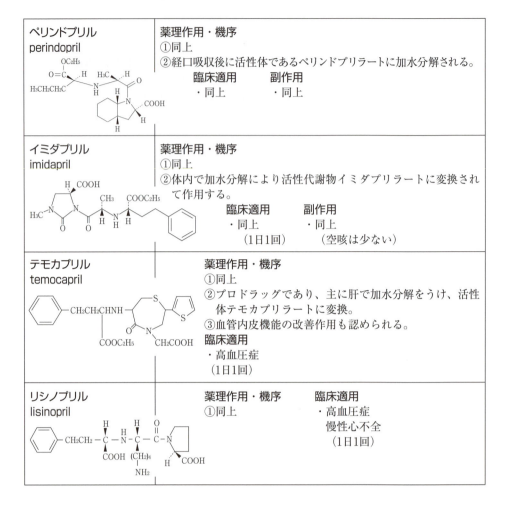

- 他にトランドラプリル（trandolapril）、デラプリル（delapril）、シラザプリル（cilazapril）、キナプリル（quinapril）、ベナゼプリル（benazepril）。これらはいずれもプロドラッグ。

④アンジオテンシンⅡ受容体拮抗薬（ARB）

- アルドステロンの分泌が低下するので高K血症の傾向を示す。K^+保持性利尿薬とは「併用注意」。
- アンジオテンシンⅡ受容体拮抗薬は、ACEによって産生されるアンジオテンシンⅡ（AⅡ）だけでなく、キマーゼにより産生されるAⅡの作用も遮断し、降圧効果を示す。
- AⅡ受容体にはAT_1とAT_2の2つの受容体があり、AⅡ受容体拮抗薬は昇圧作用、水・Na再吸収、心肥大などに関与するAT_1受容体のみを遮断する。
- AⅡ受容体拮抗薬は血中ブラジキニンに影響を与えないので、空咳は生じにくい。
- 血圧下降作用とは別に、心血管、腎の保護効果が知られている。組織中のアンジオテンシンⅡ濃度は、血中の同濃度より数十倍～数百倍高い。平滑筋細胞の増殖・遊走、炎症促進、酸化ストレス上昇、内皮機能障害を起こして、

血管障害、動脈硬化、心筋障害などを誘発するとされる。ARBはこうしたアンジオテンシンIIによる組織障害を抑制して、心血管や腎の保護効果をもたらす。したがって、心不全、心肥大、心筋梗塞後の動脈硬化への適用も検討中である。

- ACE阻害薬はほとんどが腎排泄であるのに対し、AII受容体拮抗薬は肝排泄であり、腎障害の患者にはAII受容体拮抗薬の方が使いやすい。
- ARBを使用していると、血中レニンやアンジオテンシンIIの濃度が上昇してくる。
- ARBやACE阻害薬を長期間使用すると、ある時点から血中アルドステロン濃度が上昇する（アルドステロンbreakthrough）。抗アルドステロン薬の併用が必要になる。

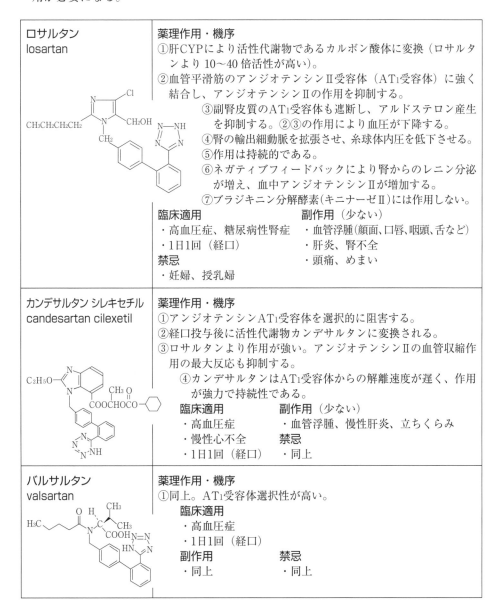

ロサルタン losartan	薬理作用・機序 ①肝CYPにより活性代謝物であるカルボン酸体に変換（ロサルタンより10〜40倍活性が高い）。 ②血管平滑筋のアンジオテンシンII受容体（AT$_1$受容体）に強く結合し、アンジオテンシンIIの作用を抑制する。 ③副腎皮質のAT$_1$受容体も遮断し、アルドステロン産生を抑制する。②③の作用により血圧が下降する。 ④腎の輸出細動脈を拡張させ、糸球体内圧を低下させる。 ⑤作用は持続的である。 ⑥ネガティブフィードバックにより腎からのレニン分泌が増え、血中アンジオテンシンIIが増加する。 ⑦ブラジキニン分解酵素（キニナーゼII）には作用しない。 臨床適用　　　　　副作用（少ない） ・高血圧症、糖尿病性腎症　・血管浮腫（顔面、口唇、咽頭、舌など） ・1日1回（経口）　　・肝炎、腎不全 禁忌　　　　　　　・頭痛、めまい ・妊婦、授乳婦
カンデサルタン シレキセチル candesartan cilexetil	薬理作用・機序 ①アンジオテンシンAT$_1$受容体を選択的に阻害する。 ②経口投与後に活性代謝物カンデサルタンに変換される。 ③ロサルタンより作用が強い。アンジオテンシンIIの血管収縮作用の最大反応も抑制する。 ④カンデサルタンはAT$_1$受容体からの解離速度が遅く、作用が強力で持続性である。 臨床適用　　　　　副作用（少ない） ・高血圧症　　　　・血管浮腫、慢性肝炎、立ちくらみ ・慢性心不全　　　禁忌 ・1日1回（経口）　・同上
バルサルタン valsartan	薬理作用・機序 ①同上。AT$_1$受容体選択性が高い。 臨床適用 ・高血圧症 ・1日1回（経口） 副作用　　　　　禁忌 ・同上　　　　　・同上

	薬理作用・機序
テルミサルタン telmisartan 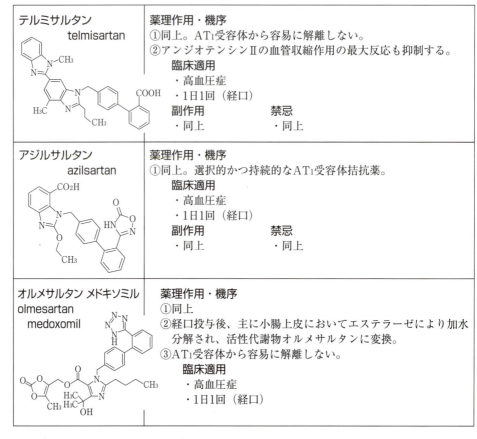	①同上。AT₁受容体から容易に解離しない。 ②アンジオテンシンⅡの血管収縮作用の最大反応も抑制する。 臨床適用 ・高血圧症 ・1日1回（経口） 副作用　　　　　禁忌 ・同上　　　　　・同上
アジルサルタン azilsartan	薬理作用・機序 ①同上。選択的かつ持続的なAT₁受容体拮抗薬。 臨床適用 ・高血圧症 ・1日1回（経口） 副作用　　　　　禁忌 ・同上　　　　　・同上
オルメサルタン メドキソミル olmesartan medoxomil	薬理作用・機序 ①同上 ②経口投与後、主に小腸上皮においてエステラーゼにより加水分解され、活性代謝物オルメサルタンに変換。 ③AT₁受容体から容易に解離しない。 臨床適用 ・高血圧症 ・1日1回（経口）

- 他にイルベサルタン（irbesartan）。ARBとヒドロクロロチアジドの配合錠が市販されている（理由：①K変動を起こしにくい、②チアジド系利尿薬によるレニン-アンジオテンシン系亢進をARBは抑制する、③降圧作用が強まる）。
- サクビトリル バルサルタン（sacubitril valsartan）は、2020年8月に発売されたアンジオテンシン受容体ネプリライシン阻害薬（ARNI）。投与後速やかに溶解し、サクビトリル及びバルサルタンに解離し、1剤でネプリライシン（NEP）阻害作用とアンジオテンシンⅡ AT₁受容体遮断作用の2つの薬理作用を発揮する。サクビトリルはプロドラッグであり、エステラーゼにより加水分解され、NEPに対して強力かつ選択的な阻害作用を有するsacubitrilatに変換される。NEPはナトリウム利尿ペプチドを分解する酵素として知られているため、sacubitrilatがNEPを阻害することにより、ナトリウム利尿ペプチドの循環血中濃度が上昇し、ナトリウム排泄作用、利尿作用、抗肥大作用、抗線維化作用、及び血管拡張作用などを示す。また、バルサルタンは上述のとおりAT₁受容体を選択的に遮断し、レニン-アンジオテンシン-アルドステロン系による血管収縮、腎ナトリウム・体液貯留、心筋肥大、及び心血管リモデリング異常を抑制する。適応は、慢性心不全（ただし、慢性心不全の標準的な治療を受けている患者に限る）と高血圧症。

サクビトリル バルサルタン

⑤レニン阻害薬（Direct renin inhibitor：DRI）（p.12 参照）
- レニン阻害薬としてアリスキレンが開発された。レニン阻害薬はアンジオテンシンIの生成を抑制し、その結果、下流のアンジオテンシンIIの生成を抑制する。
- ACE阻害薬やアンジオテンシンII受容体拮抗薬によるネガティブ・フィードバックによるレニン活性化・遊離という現象も起きてこない。
- ACE阻害薬はACE以外の経路によるアンジオテンシンIIの産生は抑制できないという欠点があるが、レニン阻害薬は動脈硬化や腎炎などで活性が亢進しているキマーゼによるアンジオテンシンIIの産生も阻害することができる。

アリスキレン aliskiren	薬理作用・機序 ①レニンのAsp32とAsp215のアミノ残基の両方に水素結合し、レニンの酵素活性を阻害する。 ②アンジオテンシンIの生成を阻害する結果、アンジオテンシンIIは生成されない。 ③血圧を下降する。 臨床適用 ・高血圧症 ・持続が長く、1日1回（経口） 副作用 ・下痢などの胃腸障害、空咳（頻度少ない）

⑥利尿薬（p.313 参照）
- 利尿薬は高血圧治療に第一選択で用いられるが、利尿効果と降圧効果は必ずしも平行しない。

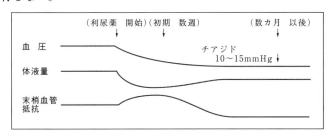

- 投与初期には、Na^+および水を排泄することによる循環血液量の減少による降圧がみられ、長期的にはNa^+、Cl^-、水が除去された結果の末梢血管抵抗の低下による降圧がみられるとされる。
- チアジド系利尿薬：ヒドロクロロチアジド、トリクロルメチアジド。降圧利尿薬としては主流である。
- チアジド系類似薬※：トリパミド（カルシウム拮抗作用による末梢血管拡張作用をもつ）、インダパミド、メチクラン
- ループ利尿薬：フロセミド。利尿作用は強いが、降圧効果は弱い。
- 抗アルドステロン薬：スピロノラクトン（原発性アルドステロン症に最適）

※ 低K血症を起こしにくい。

ヒドロクロロチアジド hydrochlorothiazide	**薬理作用・機序** チアジド系利尿薬： ・遠位尿細管におけるNa$^+$/Cl$^-$共輸送系を抑制してNa$^+$、Cl$^-$の再吸収を抑制。水の再吸収を抑制し、利尿作用を示す。 　　→有効循環血液量の減少→降圧（短期的） ・血管平滑筋弛緩→血管抵抗の減少→降圧（長期的） **臨床適用** ・高血圧症、心性浮腫、腎性浮腫、肝性浮腫などに用いる。最近、ARBとヒドロクロロチアジドの配合錠が市販されている。 **副作用** ・低K血症…KClやスピロノラクトンを併用するとよい。 ・高尿酸血症 ・高血糖 ・脂質異常症：血清コレステロール、トリグリセドを上昇する。したがってチアジド系利尿薬は単独ではあまり使われなくなってきている。 〈禁忌〉 ・低Na血症、低K血症
トリクロルメチアジド trichlormethiazide	**薬理作用・機序** ・同上 **臨床適用**　　**副作用** ・同上　　　　・同上 ・経口
メチクラン meticrane 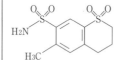	**薬理作用・機序** 非チアジド系利尿薬： ・作用機序はチアジド系に似ているが、低K血症は起こしにくい。 **臨床適用** ・高血圧症 ・経口
フロセミド furosemide 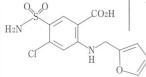	**薬理作用・機序** ループ利尿薬： ・ヘンレループ上行脚において、Na$^+$-K$^+$-2Cl$^-$共役系の担体と結合して、Na$^+$、Cl$^-$の再吸収を阻害する。そのため腎髄質における浸透圧勾配が減少し、尿濃縮は行われなくなって利尿が起こる。 **臨床適用**　　　　**副作用** ・同上　　　　　　・低K血症 ・経口および注射　・代謝性アルカローシス 　（静注・筋注）　　・高尿酸血症 　　　　　　　　　・高血糖 　　　　　　　　　・聴覚障害 　　　　　　　　　・脱水にもとづく血液濃縮 ・利尿により体液量が減少すると血圧が下がり、negative feedbackでレニン分泌が増える。

スピロノラクトン spironolactone 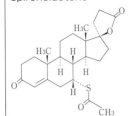	**薬理作用・機序** カリウム保持性利尿薬： ・遠位尿細管、皮質集合管に利用して、アルドステロン受容体においてアルドステロンと競合的に拮抗する。そのためアルドステロンによるNa^+-K^+交換系促進作用を抑制し、Na^+再吸収を阻害して利尿を起こす。 臨床適用　　副作用 ・同上　　　・高カリウム血症 ・経口　　　・女性型乳房、勃起障害
エプレレノン eplerenone 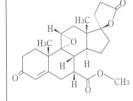	**薬理作用・機序** カリウム保持性利尿薬、選択的アルドステロン拮抗薬： ・利尿作用機序はスピロノラクトンと同じ。 ・鉱質コルチコイド受容体以外のステロイドホルモン受容体には作用しにくいため、**女性化作用は起こりにくい。** 臨床適用　　副作用 ・同上　　　・高カリウム血症 ・経口
エサキセレノン esaxerenone 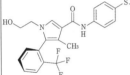	**薬理作用・機序** ・エプレレノンと同類の鉱質コルチコイド受容体遮断薬であるが、ステロイド骨格を含まない。 ・アルドステロンの作用に拮抗することによって降圧作用を示す。 ・新しい経口高血圧症治療薬として、2019年5月発売。

6. 低血圧治療薬

1) 低血圧（Hypotension）とは

- 低血圧は、一般的には収縮期血圧が100 mmHg以下の場合をいうことが多い。
- 起立時に収縮期血圧が20 mmHg以上低下すれば起立性低血圧と診断する。
- 低血圧は、急性低血圧と慢性低血圧に分けられる。

①低血圧の分類

体質性低血圧		症状がない……治療の必要はない
本態性低血圧		めまい、立ちくらみなどの症状がある
二次性（症候群）低血圧	内分泌性	アジソン病、低アルドステロン血症など
	心血管性	大動脈弁狭窄症、不整脈など
	自律神経性	進行性自律神経失調症、パーキンソン症候群、Shy－Drager症候群、糖尿病性ニューロパチーなど
	発作性自律神経性失神	頸動脈洞症候群、Bezold — Jarisch反射など
	循環血漿量減少	出血、低ナトリウム血症、脱水など
	薬物性	降圧・利尿薬、硝酸薬、抗パーキンソン病薬、向精神薬など
	その他	神経性食欲不振症、ウイルス・細菌感染など
起立性低血圧		

②低血圧の治療

- 本態性および起立性低血圧の一般療法は、規則的な生活、バランスのよい食事、適度な運動、乾布摩擦、自律訓練などである。
- 薬物療法は血行動態を改善することに主眼がおかれる。血圧維持をはかるには、以下が重要。
  - a) 心収縮力増強による心拍出量増加
  - b) 末梢静脈収縮による静脈還流量増加と心拍出量増加
  - c) 総末梢血管抵抗増加による血圧維持

2) 低血圧治療薬

血圧を上昇させるには心収縮力を強め、心拍出量を増加させるか、末梢血管抵抗を増大させるかであるが、後者のほうが昇圧効果は大である。

- 急性循環不全による心原性ショックにはドパミン、ドブタミンなどのβ_1作用が用いられる。(p.222参照)
- 神経原性ショックなど末梢血管拡張を原因とするショックにはノルアドレナリンを用いる。
- 本態性低血圧や起立性低血圧には持続の長いミドドリン（α_1作動薬）やエチレフリン（$\alpha\beta$作動薬）、アメジニウム、ドロキシドパが用いられる。
- 麻酔時の低血圧にはメトキサミン（α_1作動薬）を用いる。

薬剤名	薬理作用・機序	臨床適用
エチレフリン etilefrine 構造式: HO-C6H4-CH(OH)-CH2-NH-C2H5	**薬理作用・機序** ・心筋収縮力増強作用 ・血圧上昇作用 ・αおよびβ受容体刺激作用 **副作用** ・心悸亢進、血圧異常、頭痛、発疹など 〈禁忌〉(内服)・甲状腺機能亢進症　・高血圧症	**臨床適用** ・本態性・症候性・起立性低血圧など（低血圧治療薬はいずれも少量から始めて漸増して用いる）。
ミドドリン midodrine OCH3-C6H3(OCH3)-CH(OH)CH2NHCOCH2NH2	**薬理作用・機序** ・末梢血管収縮による血圧上昇 ・プロドラッグ：活性本体は脱グリシン体 ・持続性、選択的α1受容体刺激作用 **臨床適用** ・本態性・起立性低血圧 **副作用** ・頭痛、悪心、腹痛、下痢、排尿困難、心室性期外収縮、発疹、ほてり感など 〈禁忌〉・甲状腺機能亢進症　・褐色細胞腫	
アメジニウム amezinium 	**薬理作用・機序** ・全末梢血管抵抗増加と心拍出量増加による血圧上昇作用 ・交感神経終末でノルアドレナリン（NA）と競合し、NAの神経終末への再取り込みを抑制するとともに、神経終末でNAの不活性化を抑制（MAO阻害）→交感神経機能の亢進 **臨床適用** ・本態性・起立性低血圧 ・透析施行時の血圧低下の改善 **副作用** ・動悸、頭痛、嘔気・嘔吐、ほてり感、高血圧、発疹、排尿障害など 〈禁忌〉・高血圧症　　　　・狭隅角緑内障 　　　・甲状腺機能亢進症　・残尿を伴う前立腺肥大症	
ジヒドロエルゴタミン dihydroergotamine 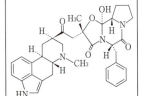	**薬理作用・機序** ・血管収縮作用により血管緊張亢進 ・静脈系容量血管に対する緊張作用 ・α受容体刺激作用とα受容体遮断作用を有する部分作動薬 **臨床適用** ・片頭痛（血管性頭痛） ・起立性低血圧 **副作用** ・悪心・嘔吐、食欲不振、発疹、眠気、動悸、手指冷感など ・併用禁忌：HIVプロテアーゼ阻害薬（リトナビル、ネルフィナビル）と併用すると、本薬の血液濃度が大幅に上昇。	
ドロキシドパ droxidopa HO-C6H3(OH)-CH(OH)-CH(NH2)-COOH	**薬理作用・機序** ・生体内に広く分布する芳香族L-アミノ酸脱炭酸酵素によりノルアドレナリンに変換される。 ・血液脳関門を通過する。 **臨床適用** ・パーキンソン病（すくみ足、立ちくらみ症状の改善） ・起立性低血圧 **副作用** ・幻覚、妄想、高熱、意識障害 〈禁忌〉・閉塞隅角緑内障の患者（瞳孔散大筋収縮→散瞳→隅角閉塞悪化）	

7. 末梢循環障害治療薬

1) 四肢循環改善薬

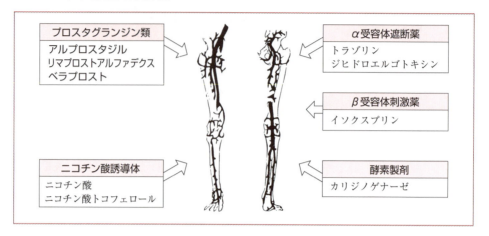

トラゾリン tolazoline	薬理作用・機序 ・血管のα1、α2受容体を遮断して血管拡張をひき起こす。特に交感神経緊張度の高いレイノー病などに有効。 臨床適用 ・バージャー病、レイノー病、レイノー症候群、凍傷などに用いる。 ・経口、皮下注 副作用 ・頻脈、起立性低血圧、血圧の上昇、不整脈、皮膚紅潮、食欲不振
ジヒドロエルゴトキシン dihydroergotoxin (麦角アルカロイドであるジヒドロエルゴコルニン、ジヒドロエルゴクリプチン、ジヒドロエルゴクリスチンの混合物) 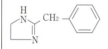	薬理作用・機序 ・α遮断作用は一連の麦角アルカロイドのうち最も強い。末梢におけるα受容体遮断に加えて、交感神経の中枢性抑制による末梢血管拡張作用もある。 臨床適用 ・バージャー病、レイノー病、レイノー症候群、凍傷などにおいて血流改善のために用いる。 副作用 ・徐脈、血圧低下、脳貧血、頭痛、めまい、悪心、嘔吐
イソクスプリン isoxsuprine 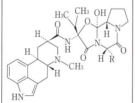	薬理作用・機序 ・血管β受容体興奮作用により、血管を拡張する。アデニレートシクラーゼを活性化し、細胞内のcAMP量を増加させ、血管平滑筋を弛緩させる。 臨床適用 ・同上、子宮収縮の抑制にも用いる(切迫流・早産)、経口、注射(筋注、静注、動注)。 副作用 ・悪心、嘔吐、頻脈、一過性の血圧低下、頭痛、めまい

アルプロスタジル アルファデクス alprostadil alfadex （プロスタグランジンE_1） [構造式] ·x$C_{36}H_{60}O_{30}$	**薬理作用・機序** ・血管平滑筋のアデニル酸シクラーゼを活性化し、cAMPを増加させて細胞内Ca量を減らす。交感神経からのNA遊離を抑制する。これらの作用により血管拡張を生ずる。また血栓形成も抑制し、末梢循環障害によく用いられる。 **臨床適用** ・バージャー病、振動病などの動脈閉塞症や皮膚潰瘍（褥瘡や全身性エリテマトーデス）に用いる。注射（動注、点滴静注）、軟膏。よく用いられる。 **副作用** ・血圧下降、紅潮、熱感、下痢、腹痛、動悸、発疹、かゆみ
リマプロスト アルファデクス limaprost alfadex [構造式] ·x$C_{36}H_{60}O_{30}$	**薬理作用・機序** ①プロスタグランジンE_1誘導体 ②血管拡張による血流増加作用 **臨床適用** ・バージャー病や間欠歩行を呈する歩行障害に伴う虚血症状に用いる（強力）。よく用いられる。 ・経口（1日3回） **副作用** ・下痢、悪心、嘔吐、ほてり
ベラプロストナトリウム beraprost sodium [構造式]	**薬理作用・機序** ①プロスタサイクリン（PGI_2）誘導体（安定、持続性） ②血小板機能抑制作用による血栓形成抑制 ③血管平滑筋でcAMP濃度を上昇することにより血管拡張、血流増加。 ④血圧下降は起こりにくい。 **臨床適用** ・慢性動脈閉塞症に伴う潰瘍、疼痛および冷感の改善（強力）。よく用いられる。 ・経口（1日3回） **副作用** ・顔面紅潮、頭痛 ・出血傾向、ショック
ニコチン酸 nicotinic acid [構造式]	**薬理作用・機序** ・ニコチン酸とその誘導体（ニコチン酸トコフェロール、ヘプロニカート、イノシトール、ヘキサニコチネート）は弱い血管拡張作用を示す。ニコチン酸誘導体には脂質代謝改善作用もあり、抗高脂血症薬としても用いられる。 **臨床適用** ・レイノー病、四肢冷感、凍傷などによる末梢循環障害やニコチン酸欠乏症などに用いる。経口、注射（皮下、筋注、静注） **副作用** ・発疹、口唇腫張、咳、顔面紅潮、かゆみ、口渇、悪心、嘔吐、下痢
カリジノゲナーゼ kallidinogenase	**薬理作用・機序** ①カリクレイン［酵素］のこと ②血液中$α_2$-グロブリン分画に属するキニノーゲンを分解し、キニンを遊離。キニンは末梢血管を拡張し、血流増加作用。 **臨床適用** ①末梢循環障害（高血圧症、メニエル症候群、バージャー病、網脈絡膜） ②経口、筋注 **副作用** ・発疹　・胃部不快感　・熱感

シロスタゾール cilostazol 「抗血栓薬」p.296参照	薬理作用・機序 ・血小板及び血管平滑筋のホスホジエステラーゼⅢ（PDEⅢ）活性を選択的に阻害し、抗血小板作用及び血管拡張作用を発現。 臨床適用 ・慢性動脈閉塞症に基づく潰瘍、疼痛および冷感などの虚血性諸症状の改善 副作用 〈重大な副作用〉出血（脳出血、肺出血、眼底出血など）、間質性肺炎など 〈その他の副作用〉発疹、皮疹、動悸、頻脈、頭痛、皮下出血など 〈禁忌〉出血している患者、妊娠または妊娠している可能性のある婦人
サルポグレラート sarpogrelate 「抗血栓薬」p.296参照	薬理作用・機序 ・血小板及び血管平滑筋の5-HT₂受容体で選択的に拮抗し、抗血小板作用、血管収縮抑制作用を発現。 臨床適用 ・シロスタゾールに同じ 副作用 ・発疹、嘔気、胸やけなど 〈禁忌〉シロスタゾールに同じ

2）肺高血圧症治療薬

① 肺動脈性肺高血圧症（PAH）の概要
- 肺動脈平均圧が 25 mmHg 以上
- 肺動脈系が収縮して右心室から肺に血流が流れにくい。低酸素血症により呼吸困難や強度の疲労感といった症状が出現し、日常生活に支障が生ずる。右心室不全に発展する。

② 肺高血圧症治療薬

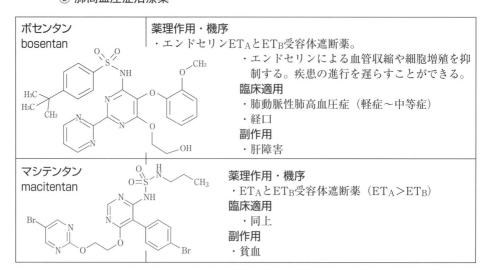

ボセンタン bosentan	薬理作用・機序 ・エンドセリンET_AとET_B受容体遮断薬。 ・エンドセリンによる血管収縮や細胞増殖を抑制する。疾患の進行を遅らすことができる。 臨床適用 ・肺動脈性肺高血圧症（軽症〜中等症） ・経口 副作用 ・肝障害
マシテンタン macitentan	薬理作用・機序 ・ET_AとET_B受容体遮断薬（ET_A＞ET_B） 臨床適用 ・同上 副作用 ・貧血

アンブリセンタン ambrisentan	**薬理作用・機序** ・選択的ET_A受容体遮断薬 **臨床適用** ・同上 **副作用** ・肺線維化、貧血
エポプロステノール epoprostenol	**薬理作用・機序** ・プロスタグランジンI_2製剤 ・強力な肺血管拡張作用 ・抗血小板作用 **臨床適用** ・肺動脈性肺高血圧症（中等症～重症） ・持続静注（持続が短いため） **副作用** ・低血圧
ベラプロスト beraprost	**薬理作用・機序** ・プロスタグランジンI_2製剤。 **臨床適用** ・肺動脈性肺高血圧症（主に軽症） ・経口 **副作用** ・出血傾向
トレプロスチニル treprostinil	**薬理作用・機序** ・プロスタグランジンI_2製剤。 **臨床適用** ・肺動脈性肺高血圧症 ・持続静注、皮下注
リオシグアト riociguat	**薬理作用・機序** ・可溶性グアニル酸シクラーゼ（sGC）活性化薬。sGCのNOに対する感受性を高める作用とsGCを直接活性化する作用をあわせ持つ。 **臨床適用**　　　　　　　　　　　　　**副作用** ・慢性血栓塞栓性肺高血圧症　　　　　・喀血、肺出血など ・経口
一酸化窒素(NO)薬 nitric oxide	**薬理作用・機序** ・吸入剤として使用。 ・肺血管に選択的に作用し、全身血圧に影響を及ぼすことなく、肺血管を拡張させる。 **臨床適用** ・新生児の肺高血圧、心臓手術の周術期における肺高血圧の改善 **副作用** ・メトヘモグロビン血症

他にイロプロスト（iloprost；PGI_2誘導体であり、吸入剤として用いる）がある。

CHECK

次の記述について、正しいものには「○」を、間違っているものには「×」をつけてその理由を簡潔に述べなさい。

1 ドパミンは、ドパミン D_1 受容体に作用して心収縮力を増強する。
2 コルホルシンダロパートは、Gs タンパク質に直接作用して心収縮力を増強する。
3 ミルリノンは、ホスホジエステラーゼⅢを選択的に阻害して、cAMP による強心作用を発現する。
4 メチルジゴキシンは、Na^+, K^+-ATPase を阻害する。
5 メチルジゴキシンは、房室ブロックの治療に用いられる。
6 低カリウム血症では、強心配糖体の作用が増強され、中毒が生じやすい。
7 カルベジロールは、慢性心不全患者に禁忌である。
8 プロカインアミドは、クラスⅠa の抗不整脈薬である。
9 キニジンは、心電図の間隔を延長する。
10 リドカインは、心筋細胞活動電位の持続時間を短縮する。
11 カテコールアミン不整脈の第一選択薬はジギタリスである。
12 ランジオロールは、短時間作用型の抗不整脈薬である。
13 アミオダロンは、心臓の刺激伝導系細胞のカリウムチャネルを遮断する。
14 Torsades de pointes は、心電図の QT を短縮する薬物で発現しやすい。
15 労作狭心症は、動脈硬化が主因である。
16 心筋梗塞による胸痛は、ニトログリセリンによって改善される。
17 硝酸イソソルビドは、静脈血管を拡張して静脈還流量を減少させることにより、心臓に対する前負荷を軽減する。
18 ジルチアゼムは、グアニル酸シクラーゼを活性化して、冠動脈拡張作用を示す。
19 アドレナリンβ受容体遮断薬は、安静狭心症を悪化させることがある。
20 ニコランジルは、冠血管平滑筋のカリウムチャネルを遮断する。
21 高血圧を放置できないのは、合併症が危険だからである。
22 アドレナリン α_1 受容体遮断薬は、本態性高血圧症の第一選択薬の一つである。
23 カプトプリルは、アンジオテンシン変換酵素阻害作用を有し、副作用として空咳を生じやすい。
24 カンデサルタンシレキセチルは、経口投与後に活性代謝物に変換され、アンジオテンシンⅡ受容体を遮断する。
25 ベラパミルは、ニフェジピンより血管拡張作用が強力なので、高血圧症の治療に用いられる。
26 ヒドララジンは、延髄血管運動中枢の α_2 受容体を刺激して、交感神経活性を抑制する。
27 ミドドリンは、末梢のドパミン D_2 受容体を刺激し、本態性低血圧症の治療に用いられる。
28 ボセンタンは、エンドセリン ET_A と ET_B 受容体を遮断し、肺高血圧症の治療に用いられる。

1 循環器系に作用する薬

【解答】

1 × ドパミン D_1 受容体ではなく、アドレナリン $β_1$ 受容体を刺激する。
2 × Gs タンパク質ではなく、アデニル酸シクラーゼ（V型）を活性化する。
3 ○
4 ○
5 × 強心配糖体は、心房細動などの上室性不整脈の治療に用いられるが、過量だと房室ブロックなどの不整脈を生じる。
6 ○
7 × カルベジロールは、虚血性心疾患や拡張型心筋症に基づく慢性心不全に用いられる。
8 ○
9 ○
10 ○
11 × ジギタリスではなく、アドレナリン β 受容体遮断薬（クラスⅡ抗不整脈薬）である。
12 ○
13 ○
14 × QT 延長を起こす薬物で発現しやすい。
15 ○
16 × 改善されない。
17 ○
18 × ジルチアゼムは Ca^{2+} チャネル遮断薬。グアニル酸シクラーゼを活性化して冠動脈拡張を起こすのは硝酸薬。
19 ○
20 × ニコランジルは、ATP 依存性 K^+ チャネルを開口させる。
21 ○
22 × 第一選択薬は、利尿薬、ACE 阻害薬および ARB、Ca 拮抗薬、β 受容体遮断薬。
23 ○
24 ○
25 × Ca 拮抗薬のうち、ベラパミルは、ニフェジピンなどのジヒドロピリジン系薬物よりも心臓抑制作用が強く、血管拡張作用が弱い。
26 × ヒドララジンは、末梢細動脈血管平滑筋に直接作用し、血管拡張を起こす。延髄血管運動中枢の $α_2$ 受容体を刺激するのは、クロニジン。
27 × ミドドリンはプロドラッグで、体内で脱グリシン化されて $α_1$ 受容体刺激薬となる。
28 ○

2 血液・造血器系に作用する薬

到達目標
- 止血薬の薬理（薬理作用、機序、主な副作用）を説明できる。
- 抗血栓薬、抗凝固薬及び血栓溶解薬の薬理（薬理作用、機序、主な副作用）を説明できる。
- 貧血治療薬・白血球減少症治療薬の薬理（薬理作用、機序、主な副作用）を説明できる。

1. 血液の生理

1）血液成分

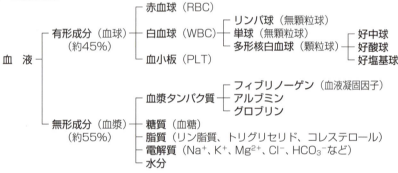

2）造血機構

（1）造血組織（骨髄）
- 造血は腸骨（骨盤の大部分）、肋骨、胸骨、椎骨等の骨髄で行われる。
- 骨髄の種類　赤色骨髄：造血を行っている骨髄。
　　　　　　　黄色骨髄：骨髄が脂肪化して、造血能が失われている。

（2）造血機序

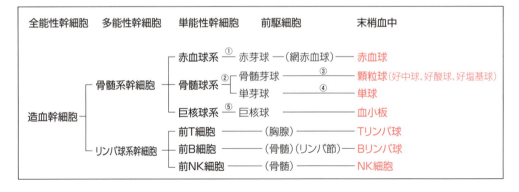

(3) 造血因子

血球の需要に対する調節は、一般に単能性幹細胞レベルで造血因子（サイトカイン）により行われている。

- 造血因子の種類

骨髄系	多能性幹細胞：幹細胞因子（SCF；Stem Cell Factor）	
	単能性幹細胞	①赤血球系：エリスロポエチン
		②顆粒球・単球系：顆粒球・単球コロニー刺激因子（GM-CSF）
		③顆粒球系：顆粒球コロニー刺激因子（G-CSF）
		④単球系：マクロファージコロニー刺激因子（M-CSF）
		⑤血小板系：トロンボポエチン
リンパ球系：インターロイキン類（IL-1、IL-2）※		

※ インターロイキン類はその他の血球に対する造血因子ともなる。

2. 造血薬

主として貧血の治療に用いる薬物を造血薬（hematopoietics）という。

1）貧血治療薬

貧血とは、血液の単位容積あたりに含まれる赤血球やヘモグロビン量が減少した状態をいう。

貧血は、成因や病態により治療法が異なり、用いられる造血薬も異なる。

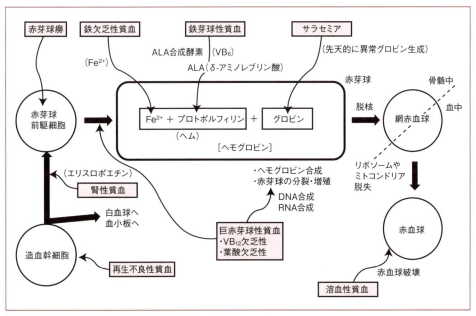

図 2-3-24　貧血の種類と原因

■表 2-3-7　貧血の種類と治療法

貧血の種類	原因	治療法（薬物を中心に）
鉄欠乏性貧血	鉄の需要と供給のバランス崩壊（鉄不足）	鉄剤による鉄補充
巨赤芽球性貧血	ビタミンB_{12}（VB_{12}）欠乏（悪性貧血など） 葉酸欠乏	VB_{12}の補充（筋注） 葉酸の補充
鉄芽球性貧血	赤芽球におけるヘム合成阻害	VB_6の大量投与、鉄キレート剤
再生不良性貧血	幹細胞の障害（自己免疫が一部関係）	タンパク同化ステロイド、免疫抑制剤、造血幹細胞移植、赤血球輸血
溶血性貧血	赤血球崩壊亢進（自己免疫が一部関係）	副腎皮質ステロイド、免疫抑制剤、摘脾
腎性貧血	腎不全に伴うエリスロポエチン分泌低下	エリスロポエチン製剤（補充
サラセミア	先天的な異常グロビン生成	鉄キレート剤、摘脾、赤血球輸血

（1）鉄欠乏性貧血（iron-deficiency anemia）
- ヘム（heme）の構成成分である鉄が欠乏し、骨髄におけるヘモグロビン合成が障害されて生じる小球性低色素性貧血をいう。
- 鉄欠乏の原因は、需要と供給（食物からの摂取）のバランス崩壊による。

需要増大	成長期、妊娠、授乳期
供給減少	低栄養（偏食）、胃切除、無酸症（胃酸により吸収可能な2価鉄に還元）
排泄増大	出血（慢性消化管出血、過多月経、子宮筋腫など）

- 治療薬：鉄の補充に鉄剤が用いられるが、経口鉄剤が第一選択。

経口用鉄剤	（主として2価鉄が用いられる） 無機鉄：硫酸鉄 $FeSO_4$（徐放） 有機酸鉄：フマル酸第一鉄（徐放）、クエン酸第一鉄ナトリウム、溶性ピロリン酸第二鉄（シロップ剤、小児用） ・貧血症状改善後2～3カ月は貯蔵鉄の補充のために投与継続（血清フェリチン値の正常化が目安） ・上部消化管から2価鉄として吸収、腸粘膜に鉄吸収の調節機構があるので鉄過剰をきたすおそれが少ない。 ・歯の着色⇒重曹による歯磨き ・便の着色（黒色） （副作用） ・消化器症状（悪心・嘔吐、腹痛、腹部不快感、便秘、下痢） 　⇒対応：徐放製剤適用、食直後投与、服用量減少、（胃腸薬併用） （相互作用） ・キレート形成（相互の吸収抑制）：テトラサイクリン類、セフジニル、ニューキノロン、甲状腺ホルモン ・タンニン（茶など）もキレートを形成するが、治療上問題とはならない。 ・還元剤（吸収促進）：アスコルビン酸、システイン
静注用鉄剤	（主として3価鉄（第二鉄塩）が用いられる） 含糖酸化鉄、コンドロイチン硫酸・鉄コロイド、シデフェロン ①吸収が不良、②鉄剤の経口投与により症状が悪化する疾患（潰瘍性大腸炎、消化性潰瘍など）、あるいは、③急速な鉄の補給が必要な患者に適用。 ・鉄過剰をきたしやすいので所要量を計算の上投与する。 　計算式の一例：総鉄投与量$(mg) = [2.2 \times (16-X) + 10] \times$体重$(kg)$ 　　　　　　X：治療前ヘモグロビン値(Xg/dL)

鉄過剰治療	デフェロキサミン（鉄キレート剤）
	・鉄過剰症（ヘモクロマトーシス）の治療に筋注で使用する。
	デフェラシロクス（経口鉄キレート剤）
	・輸血による慢性鉄過剰症（注射用鉄キレート剤が不適当な場合）

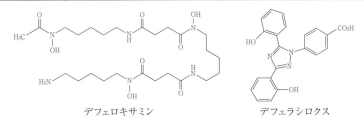

デフェロキサミン　　　　デフェラシロクス

- 鉄代謝

①鉄の需要量
- 体内に3～4 gの鉄が存在しているが、閉鎖された代謝回路を形成しているので、体内から失われる鉄量は少なく、需要量も大きくない。
  需要量　成人男性：1 mg/1日、成人女性：2 mg/1日、妊娠女性、乳幼児：3 mg/1日

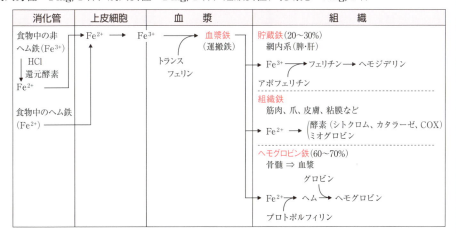

②鉄の吸収
- 胃の中でFe^{3+}→Fe^{2+}に還元された後に、上部小腸から吸収される。
- 小腸上皮細胞中から血漿中に出るとき、Fe^{3+}に変化する。
- Fe^{3+}は血漿中に移行して、トランスフェリンに結合して循環。

③体内の鉄分布

ヘモグロビン鉄	赤血球中に含まれ、成人男性では全鉄の60～70％。
血清鉄	トランスフェリンに結合して循環し、ヘモグロビン合成に利用される。 　不飽和鉄結合能（UIBC）＝総鉄結合能（TIBC）－血清鉄 　総鉄結合能（TIBC）：全トランスフェリンに結合しうる鉄量。トランスフェリンは通常過剰に存在しており、1/3のみが鉄と結合している。 　鉄飽和度＝血清鉄（トランスフェリンに結合している鉄量）／TIBC
貯蔵鉄	フェリチン、ヘモジデリンとして脾臓などの網内系に貯蔵（20～30％、1g）
組織鉄	筋を初めとする臓器中ミオグロビン、ヘム酵素などとして含まれる。

- 鉄欠乏では①貯蔵鉄 → ②血漿鉄 → ③ヘモグロビン鉄 → ④組織鉄の順に枯渇し、鉄剤投与では④→①の順序で補充される。

④代謝（再利用）
- 脾臓などの網内系で崩壊した赤血球から放出されたヘモグロビン鉄は、血漿に移行してヘモグロビン合成に再利用される。

(2) 巨赤芽球性貧血（megaloblastic anemia）

ビタミンB_{12}、葉酸の欠乏によって出現する貧血。

巨赤芽球性貧血 ─┬─ ビタミンB_{12}欠乏性貧血（悪性貧血と胃切除後貧血）
　　　　　　　　└─ 葉酸欠乏性貧血

これらビタミン欠乏により赤芽球のDNA合成が阻害されるので、細胞は成熟するが、核が未熟な大型細胞（骨髄では巨赤芽球）が出現する（ヘモグロビン合成は阻害されない）［大球性正（〜高）色素性貧血］。

ビタミンB_{12}欠乏では神経のミエリン鞘形成も阻害されるので、（末梢）神経障害を伴う。

- 治療薬：ビタミンの補充。

ビタミンB_{12}	シアノコバラミン、（補酵素型）メコバラミン、コバマミド
	・体内の貯蔵量を正常化し、かつ治療後の消費量を補充する（維持療法）。 ・ビタミンB_{12}製剤は、ホモシステインからメチオニンを合成するメチオニン合成酵素の補酵素として働き、ビタミンB_{12}欠乏による核酸やリン脂質のメチル基転位反応の低下を改善する。 ・悪性貧血、胃切除後貧血には筋注で1〜2カ月間用いる（内因子欠如により経口では吸収されない→無効）。 ・造血亢進に伴い鉄消費が増大し、鉄欠乏をきたすので鉄剤を併用する。 ・悪性貧血患者の胃粘膜萎縮や無酸症は回復しない。

・ポルフィリン類似骨格
X＝CN：シアノコバラミン
　　CH₃：メコバラミン
　　5'-デオキシアデノシル：コバマミド

葉酸
プテリン　p-アミノ安息香酸　グルタミン酸

葉　酸	葉酸
	・経口投与による吸収がよいため、経口投与が基本。 ・テトラヒドロ葉酸（活性葉酸）になりDNA合成の補酵素として作用。 ・葉酸拮抗薬メトトレキサート過量投与による葉酸の利用障害には、活性葉酸（ホリナート）を用いる。

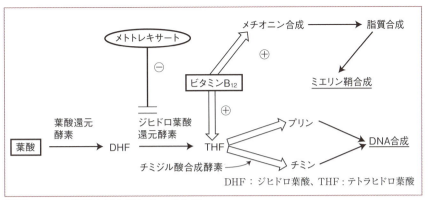

図 2-3-25　葉酸とビタミンB_{12}の作用

(3) 再生不良性貧血 (aplastic anemia)

骨髄における幹細胞レベルの障害により赤血球産生が低下して生じる貧血で、赤血球のみならず、白血球、血小板の減少もきたす汎血球減少症 (pancytopenia) を特徴とする。赤血球は正球性正色素性貧血。免疫的機序で発症する特発性のものや薬物毒性によって発症する場合が多い。

- 治療薬：軽症、中等症、重症に分類され、治療法が異なる。

軽症	タンパク同化ステロイド メテノロン、ナンドロロン（テストステロンを使用することもある） 作用機序：①造血幹細胞を刺激、②エリスロポエチン産生を亢進 禁忌：前立腺癌（アンドロゲン作用により症状を悪化させる）
中〜重症	免疫抑制薬 副腎皮質ステロイド（メチルプレドニゾロン） シクロスポリン…カルシニューリン阻害薬 抗ヒト胸腺細胞グロブリン（ATG）：ヒト胸腺細胞をウサギに免疫して得られるポリクローナル抗体 抗リンパ球グロブリン（ALG）
重症	骨髄移植（第一選択）
補助療法	造血サイトカイン：エリスロポエチン、G-CSF

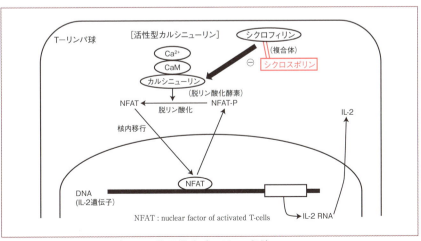

図 2-3-26　シクロスポリンの作用機序（T-リンパ球）

（4）溶血性貧血（hemolytic anemia）

赤血球破壊（溶血）の亢進により末梢血中の赤血球数が減少し、貧血をきたす病態をいう。

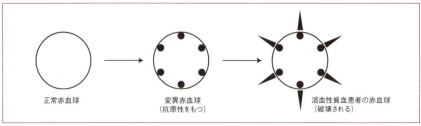

図 2-3-27　溶血性貧血の発現機序（▶ 抗体）

- 治療薬：溶血が免疫的機序（主としてⅡ型アレルギー反応）によるものに対して

免疫抑制療法	副腎皮質ステロイド（プレドニゾロンなど）（第一選択薬）
	・Coombs試験が陰性化（抗赤血球抗体の反応消失）するまで投与を継続する。
	摘脾、免疫抑制薬（シクロスポリン、メトトレキサートなど）

（5）腎性貧血（Renal anemia）

慢性腎炎や腎不全に伴って発現する貧血。赤血球増殖因子であるエリスロポエチンの腎からの分泌低下によって発現する。正常時にはエリスロポエチンは、腎動脈酸素分圧の低下に反応して腎の近位尿細管周囲の間質細胞で産生され、赤血球増殖を介して血中の酸素濃度を増加させている［代償性反応］（腎透析患者では腎性貧血は必発）。

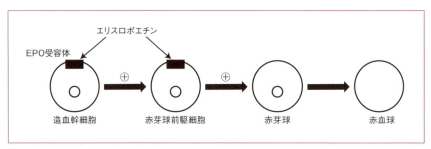

図 2-3-28　エリスロポエチンの作用部位

- 治療にはエリスロポエチンの補充療法がとられる。
- 細胞の酸素供給が低下した場合（低酸素状態）に誘導・活性化される転写因子のHIF（低酸素誘導因子：hypoxia inducible factor）には α と β があり、通常の酸素状態でも産生されているが、通常はすぐに「HIF-PH（HIFプロリン水酸化酵素：HIF-Prolyl Hydroxylase）」によって速やかに分解されてしまうため、活性化することはない。一方、高地で酸素濃度の薄い場所や、出血などで細胞が低酸素状態になった場合には、HIF-PFの働きが抑制されてHIFが分解されにくくなり、HIF-α とHIF-β が複合体を形成してDNAの転写を

活性化させ、エリスロポエチンの産生促進、鉄の吸収促進、赤血球へのトランスフェリンの取り込み促進などによって赤血球の分化・成熟が促進される。この人体が自然に適応する際に用いられる仕組みを応用して、HIF-PHを選択的に阻害することでHIFの活性を促し赤血球の産生を高める薬が近年開発され、腎性貧血の治療に用いられるようになった。

- 治療薬

エリスロポエチン製剤	エポエチンアルファ、エポエチンベータ、エポエチンベータペゴル、ダルベポエチンアルファ
	・赤芽球前駆細胞の分化・増殖を促進する。 ・エポエチン α、β は、同一のアミノ酸配列をもつ糖タンパクであり構成糖が異なる（いずれも遺伝子組換え体）。 ・エポエチンベータペゴルは、エポエチンベータに直鎖メトキシポリエチレングリコール（PEG）分子を化学的に結合させて長時間作用型にしたもの。 ・ダルベポエチンアルファは変異遺伝子組換え体で、半減期が延長　→持続性。 【臨床適用】・腎性貧血 　　　　　　・手術予定者の自己血貯血のための造血 　鉄剤の併用：鉄需要の増大と透析による鉄喪失による欠乏に対応。 【副作用】血液濃縮 → ①高血圧、高血圧脳症、脳出血 　　　　　　　　　→ ②血栓症（脳梗塞、心筋梗塞、肺梗塞）
メピチオスタン	・エリスロポエチン投与不能例に適用 ・骨髄に直接作用して造血刺激作用を発現する（アンドロゲン作用）。 ・エストロゲン受容体に作用して抗エストロゲン作用を現すので乳癌の治療にも用いられる。
HIF活性化薬 （HIF-PH阻害薬）	ロキサデュスタット、バダデュスタット、ダプロデュスタット、エナロデュスタット、モリデュスタット
	・HIF-PHを選択的に阻害することでHIFの活性を促し、赤血球の産生を高める。 ・経口で用いる。 【臨床適用】・腎性貧血

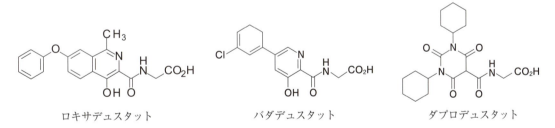

ロキサデュスタット　　　　　バダデュスタット　　　　　ダプロデュスタット

2）白血球減少症治療薬

白血球減少症は、顆粒白血球（主に好中球）が基準値より減少した状態をいう。
臨床的には、顆粒球減少症：好中球が1,500/μL以下
　　　　　　無顆粒球症　：好中球が500/μL以下
好中球が1,000/μL以下になると感染抵抗力が低下して易感染性が出現し、500/μL以下では重篤となり、日和見感染を生じるようになる。薬剤性（副作用として）、放射線誘発性のものが多い。

- 治療薬：骨髄における白血球の分化・増殖を刺激するサイトカイン（刺激因子）製剤やサイトカインの産生を促進する薬物が用いられる。

①悪性腫瘍の化学療法や放射線療法による骨髄抑制による白血球減少症や、②骨髄移植後に白血球増加を目的に投与される。

顆粒球コロニー刺激因子（G-CSF）製剤	
種　類	フィルグラスチム、レノグラスチム、ナルトグラスチム、ペグフィルグラスチム
特　徴	・造血幹細胞移植時、癌化学療法時の好中球減少に適用 ・末梢血幹細胞移植の際に、末梢血中への幹細胞の動員を目的にも用いられる。 ・ペグフィルグラスチムは、フィルグラスチムにポリエチレングリコール（PEG）を付加させ、持続性を向上させたた製剤
副作用	間質性肺炎、脾破裂

マクロファージコロニー刺激因子（M-CSF）製剤	
種　類	ミリモスチム
特　徴	・ヒト尿由来の天然M-CSF製剤。 ・造血幹細胞移植時、癌化学療法時の白血球減少に適用 ・単球および単球系前駆細胞に作用して、間接的にG-CSFの産生を促進して好中球数を増加させる。 ・マクロファージを活性化してコロニー刺激因子やインターロイキン（IL-1）の産生を促進する。

3）血小板減少症治療薬

特発性血小板減少性紫斑病（ITP）では、自己免疫的機序により網内系マクロファージで血小板が破壊される（Ⅱ型アレルギーが関与）。血小板が5万/μL以下になると、全身に出血症状が現れる。**副腎皮質ステロイド（プレドニゾロン）や摘脾が第一選択**であるが、特異的薬物であるエルトロンボパグが登場した。

ITPは体内の抗ピロリ菌抗体が血小板にも交差的に作用して、血小板を破壊することにより発症することが判明した。そのためITPの治療としてピロリ菌除菌も行われる。

トロンボポエチン受容体作動薬	
薬　物	エルトロンボパグ オラミン、ロミプロスチム、ルストロンボパグ
作　用	トロンボポエチン（TPO）受容体と選択的に結合して刺激する。巨核球の分化・増殖を促進し、血小板を産生（遺伝子組換え TPOは、中和抗体ができてしまうため使用できない）
臨床適用	特発性血小板減少性紫斑病（空腹時に経口。食事前後2時間は避ける）

エルトロンボパグ オラミン

ルストロンボパグ

3. 止血薬

1）出血傾向とは

　止血機構や血管壁が障害されると、小さな刺激でも出血しやすく、また一度出血すると止血しにくい状態を出血傾向という。

　出血傾向は止血機能の異常と血管壁の傷害により起こる。

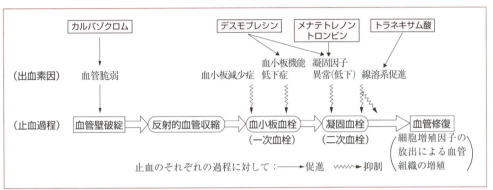

図 2-3-29　出血素因と止血のメカニズム

- 止血の機序

一次止血	①血管損傷部位のコラーゲン線維に von Willebrand 因子を介して血小板が粘着する。 ②粘着血小板から血小板活性化因子が放出され、血小板同士が結合して血小板凝集塊を形成する（p.301、図 2-3-34）。 ③トロンビンの作用により血小板凝集塊の粘性変化を生じ、血小板血栓を生じる。
二次止血	血液凝固因子による連鎖反応により最終的にフィブリン（ポリマー）が形成され、さらに架橋して凝集塊を生成して凝固血栓を形成。
線維素溶解	止血されて血管が修復されると、線溶系が発動して、血栓は溶解され、血流が再開して止血反応は終了。

2）止血薬（hemostatics）

　血管損傷などによる出血を防止する、あるいは出血傾向を予防する目的に用いる薬物を止血薬という。

〈止血薬の種類（出血の原因別）〉

① 血管透過性亢進に基づく出血傾向

血管強化薬	アドレノクロム、カルバゾクロムスルホン酸ナトリウム
	・適応：紫斑病、手術中・術後の異常出血（経口、注射） ・血管透過性亢進を抑制（血液凝固・線溶系には作用しない）。 ・出血時間を短縮する。
	ビタミンC（アスコルビン酸）
	・壊血病（VC欠乏によりコラーゲン形成が阻害されて血管結合組織が脆弱化して出血傾向をきたす）の改善。

カルバゾクロムスルホン酸ナトリウム

②凝固異常に基づく出血傾向

凝固促進薬	メナテトレノン；K₂、フィトナジオン；K₁
	・ビタミンK依存性の凝固因子（Ⅱ、Ⅶ、Ⅸ、Ⅹ）の合成促進（肝で）。 ・ビタミンK欠乏症、新生児の低プロトロンビン血症の治療に用いる（ビタミンK欠乏は閉塞性黄疸、広域抗生物質投与時に現れる）。 ・ワルファリン中毒の中和に用いる。 ・肝障害時には効果が小さい。
	酸化セルロース（ガーゼ状または綿状製剤）
	・血液と接触すると膨張し、出血表面に速やかに密着して止血作用を現す。
	アルギン酸ナトリウム
	・創傷面に散布し、フィブリン形成促進作用、血小板粘着・凝集促進作用等により止血作用を発現する。
	デスモプレシン酢酸塩
	・バソプレシンV₂受容体アゴニスト。 ・血管内皮細胞などにプールされている凝固第Ⅷ因子やvon Willebrand因子（vWF）を放出し血液凝固を促進。 （適用）血友病A、von Willebrand病、外傷性出血など（静注）

酵素製剤	トロンビン
	・活性化凝固第Ⅱ因子（Ⅱα）（フィブリノーゲンをフィブリンに変換して血液を凝固させる）。 ・外傷に伴う出血、手術中の出血、鼻出血、抜歯後の出血等で出血局所に噴霧、塗布。 ・上部消化管出血に内服する際は、服用前に牛乳やリン酸緩衝液で胃酸を中和しておく。 ・血管内に入ると流血を凝固させ致死的な結果を招くおそれがあるので、注射投与は行わない。
	ヘモコアグラーゼ（静注または筋注）
	・蛇毒由来の酵素で、トロンビン様作用により血液凝固を促進する。 ・血小板凝集促進作用もあり、出血時間を短縮する。

メナテトレノン

フィトナジオン

Tyr-Phe-Gln-Asn-Cys-Pro-D-Arg-GlyNH₂・H₃C-CO₂H・3H₂O

デスモプレシン

③線溶系亢進に基づく出血傾向

	トラネキサム酸、ε-アミノカプロン酸
抗線溶薬	・全身性線溶亢進が関与する出血傾向の治療に用いる（止血薬）。 ・トラネキサム酸やε-アミノカプロン酸は、フィブリンのリジン残基に化学構造が似ている。そのためプラスミンやプラスミノーゲンがリジンを介するフィブリンとの結合は形成されず、プラスミノーゲンの活性化およびプラスミンの線溶作用はともに抑制される。 ・プラスミンによるキニンや炎症性ペプチドの産生を抑制して抗炎症作用、抗アレルギー作用も示す（抗アレルギー・抗炎症薬）。 ・経口および注射で用いられる。

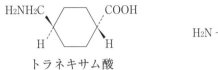

トラネキサム酸　　　　　　　　　ε-アミノカプロン酸

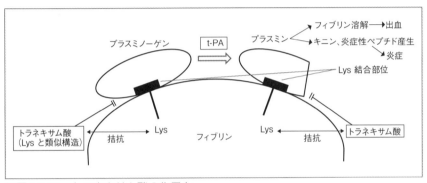

図2-3-30　トラネキサム酸の作用点

4. 抗血栓薬

1) 血栓症（塞栓症）とDIC

①**血栓症**
- 血管内で血栓が形成され、血管内腔の狭窄や閉塞を生じ、末梢組織・臓器が虚血に陥り、機能障害を生じる状態をいう。

血栓の種類	特　徴	抗血栓薬
白色血栓	主として血流の速い動脈に生じる血小板を中心とした血液塊 ⇒脳梗塞、心筋梗塞の原因となる	抗血小板薬
赤色血栓	血流の遅い静脈などに生じる赤血球を中心とした血液塊 ⇒肺血栓塞栓症、深部静脈血栓症、心房細動による血栓の原因となる	抗凝固薬

②**塞栓症**
- 血管内に生じた血栓の遊離片などの異物が血流で運ばれて末梢血管を閉塞して循環障害を呈する状態をいう。
- 剥離した血栓による血栓性塞栓症（thromboembolism）の頻度が高い。

③**播種性血管内凝固症候群**（DIC；Disseminated Intravascular Coagulation）
- 本来、出血箇所のみで生じるべき血液凝固反応が、全身の血管内で無秩序に起こる状態。重篤な基礎疾患に伴い、抗血栓性機序の低下などにより生じる。

2) 抗血栓薬（antithrombotic drugs）
血栓・塞栓の形成の予防あるいは改善に用いられる薬物を抗血栓薬という。

■表 2-3-8　抗血栓薬の種類

凝固系に作用するもの （抗凝固薬）	ワルファリン（経口抗凝血薬） ヘパリン、ダルテパリン、ダナパロイド、パルナパリン、リバーロキサバン、エドキサバン、アピキサバン アルガトロバン、ダビガトラン クエン酸ナトリウム、エデト酸ナトリウム（Caキレート剤）
血小板に作用するもの （抗血小板薬）	アスピリン（シクロオキシゲナーゼ阻害） クロピドグレル（ADP受容体遮断薬） シロスタゾール、ジピリダモール（血小板PDE阻害薬） ベラプロスト、アルプロスタジル（血小板受容体刺激薬） サルポグレラート（5-HT$_2$受容体遮断薬） イコサペント酸エチル、オザグレル（トロンボキサンA$_2$合成阻害）
血栓を溶解するもの （血栓溶解薬）	組織プラスミノーゲン活性化薬（t-PA）：アルテプラーゼ、モンテプラーゼ ウロキナーゼ

(1) 抗凝固薬
①血液凝固系
- 血液凝固系とは、血液中の凝固因子が連鎖反応してフィブリンを析出して凝固血栓を形成する過程をいう。
- ①血液凝固系は、2つの異なった系（内因系と外因系）からなるが、最終的には共通系経路によりトロンビンがフィブリノーゲンに作用してフィブリンを凝集した血小板上に析出させる（外傷性の出血では外因系経路が主経路として働く）。
- ②さらにトロンビンにより活性化されて第XIII因子の作用によりフィブリンが架橋、安定化して凝固血栓が形成される。

〈凝固因子〉
- 凝固系では、第Ⅰ因子〜第XIII因子（第Ⅵ因子は欠番）までの12因子が働く。
- 多くの因子はプロテアーゼ前駆体で、上流の活性化凝固因子により限定分解されて活性化される。

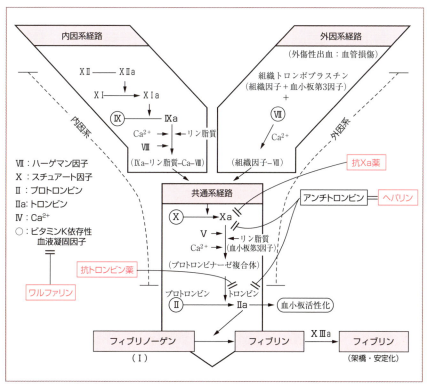

図2-3-31　血液凝固系

②抗凝固薬

ワルファリン		【臨床適用】	血栓塞栓症(静脈血栓症、脳塞栓症、肺塞栓、心房細動時の脳梗塞、心筋梗塞など)の治療および予防
		【薬理作用】	・肝におけるビタミンK依存性凝固因子(プロトロンビン、VII、IX、X因子)の生合成阻害。 ・ワルファリン投与時にはプロトロンビン時間(PT)国際標準化比(PT-INR)＝2～3を目標とする。 ・試験管内投与無効 ・経口投与。1日1回。
		【用法】	・血漿タンパク結合性が大きいので、最初飽和させたあと維持量を投与する(タンパク結合性の大きな薬物との相互作用に注意)。 ・効果発現は遅い(投与後1～2日)、作用は持続的(2～5日)。
		【代謝】	・CYP2C9、一部CYP1A2で代謝される。
		【副作用など】	・血液－胎盤関門を通過し、奇形や胎児の出血を発生するおそれがある。 ・母乳に移行するので、新生児に出血傾向をきたすおそれがある。 ・納豆(納豆菌はビタミンKを産生する)、クロレラ、青汁(ビタミンKを高濃度含有)等の摂取により作用が減弱するおそれがある(併用注意)。 ・過量投与による出血傾向にはビタミンKを投与する。
		【作用機序】	脱カルボキシプロトロンビン(N末端:Glu) →(VK依存性カルボキシラーゼ, CO_2)→ プロトロンビン(II)(N末端:Gla) 還元型VK(OH, OH, CH_3, R) ⇄ 酸化型VK(ビタミンKエポキシド)(O, O, CH_3, R) O_2、VKエポキシド還元酵素、ワルファリン(×)、NAD^+、NADH ・還元型ビタミンKは、血液凝固因子(II、VII、IX、X)の生合成過程のグルタミン酸残基のカルボキシル化反応の補酵素として働く。 ・反応の進行で生成した酸化型ビタミンKは還元酵素により還元型に戻り再利用される。 ・この還元反応(ビタミンKエポキシド還元酵素)をワルファリンが阻害する。
ヘパリン類	ヘパリン(未分画)	【臨床適用】	・血栓塞栓症の治療、DICの治療および予防、血液透析、カテーテル検査時、輸血および血液検査時の血液凝固の防止など
		【物質・物性】	・肥満細胞や好塩基球の顆粒中に含まれる。 ・分子中に硫酸基やカルボキシ基をもつ糖を構成糖とする酸性ムコ多糖類。 ・高分子(分子量3,000～35,000)であり、かつ水溶性が高いので消化管からは吸収されない(経口投与では無効)。 ・血液－胎盤関門を通過しない(妊婦にも用いることができる)。
		【作用機序】	・アンチトロンビン(III)と複合体を形成し、アンチトロンビンの立体構造を変化させる。その結果、アンチトロンビンの抗トロンビン活性や抗Xa因子活性を増強する(約1,000倍)ことにより抗凝固活性を発現する。 ・アンチトロンビン欠損の患者では無効(ヘパリン自体には抗凝固作用はない)。 ・試験管内投与でも抗凝固活性を発現。
		【副作用】	・過剰投与や透析終了時の中和にはプロタミン硫酸塩を投与する。 ・出血傾向を示す患者には原則禁忌である。 ・ヘパリン起因性血小板減少症(HIT)…血小板第4因子＝ヘパリン複合体に対する抗体ができる。

表 2-3-3 ワルファリンとヘパリンの比較

	ワルファリン	ヘパリン
投与方法	経口	皮下注、点滴静注
in vitroで	無効（肝臓の存在が必要）	有効
in vivoで	有効	有効
発現時間	遅効性（1～2日）	速効性
持続時間	持続性（2～5日）	短い（4～8時間毎静注 or 24時間点滴）
過量投与時の処置	ビタミンK静注	プロタミン硫酸塩静注
妊婦への適用	禁忌	可

ワルファリンカリウム

ヘパリン

ヘパリン類	低分子ヘパリン製剤	ダルテパリン(血液透析、DIC)、パルナパリン、レビパリン(血液透析)、エノキサパリン(静脈血栓症) ・ヘパリンの脱重合体で、ヘパリンを化学的に分解して得られた低分子ヘパリン製剤。分子量2,000～9,000（平均分子量：約5,000） ・トロンビンに対するより第Xa因子に対する選択性が高く(2～5：1)、血小板に対する影響が少ない⇒出血傾向の副作用が小さい。 ・半減期が長く、持続的(ヘパリンの0.5～1時間に対して、2～4時間)
	低分子ヘパリン類似物質（ヘパリノイド）製剤	ダナパロイド（DIC） ・ブタ小腸より抽出した主成分ヘパラン硫酸、デルマタン硫酸、コンドロイチン硫酸からなるヘパリン類似物質。 ・作用の特徴は低分子量ヘパリンより持続が長い（半減期20時間）。
選択的Xa阻害薬		フォンダパリヌクス ・ヘパリンの最小有効単位の完全合成化合物（5糖類）。 ・アンチトロンビンと結合し、第Xa因子のみを選択的に阻害(間接作用型、トロンビンには結合しない)。持続が長い。トロンビン阻害作用が弱いため、出血性副作用が少ない。 ・臨床適用：静脈血栓塞栓症（1日1回皮下注）
		リバーロキサバン、アピキサバン、エドキサバン ・合成化合物 ・直接作用型Xa阻害薬で、その効果発現にアンチトロンビンは不要。 ・臨床適用：心房細動患者における脳梗塞と全身性塞栓症の発症抑制 　　　　　静脈血栓塞栓症 　　　　　（1日1回経口。経口使用が特徴） ・副作用：間質性肺炎
アンチトロンビンⅢ製剤		・製剤名にのみⅢがつけられるが、それ以外は現在はⅢをつけない。 ・臨床適用：①先天性アンチトロンビン欠乏に基づく血栓形成傾向、②アンチトロンビン低下を伴うDIC（凝固優先型DICではアンチトロンビンが消費されて、低アンチトロンビン状態になる）。③遺伝子組換え製剤として、アンチトロンビンガンマがある。

フォンダパリヌクス　　リバーロキサバン

図 2-3-32　ヘパリン／低分子ヘパリンのトロンビンとＸａ因子に対する作用の比較

抗トロンビン薬	アルガトロバン、ダビガトランエテキシラート ・いずれもアンチトロンビン非依存性に、トロンビン活性を特異的に阻害して、抗凝固作用を発現する。作用点はトロンビン活性部位。 アルガトロバン ・臨床適用：脳血栓や慢性動脈閉塞症（点滴静注）、血液透析時。 ・作用機序：トロンビンによる①血液凝固と②血小板凝集を強く阻害。 ダビガトランエテキシラート：経口投与可能な選択的抗トロンビン薬。プロドラッグであり、エステラーゼにより活性体（ダビガトラン）となる。 ・臨床適用：心房細動患者における脳卒中および全身性塞栓症の発症の抑制。 ・特徴：①*in vitro*でも有効、②PT-INRなどの厳密な血液凝固モニタリング検査が不要、③CYPで代謝されないため、薬物相互作用は少ない、④食品との相互作用なはい、などワルファリンよりも長所があり、心房細動治療においてワルファリンに取って代わりつつある。
タンパク分解酵素阻害薬	ガベキサート、ナファモスタット セリンプロテアーゼ阻害活性によりトロンビン、Xaの活性を阻害して抗凝固作用を発現する（DICに適用）。トリプシン、プラスミン、カリクレインの活性も阻害する。

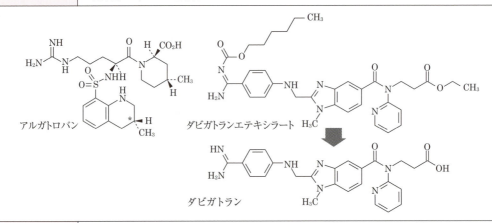

トロンボモデュリン製剤	トロンボモデュリンアルファ（thrombomodulin：プロテアーゼの一種） 　トロンビンに結合し、トロンビンの機能を「凝固」から「抗凝固」に変調させる（thrombin を modulate）。トロンボモデュリンは血管内皮細胞表面に発現している抗血栓分子で、血管内で血液凝固を防いでいる。 ・ヒトトロンボモデュリン（TM）の細胞外領域だけの遺伝子組換え可溶型トロンボモデュリン製剤。 ・臨床適用：DICの治療に用いられる（点滴静注）。出血性副作用はヘパリンより少ない。 ・作用機序：トロンビンと1:1の複合体を形成し、トロンビンの基質選択性をフィブリノーゲンからプロテインCに変化させる。これにより、①トロンビンはフィブリノーゲンを基質として認識できなくなり、フィブリン形成が抑制される。さらに、②トロンボモデュリン－トロンビン複合体はプロテインCを活性化し、活性化第V因子および活性化第VIII因子を不活性化することによって、トロンビン自体の生成を抑制する。これらの作用により抗凝固作用を示す。

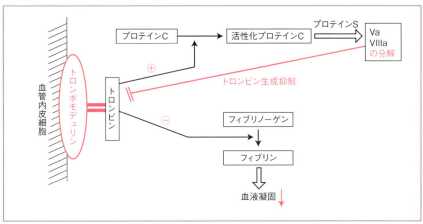

図 2-3-33　トロンボモデュリンの作用機序

Caキレート剤	クエン酸ナトリウム、エデト酸ナトリウム
	・Ca^{2+}（第Ⅳ凝固因子）を除去し、血液凝固を阻止する。 ・採取した血液の凝固防止に用いる。 ・試験管内でも抗凝固作用を発現

(2) 抗血小板薬

動脈系の血栓（白色血栓）の主体は、凝集血小板であり、血栓予防には血小板凝集（図 2-3-34）を阻害する薬物が用いられる。

①血小板凝集の調節機構（図 2-3-35）
- **血小板活性化機構**：粘着血小板 → トロンボキサン A_2（TXA_2）産生・放出 → TXA_2 受容体刺激 → 細胞内 Ca^{2+} 増加 → セロトニン（5HT）、ADP 放出 → 血小板活性化 → 血小板凝集
- **血小板抑制機構**：血管内皮細胞刺激 → プロスタグランジン I_2（PGI_2）放出 → 血小板 PGI_2 受容体刺激 → 細胞内 cAMP 上昇 → 細胞内 Ca^{2+} 低下 → 血小板活性低下 → 凝集抑制

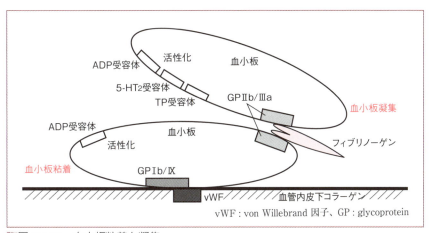

図 2-3-34　血小板粘着と凝集

②抗血小板薬

TXA₂合成阻害薬	アスピリン（低用量）、オザグレルナトリウム、イコサペント酸エチル（EPA） ・TXA₂合成阻害の作用機序 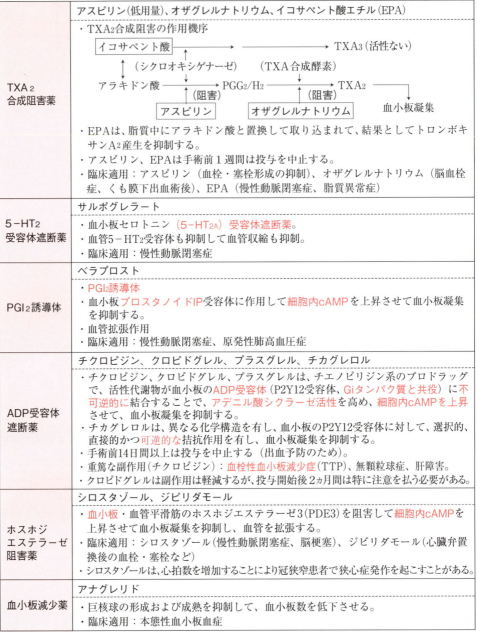 ・EPAは、脂質中にアラキドン酸と置換して取り込まれて、結果としてトロンボキサンA₂産生を抑制する。 ・アスピリン、EPAは手術前1週間は投与を中止する。 ・臨床適用：アスピリン（血栓・塞栓形成の抑制）、オザグレルナトリウム（脳血栓症、くも膜下出血術後）、EPA（慢性動脈閉塞症、脂質異常症）
5-HT₂受容体遮断薬	サルポグレラート ・血小板セロトニン（5-HT₂A）受容体遮断薬。 ・血管5-HT₂受容体も抑制して血管収縮も抑制。 ・臨床適用：慢性動脈閉塞症
PGI₂誘導体	ベラプロスト ・PGI₂誘導体 ・血小板プロスタノイドIP受容体に作用して細胞内cAMPを上昇させて血小板凝集を抑制する。 ・血管拡張作用 ・臨床適用：慢性動脈閉塞症、原発性肺高血圧症
ADP受容体遮断薬	チクロピジン、クロピドグレル、プラスグレル、チカグレロル ・チクロピジン、クロピドグレル、プラスグレルは、チエノピリジン系のプロドラッグで、活性代謝物が血小板のADP受容体（P2Y12受容体、Giタンパク質と共役）に不可逆的に結合することで、アデニル酸シクラーゼ活性を高め、細胞内cAMPを上昇させて、血小板凝集を抑制する。 ・チカグレロルは、異なる化学構造を有し、血小板のP2Y12受容体に対して、選択的、直接的かつ可逆的な拮抗作用を有し、血小板凝集を抑制する。 ・手術前14日間以上は投与を中止する（出血予防のため）。 ・重篤な副作用（チクロピジン）：血栓性血小板減少症（TTP）、無顆粒球症、肝障害。 ・クロピドグレルは副作用は軽減するが、投与開始後2ヵ月間は特に注意を払う必要がある。
ホスホジエステラーゼ阻害薬	シロスタゾール、ジピリダモール ・血小板・血管平滑筋のホスホジエステラーゼ3（PDE3）を阻害して細胞内cAMPを上昇させて血小板凝集を抑制し、血管を拡張する。 ・臨床適用：シロスタゾール（慢性動脈閉塞症、脳梗塞）、ジピリダモール（心臓弁置換後の血栓・塞栓など） ・シロスタゾールは、心拍数を増加することにより冠狭窄患者で狭心症発作を起こすことがある。
血小板減少薬	アナグレリド ・巨核球の形成および成熟を抑制して、血小板数を低下させる。 ・臨床適用：本態性血小板血症

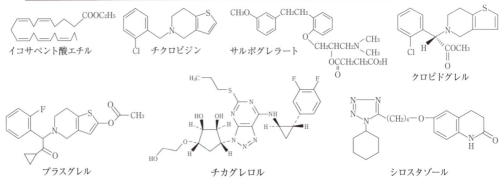

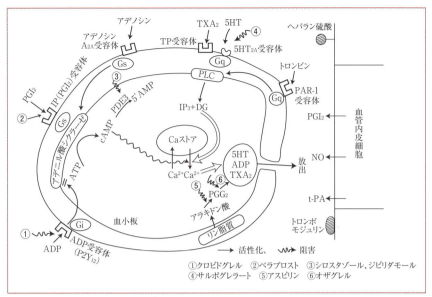

図 2-3-35　血小板凝集と阻害薬の作用部位

（3）血栓溶解薬

血栓溶解薬は、すでに形成された血栓あるいは塞栓を溶解するという特徴をもっており、血栓症・塞栓症を改善する目的に用いられる。

生体内では、血栓は線溶系により分解、除去されるので、血栓溶解薬としては線溶系におけるプラスミノーゲン活性化因子あるいは類似の作用を有するものが用いられる。

①線維素溶解

損傷した血管の修復が終了すると、凝固血栓はプラスミンにより分解されて除去される。これを線維素溶解（線溶）という。

プラスミンは、修復された血管内皮細胞から遊離された組織プラスミノーゲン活性化因子（t-PA；tissue plasminogen activator）によって血漿中のプラスミノーゲンが限定分解されて生成される。

凝固血栓のフィブリン塊にプラスミノーゲンとt-PAが吸着されると、t-PAの活性が促進されプラスミンを生成し、プラスミンがフィブリンを分解する（プラスミンはセリンプロテアーゼの1つ）。

線溶系を抑制する機構として、①プラスミノーゲン活性化因子インヒビター（PAI-1）と②α_2-プラスミンインヒビター（α_2-PI）がある。血漿中のPAI-1はt-PAと結合しt-PAを不活性化するが、血栓中（固相）のt-PAによるプラスミン生成はPAI-1によって阻害を受けず、フィブリンの溶解が進行する。一方、血漿中でt-PAによって生成されたプラスミンは、血漿中で希釈さ

れるうえ、血漿中のα_2-プラスミンインヒビターと結合して不活性化されるので、反応効率は著しく低くなる。

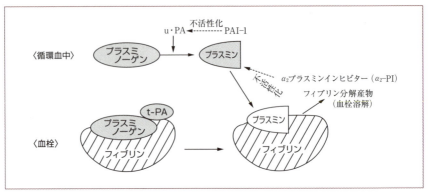

図 2-3-36　線溶反応系

②血栓溶解薬

種類	組織プラスミノーゲン活性化因子（t-PA）
	アルテプラーゼ、モンテプラーゼ
特徴	・血管内皮細胞から放出されるt-PAの遺伝子組換え製剤。 ・t-PAはプラスミノーゲンとフィブリンの両方に結合ドメインをもつので、血栓中のフィブリンと親和性が高い。フィブリン塊上でプラスミノーゲンを限定分解してプラスミンに変換し、フィブリン分解を促進する。 ・アルテプラーゼは天然型t-PAであり、作用持続が短い。モンテプラーゼはアミノ酸を入れ替えた改変型で作用持続が長い。 ・急性心筋梗塞における冠動脈血栓の溶解に発症から6時間以内に投与（静注）する。 ・［アルテプラーゼ］脳梗塞では発症後4.5時間以内に投与する。アルテプラーゼは総量の10%を1〜2分間で急速投与し、その後その残りを1時間で投与する（静注）。副作用：出血性脳梗塞（再灌流時に） ・［モンテプラーゼ］肺塞栓症の溶解にも使用する。

種類	ウロキナーゼ（尿性プラスミノーゲン活性化因子、u-PA）
特徴	・ヒト尿から濃縮した製剤。 ・血漿中のプラスミノーゲンに作用してプラスミンに変換する（フィブリンに対する親和性が低い）。 ・生成したプラスミンは血漿中α_2プラスミンインヒビターと結合して不活性化されてしまうので、大量投与する必要がある（出血傾向の危険性大）。 ・脳血栓症（発症後5日以内）、急性心筋梗塞（発症後6時間以内）、末梢動・静脈閉塞症に使用（発症後10日以内）（点滴静注）。

CHECK

次の記述について、正しいものには「○」を、間違っているものには「×」をつけてその理由を簡潔に述べなさい。

1 経口鉄製剤は、主として三価の鉄（Fe^{3+}）として腸管粘膜から吸収される。
2 悪性貧血は、内因子不足に基づく貧血で、ビタミンB_{12}製剤の経口投与が著効を示す。
3 メコバラミンは、核酸代謝を促進して悪性貧血に著効を示す。
4 葉酸は、溶血性貧血に適用される。
5 メチルプレドニゾロンは、骨髄抑制を起こすので、再生不良性貧血には禁忌である。
6 エリスロポエチンは、顆粒球系幹細胞に作用し、赤血球への分化・増殖を促進する。
7 エポエチンアルファとエポエチンベータは、ポリペプチド鎖のアミノ酸配列が同じである。
8 メナテトレノンは、ヘパリンの過剰投与による出血傾向の処置に用いられる。
9 トラネキサム酸は、プラスミンの作用を促進し、血液凝固作用を示す。
10 ワルファリンは、ビタミンKに拮抗して、プロトロンビンなどの血液凝固因子の肝臓での生合成を抑制する。
11 ヘパリンは、トロンビン活性を抑制するので、試験管内でも血液凝固阻止作用を示す。
12 ダルテパリンは、ヘパリンと同程度のアンチトロンビン結合能や抗トロンビン作用を示す。
13 アスピリンは、血小板のシクロオキシゲナーゼを阻害して、血栓形成を防ぐ。
14 サルポグレラートは、セロトニン5-HT_2受容体を遮断することにより、血小板凝集を抑制する。
15 シロスタゾールは、血小板のホスホジエステラーゼIIIを阻害してサイクリックAMP濃度を高め、血小板の凝集を抑制する。
16 アルテプラーゼは、プラスミノーゲンをプラスミンに変換し、血栓を溶解する。

【解答】
1 × 鉄は胃内で還元されてFe^{2+}の形で上部小腸から吸収される。
2 × 悪性貧血では内因子が不足しているので、ビタミンB_{12}を経口投与しても吸収されない。
3 ○
4 × 葉酸は、巨赤芽球性貧血のうち葉酸欠乏性のものに有効であるが、溶血性貧血には効かない。
5 × 再生不良性貧血は、自己免疫的機序により発症するものが多く、メチルプレドニゾロンなどのステロイド剤が治療に用いられる。
6 × エリスロポエチンは、赤血球前駆細胞に作用して分化・増殖を促進する。
7 ○
8 × メナテトレノン（ビタミンK_2）は、ワルファリン過剰投与による出血傾向に用いられる。
9 × トラネキサム酸は、プラスミンの線溶作用を阻害する。
10 ○
11 ○
12 × ダルテパリンのアンチトロンビン結合能はヘパリンと同程度だが、抗トロンビン作用はヘパリンより弱い。
13〜16 ○

3 泌尿器系・生殖器系に作用する薬

到達目標
- 利尿薬の薬理（薬理作用、機序、主な副作用）を説明できる。
- 排尿障害治療薬の薬理（薬理作用、機序、主な副作用）を説明できる。
- 妊娠・分娩・避妊に関連する薬物の薬理（薬理作用、機序、主な副作用）を説明できる。

1. 腎の基礎生理

1）腎の機能

腎は尿を生成し排泄することによって、次のような生体の内部環境を恒常に維持する重要な機能を行っている。
① 血中の最終代謝産物（老廃物）や異物の排泄
② 体内電解質（Na^+、K^+、Cl^- など）の調節
③ 血液量・体液量の調節
④ 血液 pH の調節
⑤ レニンやエリスロポエチンの分泌

2）尿生成のしくみ

（1）ネフロンの構成

腎臓で尿を生成する最小機能単位をネフロンとよび、ボーマン嚢で囲まれた糸球体、尿細管（近位尿細管 → ヘンレ係蹄下行脚 → ヘンレ係蹄上行脚 → 遠位尿細管）と集合管より構成される（図 2-3-37）。

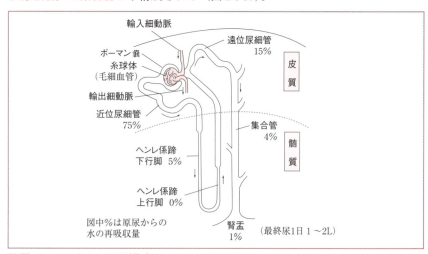

図 2-3-37　ネフロンの構成

ネフロンは一側腎に約100万個ある。ネフロンにおけるろ過・再吸収・分泌の過程を経て最終的に尿が生成される。糸球体で限外ろ過されてできた原尿のうち、およそ99％が尿細管で再吸収を受け、1％のみが最終的に尿として排泄される（1日1～2L）。

(2) ネフロン各部位の機能
①糸球体（glomerulus）

血液は受動輸送による限外ろ過（圧により低分子がろ過される）を受け、水分や水溶性成分を含んだ原尿が生成される（120 mL/min）。血球、タンパクおよびそれに結合した物質はろ過されない。

毛細血管内皮と有足細胞突起のそれぞれの間の間隙を通り抜けて血中成分は尿細管に入っていくが、分子量40,000以上の大きさの分子は通過困難である。また糸球体基底膜は全体として陰性に荷電されており、陰性荷電をもった分子（アルブミンなど）は電気的反発によって透過されにくい。このろ過構造に障害が生ずるとタンパク尿が出現してくる。

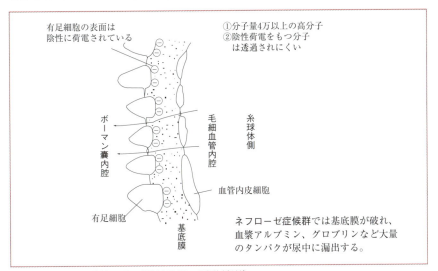

図2-3-38　糸球体ろ過（限外ろ過で受動輸送）

②近位尿細管（proximal tubule）
- Na^+ は Na^+/H^+ 交換系により再吸収される。
- 原尿中のアミノ酸、ブドウ糖、PO_4^{3-}、HCO_3^- なども能動的に再吸収される。
- 原尿中の K^+ の濃度は、まわりの毛細血管中のそれに比べて高いので、受動的に再吸収される。
- 原尿の約75％は近位尿細管で再吸収される。
- 近位尿細管におけるイオンおよび水の再吸収は等浸透性の仕事であるので、尿細管液の浸透圧は間質と同じ300 mOsm/Lである。

> 〈参考〉
>
> **Na$^+$/H$^+$交換系（NHE-1）**
>
> 　近位尿細管上皮細胞の刷子縁膜および細胞質に存在する炭酸脱水酵素（CA）の働きで、H$^+$とHCO$_3^-$が生成される。このH$^+$はNa$^+$/H$^+$交換担体を介して尿細管腔内のNa$^+$と交換し、尿細管腔内に分泌される。HCO$_3^-$は基底側にある3HCO$_3^-$/Na$^+$共輸送系を介して血管内に吸収される。
>
> 　H$^+$は糸球体でろ過されたHCO$_3^-$と結合してH$_2$CO$_3$となり、CAによりCO$_2$＋H$_2$Oとなる。CO$_2$は再び細胞内に入り、HCO$_3^-$となる。すなわち、H$^+$分泌によりNa$^+$とHCO$_3^-$は再吸収されたわけである。
>
>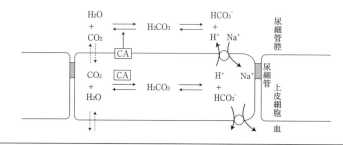

③ヘンレ係蹄（Henle's loop）

下行脚では水は間質へ拡散する。Na$^+$、Cl$^-$は管腔に分泌される。上行脚では、Na$^+$-K$^+$-2Cl$^-$共輸送系によりNa$^+$、K$^+$、Cl$^-$の能動輸送は進むが、水に対しては非透過性であるため管腔の浸透圧は次第に低下してくる（100 mOsm/L）（図2-3-39）。

④遠位尿細管（distal tubule）

遠位尿細管に入る低張尿（100 mOsm/L）は、遠位部の中央に達するまでにNa$^+$の能動的再吸収（Na$^+$-Cl$^-$共輸送系による）と水の受動的な拡散によって等張性（300 mOsm/L）となる。

遠位尿細管後半部と集合管ではアルドステロン（副腎皮質から分泌される鉱質コルチコイドmineralocorticoidで抗利尿作用をもつ）が尿細管および集合管細胞内に取り込まれた後、細胞内で鉱質コルチコイド受容体（MR）と複合体を形成する（図2-3-40）。その複合体は核内に入り、DNAに作用してmRNAへの転写を促進する。このアルドステロンの作用により誘導されるタンパク質群として上皮性Na$^+$チャネルタンパク質（ENaC）や、Na$^+$,K$^+$-ATPaseを活性化させるタンパク質（Sgk1）などがある。

NaCの誘導により尿細管管腔側のNaチャネルが増加してその機能が促進されるとともに、Sgk1の誘導により血管側に存在するNa$^+$,K$^+$-ATPaseの活性が促進されてNa$^+$/K$^+$交換系が促進される（ただし、アルドステロンにはNa$^+$,K$^+$-ATPaseタンパク質自体を増加させる作用はない）。その結果、尿細管からのNa$^+$再吸収とK$^+$排泄が劇的に増加する。なお、スピロノラクトンはMRにおいてアルドステロンの作用を競合的に阻害する。

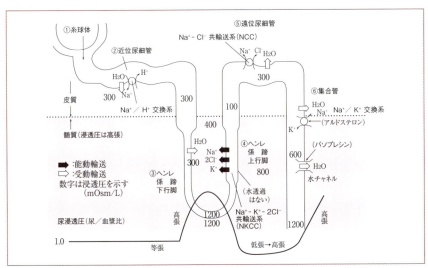

図2-3-39　ネフロン各部位における各物質の輸送

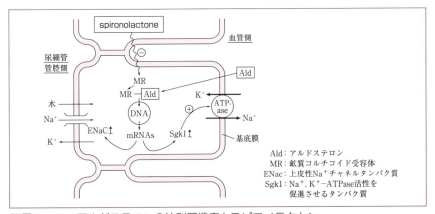

図2-3-40　アルドステロンの抗利尿機序とスピロノラクトン

⑤集合管（collecting tubule）

抗利尿ホルモン（ADH、バソプレシン）は、バソプレシン V_2 受容体を介して主として集合管細胞におけるアデニル酸シクラーゼ活性を高め、サイクリックAMPを生成させることにより、プロテインキナーゼAを活性化し、水チャネル（AQP2）のリン酸化の結果、水の透過性を亢進して水の再吸収を促進する（5～10分以内に20倍ほど上昇する）（ここでは Na^+ の移動はない）［バソプレシンの抗利尿作用］。

これによって管腔液は濃縮され、浸透圧は上昇する（1,200 mOsm/L）。（バソプレシン欠損によって尿崩症になる……1日10Lもの尿が排泄される）

以上の再吸収過程により原尿の99％が再吸収され1％（1～2L）が尿として排泄される。

⑥尿細管における分泌

尿細管には分泌作用があり、有機酸（パラアミノ馬尿酸、ペニシリンなど）は能動的に分泌されるが、その分泌能には限界がある。一方、K^+、H^+ などの

能動的分泌には限界がない。

⑦対向流（増幅）系

上述のようにヘンレ係蹄の下行脚と上行脚ではNa$^+$および水に対する透過性に違いがある。ヘンレ係蹄上行脚での水を伴わないNa$^+$、Cl$^-$の能動的な再吸収によって腎間質の浸透圧は高くなる。

腎髄質では深部にいくほど浸透圧が高い。このヘアピン形をした系は対向流系といわれ、尿濃縮に重要な機構である。

髄質には直血管がヘンレ係蹄と同じU字型に走行し、ゆっくりと血液が流れている。この血流が増大すると、間質にある浸透圧形成物質（Na$^+$、Cl$^-$、尿素）の洗い出し現象が起こり、髄質での浸透圧勾配は低下し、水の再吸収が十分に行われずに利尿をきたすようになる。これは、浸透圧利尿等の作用機序の一因と考えられている。

⑧尿濃縮部位

水だけが尿細管から再吸収されるヘンレ係蹄下行脚と集合管において、原尿は濃縮される。

3) 腎クリアランス値

腎機能や利尿薬の利尿作用の効果の指標とされる。

①クレアチニン、イヌリン

糸球体でろ過されるが、尿細管で再吸収も分泌もされないので、これらの腎クリアランス値は糸球体ろ過量を示す。

ある物質の腎クリアランス値（C）とは、その物質が腎から排泄される場合、単位時間当たり血漿何mLに由来するかを表し、次式より算出する。

$$C = \frac{U}{P} V \quad \begin{array}{l} U：尿中濃度 \\ V：単位時間（通常1分）当たりの尿量 \\ P：血漿濃度 \end{array}$$

どんな物質でも、U、VおよびPを測定することができれば、腎クリアランス値を算出できる。

物質の側からみると、排泄の速いものほど大きい値を示し、遅いものほど小さい値を示す。生体の側からみると、ある物質の腎クリアランス値から腎機能を知ることができるので、本法は臨床的に腎機能検査法として応用されている。

上記腎クリアランスの概念から考えると、糸球体で自由にろ過され、尿細管より再吸収されずまた分泌もされない物質があれば、そのクリアランス値は理論的に糸球体ろ過量（GFR）を示す。これに一致する物質としてイヌリン（糖物質）、クレアチニン（内因性物質）がある。

"血漿クリアランス"は腎で1分間に浄化される物質を含む血漿量で表される。

- 計算：（図2-3-41参照）

　　血漿中のイヌリン濃度：50 mg/100 mL……①
　　尿中のイヌリン濃度：6,000 mg/100 mL……②
　　尿が1 mL/分の割合で排泄されるとする。
　　∴イヌリン・クリアランスあるいは

$$\text{糸球体ろ過量} = \frac{6{,}000 \times 1}{50} = 120 \text{ mL/分}$$

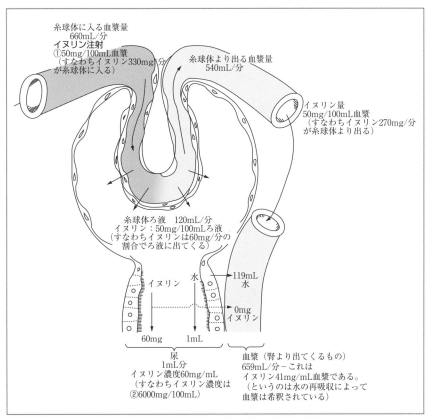

図2-3-41　イヌリンによる糸球体ろ過量（GFR）の算出の例

②パラアミノ馬尿酸

　糸球体ろ過に加えて、尿細管分泌によって速やかに排泄され、腎静脈からはほとんど検出されないので、その腎クリアランス値は腎血漿流量を示す（図2-3-42）。

　血中で分解されることなく、血漿が腎を一度通過する間に血漿から完全に除去される物質があれば、そのクリアランス値は理論的に腎血漿流量を示し、同時に測定したヘマトクリットより腎血流量（RBF）も算出できる。

　この目的にパラアミノ馬尿酸（PAH）が用いられているが、その血中濃度には限界（PAH 6 mg/dL）がある。

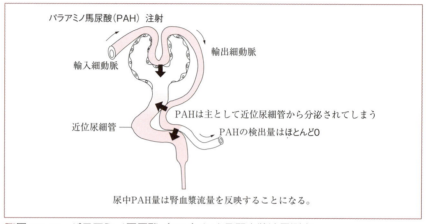

図2-3-42　パラアミノ馬尿酸（PAH）による腎血漿流量測定

$$\text{実効腎血漿流量} = \frac{U_{\text{PAH}} \times V}{P_{\text{PAH}}}$$

U_{PAH}：尿中PAH濃度
P_{PAH}：血漿中PAH濃度
V　：単位時間たりの尿量

- 急性腎不全…
  - 血漿クレアチニン値 ……………… 常に　5 mg/dL 以上
  - BUN（血中尿素窒素）値………… 常に 50 mg/dL 以上

2. 利尿薬

利尿薬（diuretics）とは腎臓における尿生成速度を促進し、尿量を増加させる薬物である。

利尿薬は、尿細管での電解質の再吸収を阻害し、その結果水を排泄する尿細管利尿薬と、全身の循環動態を改善し、糸球体ろ過量の増加により利尿作用を示す糸球体利尿薬に大別される。

1) 利尿薬の臨床適応

利尿薬は心疾患、肝疾患、腎疾患などに起因する全身性浮腫や高血圧症に用いられる。

心性浮腫	・うっ血性心不全患者でみられる。心ポンプ力の低下の結果 ①後方障害により肺うっ血や全身静脈うっ血が起こる。 ②腎血流量の減少による尿量の減少から浮腫が発現する(特に足に強く出る)。
肝性浮腫	・肝硬変患者でみられる。 ①肝門脈血流が阻害され、腹部臓器にうっ血が起こり、腹水が生ずる。 ②肝でのタンパク合成の低下により血漿タンパクが減少し、血漿のコロイド浸透圧が低下し、血圧がコロイド浸透圧にまさって組織間に血漿が漏出し、浮腫が発現する（全身がむくむ）。
腎性浮腫	・糸球体腎炎（特に顔がむくむ）やネフローゼ症候群（全身がむくむ）の患者でみられる。 ・腎障害のため尿の生成低下によって**全身浮腫**が発現。 ・ネフローゼ症候群では腎から大量の血漿タンパクが漏出し、血漿コロイド浸透圧が低下し、**全身浮腫**が生ずる。
高血圧症	・高血圧症の第一選択薬群の一つとしての利尿薬も使用される。 ・利尿作用により体液量（および循環血液量）を減少して血圧を低下する。 ・このほか長期的作用として血管に作用して血管拡張（末梢血管抵抗の減少）も生ずる。

2) 利尿薬の分類

表 2-3-8　利尿薬の分類

尿細管利尿薬	糸球体利尿薬
①チアジド系利尿薬　　　（中等度）	①浸透圧性利尿薬　　〔D-マンニトール〕（緩和）
②ループ利尿薬　　　　　（強力）	②キサンチン誘導体　〔アミノフィリン〕（緩和）
③カリウム保持性利尿薬　（緩和）	③強心配糖体(ジギタリス)　　　　　　　（緩和）
④炭酸脱水酵素阻害薬　　（緩和）	④α型心房性ナトリウム利尿ペプチド(α-ANP)

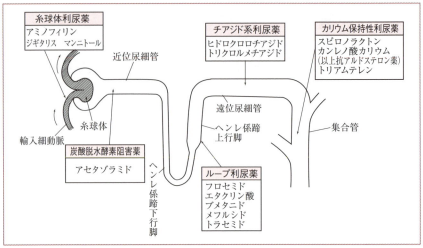

図 2-3-43 利尿薬の作用点

表 2-3-9 利尿作用の特性

利尿薬	利尿作用	尿中排泄量			
		Na^+	K^+	Cl^-	HCO_3^-
チアジド系	++	↑	↑	↑	↑
ループ利尿薬	+++	↑	↑	↑	±(大量で↓)
カリウム保持性利尿薬	+	↑	↓	↑	↑(±)
炭酸脱水酵素阻害薬	+	↑	↑	↓	↑
キサンチン誘導体	+	↑	±	↑	±

①チアジド（サイアザイド）系利尿薬（thiazides）

ヒドロクロロチアジド hydrochlorothiazide 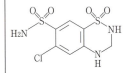 サルファ剤の構造を含む	薬理作用・機序 ①作用部位：遠位尿細管。 ②作用機序：有機酸輸送系により近位尿細管中に分泌され、遠位尿細管においてNa^+-Cl^-共輸送系を抑制してNa^+、Cl^-の再吸収を抑制。それに伴い水の再吸収も抑制し、利尿が起こる。 ③弱い炭酸脱水酵素阻害作用（トリクロルメチアジドにはこの作用はない） 　→Na^+/H^+交換系が抑制されHCO_3^-排泄量が増加。尿はアルカリ性。 ④長期的には血管反応性の低下によって血管拡張。 臨床適用 ①高血圧症　②心性浮腫　③肝性浮腫　④腎性浮腫 ・経口（1日1〜2回）夜間の排尿を避けるため、午前中の投与が望ましい。
トリクロルメチアジド trichlormethiazide	副作用 ①低K血症（強心配糖体の毒性を増強） ②高尿酸血症（痛風誘発または悪化） ③高血糖、糖尿病悪化 ④高脂血症 ⑤高カルシウム血症（ループ利尿薬は低カルシウム血症） ⑥発疹、光線過敏症 ⑦妊婦、妊娠している可能性のある婦人にはできるだけ避ける。 　新生児、乳児（高ビリルビン血症、血小板減少症） ⑧インポテンツ

※チアジド系類似利尿薬

メフルシド mefruside 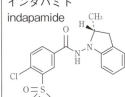	薬理作用・機序 ・ヘンレ係蹄および遠位尿細管でNa$^+$と水の再吸収を抑制 臨床適用　　　　　　　　副作用 ①高血圧症　　　　　　　①低K血症 ②心性浮腫　　　　　　　②高尿酸血症、高血糖 ③肝性浮腫　　　　　　　③肝障害 ④腎性浮腫　　　　　　　④光線過敏症 ・経口（1日1〜2回）
インダパミド indapamide 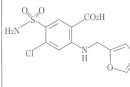	薬理作用・機序 ・末梢血管平滑筋の収縮抑制 ・尿細管（特に遠位尿細管）におけるNa$^+$および水の再吸収を抑制して利尿作用（利尿効果は弱い） 臨床適用　　　　　　　　副作用 ・本態性高血圧症　　　　・同上 ・経口（1日1回）

②ループ利尿薬（loop diuretics）

フロセミド furosemide	薬理作用・機序 ①作用部位：ヘンレ係蹄（ループ）上行脚。 ②作用機序：この部位においてNa$^+$－K$^+$－2Cl$^-$共輸送系（NKCC）を阻害し、Na$^+$、Cl$^-$の能動的再吸収を抑制。その結果、腎間質における高浸透圧勾配を低下または消失し、尿濃縮能が阻害され等張に近い尿を排泄する。 ③利尿作用の一部にPGE$_2$産生作用が関与している。PGE$_2$の生成を促進して、腎血流量の増加を起こし、利尿をもたらす。 ④作用が強力である。 ⑤広く用いられている。今日の利尿薬の主流の一つ。 臨床適用 ①高血圧症　②心性浮腫　③肝性浮腫　④腎性浮腫 ・経口、注射（静注、筋注） 　1日1回。 副作用 ①脱水　②低K血症、低Cl$^-$性アルカローシス ③まれに高尿酸血症、高血糖　④まれに難聴
ブメタニド bumetanide	薬理作用・機序 ・同上（①〜③） ・フロセミドの40倍強力。 臨床適用　　　　　　　　副作用 ①心性浮腫　　　　　　　・同上 ②肝性浮腫 ③腎性浮腫 ・経口、注射（静注、筋注）1日1回
アゾセミド azosemide 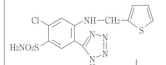	薬理作用・機序 ・徐効性で持続性 臨床適用 ①心性浮腫 ②肝性浮腫 ③腎性浮腫 ・経口（1日1回）

ピレタニド piretanide 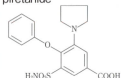	薬理作用・機序 ・速効性で持続が短い。 臨床適用 ①心性浮腫 ②肝性浮腫 ③腎性浮腫 ・経口（1日1〜2回）
トラセミド torasemide 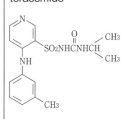	薬理作用・機序 フロセミドの①〜④と同じ。 ⑤受容体結合の阻害による抗アルドステロン作用も併せもつ。そのため他のループ利尿薬でみられる低カリウム血症は現れにくい。 ⑥利尿作用の発現が緩やかで使いやすい。 臨床適用　　　　　　副作用 ①心性浮腫　　　　　・頭痛、頭重感 ②腎性浮腫　　　　　・頻尿、多尿（高尿酸血症も生じにくい） ③肝性浮腫 ・経口（1日1回）、持続時間は他のループ利尿薬より長い。

③カリウム保持性利尿薬（potassium-sparing diuretics）

スピロノラクトン spironolactone 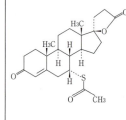	薬理作用・機序 ①抗アルドステロン薬 ②肝で活性代謝物カンレノンや7-メチルチオスピロノラクトンになって薬理作用を示す。 ③作用部位：遠位尿細管後半部と集合管。 ④作用機序：この部位の細胞内の鉱質コルチコイド受容体においてアルドステロンとの結合を競合的に阻害*。その結果、Na^+/K^+交換系を阻害して、Na^+の再吸収を抑制し、それに伴い水の再吸収も抑制して利尿を起こす。 ⑤カリウムの体外損失はなく、むしろ高カリウム血症を起こす。 ⑥利尿作用は緩和（遠位尿細管後部と集合管で再吸収を受けるNa^+量は糸球体でろ過されたNa^+量の数％と少なく、そのため利尿作用はさほど強くない）。 ⑦広く用いられている。今日の利尿薬の主流の一つ。主目的は、他の利尿薬により引き起こされるK^+の損失を最小限にすることである。 臨床適用 ①高血圧症　　②心性浮腫　　③肝性浮腫　　④腎性浮腫 ⑤原発性アルドステロン症　⑥低K血症を起こす利尿薬と併用 ・経口 副作用 ・高K血症 ・女性型乳房（アンドロゲン受容体遮断作用など） ・性欲減退

※　アルドステロンは、上皮性Na^+チャネルタンパク質（ENaC）や、Na^+, K^+-ATPaseを活性化させるタンパク質Sgk1を誘導する。その結果、水の再吸収を促進する。スピロノラクトンはアルドステロンに拮抗するため、こうしたタンパク質の誘導を阻害し、水の再吸収を抑制し、利尿作用を生ずる。

カンレノ酸カリウム potassium canrenoate 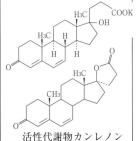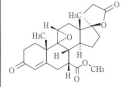活性代謝物カンレノン	薬理作用・機序 ①抗アルドステロン薬 ②肝で活性代謝物カンレノンになって薬理作用を示す。 ③利尿の作用機序等はスピロノラクトンと同様。 臨床適用　　　　　　　　　副作用 ①原発性アルドステロン症　　・同上 ②心性浮腫 ③肝性浮腫 ④腎性浮腫 ・静注：経口薬であるスピロノラクトンの服用が困難な時に注射で用いる。
エプレレノン eplerenone	薬理作用・機序 ①抗アルドステロン薬 ②利尿の作用機序等はスピロノラクトンと同様。 ③鉱質コルチコイド受容体に対する選択性がスピロノラクトンより高い。 臨床適用 ・高血圧症（経口） 副作用 ・性ホルモン受容体に対する作用は弱いため、女性化作用による副作用はほとんどない。
トリアムテレン triamterene	薬理作用・機序 ①アルドステロンとは無関係（拮抗関係にない）だが、スピロノラクトンと同様の利尿効果を示す。 ②作用部位：遠位尿細管と集合管 ③作用機序：上皮性Na^+チャネル（ENaC、アミロリド感受性）を抑制して、Na^+の再吸収を阻害し、それに伴いK^+の排泄と水の再吸収も抑制して利尿を起こす。 ④K^+は体内に保持する。 臨床適用　　　　　　　副作用 ①高血圧症　　　　　　・高K血症 ②心性浮腫　　　　　　・食欲不振、悪心嘔吐 ③肝性浮腫 ④腎性浮腫 ・経口

④炭酸脱水酵素阻害薬（carbonic anhydrase inhibitors）

アセタゾラミド acetazolamide	薬理作用・機序 ①作用部位：近位尿細管 ②作用機序：尿細管細胞に存在する炭酸脱水酵素（carbonic anhydrase）を阻害する。H^+の産生は抑制され、Na^+/H^+交換を利用したNa^+再吸収は阻害される。したがってNa^+の再吸収は抑制され、それに伴い水の再吸収は抑制され、利尿が起こる。 ③H^+の排泄が減少するため、尿はアルカリ性に、また体液はアシドーシスになる。 ④緑内障にも用いる。毛様体上皮中に存在する炭酸脱水酵素の作用を阻害することによって、房水の産生を減少し、眼圧を低下する。 臨床適用　　　　　　　　　　　　副作用 ①緑内障　　　　　　　　　　　　・代謝性アシドーシス ②心性浮腫　　　　　　　　　　　・低カリウム血症 ③肝性浮腫　｝現在、利尿薬として利用さ ④腎性浮腫　　れることはほとんどない。 ⑤てんかん（他の抗てんかん薬では効果不十分のとき） ⑥肺気腫における呼吸性アシドーシスの改善 ・経口、注射（静注、筋注）

炭酸脱水酵素阻害で（血液）への$NaHCO_3$の移行が減少→代謝性アシドーシス。尿中に$NaHCO_3$の排泄増加。Na^+-K^+の交換が促進され、K^+の排泄も増加する。

⑤浸透圧性利尿薬（osmotic diuretics）

D-マンニトール D-mannitol	薬理作用・機序 ①糸球体利尿薬 ②作用機序：高張溶液として静注。一過性に血漿浸透圧が上昇し、組織液から水分をひき入れ、循環血漿流量および糸球体ろ過量の増加。糸球体ろ過を受けたあと尿細管で再吸収を受けにくく、尿細管腔液の浸透圧も上昇→尿細管における水の再吸収抑制（この点、尿細管利尿薬の要素もある）。水透過性の高い近位尿細管、ヘンレ係蹄下行脚のほか、バソプレシン存在下の集合管が重要である。 臨床適用 ①急性薬物中毒などの際に投与して血漿量を増加し、毒物を希釈するとともに、利尿効果により排泄を促進する。 ②脳圧降下を必要とする場合 　高張溶液として点滴静注（1回1〜3g/kg） ③眼圧下降 ④術中・術後の急性腎不全の予防 副作用 ・循環血漿量の増加により心不全、肺浮腫の悪化を起こす。
イソソルビド isosorbide	薬理作用・機序 ①脳圧降下を必要とする場合 ②メニエール病 （経口）

⑥バソプレシンV₂受容体遮断薬

モザバプタン mozavaptan	薬理作用・機序 ①バソプレシンV₂受容体遮断薬 ②作用機序：集合管でのバソプレシンによる水再吸収を阻害することにより、選択的に水を排泄し、電解質排泄の増加を伴わない利尿作用（水利尿作用）を示す。
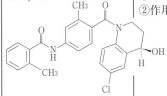	臨床適用 ・異所性抗利尿ホルモン産生腫瘍による抗利尿ホルモン不適合分泌症候群（SIADH）における低ナトリウム血症。 （希少疾病用医薬品：オーファンドラッグ）
トルバプタン tolvaptan 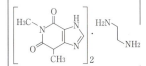	薬理作用・機序 ①バソプレシンV₂受容体遮断薬 ②作用機序はモザバプタン塩酸塩と同じ。 　臨床適用 　・ループ利尿薬等の他の利尿薬で効果不十分な心不全における体液貯留。 　・肝硬変における体液貯留。

⑦その他の利尿薬

アミノフィリン aminophylline	薬理作用・機序 ①糸球体利尿薬 ②作用機序：強心作用と腎血管拡張作用により、腎血流量および糸球体ろ過値は増大して利尿作用。 　以上の作用はテオフィリン＞テオブロミン＞カフェインの順に強い。 　アミノフィリンはテオフィリン・エチレンジアミン塩であり、水溶性である。 臨床適用　　　　　　　　　副作用 ①気管支ぜん息　④腎性浮腫　・心悸亢進 ②心臓ぜん息　　⑤肝性浮腫　・頭痛、不眠、興奮、不安、 ③うっ血性心不全　⑥肺水腫　　悪心、嘔吐、食欲不振 　　　　　　　　　　　　　・経口、静注、坐剤
カルペリチド carperitide （遺伝子組換え）	薬理作用・機序 α型ヒト心房性ナトリウム利尿ペプチド（hANP）。 ①28アミノ酸よりなる。 ②心不全などで心房筋の伸展刺激により、心房内で合成されて全身に分泌される物質。 ③腎と血管に存在する酵素活性内蔵型のANP受容体に結合→膜結合型グアニル酸シクラーゼの活性化→cGMP増大→利尿作用、血管拡張作用。 臨床適用 ・急性心不全（持続静注）。内因性分泌量の10倍量を使用。 副作用 ・血圧低下 ・低血圧ショック ・徐脈

3）利尿薬による電解質異常の機序
①低カリウム血症（hypokalemia）の発現について
　カリウム保持性利尿薬以外の尿細管利尿薬（チアジド系利尿薬、ループ利尿薬、炭酸脱水酵素阻害薬）は、必然的に低カリウム血症を生ずる。
- 低カリウム血症の症状
　筋力低下、無気力、衰弱、低血圧、心電図上T波の平低化など。
　低カリウム血症時にはジギタリスの毒性が増大。

②低カリウム血症が起こる機序
　チアジド系利尿薬、ループ利尿薬、炭酸脱水酵素阻害薬などは近位尿細管、ヘンレ係蹄や遠位尿細管前部などに作用してNa^+の再吸収を阻害。

　遠位尿細管以降ではNa^+の濃度が高くなり、そのため遠位尿細管、集合管における$Na^+ \leftrightarrow K^+$交換は通常より亢進される。したがってK^+の尿細管の排泄量は増加し、逆に血中Kは低下（低カリウム血症）。

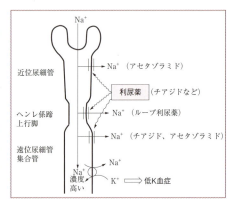

③低カリウム血症の予防
　カリウム保持性利尿薬（スピロノラクトンなど）と併用すると低カリウム血症の発生頻度は低下する。カリウムに富む果物も奨められる。

④リチウム中毒
　フロセミド、トリクロルメチアジド、スピロノラクトンなど多くの利尿薬は、炭酸リチウムと併用すると、リチウム中毒を起こすことがある。利尿薬が尿細管でナトリウムの再吸収を抑制するが、長期投与では近位尿細管で代償的にリチウムの再吸収を促進し、リチウムの血中濃度を上昇してしまうことによる。

4）利尿薬の副作用

表2-3-10　利尿薬の副作用（まとめ）

		チアジド	ループ利尿薬	K保持性利尿薬	アセタゾラミド
低K血症		○	○		○
高K血症				○	
代謝性	アシドーシス			○	○
	アルカローシス	○	○		
高尿酸血症		○	○		
高血糖		○	○		
難聴			○		
女性化作用				○[※1]	
光過敏症		○			

※1　女性ホルモン作用による

3. 排尿障害治療薬

排尿障害には蓄尿機能の障害と排尿機能の障害がある。正常な排尿は膀胱排尿筋と尿道括約筋のバランスに基づいて行われる。

膀胱排尿筋は副交感神経（骨盤神経）と交感神経（下腹神経）により支配され、副交感神経はムスカリン受容体を介して膀胱を収縮し、括約筋を弛緩して排尿に、交感神経は β_2 受容体を介して膀胱を拡張し、α_1 受容体を介して括約筋を収縮して蓄尿に働く。

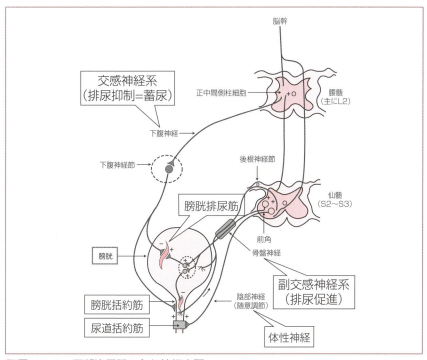

図 2-3-44　下部泌尿器の主な神経支配

①排尿困難に対する治療薬
〈プラゾシン、タムスロシン、ナフトピジル、ウラピジル、テラゾシン、シロドシン〉
　α_1 受容体遮断薬である。ヒト前立腺には α_{1A} 受容体と α_{1D} 受容体が多く、これらの受容体を遮断すると前立腺、前立腺部尿道の平滑筋を弛緩させ、尿道内圧を低下させて排尿困難を改善する。前立腺肥大症に伴う排尿障害に用いる。
- ウラピジルは神経因性膀胱に伴う排尿困難にも用いる。
- タムスロシンやナフトピジルは作用時間が長い。
- タムスロシンは、α_{1A} 受容体と α_{1D} 受容体の両方を遮断するが、より強く α_{1A} 受容体を遮断する。シロドシンは選択的 α_{1A} 受容体遮断薬[※2]。
- ナフトピジルは比較的選択的に α_{1D} 受容体を遮断する[※3]。

〈デュタステリド〉
- テストステロンをより活性の高いジヒドロテストステロン（DHT）に変換する 5α 還元酵素を阻害する（抗アンドロゲン作用）。

※2　α_1 受容体のうち、血管平滑筋に分布するのは α_{1B} サブタイプである。また、肥大した前立腺では α_{1A} 受容体が増えているので、血圧に影響せずに前立腺部の尿道拡張を行うには α_{1A} 受容体遮断薬が有効。

※3　前立腺肥大によって排尿障害が続くと、その代償として膀胱で平滑筋肥大や α_{1D} 受容体増加が起こり、排尿反射が起こりやすくなる。この膀胱刺激状態（頻尿）を抑えるには、α_{1D} 受容体遮断薬のほうが有効。

デュタステリド

- DHTの減少により肥大化した前立腺は縮小し尿流を改善する。
- 1日1回の経口投与。

〈ネオスチグミン、ジスチグミン〉
- コリンエステラーゼ阻害剤で、膀胱排尿筋の収縮力を増強する。
- ジスチグミンは膀胱収縮力が低下することにより排尿障害を起こす神経因性膀胱に用いられる。
- ネオスチグミンは手術後、分娩後の排尿困難に用いられる。

〈タダラフィル〉
- ホスホジエステラーゼ5(PDE5)阻害薬で、前立腺部平滑筋および膀胱括約筋(内尿道括約筋)のPDE5を阻害することにより、内因性NOによる弛緩を増強して、排尿を容易にする。
- 前立腺肥大症に伴う排尿困難の治療に用いられる。

②頻尿、尿失禁に対する治療薬

〈プロピベリン、オキシブチニン、ソリフェナシン、トルテロジン、イミダフェナシン、フェソテロジン〉
- 抗コリン薬であり、膀胱排尿筋の収縮を抑制する。
- 神経因性膀胱、神経性頻尿などの頻尿、尿失禁に用いる。
- プロピベリンには膀胱平滑筋への直接弛緩作用、オキシブチニンにはカルシウム拮抗作用がある。
- ソリフェナシンは特にM_3受容体に対する選択性が高い。
- フェソテロジンはプロドラッグ。活性代謝物5-ヒドロキシメチルトルテロジン(5-HMT)がムスカリン受容体を阻害する。

〈クレンブテロール〉
- β_2受容体作動薬であり、膀胱排尿筋を弛緩させる。
- 腹圧性尿失禁に用いる。

〈ミラベグロン、ビベグロン〉(p.91参照)
- 選択的β_3受容体作動薬であり、膀胱排尿筋を弛緩させる。
- 過活動膀胱における尿意切迫感、頻尿および切迫性尿失禁に用いる。
- ミラベグロンに比べて、ビベグロンは、CYPの誘導や阻害を示さないので、併用禁忌薬等の制限が少ない。

③遺尿症治療薬

　遺尿症の代表は夜尿症(おねしょ)であるが、昼間でも服を着たまま尿を漏らしてしまう場合(おもらしや尿失禁)を含む。

〈クロミプラミン、アミトリプチリン〉
- 三環系抗うつ薬である。
- 膀胱における抗コリン作用と、ノルアドレナリン再取込み阻害にもとづくα刺激作用による。抗コリン作用により膀胱の収縮が抑えられ、これにα刺激作用による尿道閉鎖圧が高まり、尿が漏れにくくなる。
- うつ病に使用するより低用量を用いる。

4. 子宮運動に影響を与える薬

1）子宮収縮薬（oxytocics）

子宮収縮薬は、臨床的には陣痛促進、分娩後の止血、弛緩性出血、人工流産誘発などに適用される。臨床的に用いられている子宮収縮薬は、オキシトシン、麦角アルカロイド、プロスタグランジンなどである。

①オキシトシン

構造	・9個のアミノ酸からなる環状ポリペプチド。 Cys - Tyr - Ile - Glu - Asn - Cys - Pro - Leu - GlyNH$_2$
産生	・視床下部の室傍核および視索上核の大細胞ニューロンで生合成され、分泌顆粒中にはいり、軸索流に乗って脳下垂体後葉に貯えられる。
放出	・子宮頸部・膣の伸展、乳児による乳頭吸引刺激が神経を伝わり視床下部に達し、軸索の活動電位が下垂体後葉の軸索末端に達してオキシトシンが血流中に分泌される。
薬理作用・機序	①子宮平滑筋の律動的収縮 ・Gqタンパク質に共役したオキシトシン受容体に結合し、PLCβ-IP$_3$-Ca^{2+}経路を活性化することにより電位感受性Ca^{2+}チャネルの活性化を亢進。 ・子宮のプロスタグランジン産生を増加。 ②乳腺の乳管洞平滑筋を収縮 　→射乳（乳汁分泌ではない！） ③卵胞ホルモン（エストロゲン）は子宮のオキシトシン感受性を増大し、黄体ホルモン（プロゲステロン）は低下する。ヒト子宮では妊娠末期および分娩直後にオキシトシン感受性が最大となる。 ④大量静注時に一過性の血圧降下。
適応	・子宮収縮の誘発、促進並びに子宮出血の治療（分娩誘発、微弱陣痛、弛緩出血、胎盤娩出前後、子宮復古不全、人工妊娠中絶など）。静注法または筋注法で投与。
相互作用	・オキシトシンとプロスタグランジン類（ジノプロストなど）との併用は、相乗作用により過強陣痛を起こしやすく、子宮破裂、胎児死亡などの重篤な症状を呈するので注意する。

②麦角アルカロイド

子宮平滑筋の麦角アルカロイドに対する感受性は、子宮の生理状態により異なり、妊娠末期、分娩時、分娩直後の子宮は特に感受性が強いため持続性収縮を起こす。

a. 麦角アルカロイドに関する重要事項（次ページ表に示す）
b. 麦角アルカロイド系子宮収縮薬

麦角アルカロイドのうち子宮収縮薬として用いられるのはエルゴメトリン、メチルエルゴメトリンである。メチルエルゴメトリンの方が子宮収縮作用はやや強く、作用持続も長い。

〈麦角アルカロイドに関する重要事項〉

子宮に対する作用	・少量で律動的、量が増すと弛緩期も緊張が高まり、子宮れん縮を生じる（α受容体刺激によると考えられる）。 ・妊娠末期ほど敏感に反応する。 ・エルゴメトリン＞エルゴタミン
血管に対する作用	・血管のα受容体、セロトニン受容体刺激により血管収縮。→中毒時に四肢末端の壊疽。 ・エルゴタミン酒石酸塩、ジヒドロエルゴタミンメシル酸塩は片頭痛に適用（片頭痛は血管の拡張が原因とみられるのでエルゴタミンが有効）。
その他の作用	・エルゴタミンには、α遮断作用もある。 ・ドパミン受容体刺激→おそらくCTZに作用して嘔吐。
適応	・陣痛促進に用いられず、胎盤娩出前後、弛緩出血、子宮復古不全、帝王切開術、流産、人工妊娠中絶などの子宮出血予防・治療に用いられる。
副作用	・悪心・嘔吐、血圧上昇、頭痛、皮膚冷感、壊疽など。
各種受容体に対する作用	・α受容体、ドパミン、セロトニン受容体などに部分アゴニスト−部分アンタゴニストとして働く。

③プロスタグランジン類

妊娠子宮平滑筋に対してはPGE群とPGF群とが強力な収縮作用を示す。

臨床的にはジノプロスト（$PGF_{2\alpha}$）、ゲメプロスト（PGE_1誘導体）、ジノプロストン（PGE_2）が用いられる。

ジノプロスト

〈ジノプロスト〉

薬理作用	①子宮収縮・子宮頸管軟化（熟化）作用：子宮収縮作用は、自然陣痛発来時の律動的パターンに類似。オキシトシンと異なり、妊娠のいずれの時期においても分娩を誘発することができる。Gqタンパク質に共役したプロスタノイド受容体を刺激し、ホスファチジルイノシトールPI代謝回転を促進（細胞内IP_3量上昇）。 ②腸管ぜん動亢進作用
適応	①妊娠末期における陣痛誘発・促進、分娩促進 ②治療的流産（卵膜外投与） ③腸管ぜん動亢進：胃腸管の術後腸管麻痺の回復遅延などに適応
慎重投与	・ぜん息患者（気管支収縮を起こすことがあるため）、緑内障患者、眼圧亢進のある患者。
副作用	・重大な副作用：心室細動、心停止、ショック、呼吸困難（ぜん鳴、呼吸困難など）。 ・過強陣痛、顔面紅潮、動悸、頻脈、悪心、嘔吐、頭痛など。
相互作用	・オキシトシンとプロスタグランジンの併用は過強陣痛を招き、子宮破裂、胎児死亡などの重篤な症状を呈するので注意する。

● ジノプロストンは妊娠末期における陣痛誘発、陣痛促進にのみ適応。
● ゲメプロストは妊娠中期の治療的流産にのみ適応（膣坐薬）。

2）子宮弛緩薬

子宮弛緩薬は、主として子宮収縮を抑制して流産・早産を抑制または遅延する目的で使用される。積極的な治療の対象となるのは、切迫流産（妊娠22週未満）と早産（早期産：妊娠22～36週）である。

子宮弛緩薬として、リトドリン塩酸塩などのβ受容体刺激薬（β_2選択性の高い薬物が好ましい）や硫酸マグネシウムなどが用いられる。

〈リトドリン〉

β_2受容体刺激薬で、子宮平滑筋細胞内のcAMP量を増加させ、Ca^{2+}の貯蔵部位への取り込みを促進して、子宮運動を抑制する。

- 適 応：切迫早・流産（内服、24時間点滴静注）
- 副作用：心悸亢進（動悸）、手指振戦、嘔気など。

リトドリン

〈硫酸マグネシウム〉

日本では保険適用にはなっていないが、欧米では切迫早産の第一選択薬。静注～点滴静注。Mgイオンの平滑筋に対する作用は、細胞膜の安定化やCaイオンとの拮抗による筋弛緩によるとされている。

[参考：切迫早産にベタメタゾン投与]

1週間以内に早産が予想される妊娠34週までの妊婦に対して出生前ステロイド投与が奨められる（推奨グレードA）。ベタメタゾン12 mgを24時間毎に計2回、筋注。ステロイドは胎児のⅠ型およびⅡ型肺胞上皮細胞の増殖を促進して、肺成熟を促す。新生児呼吸窮迫症候群（RDS）を防止するのに有効である。

5. 避妊薬

1）卵形成・受精・妊娠とホルモン

女性は性的に成熟すると、卵巣で毎月1個の卵が成長し、子宮内膜は受精した卵を着床させる準備を整える。

視床下部
- 性腺刺激ホルモン（ゴナドトロピン）放出ホルモン（Gn-RH）

下垂体
- 性腺刺激ホルモン（卵胞刺激ホルモンFSHと黄体形成ホルモンLH）の分泌

卵 巣
- 卵胞ホルモン（エストロゲン）、黄体ホルモン（ゲスタゲン）の分泌
  卵胞の発育 ── 排卵 ── 黄体形成

子 宮
- 子宮内膜の増殖 ──→分泌腺の発達 ──→内膜の機能層脱落（月経）

〈排卵から着床に至る経過〉

> ① 月経期開始の数日前に血中 FSH 濃度が上昇し始める
>   ➡ 卵巣で原始卵胞が成長を開始
>   ➡ 成熟卵胞のエストロゲン分泌
>   ➡ 正のフィードバック機構により視床下部から LH-RH（黄体形成ホルモン放出ホルモン）、下垂体前葉から LH と FSH が一過性に大量分泌（LH サージ）
> ② 排卵：月経周期の約 14 日目（排卵の周期は普通 28 ～ 30 日。月経開始日を月経周期の第 1 日とする）。
>   排卵後、卵巣には黄体ができ、エストロゲン、ゲスタゲンを分泌する。
> ③ 卵管膨大部で受精
> ④ 受精卵の子宮粘膜への着床➡胎盤の形成

　排卵前に、卵巣からのエストロゲン（特にエストラジオール）分泌が次第に増え、これらのホルモンの作用により子宮粘膜は増殖し、血管も豊富になる。エストラジオールの血中濃度がピークに達すると、視床下部はこれを感知し、LH の分泌を促す。

　LH の血中濃度がピークに達した後、24 時間以内に排卵が起こる。この時期に卵巣からのホルモンの分泌はエストラジオール優位からプロゲステロン優位へと変化する。子宮内膜はさらに肥厚し、分泌腺も発達する。月経周期 20 日目になると、着床の準備が整う。

　受精しなかった月には、排卵後約 10 日で黄体細胞のプロゲステロン産生が減少し、4、5 日後に子宮内膜の機能層は剥がれ落ち、月経が始まる。

　黄体期の後期に、血中のエストラジオールとプロゲステロンの濃度が減少すると、FSH と LH の分泌が増え、新しい周期が始まる（負のフィードバック機構）。

　卵が受精すると、妊娠状態を持続させるためには、プロゲステロンが絶えず分泌される必要がある。胎盤でつくられるヒト絨毛性ゴナドトロピン（hCG）が黄体を刺激し、プロゲステロン産生を持続させる。

　黄体の寿命がくると、胎盤がプロゲステロンを産生し、妊娠を維持する。

〈性周期における、FSH、LH、エストラジオール、プロゲステロンの分泌パターン〉

FSH と LH のピーク	排卵直前
エストラジオールのピーク	排卵前と黄体期（排卵から次の月経まで）の中間 （排卵後 1 週目にピーク。黄体がエストロゲンを分泌するため）
プロゲステロンのピーク	黄体期の中間 （排卵後 1 週目にピーク。卵胞の内莢細胞からも少量分泌されるため、排卵直後から上昇開始）

2）避妊薬（経口避妊薬）(oral contraceptives)

　標準的な経口避妊薬（ピル）には、2 種類の合成ホルモン、合成エストロゲンと合成ゲスタゲンが含まれている。

〈性周期における血中ホルモンレベルの変動と経口避妊薬の効果〉

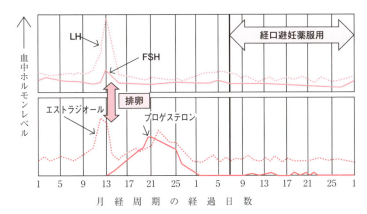

合成エストロゲンとしてはエチニルエストラジオール、合成ゲスタゲンとしてはノルエチステロン、デソゲストレル、レボノルゲストレルなどが用いられる。

①作用機序

ピルを連続的に服用すると、負のフィードバック機構により、性腺刺激ホルモン放出ホルモンの分泌が阻害され、下垂体における性腺刺激ホルモン（FSHとLH）の産生・分泌が抑制される。そのため、卵胞成熟が抑制され、排卵が停止し、避妊効果が得られる。

エストロゲンとゲスタゲンの効果は発現されているので、子宮内膜の増殖、分泌腺の発達は進行しており、ピルの服用周期が終わると、子宮内膜の脱落が起こり、月経の出血が始まる。

上図に経口避妊薬服用中のFSH、LH、エストラジオール、プロゲステロンの分泌パターンの変化を示す。

②副作用

まれではあるが、重篤な副作用として静脈血栓症、心筋梗塞などの循環器系疾患がある。血栓症は、エストロゲンが肝臓における血液凝固因子産生を亢進させるためにおきると考えられている。

静脈血栓症、肺塞栓およびその既往症のあるもの、脳血管、心血管系異常およびその既往のあるもの、エストロゲン依存性腫瘍（乳癌や子宮体癌）およびその疑いのあるもの、妊娠中のものなどには絶対的禁忌である。

〈ピル内服による代表的なホルモン依存性副作用〉

エストロゲン作用によるもの	悪心・嘔吐、頭痛・片頭痛、下腹部痛、下痢、浮腫、血栓性静脈炎、脂肪蓄積、血圧上昇、帯下増加、月経血増加、月経困難症など
ゲスタゲン作用によるもの	乳房痛、性欲低下、月経前緊張症、抑うつ感、倦怠感など
アンドロゲン作用によるもの	食欲亢進、体重増加、性欲亢進、男性化、にきびなど

6. 性機能不全治療薬

勃起不全改善薬としてシルデナフィルやバルデナフィルが用いられる。

〈参考：陰茎の勃起の仕組み〉

性的刺激（眼、耳、思考、直接刺激）
↓
大脳中枢
↓
副交感神経系／非アドレナリン非コリン作動性神経
　　（骨盤神経→陰茎海綿体神経）
↓ ACh、VIP、NO
陰茎海綿体平滑筋（動脈）の弛緩　（動脈弁も開く）
↓
海綿体洞への動脈血の流入
静脈血流出は洞膨張時には、構造上、静脈圧迫のため阻害
↓
陰茎の勃起

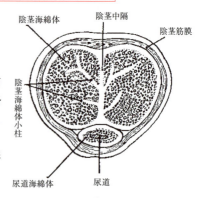

陰茎の組織図を右図に示す。
　陰茎海綿体が存在し、かなりの割合を占めている。海綿体の中の空間は互いに連絡しており、動脈がこれにそそぎ、静脈がこれから発している。
　海綿体内に血液が充血すると、陰茎は膨張かつ強直する（勃起）。

〈シルデナフィル、バルデナフィル、タダラフィル〉
- ホスホジエステラーゼ5（PDE5）の選択的阻害薬で、陰茎海綿体内のcGMP量を増加させ、海綿体平滑筋を弛緩させて海綿体洞への血液の流入を増加し勃起を助ける。シルデナフィルやバルデナフィルの構造はcGMPに類似しているため、PDE5上でcGMPに競合して拮抗することによる。
- 副作用：頭痛、紅潮
- 禁忌：硝酸薬、NO産生薬との併用は重篤な血圧下降を起こす。

〈シルデナフィルの海綿体平滑筋弛緩の作用機序〉

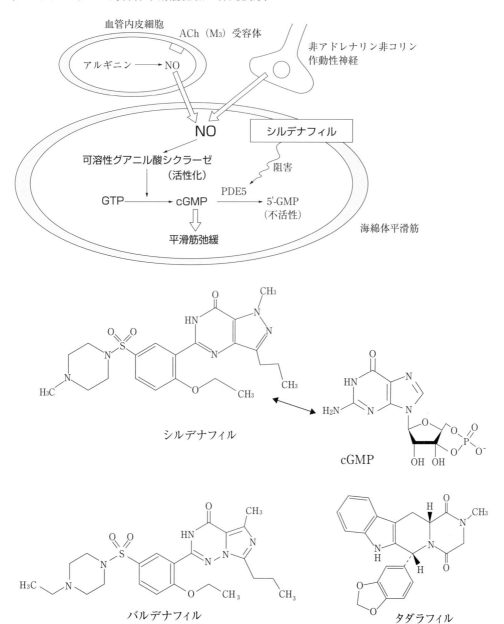

2-3 循環器系・血液系・造血器系・泌尿器系・生殖器系に作用する薬

CHECK

次の記述について、正しいものには「○」を、間違っているものには「×」をつけてその理由を簡潔に述べなさい。

1 ヒドロクロロチアジドは、近位尿細管で炭酸脱水酵素を阻害し、Na^+およびK^+の再吸収を促進する。
2 フロセミドは、ヘンレループ上行脚に作用して強い利尿効果を発揮する。
3 スピロノラクトンは、遠位尿細管後半部におけるアルドステロンのNa^+再吸収促進作用を抑制する。
4 トリアムテレンは、遠位尿細管から集合管に作用し、K^+保持性利尿作用を発揮する。
5 アセタゾラミドは、集合管に作用して中等度の利尿効果を発揮する。
6 D-マンニトールは、尿細管の管腔内浸透圧を上昇させ、Na^+再吸収に影響することなく水の再吸収量を減少させる。
7 タムスロシンは、$α_{1B}$受容体を選択的に遮断して、前立腺部尿道の平滑筋を弛緩させる。
8 クレンブテロールは、$β_2$受容体を刺激して膀胱排尿筋を弛緩させる。
9 オキシトシンは、下垂体後葉ホルモンで、子宮平滑筋の律動的収縮を起こす。
10 ジノプロストは、プロスタグランジンE_1誘導体で、妊娠中期の治療的流産に用いられる。
11 リトドリンは、アドレナリン$β_2$受容体刺激薬で、子宮運動を抑制する。
12 エチニルエストラジオールは合成卵胞ホルモンで、経口避妊薬に用いられる。
13 ノルエチステロンは、下垂体前葉からの黄体形成ホルモンの分泌を促進する。
14 シルデナフィルは、ホスホジエステラーゼ5を選択的に阻害して、陰茎海綿体平滑筋を弛緩させる。

【解答】
1 × チアジド系利尿薬は、遠位尿細管前半部においてNa^+-Cl^-共輸送体を阻害して利尿作用を発揮する。
2 ○
3 ○
4 ○
5 × アセタゾラミドは、主に近位尿細管に作用する。
6 × 尿細管管腔内浸透圧が上昇する結果、Na^+再吸収が起こりにくくなる。
7 × タムスロシンは、$α_{1B}$受容体に対する親和性が低く、選択的に$α_{1A}$と$α_{1D}$受容体を遮断する。
8 ○
9 ○
10 × ジノプロストは、プロスタグランジン$F_{2α}$製剤。
11 ○ 切迫早産・流産に用いられる。
12 ○
13 × エストロゲンとゲスタゲンは、負のフィードバック機構により、性腺刺激ホルモン(FSHとLH)の産生・放出を抑制する。
14 ○

2-4 呼吸器系・消化器系に作用する薬

1 呼吸器系に作用する薬

> **到達目標**
> - 気管支喘息・慢性閉塞性肺疾患の治療薬の薬理（薬理作用、機序、主な副作用）を説明できる。
> - 鎮咳薬、去痰薬、呼吸興奮薬の薬理（薬理作用、機序、主な副作用）を説明できる。

1. 呼吸器系の基礎生理

1）呼吸器系の解剖

- 呼吸器：鼻腔 → 咽頭 → 喉頭 → 気管 → 気管支 → 細気管支 → 肺胞
  - 上気道：鼻腔～喉頭
  - 下気道：気管～細気管支
- 気管支：0（気管）〜23分枝（肺胞）
  - 粘膜（線毛をもつ円柱上皮＋杯細胞）－基底膜－平滑筋－軟骨
- 肺：右…3葉（上、中、下葉）、左…2葉（上、下葉）
  肺実質
  　肺胞……肺胞上皮細胞
  　　Ⅰ型：扁平上皮細胞……ガス交換
  　　Ⅱ型：立方上皮細胞……表面活性物質（サーファクタント）を産生
  　マクロファージ……異物の排除
  　間質（血管、肺胞隔壁）

2）呼吸器系の生理

〈機能〉血液中の二酸化炭素を大気中へ放出し、大気から酸素を血液に取り入れる（外呼吸）。

- 呼吸運動……呼吸中枢 ➡ 肋間神経・横隔神経 ➡ 呼吸筋（肋間筋、横隔膜）
- ガス交換……肺胞上皮 ⇔ 肺毛細血管膜（赤血球が仲介する）
  - O_2：（肺毛細血管）還元$Hb+O_2$ ➡ 酸化Hb（HbO_2）➡ 還元$Hb+O_2$（組織毛細血管）
  - CO_2：（組織の代謝）CO_2産生 ➡ 毛細血管血液中へ拡散 ➡ 血液で運搬 ➡
    肺末梢組織毛細血管：$H_2O + CO_2$ ➡（炭酸脱水酵素※）➡ H_2CO_3 ➡ $H^+ + HCO_3^-$（溶解）
    肺毛細血管：$H^+ + HCO_3^-$（H_2CO_3）➡（炭酸脱水酵素※）➡ $H_2O + CO_2$（呼出）
    ※炭酸脱水酵素（Carbonic Anhydrase；CA、炭酸デヒドラターゼ）
- 肺循環……右心室 ➡ 肺動脈 ➡ 肺毛細血管 ➡ 肺静脈 ➡ 左心房

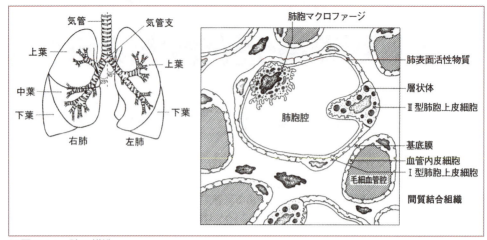

図 2-4-1　肺の構造

〈呼吸調節機構〉

（橋）呼吸調節中枢：上位の中枢。吸息中枢に対して、持続的吸息を抑制的に制御し、呼吸リズムを形成
（延髄）呼吸中枢：吸息中枢と呼息中枢よりなる。
　　　　吸息中枢：興奮により呼吸筋（横隔膜、外肋間筋）を刺激し、吸息を生じさせる。
　　　　呼息中枢：興奮により内肋間筋を刺激し、呼息を生じる。
（呼吸筋）：吸息筋（外肋間筋、横隔膜）
　　　　　　収縮➡胸郭拡張（胸腔内圧低下）➡肺膨張➡吸息
　　　　　　弛緩➡胸郭縮小（胸腔内圧上昇）➡肺縮小➡呼息
　　　　　呼息筋（内肋間筋）……収縮➡呼息（深呼吸時）

```
                    ┌──────────────┐
                    │ 末梢性化学受容器 │
                    └──────┬───────┘
                           │
  ┌──────┐   抑制   ┌──────┐         ┌──────┐
  │呼吸調節│←──────→│吸息中枢│←──────→│ 吸息筋 │
  │ 中枢  │         └──┬───┘  運動神経 └──────┘
  └──────┘            │拮抗  （横隔・肋間神経）
   （橋）              ↓                ┌──────┐
                    ┌──────┐←─────────→│ 呼息筋 │
                    │呼息中枢│           └──────┘
                    └──────┘
                     （延髄）
```

①**体液性調節**
　・血液の性状（温度、pH、O_2分圧、CO_2分圧）による調節
　　　血液温度：上昇➡呼吸興奮（発熱時の頻呼吸）
　　　pH：低下➡呼吸興奮
　　　CO_2分圧：上昇➡呼吸興奮（延髄の化学受容器興奮）

②反射性調節
- 伸展受容器を介した反射（ヘリング－ブロイエル反射）：呼吸リズムの形成
  伸展受容器……肺胞周辺
  　　吸息➡肺膨張➡伸展受容器興奮➡（迷走神経）➡吸息中枢抑制➡呼息
- 化学受容器を介した反射
  中枢の化学受容器…延髄腹側表層に存在する。CO_2（$PaCO_2$）の上昇に強く反応（一部はpH低下に反応）し、呼吸中枢を興奮させる。通常は中枢の化学受容器が主として機能している。
  末梢性化学受容器…頸動脈(小)体と大動脈(小)体に存在する。O_2（PaO_2）の低下に反応し、それぞれ求心性舌咽神経および迷走神経を経由して延髄の呼吸中枢を興奮させる。

	化学受容器	呼　吸
血中O_2分圧上昇	抑　制	抑　制
血中CO_2分圧上昇	興　奮	促　進

- 圧受容器を介した反射
  圧受容器……頸動脈洞、大動脈弓
  血圧上昇➡圧受容器興奮┬血管運動中枢のRVLMを抑制➡血圧下降
  　　　　　　　　　　　└呼吸（吸息）中枢抑制➡呼吸抑制

2. 気管支ぜん息治療薬 (Antiasthmatic drugs)

1）気管支ぜん（喘）息の概要

　基本的な病態は気道の慢性炎症で、二次的に気道平滑筋の反応性亢進（気道過敏性）や分泌過剰をきたし、気道壁の再構築（リモデリング）などが加わって、可逆的な閉塞性呼吸障害を起こす症候群をいう。
- 日本での発症率は、成人の3％に、小児・若年者の6％。
- 発症、進展にⅠ型アレルギーを中心とする即時型および遅発型アレルギー反応が関与する。

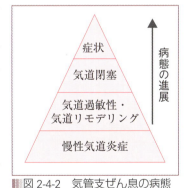

図2-4-2　気管支ぜん息の病態

- 吸入アレルゲン（ハウスダスト、ダニ、カビ、花粉、動物の毛など）による免疫学的な刺激などに反応して、症状として発作性のぜん鳴、咳、呼吸困難などを発現し、重症（ぜん息重積発作）では呼吸困難により死に至ることもある。

2）気管支ぜん息の発症機序
〈即時型ぜん息の発症機序〉
　アトピー性ぜん息では、吸入アレルゲンに対してⅠ型アレルギー反応によ

表 2-4-1　病因による気管支ぜん息の分類

	アトピー※型ぜん息	非アトピー型ぜん息
発症年齢	ほとんどが小児期（5歳未満）に発症	成人（多くは40歳以上）になってから発症
発生因子	吸入抗原に対するⅠ型アレルギーが関与	不明。気道感染（特にウイルス）が引金となることがある。何らかのアレルギーが関与している可能性
遺伝的素因	あり	なし
自然寛解	60〜70％が成人までに寛解する（outgrow）	しない

※：アトピーとは、アレルギーを起こしやすい体質をいう。湿疹、アレルギー性鼻炎を伴うことが多い。そのほかにNSAIDsで誘発されるアスピリンぜん息などもある。

りIgE抗体が産生され、即時型反応が惹起される（図2-4-3）。種々のサイトカインや化学伝達物質（ロイコトリエン、トロンボキサンA_2、ヒスタミンなど）が遊離され、気管支収縮や気道分泌の亢進が起きる。主にマクロファージ、リンパ球、肥満細胞などが関与する。

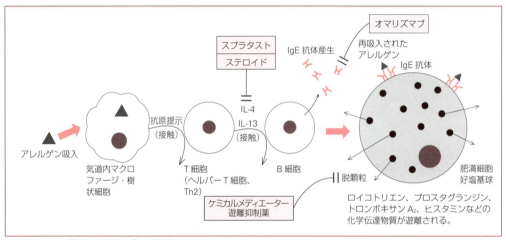

図 2-4-3　即時型反応の発症機序

〈気管支ぜん息における気道の慢性炎症と気道閉塞の発症機序〉（遅発型反応）
　遅発型反応では好酸球が重要に働くことがわかっている。しかし発作を重ねるうちに、即時型と遅発型反応が混然となり、気道の慢性炎症が進行して気道過敏性や気道リモデリング（気管支粘膜上皮の剥離、気管支平滑筋や気管支分泌腺の増殖、気管支の肥厚・硬化・狭窄）を伴う複雑な発症機序に変化していくと考えられる（次ページ図2-4-4）。

3）気管支ぜん息治療薬の分類
● 作用機序から

気管支拡張薬	気管支平滑筋を弛緩させて気道を拡張し、気道狭窄による呼吸困難を改善する。
抗アレルギー薬	気管支ぜん息に関与するアレルギー反応を抑制する。
副腎皮質ステロイド（ステロイド）	アレルギー反応を含めて気管支ぜん息時の気道炎症を、抗炎症作用・抗アレルギー作用など広汎な機序で強力に抑制する。

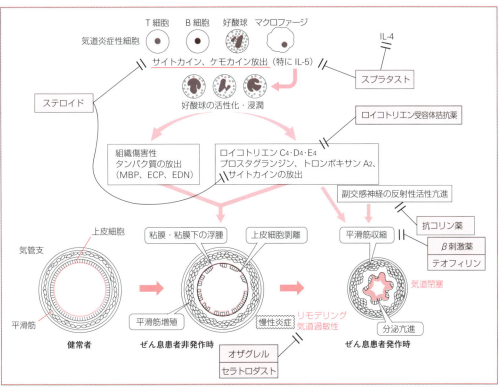

図 2-4-4 気管支ぜん息における気道の慢性炎症と気道閉塞の発症機序 [遅発型反応を主体に]

• 臨床応用から

発作治療薬 (リリーバー)	発作により生じている呼吸困難の寛解を目的とする。速効性がある。発作が起きているか、あるいはその前後の短期間のみ使用する。
	短時間作用型β刺激薬（吸入、注射、経口）、アミノフィリン静注、静注用ステロイド
長期管理薬 (コントローラー)	ぜん息の病態の基本を改善するため、長期間にわたって使用する薬物。**すでに起こっている発作を急性に緩解する薬ではない。**
	吸入ステロイド、長時間作用型β刺激薬、ロイコトリエン受容体遮断薬、化学伝達物質遊離抑制薬、徐放性テオフィリンなど ・発作の有無と無関係に使用。 ・勝手に使用を中止してはいけない。 ・勝手に用量の変更をしてはいけない。

表 2-4-2　気管支ぜん息治療薬ガイドライン（日本アレルギー学会 2012 年）

		治療ステップ1	治療ステップ2	治療ステップ3	治療ステップ4
長期管理薬	基本治療	吸入ステロイド薬（低用量）	吸入ステロイド薬（低〜中用量）	吸入ステロイド薬（中〜高用量）	吸入ステロイド薬（高用量）
		上記が使用出来ない場合、以下のいずれかを使用	上記で不十分な場合、以下のいずれか1剤を併用	上記に下記のいずれか1剤あるいは複数を併用	上記に下記の複数を併用
			LABA		
		ロイコトリエン受容体遮断薬（LTRA）			
		テオフィリン徐放剤			
					さらに必要ならば
					抗IgE抗体 経口ステロイド薬
	追加治療	LTRA以外の抗アレルギー薬			
発作治療薬		SABA			

4）気管支拡張薬

β刺激薬		β_2 受容体を刺激し、アデニル酸シクラーゼを活性化して細胞内 cAMP を増加させ、気管支平滑筋を弛緩させる（「自律神経系」参照）。 〈副作用〉 ・不整脈（心臓の β_1 受容体刺激による） ・低カリウム血症　　・振戦
非選択的β刺激薬		アドレナリン ・重症発作時に皮下注あるいは筋注する。
選択的 β_2 刺激薬	短時間作用型（SABA）	サルブタモール、プロカテロール、フェノテロール（$\beta_2 > \beta_1$） ・発作時に吸入で使用（発作治療薬として第一選択薬） ・作用持続が短い。 ・発作が予期されるときに予防的に内服で使用（ほかにツロブテロール、クレンブテロール、マブテロールなどがある）
	長時間作用型（LABA）	サルメテロール、ホルモテロール、ビランテロール ・長期管理薬として吸入で使用（吸入ステロイドと合剤でも使用される。ホルモテロールはこの目的では合剤のみ）（1日2回） ・持続時間が長い（12時間以上。作用発現は遅い）。

サルブタモール

プロカテロール

サルメテロール

ホルモテロール

キサンチン製剤	ホスホジエステラーゼ1〜4を非選択的に阻害して細胞内cAMPを増加させ、気管支平滑筋を弛緩させる。
	テオフィリン ・経口で長期管理薬として使用。 ・発作の予防に使用する。 ・**治療域が非常に狭い**（有効血中薬物濃度：8〜15μg/mL）。血中薬物濃度の測定が必要。個人差（吸収、代謝）の大きい薬物である。 〈副作用〉 ・消化器症状（悪心、嘔吐）、中枢神経症状（興奮、痙れん、昏睡）、循環器症状（頻脈、不整脈）など多数。 ・薬物相互作用も多い。CYPを誘導する薬物等（フェニトイン、カルバマゼピン、リファンピシン、タバコ）により作用が減弱される。 CYPを阻害する薬物（シメチジン、エリスロマイシン、ニューキノロン系抗菌薬、ベラパミル）により作用が増強される。 ・テオフィリンは最近あまり用いられない傾向にある。 アミノフィリン（テオフィリンエチレンジアミン塩） 〈適応〉 ・気管支ぜん息、うっ血性心不全 ・発作が重いときに静注で発作治療薬として使用される。 プロキシフィリン ・テオフィリンの 7-hydroxylpropyl 誘導体で、テオフィリンの特性を比較的保持しながら水に可溶性のものとした。 〈適応〉 ・気管支ぜん息、うっ血性心不全 ・皮下、筋肉内、静脈内投与
抗コリン薬（吸入）	イプラトロピウム、オキシトロピウム、フルトロピウム、チオトロピウム ・気道平滑筋のM3受容体を遮断し、迷走神経（副交感神経）の緊張亢進による気道収縮の部分を抑制する（「自律神経系」参照）。 ・気管支拡張効力には限界がある。 ・四級アンモニウムであり、気道粘膜からの吸収が少ない（局所作用）。 ・前立腺肥大症、緑内障には禁忌 ・**慢性閉塞性肺疾患（COPD）**により有効に作用する。

テオフィリン

アミノフィリン

イプラトロピウム

オキシトロピウム

フルトロピウム

プロキシフィリン

5) 抗アレルギー薬

化学伝達物質受容体遮断薬 ロイコトリエンに対して	プランルカスト、モンテルカスト、ザフィルルカスト ・**長期管理薬として重要**。ロイコトリエンC_4,D_4,E_4受容体を遮断する。ぜん息におけるロイコトリエンの役割は大きい。 ・運動誘発ぜん息やアスピリンぜん息にも有効。
トロンボキサンA_2に対して	セラトロダスト ・トロンボキサンA_2受容体（TP）を遮断。 ・気道過敏性を抑制する。 ラマトロバン…アレルギー性鼻炎に使用
化学伝達物質合成阻害薬	オザグレル（塩酸塩） ・トロンボキサンA_2合成酵素を阻害 ・気道過敏性を抑制する。
化学伝達物質遊離抑制薬	クロモグリク酸ナトリウム（吸入）[小児ぜん息に多用]、トラニラスト、アンレキサノクス、イブジラスト、ペミロラスト（経口）…抗ヒスタミンH_1作用はない ケトチフェン、アゼラスチン、エピナスチン…抗ヒスタミンH_1作用がある ・成人のぜん息にはあまり使用されなくなった。
Th2サイトカイン産生阻害薬	スプラタスト ・ヘルパーT細胞（Th2）に作用して、IL-4、IL-5の産生を阻害する。IgE抗体産生や好酸球の活性化を抑制する。
TSLP阻害薬	テゼペルマブ ・ぜん息に伴う気道炎症の発症に関わる上皮細胞由来サイトカインのTSLP（胸腺間質性リンパ球新生因子）に対するヒトIgG2λモノクローナル抗体で、TSLPを阻害することで、血中好酸球、IgE、FeNO、IL-5、IL-13等を減少させ、気道過敏性を軽減する。

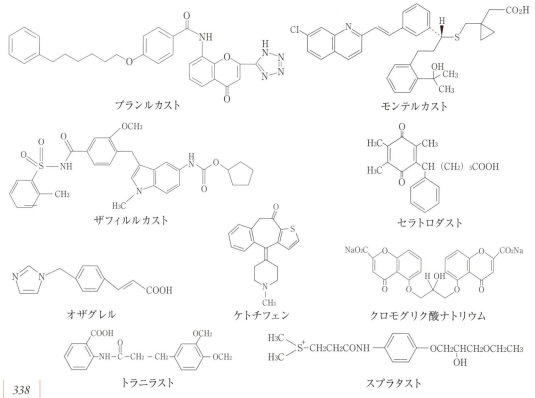

6）副腎皮質ステロイド

ステロイド剤	**作用機序**（抗アレルギー作用＋抗炎症作用） ①細胞膜を透過したステロイドは細胞質内受容体と複合体を形成 ②ステロイド–受容体複合体は核内に移行し、DNAと相互作用する転写因子としてタンパク質発現を調節する。 ③・産生阻害： 各種サイトカイン、IgE、NO合成酵素 　・産生亢進： β_2 受容体、リポコルチン（PLA_2 活性阻害物質）
吸入ステロイド剤	フルチカゾン、ブデソニド、シクレソニド、ベクロメタゾン、モメタゾン ・長期管理薬として吸入ステロイド剤が第一選択 ・気道局所作用が強く、全身吸収が少ないため、全身性副作用は弱い。 ・副作用として**口腔内カンジダ症**、しわがれ声を起こす（スペーサーを使用し、吸入後にうがい）。 ・長時間作用型 β 刺激薬との合剤がある。1回で両者を吸入できる利点がある。 ・シクレソニドはプロドラッグであり、肺内エステラーゼで活性化される。
静注ステロイド剤	ヒドロコルチゾン、メチルプレドニゾロン ・緊急時かつ重症時に静注、点滴静注。
経口ステロイド剤	プレドニゾロン、ベタメタゾン、デキサメタゾン ・全身性副作用が問題である。胃潰瘍、糖尿病、骨粗しょう症、高血圧、副腎皮質萎縮など。 ・重症時に必要性がある場合のみ、短期間の間欠的投与で用いる。

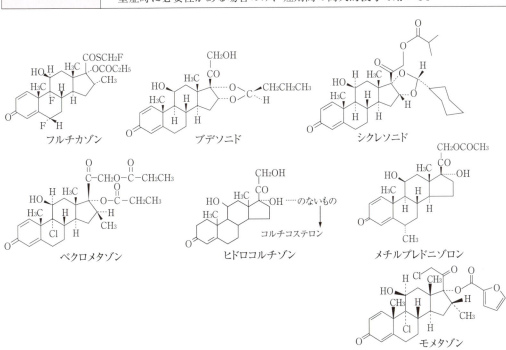

7）生物学的製剤

〈オマリズマブ〉（omalizumab）
- IgE抗体に対する抗体。遊離IgEとのみ結合して、遊離IgE量を減少させる一方、肥満細胞や好塩基球での遊離IgEとIgE受容体との結合を阻害 → 肥満細胞、好塩基球の活性化を抑制。
- 既存治療によっても症状をコントロールできない血清IgE濃度の高値の難治患者に限って使用（2〜4週毎に皮下注）。

〈メポリズマブ〉（mepolizumab）
- ヒト化抗IL-5モノクローナル抗体。2016年6月発売。
- 好酸球の活性化に関与するサイトカインIL-5に結合して、その働きを阻害する。
- 好酸球は、各種刺激（アレルゲン、サイトカイン、補体など）に反応してその顆粒中にある組織傷害性タンパク質を放出し、気管支粘膜の剥離・破壊を起こす。遅発型アレルギー反応に特に深く関与している。

〈ベンラリズマブ〉（benralizumab）
- ヒト化抗IL-5受容体αサブユニットモノクローナル抗体で、IL-5の好酸球に対する作用を抑制する。
- 抗体中の糖鎖（フコース）が除かれているので、ADCC（抗体依存性細胞傷害）活性が高く、ナチュラルキラー細胞を誘導して血中および気道の好酸球を除去し、気管支喘息を改善すると期待される。
- 2018年4月発売。

3. 慢性閉塞性肺疾患治療薬

1）慢性閉塞性肺疾患（COPD）の概要

　タバコ煙を主とする有害物質を長期に吸入暴露することで生ずる。気流閉塞は、末梢気道の炎症性病変と肺胞の破壊による気腫性病変が複合的に作用して起こり、非可逆性で進行性である。

　最大の要因は喫煙であり、COPD患者の約90％に喫煙歴があるといわれる。したがってCOPDの治療の第一歩は禁煙。
- 症状は、体動時の呼吸困難、慢性の咳と痰。

2）COPD治療薬

　慢性安定期COPDの管理では、気管支拡張療法がその基盤となる。
　長時間作用型抗コリン薬（LAMA）、または長時間作用型$β_2$刺激薬（LABA）が第一選択。その次に、両薬物の併用、さらにテオフィリン薬の追加、増悪を繰り返す場合は吸入用ステロイド薬の追加が行われる。

表 2-4-3　COPD 治療薬の分類

分　類	薬　物	投与経路
長時間作用型 β₂刺激薬（LABA）	サルメテロール ホルモテロール インダカテロール	吸入
	ツロブテロール	貼付
長時間作用型 抗コリン薬（LAMA）	チオトロピウム グリコピロニウム	吸入
合剤	インダカテロール ＋グリコピロニウム	吸入
	サルメテロール ＋フルチカゾン	
吸入ステロイド	フルチカゾン ブデソニド	
キサンチン	テオフィリン	経口

インダカテロール indacaterol	薬理作用・機序 ・長時間作用型β₂受容体刺激薬（LABA）。 臨床適用 ・COPD ・維持管理薬として1日1回定期的に吸入。急性期に頓用することはない。 副作用 ・不整脈、低カリウム血症
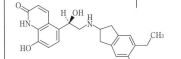	
チオトロピウム臭化物 tiotropium	薬理作用・機序 ・気道のムスカリンM₃受容体を遮断。 ・長時間作用型抗コリン薬（LAMA）。受容体からの解離がきわめて遅いため、24時間以上持続。 臨床適用 ・COPD ・吸入 副作用 ・緑内障、前立腺肥大患者
グリコピロニウム臭化物 glycopyrronium	薬理作用・機序 ・同上。持続時間はチオトロピウムとほぼ同程度。 臨床適用 ・同上 副作用 ・同上
及び鏡像異性体	

気管支ぜん息治療薬としても使用される薬物は、気管支ぜん息治療薬の項（p.333）を参照のこと。

4. 鎮咳薬（Antitussive drugs）

1）咳の生理

咳（咳嗽）とは、気道内の分泌物や異物を体外に排除するための防御反応であり、吸気に引き続き急速に呼出する反射運動をいう。

咳の機序：気管・気管支粘膜の刺激受容器が異物、ガス、気道分泌物、物理的刺激などによって興奮すると、求心性迷走神経などを介して延髄の咳中枢に興奮が伝えられる。咳中枢は呼吸器官への（遠心性）運動神経、自律神経を作動させて咳運動を起こす。

咳中枢興奮 ← （求心性迷走神経）← 刺激受容器興奮 ← 刺激（異物、粘液、化学物質、機械的刺激）
↓
1）吸気期 （吸息筋収縮 → 深い吸気）
↓
2）加圧期 （声門閉鎖、呼息筋収縮 → 胸腔内圧と気道内圧上昇）
↓
3）排出期 （声門の開放 → 爆発的な呼気）→ （異物の排泄）

- 咳の種類

湿性の咳	痰を伴う（痰の喀出に咳は不可欠であるので、むやみに抑制してはならない）。呼吸器疾患の悪化、睡眠障害などでやむを得ないときには鎮咳薬を使用する。
乾性の咳	痰を伴わない。積極的に鎮咳薬を使用してもよい。風邪などで気道分泌が軽度であるときにも使用してよい。

2）鎮咳薬の種類

中枢性鎮咳薬	延髄の咳中枢を直接抑制して、求心性インパルスに対する閾値を上昇させて咳反射を抑制する。	
	麻薬性鎮咳薬	ジヒドロコデイン、コデイン、（モルヒネ）
	非麻薬性鎮咳薬	デキストロメトルファン、ジメモルファン、ノスカピン、チペピジン
末梢性鎮咳薬	・気管支拡張作用によって咳の気流を和らげ、咳の強度を減弱させる。β_2作用による。 **メチルエフェドリン、エフェドリン** ・メチルエフェドリンは、エフェドリンにくらべて血管や心臓に対する副作用が弱いので多用される。	

コデイン　　ジヒドロコデイン　　デキストロメトルファン　　ジメモルファン

ノスカピン　　チペピジン　　エフェドリン　　メチルエフェドリン

〈麻薬性鎮咳薬〉

[ジヒドロコデイン、コデイン、モルヒネ]
- アヘンアルカロイドであり、フェナントレン誘導体である。
- 咳中枢のオピオイドμ受容体を刺激して咳中枢を抑制し、鎮咳効果を生じる。
- 鎮咳作用は強力であり、その強度は、
　　モルヒネ＞ジヒドロコデイン＞コデイン
　　　　　（ジヒドロコデインはコデインの2倍強力）
- モルヒネはジヒドロコデインなどの効力が十分発現しない激しい咳にのみ適応。
- 麻薬であり、鎮痛作用、呼吸抑制作用、精神・身体依存性がある。
- 禁忌：気管支ぜん息発作中の患者(咳を抑制して気道分泌物の排出を阻害)、重篤な呼吸抑制のある患者(呼吸抑制の増強)
- 副作用として便秘、呼吸抑制、悪心・嘔吐などがある。

〈非麻薬性鎮咳薬〉

[ノスカピン]
- アヘンアルカロイド(ベンジルイソキノリン誘導体)
- 咳中枢を抑制。オピオイドμ受容体に作用しない。
- 鎮咳はコデインより弱い。
- 鎮痛、呼吸抑制作用、薬物依存性はなし

[デキストロメトルファン]
- 鎮咳作用はコデインと同等とされる。
- 咳中枢を抑制。オピオイドμ受容体には作用しない。
- d体であり、鎮痛、呼吸抑制作用、便秘の副作用はない(l体であるレボメトルファンはある)。
- 薬物依存性はない。

> ［ジメモルファン］
> - デキストロメトルファンより 1.5 倍強力。
> - 他はデキストロメトルファンと同様。
>
> ［チペピジン］
> - 咳中枢を抑制。オピオイド μ 受容体には作用しない。
> - 気道分泌を亢進するなど、去痰作用も有する。
>
> ［その他］
> - エプラジノン、ペントキシベリン、クロフェダノール、クロペラスチン、ベンプロペリン

3）慢性咳嗽治療薬

一般に 8 週間以上継続する咳嗽のことを「慢性咳嗽」と呼び、その多くは原因疾患に対する治療により奏効するが、治療抵抗性を示し改善が不十分な場合（治療抵抗性の慢性咳嗽）や、十分な検査にもかかわらず原因疾患が特定できない場合もあり、難治性の慢性咳嗽に対する効果的な治療法は確立していない。

様々な刺激やアレルギー、細胞障害などによって気道粘膜細胞から放出される ATP が、気道の迷走神経 C 線維に発現する P2X3 受容体に結合すると、そのシグナルが中枢に到達し、咳嗽が惹起されると考えられている。

〈ゲーファピキサント〉
- 世界で初めて承認された選択的P2X3受容体拮抗薬
- P2X3受容体を遮断することで迷走神経の活性化を抑制し、咳嗽を抑える。
- 適応：難治性の慢性咳嗽
- 2022年4月発売。

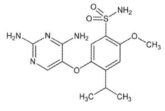

ゲーファピキサント

5. 去痰薬

1）気道分泌の生理と役割

気道分泌物は、気管・気管支粘膜の分泌腺や杯細胞から分泌される粘液や浸出液で構成される。"痰"とは、気道分泌物が口から排出されたものをいう。

気道分泌物はムコタンパク質（粘液糖タンパク質）を主成分とする。以下の生理的役割をもっている。

> ①気管・気管支粘膜の保護作用（粘液—線毛系）…吸入した異物を柔らかく受け止めるとともに、その排除を行う。
> ②吸入空気および気道内の加温、加湿。
> ③気道内の殺菌作用。分泌液内のリゾチームや免疫グロブリン A（分泌型IgA）などの作用による。下気道は本質的には無菌状態である。

2）気道分泌物の有害性

①呼吸器疾患では気道分泌物が増加する。
②過剰の分泌物や粘稠性の高い分泌物は喀出されにくく、気道に貯留する。
③気道に貯留した分泌物は、咳を起こすとともに、気道を狭窄・閉塞し呼吸困難をもたらす。
④貯留した分泌物は感染巣となる。

3）去痰薬（expectorants）

痰の排出を促し、貯留による自覚症状を改善し、感染の誘発などによる呼吸器疾患の病態の増悪を防止する薬物。

表2-4-5　去痰薬の分類、薬物、作用機序

分類	薬物と作用機序
気道分泌促進薬	サポニン系生薬：セネガ、キキョウ、オンジ ・咽頭などの粘膜を刺激して、反射性に漿液性気道分泌を促進する。粘稠性の痰の喀出を容易にする。
気道粘液溶解薬	ブロムヘキシン ・粘液溶解作用を有する。 ・漿液性の分泌を促進し、痰を希釈して喀出を容易にする。 システイン系： アセチルシステイン、L-メチルシステイン ・遊離SH基を有し、ムコタンパク質のS–S結合を開裂させ、低分子化して痰の粘稠度を低下させる。
気道粘液修復薬	L-カルボシステイン ・システイン誘導体であるが遊離SH基をもたないので、粘液溶解作用はない。 ・ムコタンパク質のコアタンパク質であるMUC5の生合成を抑制。 ・気道分泌物のシアル酸とフコースの構成比を正常化する（シアロムチンを増加させ、フコムチンを減少させる）。このことにより、粘液の粘稠性を低下させたり、気管支粘膜の線毛細胞を修復する。
気道潤滑薬	アンブロキソール ・ブロムヘキシンの活性代謝物の１つ ・II型肺胞上皮細胞からの肺サーファクタント（表面活性物質）の分泌を促進して、気道分泌物と気道粘膜との粘着性を低下させる。

〈その他〉
［グアヤコールスルホン酸カリウム］
- 気道分泌を促進する。

ブロムヘキシン　　アンブロキソール　　グアヤコールスルホン酸カリウム

アセチルシステイン　　メチルシステイン　　カルボシステイン

6. 呼吸興奮薬 (Anapnoics, respiratory stimulants)

1）適 応
- 麻酔薬や催眠薬等による呼吸中枢の抑制に起因する換気不全の改善。
- 呼吸不全に対する呼吸刺激。換気不全は高炭酸ガス血症；$PaCO_2 > 45$ Torr（mmHg）が指標（正常値：$35\sim45$ Torr）となる。

2）種 類
- 呼吸興奮薬、麻薬拮抗薬、ベンゾジアゼピン拮抗薬がある。

〈呼吸興奮薬〉
[ジモルホラミン]
- 呼吸中枢に直接作用して呼吸興奮。
- 血管運動中枢にも作用するので血圧上昇を起こす。
- 消化管から吸収されない。注射（皮下注、筋注、静注）で用いる。

[ドキサプラム]
- 主に末梢性化学受容器を刺激して、反射性に呼吸中枢を刺激し呼吸を興奮させる。
- 静注、点滴静注で用いる。
- 血圧上昇作用もある。
- 安全係数が大きい（呼吸興奮用量と痙れん誘発用量の差が大きい）。

[アセタゾラミド]
- 炭酸脱水酵素阻害により腎近位尿細管におけるH^+の排泄を抑制し、血液pHを低下させる。代謝性アシドーシスを起こして、反射性に呼吸を刺激する。
- 睡眠時無呼吸症候群（SAS）、肺気腫における呼吸性アシドーシスに服用で使用。

〈麻薬拮抗薬〉
[レバロルファン、ナロキソン]
- 麻薬による呼吸抑制の治療（レバロルファン、ナロキソン）、覚醒遅延の改善（ナロキソン）に限って適応（いずれも注射で使用）。
- レバロルファンは部分作動薬（弱いながら鎮痛作用をもつ）、ナロキソンは完全拮抗薬。
- オピオイドμ_2受容体遮断作用に基づく。
- 単独では呼吸興奮作用はない。

〈ベンゾジアゼピン受容体拮抗薬〉
[フルマゼニル]
- ベンゾジアゼピン系薬物（催眠薬、抗不安薬など）による呼吸抑制の改善。静注。
- 単独では呼吸興奮作用はない。

〈重度の呼吸抑制の処置〉
　呼吸筋不全を含む呼吸不全に対する対応
- **酸素吸入**：鼻腔カニューレを介して空気とともに吸入、あるいは重症のときは酸素マスク(高流量)使用。
- **人工呼吸**
　心肺蘇生法：蘇生時に救命するために行う（用手人工呼吸、口移し法）。
　器械式人工換気法：気管に挿管して器械を用いて強制的に行う換気。

2-4 呼吸器系・消化器系に作用する薬

CHECK

次の記述について、正しいものには「○」を、間違っているものには「×」をつけてその理由を簡潔に述べなさい。

1 テオフィリンは、ホスホジエステラーゼを阻害して、気道平滑筋細胞内サイクリックAMP（cAMP）濃度を高める。
2 プロカテロールは、アドレナリンβ_2受容体を刺激し、気管支拡張を引き起こす。
3 サルメテロールは、短時間作用型のβ_2受容体刺激薬で、発作時に吸入で使用する。
4 モンテルカストは、ロイコトリエン産生阻害薬で、気管支ぜん息の長期管理薬として用いられる。
5 ベクロメタゾンは、気管支ぜん息に吸入で使用される。
6 グリコピロニウムは、四級アンモニウムの抗コリン薬で、慢性閉塞性肺疾患（COPD）の治療に用いられる。
7 ノスカピンは、延髄の咳嗽中枢を抑制して鎮咳作用を示すが、呼吸抑制は示さない。
8 デキストロメトルファンは、コデインより強い鎮咳作用を持ち、呼吸抑制作用も強い。
9 アセチルシステインは、糖鎖の一部を分解して、痰の粘稠度を低下させる。
10 カルボシステインは、ムコタンパク質中のジスルフィド（–S–S–）結合を開裂して、痰の粘稠度を低下させる。
11 アンブロキソールは、肺胞上皮細胞からの肺サーファクタントの分泌を促進する。
12 ジモルホラミンは、延髄の呼吸中枢に直接作用して、呼吸興奮を生じる。
13 ドキサプラムは、末梢性化学受容器のムスカリン受容体に作用し、呼吸興奮を起こす。

1 呼吸器系に作用する薬

【解答】
1 ○
2 ○
3 × サルメテロールは長時間作用型で、長期管理薬として用いられる。
4 × モンテルカストは、ロイコトリエン受容体遮断薬で、長期管理薬として重要。
5 ○
6 ○
7 ○
8 × デキストロメトルファンは、コデインと同等の鎮咳作用をもち、呼吸抑制作用をもたない。
9 × アセチルシステインは、SH基を有し、ムコタンパク質のジスルフィド結合を開裂させて痰の粘稠度を低下させる。
10 × カルボシステインにはSH基がなく、ジスルフィド結合を開裂させる作用はない。
11 ○
12 ○
13 × ドキサプラムは、頸動脈洞や大動脈弓の末梢性化学受容器を刺激して呼吸中枢を興奮させる。ムスカリン受容体には作用しない。

2 消化器系に作用する薬

到達目標
- 胃・十二指腸潰瘍治療薬の薬理（薬理作用、機序、主な副作用）を説明できる。
- その他の消化性疾患治療薬の薬理（薬理作用、機序、主な副作用）を説明できる。
- 制吐薬・催吐薬の薬理（薬理作用、機序、主な副作用）を説明できる。
- 肝疾患・膵臓疾患・胆道疾患治療薬の薬理（薬理作用、機序、主な副作用）を説明できる。

1. 胃腸の基礎生理

1）平滑筋の収縮・弛緩のしくみ

一般に平滑筋の収縮は次のようにして起こる。
① Ca^{2+} チャネルの開口
② Ca^{2+} の細胞内流入
③ 筋小胞体が刺激され、Ca^{2+} 遊離
④ ②と③により Ca^{2+} の細胞内濃度が上昇
⑤ Ca^{2+} がカルモジュリンの存在下でミオシン軽鎖キナーゼ（MLCK）を活性化
⑥ 収縮タンパクミオシンをリン酸化
⑦ アクチン・ミオシンのスライディング
⑧ 筋の収縮

塩化カリウム（KCl）あるいは塩化バリウム（$BaCl_2$）は受容体と関係なく膜を脱分極させる（それぞれ K^+ および Ba^{2+} による）。その結果、電位依存性 Ca^{2+} チャネルを開口させて、細胞内 Ca^{2+} 濃度が上昇し、筋が収縮する。Ba^{2+} は、Ca^{2+} のようにカルモジュリンと結合することが可能で、これも収縮に関与していると考えられている。

このような Gq タンパク質共役型受容体の活性化による収縮のほか、平滑筋細胞膜に存在する Gi タンパク質共役型受容体（M_2 など）の活性化によっても収縮が引き起こされる場合もある（Gi タンパク質の活性化→アデニル酸シクラーゼ〈AC〉の抑制→cAMP↓による）。

ホスホリパーゼ C（PLC）にはアイソザイムが存在し、一次構造の違いから、α、β、γ などに分類されている。

平滑筋の弛緩は
① β 受容体の活性化などにより AC が活性化、あるいはパパベリンやキサンチン誘導体などによりホスホジエステラーゼが阻害されて、細胞内に cAMP が増加すると平滑筋は弛緩する。
② このとき、細胞内 Ca^{2+} は、ATP のエネルギーを使って能動的に汲み出さ

れたり、Na^+ と Ca^{2+} の交換で細胞外に流出したり、筋小胞体に貯蔵されたりして除去される。

③細胞内 Ca^{2+} 濃度が減少
　→ 相対的なホスファターゼ活性上昇
　→ リン酸化ミオシン・アクチン複合体のミオシンの脱リン酸化
　→ アクチン・ミオシンの解離→弛緩
というように起こる。

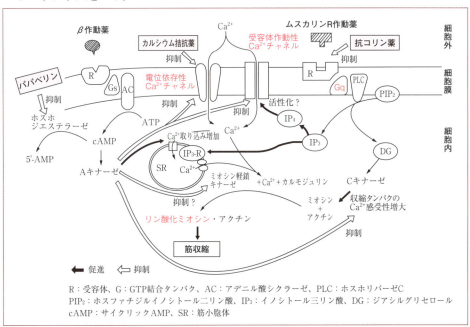

■図 2-4-6　平滑筋の収縮

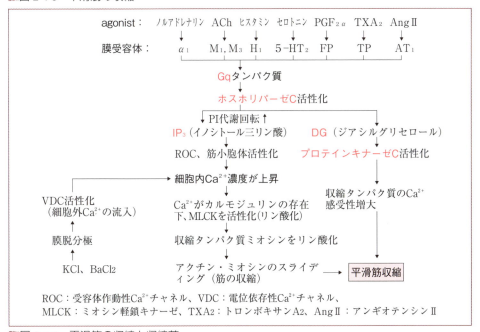

■図 2-4-7　平滑筋の収縮と収縮薬

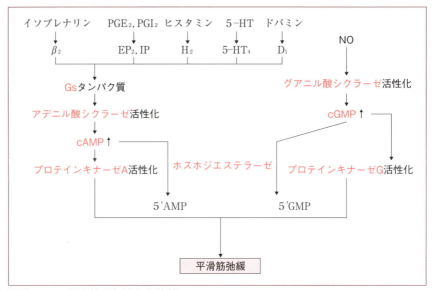

図 2-4-8　平滑筋の収縮と収縮薬

2）胃液の分泌機構
〈胃粘膜からの分泌〉

① 食事の際、視覚・嗅覚・味覚・条件反射を介して脳相が、また食物の胃に対する化学的刺激を介して胃相が働いて迷走（副交感）神経が興奮する。
② 迷走神経が興奮すると幽門前庭部のG細胞よりガストリンが放出される。
③ ガストリンは血液で運ばれ、腸クロム親和性細胞様細胞（エンテロクロマフィン細胞様細胞、ECL細胞）からヒスタミンを分泌させ、ヒスタミンは壁細胞のヒスタミン受容体（H_2受容体）に作用して、壁細胞のcAMPを増加させる。一方、ガストリンは壁細胞のガストリン受容体にも結合し、細胞内のCa^{2+}を増加させる。
④ そうすると壁細胞内で炭酸脱水酵素の活性化が起こり、$H_2O + CO_2 \rightarrow H_2CO_3 \rightarrow H^+ + HCO_3^-$の反応を進ませ、また$H^+,K^+$-ATPaseであるプロトンポンプを活性化して$H^+$（胃酸pH1〜2）を分泌する。
⑤ 迷走神経終末より遊離されるAChは壁細胞とECL細胞のムスカリン受容体にも作用し胃液分泌を助ける。
⑥ ペプシノーゲンは迷走神経刺激により主細胞から分泌される。胃内で胃酸の作用によりペプシンに活性化され、タンパク質の消化が行われる。

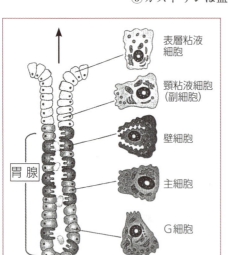

図 2-4-9　胃腺を構成する細胞

3）消化管ホルモン

ホルモン名	分泌部位	分泌刺激	生理作用ほか
ガストリン	胃幽門前庭部のG細胞	副交感神経刺激	・アミノ酸残基は17個のペプチド。 ・C端側5個はコレシストキニンと同配列。 ・胃酸分泌を促進、ペプシノーゲン分泌を促進、胃運動亢進。
コレシストキニン（CCK）	十二指腸〜上部小腸（I細胞）	胃内容物(アミノ酸、ペプチド、脂肪酸)の刺激	・パンクレオチミンと同一物質。 ・アミノ酸残基は33個。 ・胆囊収縮作用。 ・膵臓からの消化酵素の外分泌を促進。
セクレチン	十二指腸、空腸粘膜のS細胞	胃からの酸性内容物の刺激	・アミノ酸残基は27個。 ・ガストリン分泌抑制により、胃酸分泌抑制。 ・膵臓よりHCO_3^-の多いアルカリ性溶液の分泌を刺激。
ソマトスタチン	消化管内分泌細胞(D細胞)膵ラ島下垂体		・アミノ酸残基は14個か28個 ・セクレチン、ガストリン分泌抑制 ・インスリン、グルカゴン分泌抑制 ・成長ホルモン分泌抑制
GIP（gastric inhibitory peptide）	腸粘膜	食物中の脂肪が十二指腸粘膜が触れると分泌	・ガストリンや胃酸の分泌を抑制。 ・胃運動抑制。
ボンベシン	カエル皮膚より抽出・精製された		・アミノ酸残基は14個。 ・ヒトの神経組織や消化管にも類似物が存在し、ガストリン、インスリン、グルカゴン、プロラクチンなどの分泌を促進し、膵液や胃酸の分泌を亢進し、平滑筋の収縮をきたす。
モチリン	小腸M細胞	約90分間隔で空腹時に分泌される	・アミノ酸残基は22個。 ・食間期に蠕動運動を促進して、胃や腸内に残存している残存物の排出を促す。

4）胆汁の生理

- 胆汁は肝臓で作られ、毛細胆管 → 小葉間胆管 → より大きな導管 → 総肝管 → 胆囊（貯蔵し5〜10倍に濃縮）→ 総胆管 → 十二指腸へと運ばれる。1日600〜700 mL生産される。
- 胆囊は副交感神経興奮で収縮、コレシストキニンでも敏感に収縮する。
- 胆管の十二指腸開口部にはOddi括約筋があってこれが弛緩すると胆汁が流出する。
- 胆汁中では胆汁酸はタウリン、グリシンなどと抱合したタウロコール酸、グリココール酸ナトリウムの形で存在し、界面活性作用を有し、脂肪の乳化、脂溶性ビタミンの乳化吸収を助ける。
- 胆汁酸は肝臓でコレステロールより生合成される。

5）胃と腸の運動

- アウエルバッハ神経叢：筋層間神経叢で副交感神経の神経節を含む。この神経叢にはオピオイド受容体があり、モルヒネはアセチルコリンの放出を阻害する。
- マイスナー神経叢：粘膜下神経叢。
- アウエルバッハ神経叢とマイスナー神経叢は、互いに神経線維を腸管内各部位に送り、腸壁内神経系を形成している。
- 腸の腸クロム親和性細胞（エンテロクロマフィン細胞、EC細胞）にはセロトニンが多く含有されており、腸のぜん動運動や水分分泌などに関与しているとみられている。

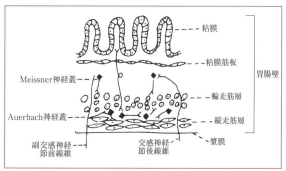

図2-4-10　消化管の神経支配

2. 胃・十二指腸潰瘍治療薬

1）消化性潰瘍（胃潰瘍・十二指腸潰瘍）

通常、胃壁は防御因子の働きによって消化を受けないようになっているが、攻撃因子と防御因子のバランスが崩れたとき、胃液によって胃や十二指腸の壁自身が侵されて消化性潰瘍になる（図 2-4-11）。胃潰瘍と十二指腸潰瘍の特徴の比較を表 2-4-4 に示した。

■表 2-4-4　胃潰瘍と十二指腸潰瘍の比較

項　　目	胃潰瘍	十二指腸潰瘍
好発年齢	40～60 歳	20～40 歳
性別	男＝女（1:1）	男＞女（3:1）
好発部位	**胃角部（小彎）**（単発が多い）	十二指腸球部の前・後壁（単発、接吻、線状が同率）
症状	疼痛（心窩部） 痛みが出ない患者も 20～30% いる。 胸やけ、げっぷ、腹部膨満感・重圧、食欲不振、悪心・嘔吐、吐・下血	
痛みの強い時間帯	**食後**（～90 分まで） 食物と胃の運動により潰瘍部位が刺激される	**空腹時**（夜間・早朝も） 食事で軽快 空腹時に十二指腸が胃酸で強く刺激される。食事が十二指腸に達すると、①食物によって胃酸が希釈・中和される、②セクレチン分泌によってガストリン分泌が抑制され、胃酸分泌が低下する
出血・貧血	潰瘍部からの出血とそれによる貧血（鉄欠乏性貧血）	
胃液分泌	**正常かやや少なめ**	**分泌過多**（ガストリン分泌多い）
ピロリ菌陽性率との関連	70～90%	95%
遺伝的背景	家系的に 2～3 倍多い	
病因（理論的）	防御因子が低下するため	攻撃因子が優勢になるため
誘因 & リスクファクター	H. pylori、NSAIDs、ストレス、飲酒、喫煙、コーヒーなど （NSAIDs: COX-1 阻害 ➡ PGE_2 産生阻害 ➡ 胃粘膜防御低下）	
X 線検査（確定診断）	胃角部にニッシェ（陰影突出像）	十二指腸球部にニッシェ
内視鏡検査（確定診断）	潰瘍底：白色～黄色の苔 辺縁：腫脹、発赤、しわひだ集中	
穿孔	出血、腹膜炎により激痛、危険 [処置] 絶食、輸液、胃管挿入、抗菌薬投与、穿孔部縫合（自然閉鎖しない場合、穿孔が大きい場合）、腹腔内洗浄	
潰瘍の再発	治癒後、何も治療しなければ、1 年以内に約 70% が再発 ピロリ菌の除菌後には、再発率は 70% から 10% 以下に低下する。従来、H_2 受容体遮断薬や防御因子増強薬による維持療法（半年以上）がされてきた。	

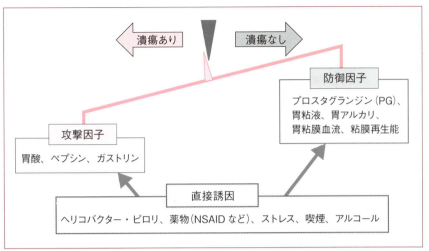

■ 図 2-4-11　消化性潰瘍の原因となる攻撃因子と防御因子のバランスの崩れ

2) 消化性潰瘍治療薬

胃液分泌機構と消化性潰瘍治療薬の作用点を図 2-4-12 に、消化性潰瘍治療薬の分類を表 2-4-5 に示した。

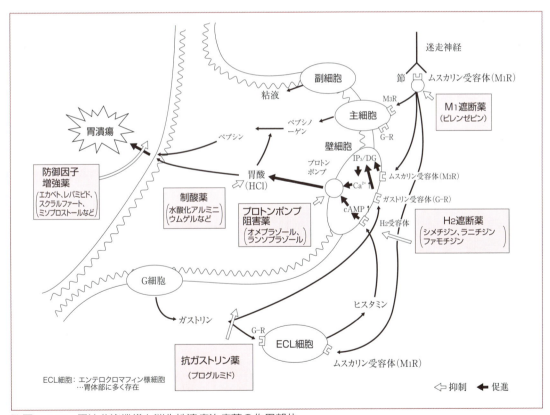

■ 図 2-4-12　胃液分泌機構と消化性潰瘍治療薬の作用部位

表 2-4-5 消化性潰瘍治療薬の分類

攻撃因子抑制薬	胃酸分泌抑制薬 ・H$_2$受容体遮断薬：シメチジン、ラニチジン、ファモチジン ・M$_1$受容体遮断薬：ピレンゼピン ・プロトンポンプ阻害薬：オメプラゾール、ランソプラゾール、ラベプラゾール ・抗ガストリン薬：プログルミド
	制酸薬（胃酸中和とペプシン活性の抑制） 炭酸水素ナトリウム、酸化マグネシウム、乾燥水酸化アルミニウムゲル、天然（または合成）ケイ酸アルミニウム
防御因子増強薬	胃粘膜保護薬 スルピリド、ゲファルナート、エカベト、レバミピド、スクラルファート、アズレン、セトラキサート、テプレノン、ミソプロストール、エンプロスチル

①ヒスタミンH$_2$受容体遮断薬

- 代表的薬物はシメチジン、ファモチジン、ニザチジン。
- 適応：胃・十二指腸潰瘍、逆流性食道炎、胃炎
- 胃粘膜のECL細胞から遊離されるヒスタミンはアデニル酸シクラーゼを活性化して胃壁細胞内のcAMPを増加させる。したがって胃酸分泌を強く亢進する。
- H$_2$遮断薬はヒスタミンH$_2$受容体を選択的に遮断して胃酸分泌を抑制し、その結果ペプシン活性化も抑制する。
- 潰瘍が消失したあとも半年は使用を継続し維持療法を行うこと（再発を抑えるため）。ただし H. pylori 除菌後には不要である。
- シメチジン、ファモチジン、ラニチジン、ニザチジンは腎排泄型であるため、腎障害患者への投与は用量を半量にするなど注意を要する。
- シメチジンはシトクロムP450（CYP）を非特異的に阻害するので、ベンゾジアゼピン系薬物、ワルファリン、抗てんかん薬（フェニトイン、カルバマゼピン）、β遮断薬（プロプラノロール、ラベタロール）などCYPで代謝される多くの薬物の代謝・排泄を遅らせて、それら薬物の作用を増強する（薬物相互作用）。

CYP阻害作用の強さ：シメチジン＞ラニチジン＞ファモチジン・ニザチジン

- 副作用として、汎血球減少や女性化乳房。
- その他にロキサチジン、ラフチジンがある。

シメチジン

ラニチジン

ファモチジン

ニザチジン

②ムスカリンM_1受容体遮断薬
- ピレンゼピンはムスカリンM_1受容体拮抗薬で、副交感神経節やECL細胞（ヒスタミン産生細胞）上にあるムスカリンM_1受容体を遮断して、胃酸分泌を抑制する。その結果、ペプシンの活性化も抑制する。M_1受容体に選択性を有するため、心臓（M_2受容体）や胃運動（M_3受容体）などへの影響は比較的少ない。
- ヒスタミンとガストリン自体の作用は抑制しないので、胃酸分泌抑制作用には限度がある。
- 血液－脳関門を通過しにくいので、中枢作用は少ない。

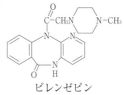
ピレンゼピン

③プロトンポンプ阻害薬（proton pump inhibitor；PPI）
- 代表的薬物はオメプラゾール、ランソプラゾール、ラベプラゾール、エソメプラゾール。
- 適応：胃・十二指腸潰瘍、逆流性食道炎。消化性潰瘍の第一選択薬といってもよい。
- 壁細胞の細管小胞内で酸性下、転移反応を経てスルフェナミド体に活性化される。
- 胃酸分泌の最終段階で壁細胞のH^+, K^+-ATPase（プロトンポンプ）のチオール基（－SH）に結合して、非可逆的に阻害する。
- 強力かつ持続的に胃酸分泌を抑制する。1日1回服用。
- 胃潰瘍では8週間まで、十二指腸潰瘍では6週間までしか使用できない。
- オメプラゾールやランソプラゾールはCYP2C19やCYP3A4により代謝される。そのためジアゼパムやフェニトインなどと薬物相互作用を起こし、それらの作用を増強する。
- ヒスタミンH_2受容体遮断薬との併用はしない。
- エソメプラゾールは、オメプラゾールのS-エナンチオマー。

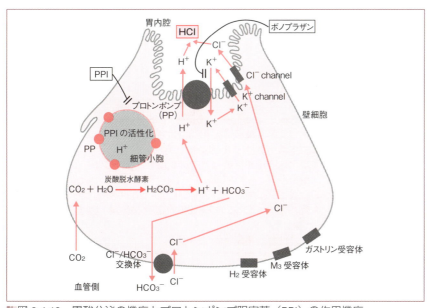
図2-4-13　胃酸分泌の機序とプロトンポンプ阻害薬（PPI）の作用機序

オメプラゾール　ラベプラゾール　ランソプラゾール　活性体　プロトンポンプ

④カリウムイオン競合型アシッドブロッカー（P-CAB）

〈ボノプラザン〉

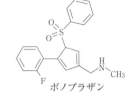
ボノプラザン

- 適応：胃・十二指腸潰瘍、逆流性食道炎、NSAIDs潰瘍、ピロリ菌除菌補助
- P-CABはプロトンポンプ阻害薬（PPI）の一種である。プラゾール系とは異なり、H^+,K^+-ATPaseを可逆的かつカリウムイオン競合的に阻害することで酸分泌を抑制する。
- 1)壁細胞に高濃度蓄積するため持続が長い、2)酸による活性化の必要がないので、効果発現が速い、3)CYP2C19遺伝子多型の影響はない、などプラゾール系にない長所をもつ。
- 1日1回経口服用。

⑤抗ガストリン薬

〈プログルミド〉

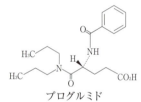
プログルミド

- 胃粘膜G細胞から分泌されたガストリンがECL細胞や壁細胞のガストリン受容体に作用するのを遮断し、胃酸分泌を抑制。
- 胃粘液の産生促進による胃粘膜保護作用、組織修復促進作用もある。

⑥制酸薬（antacids）

消化性潰瘍や胃炎などにおける制酸に用いる薬物。胃酸を中和して刺激を緩和するとともに、ペプシンの至適pHの2からpHをずらしてペプシンの消化力を弱める。

■表2-4-6　制酸薬の分類

吸収性制酸薬	吸収されて全身性アルカローシスをきたす。 **炭酸水素ナトリウム**（$NaHCO_3$） ①消化性潰瘍や胃炎などでの制酸や、②アシドーシスの改善に用いる。 ・多量でアルカローシスを起こす。 ・発生するCO_2により二次的な胃酸分泌（酸反跳）を起こす。 ・速効性だが持続時間は短い。

難吸収性制酸薬	吸収されにくく全身的な影響はでにくい。遅効性で持続性である。 **酸化マグネシウム** MgO、**炭酸マグネシウム** MgCO$_3$、**水酸化マグネシウム** Mg(OH)$_2$ ・酸中和力が強い。 ・副作用として下痢。腸内でMg(HCO$_3$)$_2$を形成し、浸透圧性緩下作用（下痢）を示すため。 ・緩下作用を利用し、**便秘症にも適応**である。 **乾燥水酸化アルミニウムゲル** Al(OH)$_3$、**天然（または合成）ケイ酸アルミニウム** Al$_2$(SiO$_3$)$_3$ ・比較的弱い酸中和作用。 ・形成されるAlCl$_3$が粘膜吸着・収斂作用を発現して、粘膜を保護する。消化性潰瘍や胃炎などでの制酸に使用。 ・副作用として便秘。**下痢症にも適応**である。 ・透析患者には禁忌である。アルミニウムは透析で除去されにくく、血中に蓄積し、**アルミニウム脳症・骨症**などが現れることがある。

⑦防御因子増強薬

a．スルピリド（ドパミン D$_2$ 遮断薬）

スルピリドは、①機序は不明だが、**胃粘膜血流を改善**する。②胃の副交感神経節後線維に存在するドパミン D$_2$ 受容体を遮断して、アセチルコリン遊離を促進し、胃運動を亢進する。その結果、胃内容物の停滞がとれ、潰瘍部と胃酸、ペプシンとの接触時間が短くなる。

- 中枢に対しては抗ドパミン作用があり、抗精神病薬、抗うつ薬としても用いられる。治療量は、抗潰瘍（150 mg/日）＜抗うつ（150〜300 mg/日）＜抗精神病（300〜600 mg/日）である。
- 制吐作用を有する。

b．ゲファルナート
- 胃粘膜のPGE$_2$、PGI$_2$の生合成を促進し、**胃粘液分泌**と**胃粘膜血流**を増加する。その結果、胃粘膜保護作用を示す。

c．エカベト
- 胃粘膜のPGE$_2$、PGI$_2$の生合成を促進し、**胃粘液分泌**と**胃粘膜血流**を増加する。
- ペプシノーゲンおよびペプシンと結合して不溶化し、ペプシン活性を抑制する。
- *H.pylori*のウレアーゼ活性を抑制する。

d．レバミピド
- 胃粘膜のPGE$_2$、PGI$_2$の生合成を促進し、**胃粘液分泌**と**胃粘膜血流**を増加する。
- 胃粘膜における**活性酸素（・OH、・O$_2^-$）の消去作用**を示し、胃粘膜障害を抑制。

e．スクラルファート（ショ糖硫酸エステルアルミニウム塩）
- 潰瘍部のタンパク成分と結合し、胃粘膜保護作用を示す。
- ペプシンと結合してペプシン活性を抑制する。
- ニューキノロン系抗菌薬、テトラサイクリン系抗生物質の吸収を阻害する（相互作用）。
- アルミニウムを含有するため、透析療法を受けている患者には禁忌である（アルミニウム脳症）。
- 類似薬にアルジオキサ。抗ペプシン作用とPGE$_2$、PGI$_2$生合成促進作用。

f．アズレン
- 抗炎症作用、創傷治癒促進作用、ヒスタミン遊離抑制作用。

g．セトラキサート
- 胃粘膜のPGE_2、PGI_2の生合成を促進し、胃粘液分泌と胃粘膜血流を増加する。
- 胃粘膜内でのペプシン活性を抑制する。

h．テプレノン
- 胃粘膜のPGE_2、PGI_2の生合成を促進し、胃粘液分泌と胃粘膜血流を増加する。

i．PG系薬：ミソプロストール、オルノプロスチル（PGE_1誘導体）、エンプロスチル（PGE_2誘導体）
- ①胃酸分泌を抑制する。②粘液分泌を促進し、③粘膜の血流を改善して胃粘膜保護作用を示す。
- 適応：ミソプロストールは長期NSAIDs使用時に引き起こされる胃粘膜障害の発生の予防や治療に用いられる。オルノプロスチル、エンプロスチルは胃潰瘍の治療に使用。ともに経口投与。
- 子宮収縮作用を有するため、妊婦には禁忌。
- 副作用：下痢、軟便。

⑧ヘリコバクター・ピロリ（ピロリ菌）の除菌

ヘリコバクター・ピロリ（ピロリ菌）（*Helicobacter pylori*）はグラム陰性らせん桿菌。ヒトの胃粘膜に感染する。ピロリ菌は強いウレアーゼ活性を有し、

尿素を分解してアンモニアを発生することにより胃酸を中和して胃内で生息できる。
- 幼児期に感染するが、先進国での感染率は低い。
- ピロリ菌感染と慢性胃炎、消化性潰瘍には強い関連性がある。胃がん、胃リンパ腫との関連も注目されている。

〈除菌（3剤併用療法）〉
- 1次除菌：プロトンポンプ阻害薬（PPI：ランソプラゾールほか）、アモキシシリン、クラリスロマイシンの3剤併用療法（LAC療法）が行われる（1日2回、7日間服用）。
　PPIの代わりにボノプラザンも使用される。
- 適応：胃十二指腸潰瘍、慢性胃炎
- プロトンポンプ阻害薬を使用する目的は、胃内のpHを中性寄りにして抗生物質の抗菌作用を強めることにある。
- ピロリ菌の除菌によって潰瘍の再発率は10％以下に低下する（除菌をしない場合は再発率は70％程度）。
- ピロリ菌の除菌は消化性潰瘍の根治療法といえる。
- 除菌失敗例に対しては、クラリスロマイシンの代わりにメトロニダゾールを用いた2次除菌（LAM療法）が行われる。クラリスロマイシンに対する耐性が問題になりつつある。
- 一度除菌に成功すると再感染はしないとされている。

3. 便秘・下痢治療薬

1）瀉下薬（便秘治療薬、下剤）(laxatives, cathartics, purgatives)

①便秘（constipation）の病態生理

分類	原因
器質性便秘	腸閉塞（イレウス）、すなわち腹部手術後の癒着、大腸癌、先天的腸形成異常などにより物理的に腸管が狭くなっているために起こる。
機能性便秘	弛緩性便秘：高齢者（腸のぜん動運動や腹筋力の低下）、透析患者。
	直腸性便秘（常習性便秘）：便意の抑制が習慣になり、直腸反射の神経が鈍くなる。女性に多い傾向がある。
	痙れん性便秘：過敏性腸症候群などで副交感神経の緊張亢進状態が生じ、大腸が痙れん性に収縮して便秘が生ずる。
薬物性便秘	モルヒネ、コデイン、抗コリン薬、アルミニウム塩などによる副作用。

②瀉下薬（下剤）について

下剤とは、便を軟化し、便の排出を促進する薬物をいうが、一般的な下剤は痙れん性の便秘には不適である。
瀉下作用は、①腸管腔内の水分蓄積と②腸ぜん動運動が因子として関与する。

〈瀉下薬の分類〉

小腸刺激性下剤	ヒマシ油、ルビプロストン（クロライドチャネル活性化薬）
大腸刺激性下剤	センナ、ダイオウ、アロエ、ビサコジル、ピコスルファート
浸透圧性下剤	酸化マグネシウム、硫酸マグネシウム（塩類下剤） ラクツロース（合成二糖）、ソルビトール（糖類下剤） ・腸管内の浸透圧を高めることにより、水分を吸収して腸内容物や便を軟化・膨張して排便を促進する。
膨張性下剤	カルメロースナトリウム（カルボキシメチルセルロース） ・消化管内で水分を保持することにより、①流動性を高めるとともに、②腸に拡張刺激を与える。
浸潤性下剤	ジオクチルソジウムスルホサクシネート ・界面活性作用により便を軟化させる。
浣腸薬	50％グリセリン（30－60 mL）

a．ヒマシ油
- 小腸性下剤である。
- トウゴマの種子より得られ、主成分はリシノール酸のトリグリセリドである。
- 小腸内でリパーゼにより加水分解されてリシノール酸を生じ、これが小腸での水分分泌と蠕動運動を促進する。
- 子宮収縮を誘発して流早産の危険性があるので、妊婦には投与しないことが望ましい。

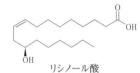
リシノール酸

b．センナ、ダイオウ、アロエ（アントラキノン系）
- 大腸性下剤である。
- センナとダイオウは成分としてセンノシドA・B（アントラキノン誘導体）を含む。
- センノシドは、大腸細菌叢（ビフィズス菌など）によってレインアンスロンとなり、大腸粘膜を刺激してぜん動運動を促進し、緩下作用を示す。耐性がつくので長期間の服用は避ける。
- アロエの有効成分はアロエエモジンで、やはりアントラキノン誘導体である。
- 3つの生薬成分とも大量で子宮収縮がみられるので、妊婦には用いない。

センノシドA・B
（互いに立体異性体）

レインアンスロン

c．ピコスルファートナトリウム
- 大腸細菌叢由来のアリールスルファターゼにより加水分解されて、活性型のジフェノール体となる。水溶性が高く、胃・小腸では吸収されない。
- 大腸のぜん動運動亢進と水分吸収阻害作用を示す。内服で使用。

d．ビサコジル
- 大腸内エステラーゼによって活性体に変化する。活性体はピコスルファートの活性体と同一。
- 大腸のぜん動運動亢進と水分吸収阻害作用を示す。内服・坐剤として使用。妊娠には大量投与を避ける。

ピコスルファートナトリウム　　ビサコジル

e．ラクツロース

- ガラクトースとフルクトースが結合した構造を有する合成二糖である。
  - ①ヒトの消化管内消化酵素では分解されず、吸収もされず、浸透圧を上昇して緩下作用を示す（<u>下剤</u>として使用）。
  - ②下部消化管で腸内細菌により分解されて乳酸、酢酸などの有機酸を生成し、腸内pHを低下させる。その結果、酸性側で生育できる乳酸菌の増加を生ずるとともに、腸内の他の細菌によるアンモニア産生を抑制する。したがって、血中アンモニア濃度の低下を生ずるため、肝硬変などでみられる<u>高アンモニア血症の治療薬</u>としても有用である。

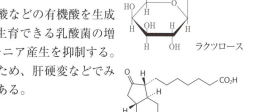
ラクツロース

f．ルビプロストン

- <u>クロライドチャネル活性化薬</u>。小腸ClC-2に直接作用してチャネルを開いて管腔内にClイオンを分泌し、Clイオンは浸透圧性に水を分泌する。便を軟化する。
- プロスタグランジン誘導体。本作用にはプロスタグランジン受容体は関与しない。
- 適応：慢性便秘
- 禁忌：妊婦、腸閉塞

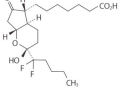
ルビプロストン

g．リナクロチド

- 14個のアミノ酸残基からなる合成ペプチド。
- 腸管上皮に存在するグアニル酸シクラーゼC受容体を刺激して細胞内cGMPを増加させる。cGMPはプロテインキナーゼGⅡ（PKGⅡ）活性化を介して囊胞性線維症膜貫通調節因子（CFTR）を活性化させ、腸管内へCl^-やHCO_3^-を分泌させることにより、浸透圧性に水分を腸管内腔へ分泌させる。また、リナクロチドによる細胞内cGMP増加は、大腸の痛覚過敏を伝達する求心性神経の興奮を抑制し、腹痛の改善にも寄与する。

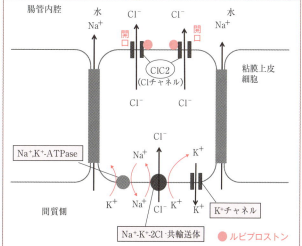

図2-4-14　ルビプロストンの緩下作用機序

- 適応：便秘型過敏性腸症候群、慢性便秘症（器質的疾患による便秘を除く）。
- 2017年3月に発売された。

h．エロビキシバット

- 胆汁酸トランスポーターである<u>IBAT</u>（ileal bile acid transporter）の<u>阻害</u>薬。
- IBATが阻害されると胆汁酸の再吸収が減り、大腸内に流入する胆汁酸の量が増加して排便が促される。慢性便秘症治療薬として2018年4月に発売された。

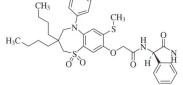
エロビキシバット

2）止瀉薬（下痢治療薬）（antidiarrhoics）
①下痢（Diarrhea）の病態生理

分　類	原　因
腸感染症	細菌、ウイルス、毒素による水分分泌異常亢進により起こる（コレラ、赤痢、サルモネラ、病原性大腸菌など）。
腸粘膜損傷	潰瘍性大腸炎、クローン病などによる（炎症によって浸出液が多量に出る）。
腸管運動異常(機能性)	ストレス、食べすぎ、飲みすぎ、からだの冷え、食物アレルギー、過敏性腸症候群などでみられる。

　消化管管腔は種々の異物に直接さらされているために、有害物質を排除する自己防衛機能として下痢がある。下痢は腸管腔内の水分蓄積と、腸運動亢進の相互作用の結果起こるが、腸運動亢進よりも腸内容物の水分蓄積が決定的要因になる。

②止瀉薬（antidiarrhoics）について
　消化管粘膜に作用し、(1) 粘膜の炎症を緩和、抑制し、あるいは (2) 有害物質を吸着して粘膜を保護、あるいは (3) 腸運動を抑制して下痢を阻止する。

〈止瀉薬の分類〉

分　類	薬　物　名
腸運動抑制薬	抗コリン薬（ブチルスコポラミン、ロートエキス）オピオイド化合物（ロペラミド、アヘン、モルヒネ）
収斂薬・吸着薬	次没食子酸ビスマス、次硝酸ビスマス、タンニン酸アルブミン、ケイ酸アルミニウム、薬用炭
腸内腐敗・発酵抑制薬	ベルベリン（キハダやオウレンに含まれるアルカロイド）、乳酸菌製剤

　a．腸運動抑制薬
- 抗コリン薬：ロートエキス、ブチルスコポラミン
機能性下痢や過敏性腸症候群に用いられる。ムスカリン M_3 受容体遮断作用により腸運動を抑制する。
- オピオイド化合物：ロペラミド、アヘン、モルヒネ
下痢症に用いられる。腸神経叢のコリン作動性神経シナプス前膜のオピオイド μ_2 受容体を刺激する。その結果、アセチルコリン遊離を抑制し、腸運動抑制と水分の分泌抑制を示す。ロペラミドは中枢にはほとんど移行しない。アヘン、モルヒネは激しい下痢に適応。

　b．収斂・吸着薬
- 消化管粘膜表面のタンパク質と結合して不溶性の被膜を形成し、腸粘膜を保護する。
- 次没食子酸ビスマス、次硝酸ビスマス：収斂作用のほかに、大腸内の異常発酵により生ずる H_2S ガスと結合して硫化ビスマスとなり、H_2S ガス刺激による腸運動亢進を抑制する作用もある。
- タンニン酸アルブミン：腸内でタンニン酸を遊離して、収斂作用を示す。

ロペラミド　　次没食子酸ビスマス　　ベルベリン

- 薬用炭、ケイ酸アルミニウム：表面活性が強く、下痢を起こす腸内ガスや異常有害物質を吸着し、粘膜を被覆して保護する。

c．腸内腐敗・発酵抑制薬
- ベルベリン
 キハダやオウレンなどの生薬に含有されるアルカロイドで、腐敗・発酵抑制作用がある。
- 乳酸菌製剤

3）過敏性腸症候群治療薬

①過敏性腸症候群（irritable bowel syndrome；IBS）の病態生理
- 20～40歳、特に思春期に多い。男女比1：1.6。
- 腸自体に炎症はない。
- ストレスや暴飲暴食、喫煙、アルコールの多飲、睡眠不足などの生活の乱れなどにより、(1)副交感神経の緊張亢進状態により腸（大腸と小腸）の過敏状態が生じている。(2)腸におけるセロトニン分泌亢進も原因の一部と考えられる。
- 便秘型、下痢型、便秘―下痢交代型がある。腹痛も伴う。慢性化する。

②治療薬
 a．ポリカルボフィルカルシウム（膨潤性高分子樹脂）
- 便の水分バランスをコントロールして、下痢にも便秘にも用いられる（IBSの第一選択薬）。
- 腸管内のみで作用するので安全性が高い。
 〈作用機序〉胃内でCa^{2+}をはずし、腸管内でポリカルボフィルは中性下で吸水、保水、膨潤、ゲル化する。下痢のときは、便の過剰な水分吸収を促進して腸内容物の移動をゆっくりとさせ、下痢を改善する。便秘のときは、便の水分量を増加させ膨潤して腸管粘膜を刺激し、腸内容物の移動を速めることで便秘を改善する。
 b．抗コリン薬
- メペンゾラート、プロパンテリン、チキジウム
- 下部消化管の平滑筋を弛緩させ、ぜん動運動を抑制し、下痢を改善。
- 痙れん性便秘にも有効である。
 c．トリメブチン（オピオイド受容体作動薬）
- 腸運動亢進時には抑制作用（オピオイドμ_2受容体を刺激）を、腸運動抑制時には促進的に作用し、腸運動調節作用をもっている。

ポリカルボフィルカルシウム　　メペンゾラート

トリメブチン　　ラモセトロン

d．ラモセトロン（5-HT$_3$受容体遮断薬）
- 下痢型患者に使用する。
- 抗悪性腫瘍薬投与に伴う悪心・嘔吐に使用する1/20の用量を用いる。
- 腸内セロトニンが5-HT$_3$受容体を介して腸の運動を過剰に亢進させて下痢を起こす。それを抑制する。

e．その他
- 経口局所麻酔薬(オキセサゼイン)、止瀉薬、下剤、抗不安薬、抗うつ薬なども使用される。

4. 消化管運動に影響する薬

1）鎮痙薬（antispasmodics）

鎮痙薬とは、平滑筋の緊張低下、収縮抑制、あるいは異常痙れんの緩解をもたらす薬物の総称である。狭義には、主として、消化器系（胃腸管、膵管、胆嚢、胆管）、泌尿器系（尿管、尿道）に作用して、平滑筋の痙れんに基づく疼痛を緩解する薬物をいう。

①向筋肉性鎮痙薬
- 平滑筋自体に作用して平滑筋を弛緩させる薬物。
- パパベリン塩酸塩、テオフィリン：ホスホジエステラーゼを阻害して細胞内にcAMPを増加させて、すべての平滑筋を弛緩する。

②向神経性鎮痙薬
- 副交感神経遮断薬のように神経伝達に影響して平滑筋を弛緩させる薬物。
- 抗コリン薬：アトロピン、ロートエキスなど
　四級アンモニウム塩：ブチルスコポラミン臭化物、プロパンテリン臭化物、メチルベナクチジウム臭化物は四級アンモニウム塩でアトロピン様作用の

他に神経節遮断作用もある。中枢に到達しにくく中枢性の副作用が発現しにくいために鎮痙薬として用いられる。

2）消化管運動促進薬（胃腸機能改善薬）

胃内容物の排出遅延、胃酸分泌の亢進、ストレスなどにより、腹部不快感、食後早期満腹感、悪心、胃もたれ感、食欲不振などの慢性胃炎や消化器機能異常（機能性ディスペプシア）の症状の治療に用いられる薬物をいう。

①セロトニン5-HT$_4$受容体刺激薬
〈モサプリド〉

消化管内在神経叢に存在する5-HT$_4$受容体を選択的に刺激し、アセチルコリン遊離の増大を介して消化管運動促進作用および胃排出促進作用を示す。

慢性胃炎などに伴う消化器症状（胸やけ、悪心・嘔吐）に用いられる。

②ドパミンD$_2$受容体遮断薬
〈ドンペリドン（メトクロプラミドより中枢作用が弱い）、メトクロプラミド、イトプリド〉

D$_2$受容体遮断作用によりCTZで鎮吐作用を示すほか、コリン作動性神経からアセチルコリンの遊離を促進して胃・十二指腸の運動を亢進する。消化器機能異常（消化管運動低下、悪心、食欲不振、腹部膨満感など）に用いられる。イトプリドはコリンエステラーゼ阻害作用ももっている。

副作用：プロラクチン分泌（乳汁分泌）促進、錐体外路障害、悪性症候群。

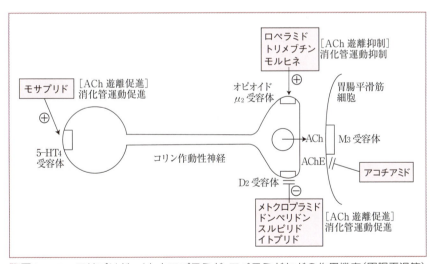

図2-4-15　モサプリド、メトクロプラミド、ロペラミドなどの作用機序（胃腸平滑筋）

③コリンエステラーゼ阻害薬
〈アコチアミド〉

臨床適用：機能性ディスペプシア（p.75参照）における食後膨満感など。

作用機序：アセチルコリンエステラーゼ阻害作用（可逆的）により消化管運動促進。血漿コリンエステラーゼ阻害作用はきわめて弱い。

モサプリド　ドンペリドン　メトクロプラミド

イトプリド　アコチアミド

3) 健胃薬・消化薬

消化液の分泌を促し、胃の運動を盛んにする薬物を健胃薬という。薬物のもつ苦味や芳香で味覚、嗅覚を刺激し、反射的に唾液腺および胃腺からの分泌を引き起こす。

苦味健胃薬	オウバク、オウレン、ゲンチアナ、センブリ、ニガキ、リュウタン、コロンボ、キナ
芳香健胃薬	ウイキョウ、ガジュツ、ケイヒ、サンショウ、ショウキョウ、トウガラシ
芳香苦味健胃薬	コンズランゴ、トウヒ、ゴシュユ

消化器疾患や全身性疾患がある場合や老人では消化液の分泌が低下して消化不良を起こすことがあるが、このような症状の軽減を目的にして、消化酵素製剤が用いられる。消化酵素剤にはジアスターゼ（アミラーゼを含む）、パンクレアチン（プロテアーゼ、アミラーゼ、リパーゼを含む）、含糖ペプシンなどがあり、消化管内液を酵素の至適 pH に近づける工夫が必要である。

5. 催吐薬と制吐薬

1) 嘔吐のしくみ

嘔吐は延髄の孤束核近くの嘔吐中枢の興奮によって、胃の幽門が閉鎖されるとともに噴門が開口し、加えて、肋間筋、横隔膜、腹筋が強く収縮することによって起こる。嘔吐中枢を興奮させる要素として、①胃・腸粘膜の刺激による反射、②動揺病（乗物酔）、③メニエール症候群、④化学受容器引金帯（CTZ）の興奮などがある。

2) 催吐薬（emetics）

末梢性催吐薬（反射性催吐薬）	・舌咽部、胃などの粘膜下の知覚神経を刺激して、嘔吐中枢を反射的に興奮させる。 ・硫酸銅、トコン（エメチンやセファエリンを含む）。
中枢性催吐薬	・CTZを直接興奮させて催吐作用を現すもの。 ・モルヒネ、アポモルヒネ、麦角アルカロイド、強心配糖体、レボドパ（ドパミンに代謝される）はCTZのドパミンD_2受容体を直接あるいは間接的に刺激する。

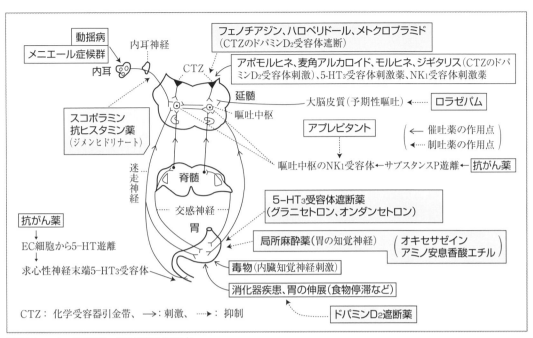

図 2-4-16　催吐薬、制吐薬の作用点

3）制吐薬（antiemetics）

①末梢性制吐薬

局所麻酔薬	・アミノ安息香酸エチル（ベンゾカイン）、オキセサゼイン。 ・胃の知覚神経末端を麻酔し、胃粘膜への刺激を和らげて、反射性嘔吐を抑制する。胃炎、胃・十二指腸潰瘍や過敏性腸症候群に伴う疼痛や悪心・嘔吐に使用される。
5-HT₃受容体遮断薬	・オンダンセトロン、グラニセトロン、アザセトロン、ラモセトロン、パロノセトロンなど ・抗悪性腫瘍薬（シスプラチン、アルキル化薬など）の投与や放射線照射に伴う嘔吐・悪心に用いられる。 ・腸クロム親和性細胞（EC細胞）がシスプラチンなどの抗がん薬により刺激され、セロトニンが遊離し、腸管部位の求心性迷走神経自由終末の5-HT₃受容体を興奮させる。この情報が延髄の嘔吐中枢に達し、嘔吐を発現させる。 ・5-HT₃受容体遮断薬はこの末梢でのセロトニンの作用を遮断することにより、嘔吐を抑制する。 ・パロノセトロンは持続時間が長く、遅発性悪心・嘔吐にも有効。

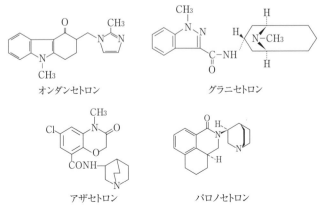

②中枢性制吐薬

CTZを抑制する薬物を中枢性鎮吐薬というのは、CTZが末梢血管側に受容体を持っているので、不適切な言葉である。ドンペリドンは中枢へ移行しないので中枢抑制などの中枢作用はないが、CTZを抑制することに注意する。

ドパミンD_2受容体遮断薬	・クロルプロマジン、メトクロプラミド、ドンペリドン ・CTZのD_2受容体上で、アポモルヒネや麦角アルカロイドなどの薬物による催吐に拮抗する。 ・末梢性にドパミンを介して起こる消化管運動低下を改善する。胃腸機能低下による悪心・嘔吐に有効。乗物酔に無効。
NK_1受容体遮断薬	・アプレピタント、ホスアプレピタント ・サブスタンスP受容体であるニューロキニン1（NK_1）受容体の遮断薬。 ・延髄の嘔吐中枢やCTZにあるNK_1受容体を遮断し、嘔吐を抑制する。 ・抗悪性腫瘍薬（シスプラチンなど）の投与に伴う消化器症状（悪心・嘔吐）に併用で用いられる（経口）。 ・5-HT_3受容体遮断薬の効きにくい遅発性の悪心・嘔吐に有効。 ・ホスアプレピタントは、アプレピタントのプロドラッグ。静注で使用。
ベンゾジアゼピン系抗不安薬	・ロラゼパム、アルプラゾラム（経口） ・抗悪性腫瘍薬投与や放射線照射における予測性悪心・嘔吐に有効
動揺病（乗物酔）予防薬	・ヒスタミンH_1受容体遮断薬（ジフェンヒドラミン、メクリジン、プロメタジンなど）や抗コリン薬のスコポラミンが有効。 ・ジメンヒドリナートはジフェンヒドラミンと8-クロロテオフィリンの塩で、動揺病予防・緩和薬に使われる。 ・ヒスタミン作動性およびコリン作動性神経が働いている迷路機能亢進を抑制し、抗嘔吐作用を示す。
メニエール症候群治療薬	・ジメンヒドリナートやステロイドが有効。 ・メニエール病は内耳の三半規管、前庭や蝸牛で内リンパ腔のリンパ液が過剰（内リンパ水腫）になり発症する。激しい回転性めまい、難聴、耳鳴り、悪心・嘔吐を伴う。

メトクロプラミド

ドンペリドン

アプレピタント

ジメンヒドリナート

ホスアプレピタント

メクリジン

6. 肝胆膵疾患治療薬

1）胆道疾患治療薬
①利胆薬（choleretics）

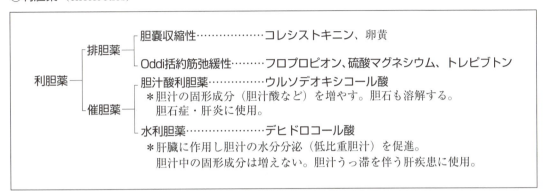

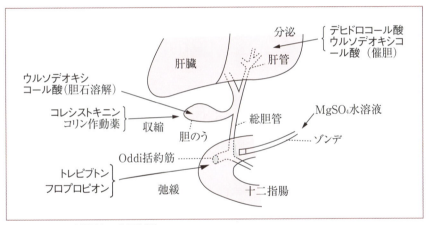

■ 図 2-4-17　利胆薬の作用部位

② Oddi 括約筋に作用する薬物
〈硫酸マグネシウム、トレピブトン〉
- Oddi 括約筋を弛緩させて胆管圧を上昇させずに胆汁分泌を促進させる排胆薬である。
- 硫酸マグネシウムは十二指腸ゾンデで注入し使用、トレピブトンは経口投与。

〈フロプロピオン〉
- COMT阻害によりカテコールアミン濃度を高め、β作用によって胆管平滑筋やOddi括約筋を弛緩させる。それにより十二指腸への排胆作用を示す。

〈モルヒネ、コデイン〉
- Oddi括約筋を収縮する。
- 胆のう障害や胆石のある患者には慎重投与（アトロピンを併用する）。

トレピブトン
フロプロピオン
ウルソデオキシコール酸
ケノデオキシコール酸
デヒドロコール酸

③胆石溶解薬

〈ウルソデオキシコール酸、ケノデオキシコール酸〉

コレステロール系胆石を溶解。胆石表面のコレステロールをミセル化して溶解する。ウルソデオキシコール酸の胆石溶解（600 mg/日）には、利胆（50 mg/回、3回/日）に用いるより高用量を必要とする。

胆石時の疼痛には、軽いものにはブチルスコポラミン、N-メチルスコポラミン、ピペリドレートなどの抗コリン薬、激しいものにはペンタゾシンや麻薬性鎮痛薬を用いる。モルヒネ等の麻薬類はOddi括約筋を収縮させるため、アトロピンを併用する。

2）肝臓疾患治療薬

肝疾患にはウイルス性肝炎（急性、慢性）、肝硬変、肝癌、脂肪肝、アルコール性肝障害、等々があるが、わが国の慢性肝炎、肝硬変・肝癌はC型肝炎ウイルス（HCV）によるものが60〜70％、B型肝炎ウイルス（HBV）によるものが約20％と、大部分がウイルスによるものである。

ウイルス性慢性肝炎にはまずインターフェロン（IFN）や抗ウイルス薬でウイルスの駆除を行い、これがむずかしいときには肝庇護薬を用いる。

①抗ウイルス薬

［詳細は「肝炎ウイルスに用いる薬」p.493参照］

②肝庇護薬

ウイルスの消失は期待できないが、AST、ALTを低下させて肝硬変への進行を抑制するとされる。

〈グリチルリチン製剤〉
- 甘草の成分である。
- 糖質コルチコイド作用による抗炎症作用。
- 弱いIFN誘起作用、NK活性増強作用があり、肝炎を鎮静化する。
- 副作用：偽アルドステロン症

〈ウルソデオキシコール酸〉
- 適応：慢性肝疾患における肝機能の改善。ほかに胆石溶解薬、催胆薬として用いられる。
- 作用機序：1) サイトカイン、ケモカインの産生抑制と2) 肝臓への炎症細胞浸潤抑制作用によるとされる。

〈小柴胡湯〉
- 適応：慢性肝疾患における肝機能の改善。
- サイコサポニンを含有し、免疫調整作用、肝保護作用を有する。
- 副作用：間質性肺炎(インターフェロン製剤との併用で発現頻度が増すので、併用禁忌)

③肝硬変治療薬

　肝硬変が進行すると、低栄養状態、腹水、食道静脈瘤、肝性脳症、肝細胞癌を起こす。

〈分岐鎖アミノ酸製剤〉(バリン、ロイシン、イソロイシン)
- 単なる栄養補給ではなく、Fischer比(分岐鎖アミノ酸／芳香族アミノ酸の比)を上昇させ、芳香族アミノ酸の脳内蓄積による精神症状の発現を改善する。

〈ラクツロース〉(合成二糖)
- 下部腸管内の細菌により分解されて乳酸、酪酸になる。大腸内を酸性にして、アンモニアの産生・吸収を抑制し、肝性脳症の原因となる高アンモニア血症を改善する。
- 浸透圧性緩下作用もあり、肝硬変を悪化させる便秘を改善する。

3) 膵臓疾患治療薬

　膵炎はアルコール過飲や胆道疾患などが原因で膵酵素、特にトリプシンの活性化を誘発し、次いでエステラーゼ、ホスホリパーゼA_2、リパーゼ、カリクレインなどが活性化されて血中に放出され、ショック、膵臓の自己消化、多臓器不全が発現する。したがって、膵炎治療薬として、膵酵素の分泌を抑制したり、酵素活性を阻害する薬が用いられる。

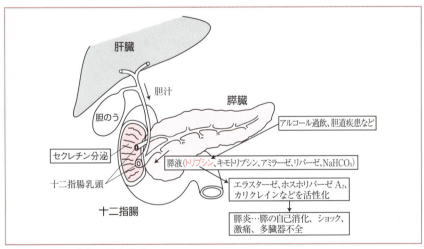

図 2-4-18　膵臓と膵炎発症

①膵酵素分泌抑制薬

〈ヒスタミンH_2受容体拮抗薬〉
- 胃酸分泌を抑制することによりセクレチンの分泌を抑制する。セクレチンが分泌されないと膵酵素は分泌されない。

②膵酵素活性阻害薬（タンパク分解酵素阻害薬）
〈ナファモスタット、ウリナスタチン、ガベキサート、カモスタット〉
- 膵炎では膵臓からのトリプシン分泌が引き金となっているので、タンパク分解酵素阻害薬が有効である。
- いずれも膵炎の急性膵炎症状に適応。ナファモスタット、ウリナスタチン、ガベキサートは静注で使用し、カモスタットは経口で使用する。（2014年膵炎ガイドラインでは、これらの効果は疑問視されている）
- ナファモスタット、ガベキサートは血液凝固因子（トロンビンなど）の活性を阻害するため、播種性血管内凝固症候群（DIC）にも用いられる。
- ガベキサートにはOddi括約筋弛緩作用もある。

③鎮痛薬
- 膵炎は痛みが強いので、麻薬性鎮痛薬を用いることが多い。主としてブプレノルフィンやペンタゾシンが用いられる。これらはOddi括約筋をほとんど収縮させないので、アトロピンは併用されない。軽いときはインドメタシンやジクロフェナク等のNSAIDsを用いる。

CHECK

次の記述について、正しいものには「○」を、間違っているものには「×」をつけてその理由を簡潔に述べなさい。

1 ファモチジンは、ヒスタミンH_1受容体遮断薬で、胃酸分泌を抑制する。
2 ピレンゼピンは、壁細胞上のガストリン受容体を選択的に遮断して、胃酸分泌を抑制する。
3 オメプラゾールは、Na^+, K^+-ATPaseのSH基と結合し、酵素活性を阻害する。
4 水酸化マグネシウムは、胃内のpHを上昇させて、ペプシノーゲンのペプシンへの変換とペプシン活性を抑制する。
5 レバミピドは、ドパミンD_2受容体を遮断して、攻撃因子を強力に抑制する。
6 スクラルファートは、潰瘍部のタンパク成分と結合し、胃粘膜保護作用を示す。
7 センノシドは、腸内細菌の作用によりレインアンスロンとなり、大腸粘膜を刺激する。
8 ピコスルファートは、腸内細菌で活性化され、大腸のぜん動運動亢進と水分吸収阻害作用を示す。
9 ルビプロストンは、プロスタノイド受容体を介して、小腸のクロライドチャネルを活性化する。
10 硫酸マグネシウムは、小腸から吸収された後、速やかに結腸に分泌され、水様便を排出させる。
11 ロートエキスは、M_3受容体遮断作用により腸運動を抑制する。
12 ロペラミドは、腸管のヒスタミン受容体を介して腸運動を抑制する。
13 ポリカルボフィルカルシウムは、過敏性腸症候群の治療に用いられる。
14 モサプリドは、セロトニン5-HT_4受容体を選択的に刺激し、消化管運動を促進する。
15 アポモルヒネは、胃粘膜下の知覚神経を刺激して、反射性に嘔吐を引き起こす。
16 ドンペリドンは、血液脳関門を通過して脳内のドパミンD_2受容体を遮断して、制吐作用を示す。
17 オンダンセトロンは、選択的セロトニン5-HT_3受容体遮断薬であり、抗悪性腫瘍薬による悪心・嘔吐を抑制する。
18 ジメンヒドリナートは、ジフェンヒドラミンと8-クロロテオフィリンの塩で、動揺病予防に用いられる。
19 ウルソデオキシコール酸は、胆のうを収縮させる作用をもった排胆薬である。
20 フロプロピオンは、COMT阻害によりカテコールアミン濃度を高め、β作用によって胆管平滑筋を弛緩させる。
21 ナファモスタットは、膵酵素の分泌を抑制し、急性膵炎を改善する。

【解答】

1	×	ファモチジンは、ヒスタミン H_2 受容体遮断薬。
2	×	ピレンゼピンは、選択的 M_1 受容体遮断薬。
3	×	オメプラゾールは、壁細胞の H^+, K^+-ATPase（プロトンポンプ）を阻害する。
4	○	
5	×	レバミピドは、胃粘膜プロスタグランジン増加作用、胃粘膜保護作用、胃粘膜血流増加作用などを有する防御因子増強薬である。
6	○	
7	○	
8	○	
9	×	ルビプロストンは、プロスタグランジン誘導体だが、プロスタノイド受容体には作用しない。
10	×	硫酸マグネシウムは、難吸収性で、消化管内の浸透圧を上昇させることにより消化管粘膜の水分分泌を増大する緩下薬である。
11	○	ロートエキスは、抗コリン作用をもつ数種のトロパンアルカロイドを含む。
12	×	ロペラミドは、オピオイド μ 受容体を刺激してアセチルコリン遊離を抑制し、腸運動抑制作用と水分分泌抑制作用を示す。
13	○	
14	○	
15	×	アポモルヒネは、化学受容器引金帯の D_2 受容体を直接あるいは間接的に刺激して中枢性催吐作用を示す。
16	×	ドンペリドンは中枢に移行しない。CTZは延髄第四脳室底にあるので、厳密には末梢である。ドンペリドンは、CTZの D_2 受容体遮断と、消化管の D_2 受容体遮断による消化管運動改善によって、悪心・嘔吐を抑える。
17	○	
18	○	
19	×	ウルソデオキシコール酸は、胆汁中の胆汁酸を増やす催胆薬。胆のうを収縮させる作用をもつのはコレシストキニン。
20	○	
21	×	ナファモスタットは、タンパク分解酵素阻害薬で、トリプシンなどの酵素活性を阻害する。

2-5 代謝系・内分泌系に作用する薬

1 代謝系に作用する薬

> 到達目標
> - 糖尿病治療薬の薬理（薬理作用、機序、主な副作用）を説明できる。
> - 脂質異常症治療薬の薬理（薬理作用、機序、主な副作用）を説明できる。
> - 高尿酸血症・痛風治療薬の薬理（薬理作用、機序、主な副作用）を説明できる。

1. 糖尿病治療薬

1) 糖尿病とは

インスリンの作用の絶対的（1型糖尿病）あるいは相対的（2型糖尿病）不足により、慢性的高血糖状態を呈し、糖尿病特有の合併症をきたす代謝異常症候群をいう。

1型糖尿病 （5％程度）	自己免疫などにより膵臓β細胞が破壊され、インスリンの基礎分泌も追加分泌もされない（絶対的不足）。	痩身が多い。 小児〜青年に多い。
2型糖尿病 （95％以上）	膵臓のインスリン分泌能が低下。	痩身が多い。
	食生活の乱れなどによるインスリン分泌過剰が続き、その結果、インスリンに対する組織の反応性が低下し、インスリン抵抗性を生じる。	肥満が多い。 （生活習慣と関連） 中〜高年に多い。

薬物治療の観点からは、インスリン治療が絶対的に必要な群（インスリン依存性）とインスリン治療が代謝のコントロールに不要な群（インスリン非依存性）に大別される。

〈糖尿病の三大合併症〉

糖尿病性網膜症	高血糖の持続により糖化タンパク質が増えて血管障害に至る。網膜のダメージ、網膜血管の出血→視力低下、失明
糖尿病性腎症	腎糸球体の血管障害→アルブミン尿症、タンパク尿、腎不全→人工透析
糖尿病性神経障害	神経組織の血行障害やソルビトールの神経細胞内の蓄積による。多発神経障害、胃腸障害、発汗障害、起立性低血圧、勃起不全、末梢のしびれ、神経痛など。

〈それ以外の合併症〉

動脈硬化	糖尿病は動脈硬化を加速する。心疾患や脳血管疾患などを合併しやすい。
糖尿病足病変	下肢の閉塞性動脈硬化症に加えて、神経障害、血管障害、外傷や感染症などが関与して潰瘍や壊疽が起こる。足や指の切断につながる。

※ HbA1cは糖化ヘモグロビンの一種で、血中のグルコースが赤血球のヘモグロビンと結合して形成される。この反応は不可逆的で、赤血球の寿命である120日間血中に存在するので、2～3カ月前からの高血糖状態を推定することができる。食事による影響を考えずに採血・検査でき、日々の変動が血糖値よりも少ない。

〈糖尿病の診断基準（日本糖尿病学会、2010年7月改正）〉
① 早朝空腹時血糖値：126 mg/dL 以上
② 75 g 経口ブドウ糖負荷試験で2時間後の血糖値：200 mg/dL 以上
③ 随時血糖値：200 mg/dL 以上
④ HbA1c※（国際基準値）：6.5%（JDS値に0.4を加えた値）以上
- 1回の採血で血糖値（①～③のいずれか）とHbA1cの測定結果がともに糖尿病型であれば、糖尿病と診断できる。

2）糖尿病治療薬の概念

糖尿病の薬物治療の目標は、血糖をコントロールして病態の進行を防止し、合併症の進展を阻止して患者のQOLを確保することにある。糖尿病治療の基本は食事療法と運動療法であるが、2～3カ月試みて改善しなければ、糖尿病の成因に応じた薬物療法が選択される。

糖尿病型	目　的	治　療　薬
1型糖尿病	インスリンを補充する。	インスリン製剤
	糖の吸収を遅らせる。	α-グルコシダーゼ阻害薬
2型糖尿病	インスリンの分泌を促進する。	スルホニル尿素（SU）系薬物、速効性インスリン分泌促進薬
	糖利用を促進する。	ビグアナイド系薬物
	糖の吸収を遅らせる。	α-グルコシダーゼ阻害薬
	組織のインスリン抵抗性を改善する。	チアゾリジン系薬物など
	血糖レベルに応じてインスリン分泌を調節する。	インクレチン関連
	近位尿細管でのグルコース再吸収を阻害する。	SGLT-2阻害薬
糖尿病合併症	合併症の進展を防止する。	アルドース還元酵素阻害薬、局所麻酔薬など

インスリンの補充療法は、以下の場合は2型糖尿病でも適応となる。
絶対的適応：①糖尿病性昏睡、②外傷、外科手術、重症感染症
　　　　　　③糖尿病合併妊娠、④高度の肝・腎機能障害、⑤高カロリー輸液療法
相対的適応：①著明な高血糖やケトーシス、②経口糖尿病薬では血糖コントロール不良

3）糖尿病治療薬の種類
（1）インスリン製剤

作用発現時間と作用持続時間から超速効型、速効型、中間型、持効型の4つがある。中間型に速効型を一定の比率で混ぜた混合型（2相型）もある。

［混合比率］速効型（超速効型）：中間型　1：9（10R）～5：5（50R）

	発現時間	最大効果	持続時間	
超速効型	10～20分	1～3時間	3～5時間	皮下注射後速やかに単量体に解離し、吸収を速やかにしたもの。食事直前の注射。
速効型	0.5～1時間	3～5時間	約8時間	インスリンは溶液中で6量体を形成して存在し、注射後に2量体あるいは単量体に解離されて吸収され、効果を発揮する。食事30分前に注射。
中間型	0.5～1.5時間	8～12時間	約24時間	インスリンの持続性を持たせるために、プロタミン（塩基性タンパク質）や亜鉛を添加したもの。懸濁液なので用時振とうが必要。朝食前に投与したものは夕食頃に効果が最大になる。
持効型	4時間	8～24時間	24～48時間	インスリン活性を保持した難溶性のインスリンアナログ。1日1回の投与で24時間安定した効果。

表 2-5-1 インスリン製剤の種類

超速効型	インスリン リスプロ（B 鎖 28 位プロリンと 29 位リジンの入れ替え） インスリン アスパルト（B 鎖の 28 位プロリンをアスパラギン酸に置換） インスリン グルリジン（B 鎖 3 位アスパラギンをリジンに、B 鎖 29 位リジンをグルタミン酸に置換） ・インスリンの構成アミノ酸を部分的に置換することで、インスリンが会合して 6 量体を形成しないようにし、2 量体あるいは単量体として吸収速度を速めたもの。 ・追加分泌インスリンを補充して食後の血糖上昇に対応。 ・食直前投与（患者の QOL 改善）。
速効型	中性インスリン ・追加分泌インスリンの補充。 ・食 30 分前投与（→食事時間の変動で低血糖が現れるおそれ）。 ・糖尿病性昏睡時には静注、点滴静注で投与。
中間型	イソフェンインスリン水性懸濁（NPH、プロタミン添加） インスリン亜鉛水性懸濁（モノタード） ・インスリン基礎分泌の補充（1 日 1〜2 回）。 ・速効型と混合して強化インスリン療法に用いる（頻回投与）。
持効型	インスリン グラルギン、インスリン デテミル、インスリン デグルデク ・インスリン基礎分泌の補充。 ・インスリングラルギンは、ヒトインスリンの A 鎖 C 末端 21 位のアスパラギンをグリシンに置換し、B 鎖 C 末端 30 位のスレオニンに次いでさらに 31 位と 32 位の 2 個のアルギニンが追加されたインスリン誘導体。皮下注射すると（中性の体内では）結晶化し、徐々に溶解・放出されて持続吸収される。安定した血中濃度が持続する。 ・インスリンデテミルは、ヒトインスリンの B 鎖 C 末端 30 位のスレオニンを除き、B 鎖 29 位のリジン側鎖にミリスチン酸（直鎖飽和脂肪酸）を付けたインスリン誘導体。ミリスチン酸がアルブミンと結合し、血中で遊離型と結合型が平衡状態で存在し、持続的なインスリン作用を示す。 ・インスリンデグルデクは、ヒトインスリンの B 鎖 C 末端 30 位のスレオニンを除き、B 鎖 29 位のリジン側鎖にグルタミン酸をスペーサーとしてヘキサデカン酸を付けたインスリン誘導体。投与後皮下組織で安定な 6 量体が多数連なった構造（マルチヘキサマー）として存在し、単量体が徐々に解離するため、持続が長い。 ・1 日 1 回の投与で使用。明らかなピークがなく、ほぼ 1 日にわたり作用が持続する。低血糖の危険性が少なくてすむ。

(2) 経口抗糖尿病薬
①スルホニル尿素系薬物（sulfonyl urea: SU 薬）

薬　物	第 1 世代：トルブタミド、アセトヘキサミド、グリクロピラミド、クロルプロパミド 第 2 世代：グリクラジド、グリベンクラミド…力価増大。後者は胆汁中にも排泄（腎障害患者に使用しやすい）。 第 3 世代：グリメピリド…インスリン抵抗性改善作用もある。胆汁中にも排泄。
作用機序	①膵 β 細胞のスルホニル尿素受容体に結合し、ATP感受性K$^+$チャネルを阻害して細胞を脱分極させ、②電位依存性Ca^{2+}チャネルを開口させて細胞内Ca^{2+}を上昇させ、③顆粒中に貯蔵された内因性インスリンの開口分泌を促進する。⇒インスリン基礎分泌を促進
適　用	・食事療法、運動療法のみで十分な効果が得られない場合に限る。 ・高齢者では、少量から開始し定期的に検査を行う（生理機能が低下していることが多く、低血糖が起こりやすい）。 ・2 型糖尿病では血中インスリン値が正常より高い患者もいる。そうした患者にSU薬などでさらにインスリンを増加させることは、インスリン抵抗性を増大させるだけでかえって不都合であるという考えも出ている。

相互作用	・β遮断薬：過度の血糖低下を補償するために発動する反射性の交感神経興奮（血糖上昇）を遮断するので、低血糖が遷延(血糖降下を増強)。 ・NSAIDs、ワルファリン：血漿タンパクとの結合で競合するので、SU薬の血中濃度が上昇(血糖降下を増強)。 ・チアジド系、ループ系利尿薬：低K^+血症を引き起こし、K^+チャネル活性を増強させるので、インスリン放出は減弱される(血糖降下を減弱)。
副作用	・重篤かつ遷延性の低血糖(糖分：ショ糖、ブドウ糖を携帯)、無顆粒球症、溶血性貧血、再生不良性貧血、肝障害、日光過敏症、アルコール耐性低下(ジスルフィラム様作用)、肥満 ・2次無効（耐性）

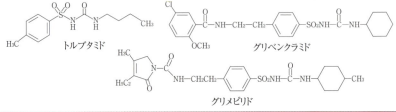

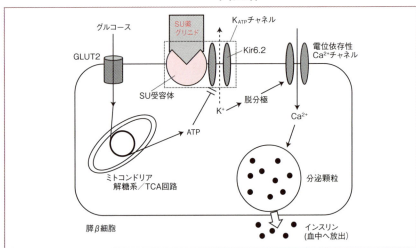

図 2-5-1　スルホニル尿素薬（SU 薬）とグリニド系薬物の作用機序

②グリニド系薬物（速効型インスリン分泌促進薬）

薬物	ナテグリニド、ミチグリニド、レパグリニド
作用機序	・SU構造をもたないが、SU剤と同様に膵β細胞のATP感受性K^+チャネルを阻害してインスリン放出を促進する。
適用	2型糖尿病における食後血糖推移の改善（インスリン追加分泌を促進）
使用上の注意	・食直前（5〜10分前）に投与する（作用が速やかに発現するので、食事前30分投与では低血糖をきたすおそれ）。2〜3時間で効果消失。 ・血糖改善効果はSU薬ほど大きくないので、空腹時血糖の高い患者には向かず、食後の高血糖がみられる患者に適する。 ・SU薬と併用しない。
副作用	心筋梗塞、肝障害、低血糖

③ビグアナイド系薬物

薬　　物	メトホルミン、ブホルミン ・2個のグアニジル基を有する。
作用機序	・膵からのインスリン分泌促進作用はない。 ・細胞内の糖や脂質代謝を調節するAMP依存性プロテインキナーゼ（AMPキナーゼ；AMPK）を活性化する。 ・肝での糖新生抑制、末梢組織のグルコース取り込み促進、腸管からのグルコース吸収抑制などにより血糖降下させる。 ・インスリン抵抗性改善作用…組織の糖取り込みを促進する（GLUT4の膜への移動促進） ・単独では低血糖を起こす可能性はきわめて低い。
適　　用	・欧米では2型糖尿病治療の第一選択薬である。 ・肥満を増長しない（脂肪酸燃焼と糖新生の抑制のため）。肥満型には第一選択。 ・動脈硬化の伸展を抑制するともいわれる。 ・1日2〜3回、食直前または食後に分服。最近わが国でも欧米と同様の高い用量で使用できる製剤が登場した。
副作用	乳酸アシドーシス。透析患者、中等症以上の腎障害、肝障害患者、妊婦には禁忌。

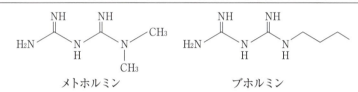

メトホルミン　　　　ブホルミン

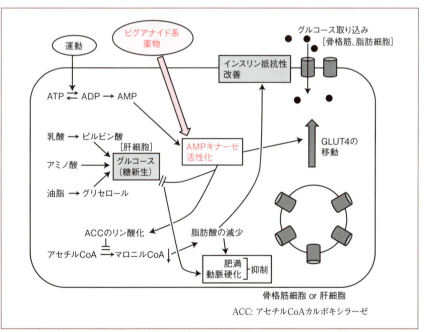

■ 図 2-5-2　ビグアナイド系薬物の血糖降下の作用機序

④インスリン抵抗性改善薬(チアゾリジン誘導体)

薬　物	ピオグリタゾン
作用機序	インスリン依存性組織の**インスリン抵抗性を改善**して※、組織への糖取り込み、および糖代謝を促進させて血糖を低下させる(インスリン放出促進作用はない)。 ※脂肪細胞の分化に関連する核内転写因子である**PPARγ**に結合して活性化し、小型脂肪細胞への分化を促進し、アディポネクチンの分泌を増加する。さらにインスリン抵抗性誘発因子であるTNFαを産生する大型脂肪細胞への分化を抑制したり、アポトーシスを起こすことにより抵抗性を改善する。 PPARγ：ペルオキシソーム増殖因子活性化受容体γ
適　用	2型糖尿病で、インスリン抵抗性が推定される場合(肥満、高インスリン血症)に限る。
副作用	重篤な肝障害→(定期的な肝機能検査)、体重増加、肥満
禁　忌	心不全(PPARγ活性化により近位・遠位尿細管細胞におけるNa$^+$再吸収促進が起こり、急激な水分の貯留によって循環血漿量を増加して心不全を増悪、浮腫)。重篤な肝・腎機能障害、重篤な感染や外傷のある患者。

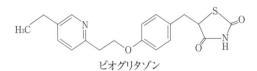

ピオグリタゾン

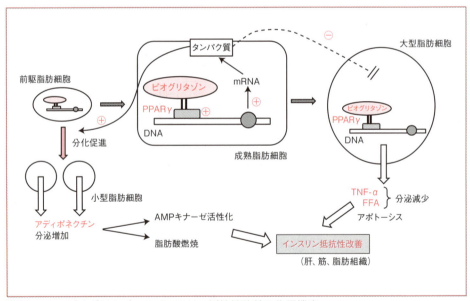

図2-5-3　ピオグリタゾンのインスリン抵抗性改善の作用機序

⑤ α-グルコシダーゼ阻害薬（α-GI）

薬物	アカルボース、ボグリボース、ミグリトール
作用機序	・小腸粘膜の微絨毛に局在する上皮細胞膜の α-グルコシダーゼ（二糖類水解酵素；マルターゼ、スクラーゼ）を阻害し、二糖類から単糖類への分解を抑制して小腸上部での急激な糖吸収を遅延させることにより、食後の急激な過血糖を改善する。血中への糖の吸収は小腸下部に及び緩徐になる。 ・アカルボースはアミラーゼも阻害。 ・ミグリトールは小腸上部から吸収される。ラクターゼも阻害。
適用	糖尿病における食後過血糖の改善 　食後高血糖は心筋梗塞、狭心症などの大血管障害の発症に強く関与していることが明らかにされているので、その抑制に有用である。
使用上の注意	・1日3回食直前に経口投与する。 ・他剤との併用により低血糖をきたしたときには、グルコースを投与する（ショ糖は不可）。
副作用	腸閉塞様症状（腹部膨満感、放屁、腹鳴）…小腸で吸収されず大腸に到達した未消化の糖質が大腸で腸内細菌による発酵を受けることによる。 肝障害（アカルボースは劇症肝炎を起こすことがある。定期的に肝機能検査が必要）

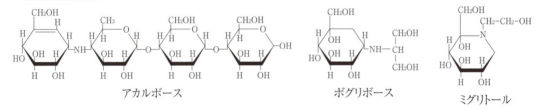

アカルボース　　　　　　　　ボグリボース　　　　ミグリトール

（3）インクレチン関連薬

　インクレチンとは、食事の摂取により腸管から分泌され、膵臓のインスリン分泌を促進する消化管ホルモンの総称。小腸下部のL細胞や小腸上部のK細胞でプログルカゴン分子の開裂によって生成される。GLP-1（glucagon-like peptide-1；31アミノ酸）とGIP（glucose-dependent insulinotropic polypeptide；42アミノ酸）が知られる。

- インクレチンの作用はグルコース濃度依存的であり、血糖値が高い場合にはβ細胞からインスリン分泌を促進するが、血糖値が正常あるいは低い場合には促進しない。
- α細胞からのグルカゴンの分泌を低下させ、肝臓における糖新生を抑制する作用があることも確認されている。
- 2型糖尿病ではGLP-1の分泌低下が報告されている。
- DPP（dipeptidyl peptidase）-4はインクレチンを分解し不活性化を担う酵素。GLP-1の血中半減期は2〜5分である。
- インクレチン関連薬は、高血糖のときのみに効果を発揮し、低血糖を起こしにくく、食欲を抑えて肥満を抑制する作用もあるとされる。また膵β細胞数を増加させるという報告もある。

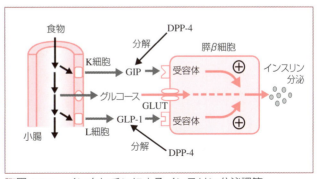

■図 2-5-4　インクレチンによるインスリン分泌調節

① GLP-1 受容体作動薬

薬　物	リラグルチド、エキセナチド、リキシセナチド、デュラグルチド、セマグルチド
作用機序	・インクレチンは DPP-4 によって速やかに分解されるため、DPP-4 によって分解されにくいインクレチンの誘導体が開発された。リラグルチドは、GLP-1 のアミノ酸配列の一部が置換されたうえパルミチン酸が付加されたアナログで、自己会合で7量体を形成しやすく、また血中アルブミンと結合し、DPP-4 によって分解されにくい。エキセナチドは、毒トカゲの唾液腺から発見された GLP-1 アナログ（exendin-4、アミノ酸配列で 53％の相同性）で、DPP-4 作用部位がアミノ酸置換（Ala→Gly）されているため DPP-4 によって分解されない。 ・膵β細胞上の GLP-1 受容体を刺激して、cAMP 増加を生じ、グルコース依存性インスリン分泌を増強する。 ・デュラグルチド：天然型 GLP-1 の3カ所のアミノ酸を置換して、DPP-4 により分解されにくくし、溶解性を改善し、免疫原性を低減している。また、キャリアタンパク質であるヒト IgG4 の Fc 領域に結合した Fc 融合タンパク質。持続が長い。 ・セマグルチド：ヒト GLP-1 の7～37番目（31個）のアミノ酸に相当し、2番目の Ala 及び 28 番目の Lys は、それぞれ 2-アミノ-2-メチルプロパン酸及び Arg に置換され、1,18-オクタデカン二酸が1個の Glu 及び2個の 8-アミノ-3,6-ジオキサオクタン酸で構成されるリンカーを介して 20 番目の Lys に結合している。
適　用	・2型糖尿病 ・リラグルチドは1日1回の皮下注射、エキセナチドは1日2回の皮下注射で用いる。 ・デュラグルチドとセマグルチドは週1回皮下注射。
副作用	消化器症状（悪心、便秘、下痢など）、低血糖または高血糖

② DPP-4 阻害薬

薬　物	シタグリプチン、ビルダグリプチン、アログリプチン、リナグリプチン、テネリグリプチン、アナグリプチン、サキサグリプチン、トレラグリプチン、オマリグリプチン
作用機序	・DPP-4 を選択的に阻害して、インクレチンの作用を増強。間接的に膵β細胞からのインスリン分泌を増加し、α細胞からのグルカゴン分泌を低下させる。血糖値をコントロールする。
適　用	・2型糖尿病に用いられる。 ・1日1回の経口投与で用いる。 ・代謝を受けにくく、主に未変化体として尿中に排泄される。腎機能低下患者では用量を下げる。 ・トレラグリプチン、オマリグリプチン（シタグリプチンと構造が似ている）は週1回投与。
副作用	腹部膨満、低血糖　禁忌：重症腎障害患者

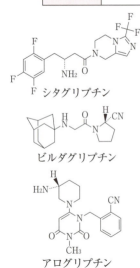

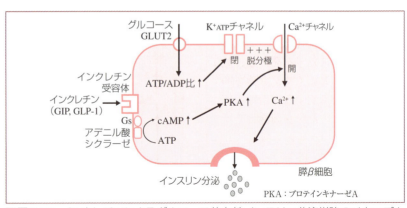

図 2-5-5　インクレチンによるグルコース依存性インスリン分泌増強のメカニズム

③持続性 GIP/GLP-1 受容体作動薬

薬　　物	チルゼパチド
作用機序	・GIP 受容体及び GLP-1 受容体のアゴニストであり、両受容体に結合して活性化することで、グルコース濃度依存的にインスリン分泌を促進させる。 ・C20 脂肪酸側鎖を含む 39 個のアミノ酸からなるペプチドであり、内因性アルブミンと結合して消失半減期が延長することにより作用が持続する。 ・2023 年 6 月発売。

(4) ナトリウム―グルコース共輸送体（SGLT）-2 阻害薬

薬　　物	イプラグリフロジン、ダパグリフロジン、ルセオグリフロジン、トホグリフロジン、カナグリフロジン、エンパグリフロジン
作用機序	・SGLT-2（sodium-glucose linked transporter-2）阻害薬。 ・腎糸球体からろ過されたグルコースは、99％が近位尿細管において、SGLT-2を介して再吸収される。 ・SGLT-2を阻害して尿細管からのグルコース再吸収を阻害し、グルコースの排泄を増加させて血糖値を低下させる。体重減少も起こす。
適　　用	・2 型糖尿病 ・経口
副 作 用	・外陰部腟カンジダ症、尿路感染症、脱水
禁　　忌	・糖尿病性ケトアシドーシス患者、重度腎障害患者には使用できない。

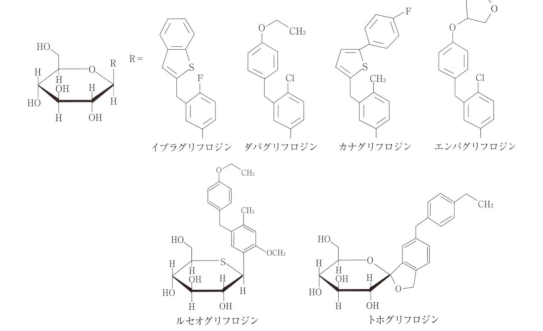

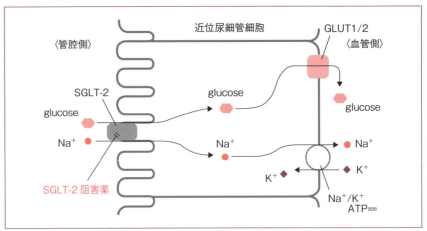

図 2-5-6　SGLT-2 阻害薬の作用機序

(5) ミトコンドリア機能改善薬

薬　物	イメグリミン
作用機序	・グルコース濃度依存的インスリン分泌促進作用およびインスリン抵抗性改善作用により、血糖降下作用を発揮する。 ・近年、2型糖尿病における膵ランゲルハンス島 β 細胞からのインスリン分泌低下および肝臓や筋肉などでのインスリン抵抗性の亢進をまねく要因の1つとして、ミトコンドリア機能障害が挙げられている。イメグリミンは、ミトコンドリアの電子伝達系に作用して活性酸素の発生を抑えることで、酸化ストレスを原因とするインスリン抵抗性を改善すると考えられる。 ・最初のグリミン系血糖降下薬として、2021年9月発売。
適　用	2型糖尿病　1日2回経口
副作用	低血糖

(6) 合併症治療薬（末梢神経障害改善薬）

a. アルドース還元酵素阻害薬

薬　物	エパルレスタット
作用機序	高血糖下で発動するポリオール代謝系で働くアルドース還元酵素を阻害して、神経障害の原因となるソルビトールの蓄積を抑制する。 〈ポリオール代謝系〉　アルドース還元酵素 グルコース ⟶ ソルビトール ⟶ フルクトース （ソルビトールは排出機構がないために細胞内に蓄積し、浸透圧を上昇させ、その結果水分を吸引して膨潤し、細胞障害が発現する）
適　用	糖尿病性末梢神経障害に伴う自覚症状の改善
副作用	劇症肝炎、肝機能障害、血小板減少、黄褐色または赤色の着色尿

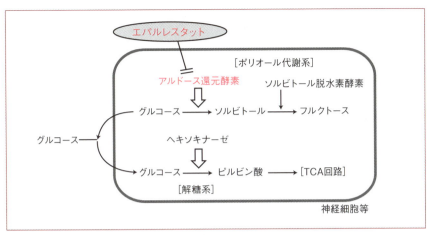
■ 図 2-5-7　エパルレスタットの作用機序

b. 局所麻酔薬（メキシレチン）

薬　物	メキシレチン
作用機序	ナトリウムチャネルを遮断して局所麻酔作用を発現する（クラスⅠb群抗不整脈作用）。
適　用	糖尿病性神経障害に伴う自覚症状（自発痛、しびれ感）の改善 頻脈性心室性不整脈
副作用	心不全の悪化、刺激伝導系障害

2. 脂質異常症治療薬

1）脂質異常症とは

　血漿中の中性脂肪（トリグリセリド、150 mg/dL 以上）、LDL コレステロール（140 mg/dL 以上）が上昇し、HDL コレステロール（40 mg/dL 未満）が低下した状態をいう（中性脂肪、LDL コレステロールの上昇に注目して高脂血症としていたが、HDL コレステロールの低下も動脈硬化の危険因子となるので、2007 年 4 月、日本動脈硬化学会は脂質異常症〈dyslipidemia〉と呼称を変更した）。

> 脂質異常症の診断基準（空腹時血清脂質値）※
> - 高LDLコレステロール血症　　LDLコレステロール≧140 mg/dL
> - 低HDLコレステロール血症　　HDLコレステロール＜40 mg/dL
> - 高トリグリセリド血症　　　　トリグリセリド≧150 mg/dL
> 　　　　　　　　　　　　　　　（日本動脈硬化学会　2007）

※　診断基準は総コレステロール値ではなく、LDLコレステロール値であることに注意。

　脂質異常症は、虚血性心疾患（狭心症、心筋梗塞）、脳血管障害の原因となる動脈硬化の危険因子であり、未治療では突然死や心不全死が高率で出現する。
　血漿脂質はリポタンパクで運搬されるので、脂質代謝異常は、血漿リポタン

パク異常として検出され、リポタンパクのうち LDL、VLDL、カイロミクロンが上昇した状態を「高脂血症」という。

上昇するリポタンパクの組合せからI型〜V型（WHO分類）に分類される。

脂質異常症は、LDLが上昇する「高コレステロール血症」と、カイロミクロン、VLDLが上昇する「高トリグリセリド血症」に分けられる。

	血清脂質（リポタンパク）の種類	脂質異常症の型
高トリグリセリド血症	カイロミクロン（高カイロミクロン血症） VLDL（高VLDL血症）	I型、V型 IV型、V型
高コレステロール血症	LDL上昇（高LDL血症）	IIa型、IIb型
高レムナント血症		III型

［V型＝I型＋IV型］

〈リポタンパクの種類と役割〉

①カイロミクロン（chylomicron；CM）
- 小腸上皮細胞で形成され、食餌性に吸収されたトリグリセリドを組織に供給。
- 血管内皮細胞のリポタンパクリパーゼ（LPL）の作用で脂肪酸を遊離し、組織に供給。

② VLDL（very low density lipoprotein；超低比重リポタンパク）
- 肝で形成され、糖質から合成された(内因性)トリグリセリドを組織に供給。
- 血管内皮細胞のLPLの作用で脂肪酸を遊離し、組織に脂肪酸を供給。

③ IDL（intermediate density lipoprotein；中間比重リポタンパク）
- VLDLがLPLの作用で脂肪酸を放出した後のレムナントで、肝臓に取り込まれてLDL合成に再利用されるとともに、
- 血中でCETP（cholesterol ester transfer protein）を介してHDLからコレ

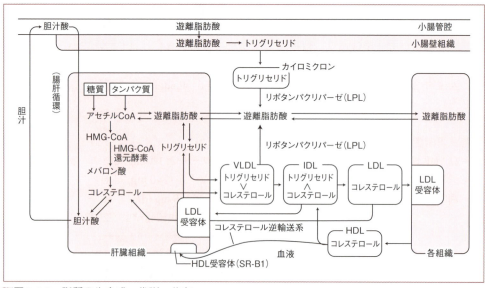

図2-5-8 脂質の生合成・代謝・分布

ステロールが転送されてLDLへ変換。
④ LDL（low density lipoprotein；低比重リポタンパク）
- 肝でCMレムナントやIDLにコレステロールが結合して形成。
- 組織細胞表面にあるLDL受容体に結合して取り込まれ、組織にコレステロールを供給（悪玉コレステロール）。
⑤ HDL（high density lipoprotein；高比重リポタンパク）
- 肝と小腸で形成され、コレステロール運搬体として働く。
- 組織からコレステロール逆転送：LCAT（lecithin cholesterol acyltransferase）の作用で組織コレステロールをエステル化して取り込み、肝に戻す（善玉コレステロール）。

2）脂質異常症治療薬

脂質異常症治療薬は、主としてコレステロール（LDL）を低下させる薬物とトリグリセリド（VLDL）を低下させる薬物に分類される。

		TC	TG	HDL-C
主にコレステロールを低下させる薬物（高コレステロール血症改善薬）	HMG-CoA還元酵素阻害薬（スタチン系）	↓↓↓	↓	↑
	プロブコール	↓↓	→	↓
	陰イオン交換樹脂	↓	→	→
	エゼチミブ	↓↓	↓	↑
主にトリグリセリドを低下させる薬物（高トリグリセリド血症改善薬）	フィブラート系	↓	↓↓	↑
	ニコチン酸系	↓	↓↓	↑
	EPA製剤	→	↓	→

（1）高コレステロール血症改善薬
① HMG-CoA還元酵素阻害薬（スタチン系薬物）

薬 物	プラバスタチン、シンバスタチン、フルバスタチン、アトルバスタチン、ピタバスタチン、ロスバスタチン
作用機序	・コレステロール生合成の律速酵素であるHMG-CoA還元酵素を特異的（拮抗的）に阻害して、速やかにコレステロールを低下させる。 アセチルCo-A ⟶ HMG-CoA※ ─[HMG-CoA還元酵素]→ メバロン酸 ⟶ コレステロール ・この結果、LDL受容体数を増加して、肝へのLDL取り込みが促進されて、LDL-コレステロールが低下する。
特 徴	・高コレステロール血症の第一選択薬 ・冠動脈疾患（心筋梗塞）患者の予後を改善し、死亡率を下げる（大規模臨床試験）。 ・プラバスタチン（水溶性）以外は肝排泄（重篤な肝障害に禁忌）。 ・シンバスタチンはプロドラッグ（ラクトン環が開裂）。
副作用	横紋筋融解症（CPK濃度上昇、高ミオグロビン血症、筋肉痛、脱力感）⇒CPKのモニター、筋障害（ミオパシー）、肝機能障害
相互作用	フィブラート系薬物、ニコチン酸系薬物、免疫抑制剤（横紋筋融解症の発現増大）
禁 忌	妊婦・授乳婦、（肝排泄型薬物）重篤な肝機能障害

※HMG-CoA：3-ヒドロキシ-3-メチルグルタリルCoA

プラバスタチン　　シンバスタチン　　フルバスタチン

アトルバスタチン　　ピタバスタチン　　ロスバスタチン

②プロブコール

作用機序	・コレステロールの胆汁酸への異化促進（コレステロール値低下）。 ・コレステロール生合成も抑制。 ・抗酸化作用によりLDLの酸化変性を抑制。
特　徴	・HDLを低下させる（問題点）。 ・家族性高コレステロール血症にも有効。
副作用	QT延長（心室性不整脈）、消化管出血、末梢神経炎、横紋筋融解症
禁　忌	重篤な心室性不整脈、妊婦・授乳婦

プロブコール

③小腸コレステロールトランスポーター阻害薬

薬　物	エゼチミブ
作用機序	・小腸粘膜細胞のコレステロールトランスポーター（NPC1L1）を選択的に阻害して食餌性および胆汁性コレステロール吸収を抑制。
特　徴	・消化管におけるコレステロール吸収を選択的に阻害し、他の脂溶性薬物やビタミンの吸収に影響しない（イオン交換樹脂との差） ・腸肝循環して小腸局所に長時間作用する（1日1回投与） ・スタチン系薬物と併用（コレステロール低下作用増強）
副作用	肝機能障害、過敏症、横紋筋融解症、便秘、下痢、腹痛、腹部膨満感

エゼチミブ

④陰イオン交換樹脂

薬　　　物	コレスチラミン、コレスチミド
作用機序	・腸管内で胆汁酸と結合して胆汁酸の糞中への排泄が促進される（腸肝循環の抑制）ので、補充するために肝におけるコレステロールからの胆汁酸への異化が促進され、その結果、血中コレステロールが低下。 ・腸管内で胆汁酸と結合して外因性コレステロール吸収を阻害。
特　　　徴	・家族性高コレステロール血症の重症例に適用。 ・服用量が大量かつ微粉末であり患者の負担が大きいので、他の薬剤を優先。
副 作 用	便秘、胃部不快感、胃痛
相互作用	・脂溶性ビタミンの吸収阻害 ・酸性薬物（ワルファリン、チアジド系利尿薬、フェノバルビタール）吸収阻害
禁　　　忌	胆道完全閉塞患者

コレスチラミン　　　　　　コレスチミド

⑤ PCSK9 阻害薬

　肝細胞表面に存在する LDL 受容体は、血中から LDL コレステロールを肝細胞内に取り込む役割を果たす。一方、ヒトプロ蛋白質転換酵素サブチリシン／ケキシン 9 型（proprotein convertase subtilisin/kexin type9：PCSK9）は、LDL 受容体と結合して肝細胞内に取り込まれ、LDL 受容体の分解を促進する。PCSK9 阻害薬は LDL 受容体を減らす PCSK9 を阻害することで、LDL 受容体を増やし血中 LDL コレステロールを低下させると期待される。

　また、スタチン系薬物の投与により血中 PCSK9 が増加し、それが治療効果の低下につながることから、PCSK 9 阻害薬の併用によりスタチン系薬物の薬効を高めることが可能と期待される。

〈エボロクマブ、アリロクマブ〉
- ともに PCSK9 に対する遺伝子組換えヒトモノクローナル抗体であり、細胞外の PCSK9 に結合して阻害することで、LDL 受容体が肝細胞内に取り込まれて分解されるのを防ぐ。
- アリロクマブは、2016 年から使用されていたが、2020 年 5 月に販売中止となった。

〈インクリシラン〉
- PCSK9 をコードする mRNA を標的とした低分子干渉リボ核酸(siRNA)製剤で、センス鎖に結合する 3 分岐型 *N*-アセチルガラクトサミンを介して肝臓に取り込まれ、肝臓の *PCSK9* mRNA の分解を促進する。これにより、肝細胞上の LDL 受容体の発現は増加し、LDL コレステロールの取り込みが促進され、血中 LDL コレステロール値は低下する。
- 2023 年 11 月発売。

(2) 高トリグリセリド血症改善薬
①フィブラート系薬物

薬　物	クロフィブラート、ベザフィブラート、フェノフィブラート、クリノフィブラート、ペマフィブラート
作用機序	・脂肪細胞や骨格筋細胞で核内レセプターPPARα（ペルオキシソーム増殖因子活性化受容体α）に結合して活性化し、多様な作用を発現。 ・LPLや肝のトリグリセリドリパーゼ活性を高め、リポタンパクからのトリグリセリド放出を促進し、血清トリグリセリドを低下させる。 ・肝において脂肪酸のβ酸化を促進し、トリグリセリド合成を阻害し、VLDL合成を抑制する。 ・肝におけるコレステロール合成も抑制。
特　徴	・高トリグリセリド血症の第一選択薬。 ・フェノフィブラートは、尿酸排泄促進作用を有するので高尿酸血症を併発する患者に用いる。 ・冠血管障害に対する1次、2次予防に有効（大規模臨床試験）。
副作用	横紋筋融解症（特に腎機能障害者で可能性大）、肝機能障害
相互作用	・スタチン系薬物（作用増強、横紋筋融解症の発現増大） ・タンパク結合性大→ワルファリン、SU剤作用増強
禁　忌	腎障害、肝機能障害、妊婦・授乳婦、胆石形成

クロフィブラート
ベザフィブラート
フェノフィブラート
クリノフィブラート

②ニコチン酸誘導体

薬　物	ニコモール、ニセリトロール、トコフェロールニコチン酸エステル
作用機序	・ニコモールとニセリトロールは、体内で徐々に加水分解されてニコチン酸を遊離して作用を発揮する。 ・脂肪細胞の細胞膜ニコチン酸受容体を刺激→Gi活性化→cAMP低下→Aキナーゼ活性低下→ホルモン感受性リパーゼ活性低下→遊離脂肪酸低下→肝でのトリグリセリド合成低下→血中VLDL低下 ・脂質代謝改善作用（LPL、肝のトリグリセリドリパーゼ活性化、脂肪組織からの遊離脂肪酸放出阻害）。
特　徴	・血管拡張作用を示し、末梢血行を改善するので、閉塞性動脈硬化症にも適用。 ・HDLを著明に上昇。 ・動脈硬化の危険因子リポたんぱく(a)↓Lp(a)↓低下作用もある。
副作用	皮膚紅潮（血管拡張による）、そう痒感
相互作用	スタチン系薬物（横紋筋融解症の発現増大）
禁　忌	重症低血圧症、出血傾向

ニコモール
ニセリトロール

③デキストラン硫酸エステルナトリウム

作用機序	LPLを活性化してリポタンパク中のトリグリセリドの分解促進（血清清澄化作用）。
特　徴	高トリグリセリド血症に有効。

④EPA製剤

薬　物	イコサペント酸エチル
作用機序	トリグリセリドのVLDLへの取り込みを阻害（作用機序は多岐にわたる）
特　徴	・魚油に含まれるイコサペント酸(EPA)をエチルエステル化して高純度に精製したもの ・抗血小板作用を併せもち、閉塞性動脈硬化症を改善
副作用	過敏症、出血傾向
相互作用	抗凝血薬、抗血小板薬（作用増強により出血傾向）
禁　忌	出血傾向の患者（止血困難）

3. 高尿酸血症・痛風治療薬

1）高尿酸血症とは

　核酸やATPに含まれるプリン塩基や食事から摂取されたプリン体が体内で段階的に代謝されて尿酸ができる。その大部分が腎臓から尿中に排泄され、残りの一部が腸管から糞中に排泄される。腎臓において尿酸は糸球体で100％ろ過された後、近位尿細管における再吸収、分泌、分泌後再吸収の過程を経て、最終的には糸球体でろ過された尿酸の約10％が尿中に排泄される。このような尿酸の生成と排泄のバランスがとれていれば、体内の尿酸は常に一定量（健康成人男性の場合およそ1,200 mg）に保たれている。これを一般に「尿酸プール」という。

　プリン代謝異常により尿酸プールが増大して血清尿酸濃度が上昇した状態（血清尿酸値7 mg/dL以上）が高尿酸血症である。尿酸濃度が上昇すると組織で尿酸が結晶化し、痛風発作、痛風腎、尿路結石などを呈する。

　高尿酸血症は、尿酸産生の異常に起因する「産生過剰型（代謝性）」、腎からの尿酸排泄の障害による「排泄低下型（腎性）」、およびそれらの「混合型」に分類される。

〈尿酸合成経路〉

XO：キサンチン酸化酵素（Xanthine Oxydase）

2) 高尿酸血症治療薬

- 治療開始となる尿酸値無症候：9 mg/dL 以上
  痛風発作・結節がある場合　：7 mg/dL 以上
  腎障害・肝障害がある場合　：8 mg/dL 以上
- 高尿酸血症の成因に応じた薬物を選択する。

産生過剰型	キサンチン酸化酵素阻害薬 （アロプリノール、フェブキソスタット、トピロキソスタット）
排泄低下型	尿酸排泄促進薬（プロベネシド、ベンズブロマロン、ブコローム） ［尿アルカリ薬を併用］
混　合　型	尿酸排泄促進薬、キサンチン酸化酵素阻害薬
腫瘍崩壊症候群	尿酸分解薬（ラスブリカーゼ）

①尿酸合成阻害薬

薬　　物	アロプリノール
作用機序	キサンチン酸化酵素（XOD あるいは XOR）を阻害して尿酸産生を抑制する（基質であるヒポキサンチン、キサンチンと競合）。
特　徴	・キサンチン酸化酵素によりオキシプリノールに代謝されるが、代謝体もキサンチン酸化酵素阻害活性を示し、半減期がアロプリノール（1〜2 時間）に比べて17 時間以上と長い（持続的効果はオキシプリノールによる）。 ・キサンチン酸化酵素の活性中心には Mo（モリブデン）原子が含まれていて、酸化型（Mo^{6+}）と還元型（Mo^{4+}）に変化しながら反応を触媒する。オキシプリノールは、還元型のモリブデン（4価）と共有結合し、XOD を阻害。 ・1 日 2〜3 回食後に経口
副作用	再生不良性貧血、無顆粒球症、皮膚粘膜眼症候群、中毒性表皮壊死症、劇症肝炎など。
相互作用	メルカプトプリン、アザチオプリンの作用増強（キサンチン酸化酵素の基質であるので、代謝が抑制され濃度が上昇）。

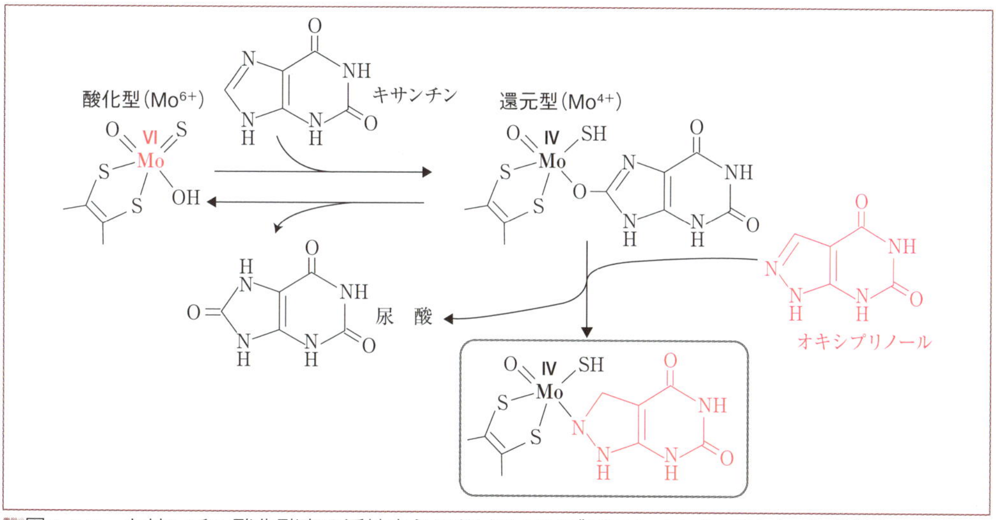

図 2-5-9 キサンチン酸化酵素の活性中心におけるモリブデンとオキシプリノールの結合

薬　物	フェブキソスタット、トピロキソスタット
作用機序と特徴	・非プリン型キサンチン酸化酵素（XOD あるいは XOR）阻害薬 ・アロプリノールより XOD を選択的に阻害。他の主要なプリン、ピリミジン代謝酵素に阻害効果を及ぼさない。尿酸低下作用も強い。 ・フェブキソスタットは、XOD の基質ポケット内の空間を埋め尽くすようにして XOD と強固に結合。モリブデンとは結合しない。 ・トピロキソスタットは、XOD の基質ポケットに入り込み、活性中心のモリブデンと共有結合し、XOD を阻害。 ・1 日 1 回経口（フェブキソスタット）、1 日 2 回経口（トピロキソスタット）。トピロキソスタットのほうが後に発売されたのに服用回数が多く設定されているのは、利便性よりも尿酸値の変動を小さくすることを優先して配慮したため。 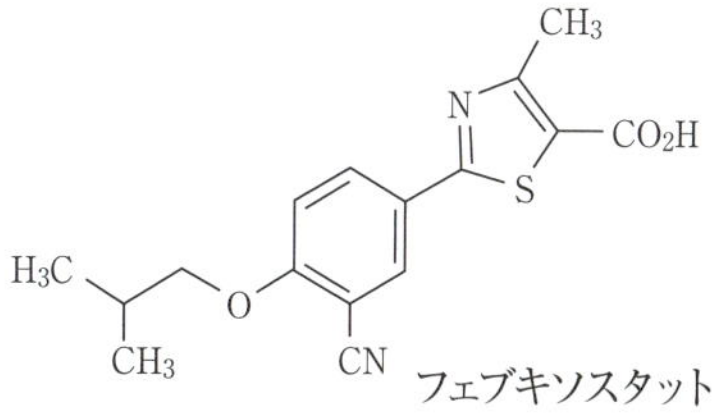 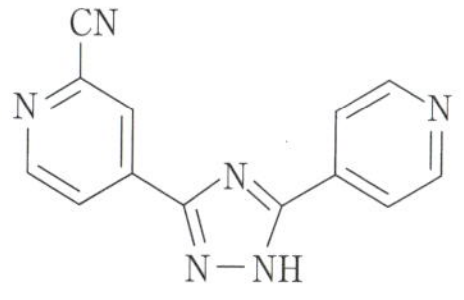
副作用	・胆汁や腎臓など複数の経路から排泄される多経路排泄型。このため、アロプリノールのように腎機能に応じた用量調節の必要がなく、腎機能低下患者にも使いやすい。 ・肝障害

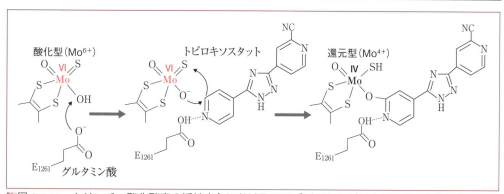

図 2-5-10 キサンチン酸化酵素の活性中心におけるモリブデンとトピロキソスタットの結合

②尿酸排泄促進薬

尿酸の排泄機構、特に尿酸トランスポーターの解明が進み、腎臓の近位尿細管において、尿酸の再吸収にはURAT1（Urate transporter 1）が、分泌にはABCG2（ATP-binding cassette transporter superfamily G member 2）やOAT1（Organic anion transporter 1）、OAT3（Organic anion transporter 3）等が関与していることが明らかにされた。また、一部の尿酸は、ABCG2を介して腸管からも分泌されて糞便とともに排出されることも明らかとなった。

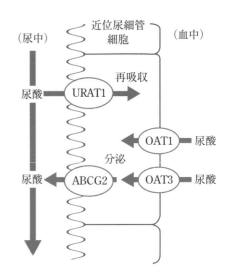

薬　物	プロベネシド
作用機序	近位尿細管における尿酸トランスポーターURAT1を阻害して尿酸の再吸収を抑制し、尿酸の尿中排泄を促進する。
特　徴	・トランスポーターに対する選択性が低いため、尿酸の分泌に関わるABCG2やOAT1、OAT3を阻害して尿酸分泌量も減らすので、最終的な尿酸排泄促進効果は弱い。 ・ペニシリン、パラアミノサリチル酸分泌も阻害するので、これらの薬物の血中濃度維持を目的に適用。
副作用	溶血性貧血、再生不良性貧血、ネフローゼ症候群
相互作用	・サリチル酸系薬物（尿酸排泄作用に拮抗） ・経口糖尿病薬、ワルファリン、インドメタシン、ペニシリンなどの弱酸性 ・薬物（尿細管分泌阻害による腎排泄抑制により作用増強）
禁　忌	腎結石、高度の腎障害

薬　物	ベンズブロマロン
作用機序	近位尿細管における尿酸トランスポーターURAT1を阻害して尿酸の再吸収を抑制し、尿酸の尿中排泄を促進する。
特　徴	プロベネシドに比べると、尿酸分泌に関わるABCG2やOAT1、OAT3への影響は少なく、尿酸排泄促進効果は強い。
副作用	劇症肝炎 （警告）投与後6カ月は定期的に肝機能検査を行い、食欲不振、全身倦怠、悪心・嘔吐などの症状が現れたら投与中止。
禁　忌	腎結石、高度の腎障害、肝障害、妊婦

薬　物	ブコローム
特　徴	尿酸再吸収抑制による尿酸排泄促進作用のほかに、毛細血管透過性抑制による抗炎症作用も有する（関節リウマチなどにも適用）。
副作用	血液障害、胃腸障害
禁　忌	消化性潰瘍、血液異常、肝・腎障害、アスピリンぜん息

薬　　物	ドチヌラド
作用機序と特徴	・近位尿細管の URAT1 だけを選択的に阻害し（選択的尿酸再吸収阻害薬、Selective Urate Reabsorption Inhibitor：SURI）、強い尿酸低下作用を示す。 ・ベンズブロマロンで問題となった肝障害の原因と考えられるミトコンドリア毒性やCYP2C9阻害による薬物相互作用がない。 ・2020年5月発売。

プロベネシド　　ベンズブロマロン　　ブコローム　　ドチヌラド

③尿酸分解薬

がん化学療法において、抗悪性腫瘍薬によって急激な腫瘍細胞の崩壊が生じた結果、大量の核酸が細胞内から血中に放出されて高尿酸血症が生じ、さらに腎で尿酸が析出するために腎機能障害や急性腎不全が発現し致命的な経過をたどることがある。急性白血病やリンパ腫など血液腫瘍が9割を占める。従来行われてきた輸液、尿のアルカリ化、アロプリノールの投与などの対処方法では尿酸値が低下するまでに時間かかる等の問題があった。

薬　　物	ラスブリカーゼ
作用機序と特徴	・遺伝子組換え型尿酸オキシダーゼ（ウリカーゼ）。 ・血中の尿酸を水溶性のアラントインに変換し、尿中へ排泄する。 ・点滴静注の直後から速やかに血中尿酸値を低下させる。
適　　応	がん化学療法に伴う高尿酸血症

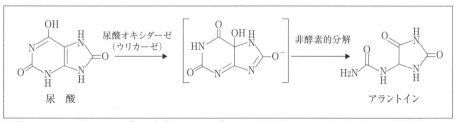

図 2-5-11　尿酸オキシダーゼ（ウリカーゼ）による尿酸からアラントインへの代謝

④尿アルカリ化薬

薬　　物	クエン酸カリウム・クエン酸ナトリウム、炭酸水素ナトリウム（重曹）、アセタゾラミド
作用機序	尿をアルカリ化（pH 6.0〜7.0）に維持する。
特　　徴	・尿酸排泄促進薬の服用時に併用。 ・尿酸は酸性尿で析出、結晶化しやすいので、尿をアルカリ化するとともに水を十分摂取して、尿路結石を予防する。

3）痛風発作

高尿酸血症では、はじめは無症候に経過するが、尿酸濃度が上昇すると関節液中に尿酸塩が析出して、急性関節炎（痛風発作）を発症する。

痛風発作治療にはコルヒチン、非ステロイド性抗炎症薬（NSAIDs）、副腎皮質ステロイドが用いられる。

背景にある高尿酸血症の治療は、痛風発作中には行わない（血中尿酸の移動により尿酸プールから尿酸が遊離されて症状を悪化させるおそれがある）。

①コルヒチン（発作予防薬）

作用機序	チュブリンの重合を阻止して微小管形成を抑制し、白血球の遊走を阻止する。
特　徴	・発作の前兆期※に頓服的に用いる(発作直後にも有効)。 ・慢性期で発作が反復するときには、予防を目的に毎日服用する（コルヒチンカバー）。 ・抗炎症、鎮痛作用はないので、疼痛、腫脹を生じている状態では無効。 ※発作部位がむずがゆく、熱っぽく腫れぼったいことでわかる。
副作用	再生不良性貧血、白血球減少、血小板減少、横紋筋融解症、末梢神経障害

コルヒチン

②非ステロイド性抗炎症薬（発作治療薬）

薬　物	インドメタシン、ナプロキセン、フェンブフェン、プラノプロフェン、オキサプロジン
作用機序	シクロオキシゲナーゼ（COX）阻害によるプロスタグランジン生成抑制。
特　徴	痛風発作の極期に大量投与で使用し、痛風の炎症を沈静化させる（NSAIDsパルス療法）。

③副腎皮質ステロイド剤

薬　物	プレドニゾロン
特　徴	・炎症が遷延する場合、多発性関節炎を発症する例に用いる。 ・比較的高用量で開始し、漸減して3週間程度で離脱する。

CHECK

次の記述について、正しいものには「○」を、間違っているものには「×」をつけてその理由を簡潔に述べなさい。

1 　1型糖尿病ではインスリンが分泌されないので、インスリンを補充する。
2 　グリベンクラミドは、膵β細胞のATP感受性K^+チャネルを開口させて、インスリンの分泌を促進する。
3 　メトホルミンは、AMPキナーゼを活性化して、末梢組織のグルコース取り込みを促進する。
4 　ボグリボースは、α-グルコシダーゼを阻害して食後過血糖を改善する。
5 　インクレチンは、グルコース濃度に依存しないで、膵β細胞からのインスリン分泌を促進する。
6 　エパルレスタットは、アルドース還元酵素を阻害して、インスリン抵抗性を改善する。
7 　プラバスタチンは、HMG-CoA還元酵素を阻害して、肝へのLDL取り込みを抑制する。
8 　エゼチミブは、小腸粘膜のコレステロールトランスポーターを選択的に阻害する。
9 　コレスチラミンは、腸管内で胆汁酸と結合して、食餌性コレステロール吸収を抑制する。
10 　ベザフィブラートは、リポタンパクリパーゼを阻害して、LDL合成を抑制する。
11 　アロプリノールは、産生過剰型の高尿酸血症の治療に適する。
12 　ベンズブロマロンは、尿細管における尿酸の再吸収と分泌を抑制する。
13 　ラスブリカーゼは、血中の尿酸を水溶性のアラントインに変換し、尿中へ排泄する。
14 　尿をアルカリ化すると、尿路結石が悪化する。

【解答】
1 　○
2 　×　ATP感受性K^+チャネルの閉鎖によって膵β細胞が脱分極しインスリン分泌が起こる。
3 　○
4 　○
5 　×　インクレチンの作用はグルコース濃度依存的であり、血糖値が正常あるいは低いときは現れない。
6 　×　エパルレスタットは糖尿病に伴う末梢神経障害に用いられる、インスリン抵抗性を改善する薬物には、ピオグリタゾンなどがある。
7 　×　プラバスタチンは、HMG-CoA還元酵素を阻害してコレステロール合成を抑制する。コレステロール合成が低下すると、肝へのLDL取り込みが促進されて血中LDL-コレステロールが低下する。
8 　○
9 　○
10 　×　フィブラート系薬物は、リポタンパクリパーゼ活性を高め、血清トリグリセリドを低下させる。
11 　○　アロプリノールは尿酸合成を阻害する。
12 　×　ベンズブロマロンは、尿酸再吸収を抑制するが、分泌を抑制しない。
13 　○
14 　×　尿酸は酸性で析出しやすいので、アルカリ化によって結石ができるのを予防する。

2 内分泌系に作用する薬

到達目標
- 副腎皮質ホルモン関連薬の薬理（薬理作用、機序、主な副作用）を説明できる。
- 性ホルモン関連薬の薬理（薬理作用、機序、主な副作用）を説明できる。
- 甲状腺ホルモン関連薬の薬理（薬理作用、機序、主な副作用）を説明できる。
- その他のホルモン関連薬の薬理（薬理作用、機序、主な副作用）を説明できる。

1. ホルモンの基礎生理

1）ホルモン（hormone）

ホルモンとは種々の内分泌腺より血液中に分泌され、固有の標的臓器のレセプターに作用し、その臓器機能を微量で調節する生体固有の化学物質である。
ホルモンの略号については、表2-5-2に一覧を示す。

表 2-5-2　ホルモンの略語一覧

略号	英名［日本名］
ACTH	adrenocorticotropic hormone［副腎皮質刺激ホルモン（コルチコトロピン）］
ADH	antidiuretic hormone［抗利尿ホルモン（バソプレシン）］
CRH	corticotropin-releasing hormone［副腎皮質刺激ホルモン放出ホルモン］
FSH	follicle stimulating hormone［卵胞刺激ホルモン］
GH	growth hormone［成長ホルモン］
Gn-RH	gonadotropin-releasing hormone［性腺刺激ホルモン放出ホルモン］
GH-RH	growth hormone-releasing hormone［成長ホルモン放出ホルモン］
GH-IH	growth hormone-release inhibiting hormone［成長ホルモン放出抑制ホルモン］
ICSH	interstitial cell-stimulating hormone［間質細胞刺激ホルモン］
LH	luteinizing hormone［黄体形成ホルモン］
LH-RH	luteinizing hormone-releasing hormone［黄体形成ホルモン放出ホルモン］
PIH	prolactin release-inhibiting hormone［プロラクチン放出抑制ホルモン］＝ドパミン
PRH	prolactin-releasing hormone［プロラクチン放出ホルモン］
TRH	thyrotropin-releasing hormone［甲状腺刺激ホルモン放出ホルモン］
TSH	thyroid-stimulating hormone［甲状腺刺激ホルモン］

2）ホルモンの分類
①化学構造からの分類

ペプチド・タンパク質系ホルモン	視床下部ホルモン、脳下垂体ホルモン、上皮小体ホルモン、カルシトニン、副甲状腺ホルモン、膵臓ホルモン
ステロイド系ホルモン	副腎皮質ホルモン（糖質・鉱質コルチコイド）、男性ホルモン、女性ホルモン
アミノ酸誘導体系ホルモン	チロキシン、アドレナリン、ドパミン

②生理作用からの分類

向腺性ホルモン	TRH、CRH、Gn-RH、ACTH、TSH、LH、FSH のように、他の内分泌腺に作用して、その内分泌腺ホルモン分泌を促し、間接的に標的臓器の機能に影響するもの。
奏効性ホルモン	甲状腺ホルモン、性ホルモン、プロラクチン、ヒドロコルチゾン、パラトルモン、インスリン、バソプレシン、オキシトシンのように、標的臓器に直接作用するもの。

3）ホルモンの分泌調節機構

ホルモンは微量で生体の物質代謝を調節しうるが、その血中濃度は一定の範囲内に保持されなければならない。そのため、ホルモンの分泌には、①血中の化学物質により制御される機構と、②ネガティブ・フィードバックにより制御される機構がある。

①血中の化学物質により分泌が制御されるホルモン

血糖値が上昇するとインスリンが分泌されて血糖値を下げ、血糖値が下がるとグルカゴンが分泌されて血糖値を上げる。

血中 Ca^{2+} 値が上昇すると、カルシトニンが分泌されて Ca^{2+} 値を下げ、血中 Ca^{2+} 値が下降すると上皮小体ホルモンが分泌されて Ca^{2+} 値を上昇させる。

②ネガティブ・フィードバックによる分泌調節

視床下部から分泌される放出ホルモンにより、下垂体前葉から刺激ホルモンが分泌され、これが各内分泌器官に働いて、奏効性ホルモンを分泌する系において、奏効性ホルモンの血中濃度が上昇すると、放出ホルモン、刺激ホルモンの生成・分泌が抑制される。この反応をネガティブ・フィードバックという（図 2-5-11）。

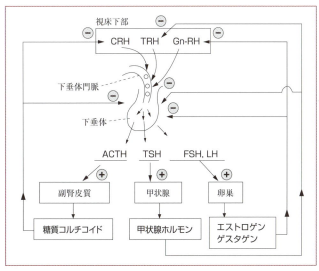

図 2-5-11　脳下垂体ホルモンの分泌とそのフィードバック制御

4）ホルモン受容体とホルモン作用

　ステロイドホルモンや甲状腺ホルモンは、核内受容体スーパーファミリーに属するそれぞれの特異的な受容体に結合し、転写因子として働いている。核内受容体は細胞質または核内に存在する一本鎖タンパク質で、下図に示すように、N末端に制御領域、中央にDNA結合領域、C末端にホルモン結合領域をもっている。

　糖質コルチコイド受容体は細胞質に存在し、糖質コルチコイドが結合すると、受容体は核内に移行し、遺伝子の糖質コルチコイド応答配列（glucocorticoid response element；GRE）に結合することにより応答遺伝子の転写を調節する。

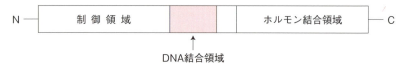

　多くのペプチド系ホルモンやアドレナリンは、標的細胞の細胞膜の受容体に結合する（細胞膜受容体）。

①最も多いのはGsタンパク共役型で、アデニル酸シクラーゼを活性化し、cAMPを増加させてプロテインキナーゼAを活性化し、細胞内情報伝達系に働いて効果を発揮する。

②バソプレシンの血管収縮やオキシトシンの子宮収縮に関わる受容体はGqタンパク共役型で、ホスファチジルイノシトール代謝を促進し、ジアシルグリセロールやイノシトール三リン酸を増加し、細胞内情報伝達系に働いて効果を発揮する。

③インスリン受容体は酵素活性内蔵型で、チロシンキナーゼを活性化して細胞内情報伝達系に働いて効果を発揮する。

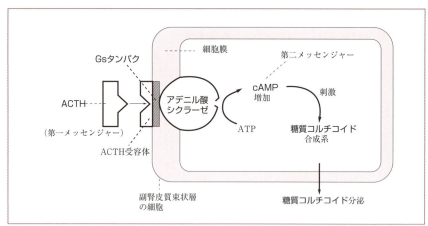

図2-5-12　ACTH受容体とcAMPを介したホルモン作用

- ACTHがACTH受容体（メラノコルチン受容体のサブタイプMC2R）と結合 →
- アデニル酸シクラーゼの活性化 → cAMPの増加 → 糖質コルチコイドの生成増加 → 分泌の増加

2. ホルモン各論およびホルモン療法薬

1）視床下部ホルモン

視床下部には神経分泌細胞からなる神経核が多数存在し、視床下部から下垂体への遠心性出力は神経系と内分泌系とを連関させる機構として重要である。

神経核からの軸索は一部は下垂体後葉へ延び、他は下垂体門脈へ至り、門脈血管叢のまわりに終わる軸索終末から門脈血中に視床下部ホルモンが放出される。

視床下部ホルモンは下垂体ホルモンの分泌を促進する放出ホルモンと分泌を抑制する放出抑制ホルモンに分けられる。

① TRH（甲状腺刺激ホルモン放出ホルモン、プロチレリン）
- アミノ酸3個のペプチド
- TSHおよびプロラクチンの分泌促進作用
- TRHは中枢神経系にも存在し、中枢神経細胞活性化作用を有する。
  〔製剤〕プロチレリン酒石酸塩水和物：適応…下垂体TSH分泌機能検査、下垂体プロラクチン分泌機能検査、軽度の遷延性意識障害、脊髄小脳変性症における運動失調
  タルチレリン水和物：適応…脊髄小脳変性症における運動失調

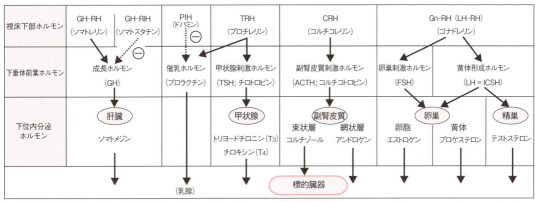

図 2-5-13　視床下部ホルモン、下垂体前葉ホルモン、下位内分泌ホルモンの関連

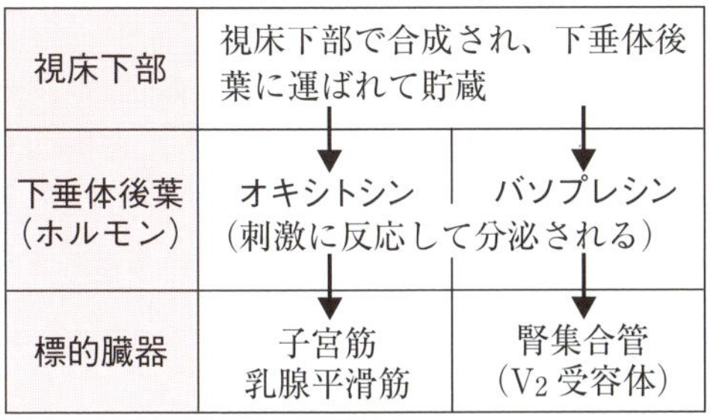

視床下部	視床下部で合成され、下垂体後葉に運ばれて貯蔵	
下垂体後葉（ホルモン）	オキシトシン	バソプレシン
	（刺激に反応して分泌される）	
標的臓器	子宮筋 乳腺平滑筋	腎集合管 （V_2受容体）

図 2-5-14　下垂体後葉ホルモン

② CRH（副腎皮質刺激ホルモン放出ホルモン）
- ペプチド
- ACTHの分泌促進作用

③ Gn-RH（ゴナドトロピン放出ホルモン、ゴナドレリン）= LH-RH
- 10個のアミノ酸からなるペプチド
- FSH、LHの分泌促進作用
- 強力なLH-RHアゴニストを連続投与すると、初めは下垂体前葉からゴナドトロピン（Gn）であるFSHやLHの分泌促進（フレアーアップ現象）が起こるが、頻回投与後は下垂体のLH-RH受容体の数を減少させ（downregulation）、LH、FSHの分泌を抑制する。その結果、女性ホルモンや男性ホルモンの合成、分泌が低下する。
    〔製剤〕ブセレリン：適応…子宮内膜症、中枢性思春期早発症など
         リュープロレリン：適応…子宮内膜症、閉経前乳癌、前立腺癌、中枢性思春期早発症
         ゴセレリン：適応…前立腺癌、閉経前乳癌
- GnRHアンタゴニスト

ペプチド性	セトロレリクス、ガニレリクス：適応…調節卵巣刺激下における早発排卵の防止 デガレリクス：適応…前立腺癌 ・下垂体前葉GnRH受容体と可逆的に結合し、遮断。その結果、黄体形成ホルモン（LH）の放出を抑制する。その結果、精巣からのテストステロン分泌や卵巣からのエストロゲンやプロゲステロンの分泌を抑制。
非ペプチド性	レルゴリクス ・初の非ペプチド性GnRH受容体遮断薬で、2019年3月発売。「子宮筋腫に伴う過多の改善」を適応とする。

④ GH-RH（成長ホルモン放出ホルモン）とGH-IH（成長ホルモン放出抑制ホルモン＝ソマトスタチン）
- 下垂体前葉からの成長ホルモンの分泌促進作用を利用
    〔製剤〕ソマトレリン、プラルモレリン：適応…下垂体成長ホルモン（GH）分泌機能検査
- 成長ホルモンの分泌を抑制
    下垂体前葉のソマトスタチン受容体2型および5型と結合して、成長ホルモンの分泌を抑制。
    〔製剤〕ランレオチド：適応…成長ホルモン分泌過剰状態（先端巨大症など）の改善

⑤ PRH（プロラクチン放出ホルモン）とPIH（プロラクチン放出抑制ホルモン）
- プロラクチンの分泌を制御
- PIHの本体はドパミン
-

2) 下垂体前葉ホルモン（Anterior pituitary hormones）

下垂体前葉は GH、プロラクチン、TSH、ACTH（corticotropin）、FSH、LH などを産生・分泌する。GH とプロラクチンが奏効性ホルモンで、その他は向腺性ホルモンである。FSH、LH は性腺刺激ホルモン（ゴナドトロピン）とよばれる。

①成長ホルモン（GH）

化　学	ポリペプチド（191 個のアミノ酸）
分　泌	前葉の GH 分泌細胞（somatotropes, somatrophs）により合成・分泌。 GH 分泌は、視床下部の GHRH により促進的に、**ソマトスタチン**により抑制的に調節。
生理作用	細胞膜 GH 受容体に結合し、細胞内 JAK2–STAT 系を介して作用発現。 ・直接作用：抗インスリン作用（血糖、血中遊離脂肪酸増加）→肝臓の糖新生促進、脂肪分解促進、脂肪組織・筋肉における糖利用抑制 ・間接作用：インスリン様増殖因子（IGF-1、ソマトメジン C）を介する作用（肝臓、腎臓、その他の臓器）→身長増加作用（骨端軟骨の形成促進）、タンパク同化作用、電解質作用（P、Na、K などの体内貯留）
臨床適用	ソマトロピン（遺伝子組換えによるヒト成長ホルモン）： 　骨端閉鎖を伴わない下垂体性小人症。

②プロラクチン（催乳ホルモン）

化　学	199 個のアミノ酸からなるポリペプチド（分子量：23,000）
分　泌	前葉のプロラクチン分泌細胞（lactotropes, lactrophs）で合成。 ドパミン（= PIH）は、D_2 受容体刺激によりプロラクチン分泌を抑制。PRH、TRH、VIP、プロチレリンなどはプロラクチン分泌を促進。乳房刺激により神経性調節を受ける。クロルプロマジン・ハロペリドールなどのドパミン受容体遮断薬で分泌は促進。
生理作用	乳汁の産生と分泌を促進し、分泌が過剰になると性腺機能は抑制される。
過剰症	乳汁漏出症などが起こる。治療薬：**テルグリド、ブロモクリプチン、カベルゴリン**。ドパミン受容体作動薬でプロラクチン分泌は抑制される。テルグリドは、ドパミン D_2 受容体の部分作動薬。 テルグリド　　ブロモクリプチン

③甲状腺刺激ホルモン（TSH）

化　学	糖タンパク質（分子量約 28,900）。α および β-subunit からなる。
分　泌	前葉の TSH 分泌細胞（thyrotropes, thyrotrophs）から TRH の刺激で分泌。血中甲状腺ホルモン濃度上昇は TSH 分泌を抑制（ネガティブ・フィードバック） →甲状腺機能評価に血中 TSH 濃度測定。
生理作用	甲状腺細胞膜 TSH 受容体に結合し、アデニル酸シクラーゼ— cAMP 系を活性化およびジアシルグリセロール・IP_3 産生を促進する。甲状腺のヨウ素取り込み・甲状腺ホルモンの生合成・分泌を促進。

④副腎皮質刺激ホルモン（ACTH）

化　学	39個のアミノ酸残基からなるペプチド（ACTHの前駆体は、エンドルフィンやMSHと同じプロ—オピオメラノコルチン）。
分　泌	前葉のACTH分泌細胞（corticotropes, corticotrophs）で合成・分泌。 視床下部のCRHの刺激で分泌促進。 糖質コルチコイドによりネガティブ・フィードバックを受け、分泌抑制。 血中ACTH濃度は早朝がピーク。
生理作用	主として副腎皮質束状層の細胞膜受容体（Gsタンパク質共役型）に作用し、**糖質コルチコイドの生合成を促進**。副腎のアスコルビン酸を減少（ACTHの生物学的試験法に利用された。現在は、主としてACTHモノクローナル抗体を利用した化学発光免疫測定法などを利用）。
製　剤	**テトラコサクサチド**：適応…気管支喘息、関節リウマチ、副腎皮質機能検査、ネフローゼ症候群など（筋注）。 ・天然ACTH（副腎皮質刺激ホルモン）と同じアミノ酸配列を有する合成ペプチドで、亜鉛懸濁液とすることにより持続的なACTH作用を保持させた製剤。

⑤卵胞刺激ホルモン（FSH）

化　学	糖タンパク質（分子量32,000）。αおよびβ-subunitからなる。
分　泌	視床下部のGn-RHの刺激でLHとともに前葉のFSH分泌細胞（gonadotropes, gonadotrophs）から分泌。 卵胞ホルモン、黄体ホルモン、男性ホルモンで分泌抑制。
生理作用	Gsタンパク共役FSH受容体に結合し、アデニル酸シクラーゼ-cAMP系を活性化。 女性では、卵巣の卵胞発育促進、LHとの協同作用でエストロゲンの合成・分泌を促進し、排卵。卵胞の莢膜・顆粒膜細胞にあるLH受容体の発現。顆粒膜細胞のアロマターゼ活性を調節し、17β-エストラジオール産生を刺激。 男性ではセルトリ細胞に作用し、精子成熟に必要なタンパク質や栄養素産生を促進し、精子形成を促進。

⑥黄体形成ホルモン（LH）＝　間質細胞刺激ホルモン（ICSH）

化　学	糖タンパク質（分子量29,400）。αおよびβ-subunitからなる。
分　泌	視床下部のGn-RHの刺激で、LHはFSHとともに前葉のFSH分泌細胞（gonadotropes, gonadotrophs）から分泌。 FSHと同様に、卵胞ホルモン、黄体ホルモン、男性ホルモンで分泌抑制。
生理作用	Gsタンパク共役LH受容体に結合し、アデニル酸シクラーゼ-cAMP系を活性化。 女性では、黄体形成、黄体のプロゲステロン合成・分泌促進。卵胞の莢膜細胞に作用し、閉経後女性の卵胞17β-エストラジオールの前駆体であるアンドロステンジオンの生合成を刺激。 男性では、精巣の間質細胞（Leydig細胞）に作用して、テストステロンの合成・分泌を促す。

3）下垂体後葉ホルモン（posterior pituitary hormones）

後葉からはオキシトシンとバソプレシンの2種のホルモンが分泌される。これらの分泌は、右図に示すように神経分泌（視床下部の視索上核および室傍核の細胞で合成 → 軸索中を移動 → 後葉神経終末で貯蔵 → インパルスにより脱分極 → 分泌）による。

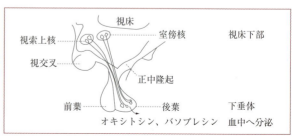

①バソプレシン（抗利尿ホルモン）

化　学	環状ペプチド（9個のアミノ酸） Cys-Tyr-Phe-Gln-Asn-Cys-Pro-Arg-Gln(NH$_2$)
分　泌	血漿浸透圧の上昇（視床下部の浸透圧受容器が感知）、循環血液量の減少（血圧低下）により分泌促進。エタノールは分泌を抑制する。
生理作用	生理的な分泌量では抗利尿作用のみを示す。**腎集合管バソプレシンV$_2$受容体**（Gsタンパク質共役型）を刺激し、cAMPを増加させ、プロテインキナーゼAを活性化する。**水チャネル（アクアポリン2；AQP2）**はリン酸化されて細胞内から管腔側膜に移動し、水の再吸収を促進する。 大量では血管平滑筋の収縮（血圧上昇）、子宮平滑筋の収縮（非妊娠子宮＞妊娠子宮）をきたす。作用する受容体はV$_1$受容体でGqタンパク質共役型である。
欠乏症	尿崩症
試験法	生物学的試験法－脳髄破壊シロネズミ（ラット）における血圧上昇度から定量。
臨床適用	・デスモプレシン：アルギニンバソプレシンの1位のシステインを脱アミノ化し、8位のL-アルギニンをD-アルギニンに置換したもの。V$_2$受容体を選択的に刺激する。**中枢性尿崩症**、**夜尿症**に**使用**（バソプレシンV$_2$受容体に特異的に作用するので、昇圧作用は弱い）。口腔内崩壊錠、点鼻剤で用いる。 ・モザバプタン、トルバプタン：バソプレシンV$_2$受容体遮断薬（p.319、利尿薬の項参照）

〈尿崩症〉
- 低張尿が多量排泄される疾患である。原因には次の2つがある。
  ①中枢性：視床下部あるいは下垂体後葉の障害による。バソプレシンの分泌低下。
  ②腎　性：集合管の障害によるバソプレシンに対する反応性の低下。
- 治療薬は、①中枢性尿崩症にはデスモプレシン、バソプレシン、②腎性尿崩症にはチアジド系利尿薬が用いられる。

②オキシトシン
　「2-3-3　泌尿器系・生殖器系に作用する薬：子宮収縮薬」（p.323）を参照。

4）松果体ホルモン

　松果体は第三脳室後端、間脳の後上壁に位置し、視床上部に属する内分泌器官である。ホルモンとしてメラトニンを分泌する。メラトニンは、セロトニンから生合成される。

　哺乳動物ではメラトニン合成は特に環境の明暗により調節されているため、日周リズムをもっている。メラトニンとその機能は、暗環境で増加し、明環境で減少する。

　メラトニン受容体作動薬のラメルテオンは、催眠薬として応用されている（p.141、催眠薬の項を参照）。

5) 甲状腺ホルモンと抗甲状腺薬

甲状腺にはろ胞細胞と傍ろ胞細胞があり、前者からは甲状腺ホルモンが、後者からはカルシトニンが合成分泌される。

①チロキシン（thyroxine）とトリヨードチロニン（triiodothyronine）

化　学	甲状腺ホルモンとして主たる活性物質はチロキシンと3, 5, 3′-トリヨードチロニンの2つである。 生物活性の高いのは3, 5, 3′-トリヨードチロニンで、チロキシンはその1/5程度。
生合成・分泌	TSHによる受容体（Gsタンパク質共役型）刺激によりcAMPの増加を介して合成分泌が促進。 血液中のI^-をろ胞細胞に取り込む。 　→ペルオキシダーゼによるヨウ素の酸化 　→チログロブリンと結合した状態でのチロシンのヨウ素化によりモノヨードチロシン（MIT）、ジヨードチロシン（DIT）を生成 　→これらがチログロブリン分子内で縮合し、T_3、T_4が合成→ろ胞内腔にチログロブリンと結合したT_3、T_4の貯蔵 　→TSHの作用でろ胞細胞に再取り込みされ、リソソーム酵素によりチログロブリンからT_3、T_4を加水分解 　→T_3、T_4の血中への放出 　→チロキシンの99.7％がグロブリンとアルブミンに結合、0.3％が遊離型で血液中に存在。
生理作用	①基礎代謝の上昇（酸素消費量の増加、熱産生を促し、体温上昇） ②代謝亢進　糖代謝促進（グリコーゲン分解、糖新生の促進）→血糖上昇 　　　　　　タンパクの異化促進 　　　　　　脂肪分解促進、血中コレステロール低下 ③末梢組織のカテコールアミン感受性増大 ④心筋のβ受容体数の増加（up regulation）を起こす→心拍数増加、心筋収縮力増強 ⑤TSHの分泌抑制（ネガティブ・フィードバック）
作用機序	標的細胞内でT_4はT_3に変換し、核内受容体に結合してDNAに転写調節因子として働く。
欠乏症	**粘液水腫、クレチン病（先天的）**…治療薬：**レボチロキシンナトリウム**（T_4製剤）、**リオチロニンナトリウム**（T_3製剤）
過剰症	**バセドウ病**…治療薬：抗甲状腺薬 チロキシン（T_4）　　　　　トリヨードチロニン（T_3） レボチロキシンナトリウム　　リオチロニンナトリウム ※レボチロキシンはT_4のL体、リオチロニンはT_3のL体である。

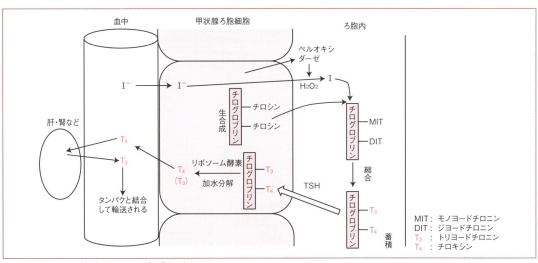

■図 2-5-15 甲状腺ホルモン合成経路

②抗甲状腺薬（antithyroid drugs）

抗甲状腺薬とは甲状腺機能亢進症（大部分はバセドウ病）の治療に用いる薬をいう。

a．プロピルチオウラシル、チアマゾール

作用機序	甲状腺のペルオキシダーゼを阻害し、チロシンのヨウ素化を阻止し、T_3、T_4 の合成を抑制する。 プロピルチオウラシルは肝臓での T_4 から T_3 への脱ヨウ素化を阻害する作用もある。
副作用	・顆粒球減少症。発疹、関節痛などのアレルギー反応。 ・ネガティブ・フィードバックがはずれ、TSH 分泌亢進により甲状腺増殖、肥大を起こす。

b．放射性ヨウ素（^{131}I）

・放射する β 線を利用して甲状腺を破壊する。

6）カルシトニン（calcitonin）

化　学	32 個のアミノ酸からなるポリペプチド。
分　泌	破骨細胞などのカルシトニン受容体に結合し、Gs タンパク–アデニル酸シクラーゼ系を活性化。 哺乳動物では甲状腺の傍ろ胞細胞（C 細胞）から分泌。 血清 Ca^{2+} 濃度が上昇すると合成・分泌は増加し、血清 Ca^{2+} 濃度の低下では逆に分泌減少。
生理作用	骨から血中への Ca^{2+} 動員（骨吸収）を抑制、腎での Ca^{2+} の排泄を促進→血清 Ca^{2+} 濃度の低下。 尿中へのリン排泄増加→血清リン濃度の低下。 その他、鎮痛作用、食欲抑制作用、胃酸分泌抑制作用。
臨床適応	高 Ca 血症、骨粗しょう症（活性ビタミン D_3 と併用）。

7）上皮小体ホルモン（パラトルモン：parathormone, PTH）

化　学	84個のアミノ酸からなるポリペプチド。副甲状腺ホルモンともいう。
分　泌	血清 Ca^{2+} 濃度の低下により分泌促進、血清 Ca^{2+} 濃度の上昇により分泌低下。 $1,25-(OH)_2$-ビタミン D_3 の不足により分泌促進。
生理作用	骨や腎臓の G タンパク共役型 PTH 受容体に結合し（細胞のタイプにより Gs または Gq）、アデニル酸シクラーゼを活性化。 ①破骨細胞を活性化し、骨からの Ca^{2+}、リン遊離（骨吸収）を促進。 ②腎遠位尿細管で Ca^{2+} 再吸収、リン排泄を促進。 ③腎に作用し、1α-hydroxylase を活性化し、活性型ビタミン D_3 を生成→間接的に小腸から Ca^{2+}、リンの吸収を促進。 ①～③により血清 Ca^{2+} は増加し、血清リンは減少。
欠乏症	低 Ca・高リン酸血症を生じ、テタニーを起こす。
機能亢進時	シナカルセト 臨床適用：透析下の二次性副甲状腺（上皮小体）機能亢進症による骨脆弱、その他副甲状腺機能亢進による高 Ca 血症に使用。経口。 作用機序：上皮小体の Ca 受容体にアロステリックに作用し、Ca が結合したときと同様に、PTH の分泌を抑制する。骨吸収を抑制するとともに、血清カルシウムを低下させる。

〈ビタミン D_3 の活性化反応〉

$$\text{7-デヒドロコレステロール（プロビタミン}D_3) \xrightarrow[\text{紫外線}]{\text{皮膚}} \text{コレカルシフェロール（ビタミン}D_3) \xrightarrow[\text{25位水酸化}]{\text{肝}}$$

$$25(OH)VD_3 \xrightarrow[1\alpha\text{-ヒドロキシラーゼ}]{\text{腎}} 1,25(OH)_2VD_3 \text{（活性型）（カルシトリオール）}$$

	上皮小体ホルモン（パラトルモン）	ビタミン D_3	カルシトニン
血中遊離 Ca	↑	↑	↓
骨 Ca の溶出（骨吸収）	↑	↑↓	↓
骨 P の溶出	↑		↓
腎からの Ca 再吸収	↑	↑	↓
腎からの P 再吸収	↓	↑	↓
腸からの Ca 再吸収	↑（間接的）	↑	
腸からの P 再吸収	↑（間接的）	↑	
活性型ビタミン D_3 の生成	↑		

8）膵臓ホルモン

膵臓には外分泌（消化液）を行う腺細胞の間に内分泌に関与するランゲルハンス島（ラ島、膵島）が散在する。ラ島には組織学的に異なる数種の細胞（α, β, δ, …）がある。α 細胞（A 細胞）からグルカゴン、β 細胞（B 細胞）からインスリンが分泌され、血糖を調節している。

①インスリン (insulin)

化　学	・21個のアミノ酸からなるポリペプチド鎖（A鎖）と30個のアミノ酸からなるポリペプチド鎖（B鎖）とが、2個のS-S結合で結ばれている計51個のアミノ酸からなり、分子量約6,000。 ・酸性または中性でZnがないとき2量体、Znを加えてpH5.3～5.4とするとZn2分子を中心とした6量体の結晶を作る。 ・動物種によるインスリンのアミノ酸配列の差は少なく、3個に限定されているが、他の動物のものに対しては抗原性を示す。 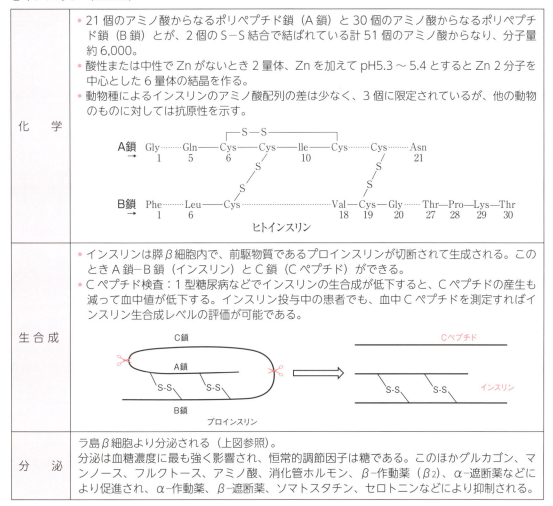
生合成	・インスリンは膵β細胞内で、前駆物質であるプロインスリンが切断されて生成される。このときA鎖-B鎖（インスリン）とC鎖（Cペプチド）ができる。 ・Cペプチド検査：1型糖尿病などでインスリンの生合成が低下すると、Cペプチドの産生も減って血中値が低下する。インスリン投与中の患者でも、血中Cペプチドを測定すればインスリン生合成レベルの評価が可能である。
分　泌	ラ島β細胞より分泌される（上図参照）。 分泌は血糖濃度に最も強く影響され、恒常的調節因子は糖である。このほかグルカゴン、マンノース、フルクトース、アミノ酸、消化管ホルモン、β-作動薬（β2）、α-遮断薬などにより促進され、α-作動薬、β-遮断薬、ソマトスタチン、セロトニンなどにより抑制される。

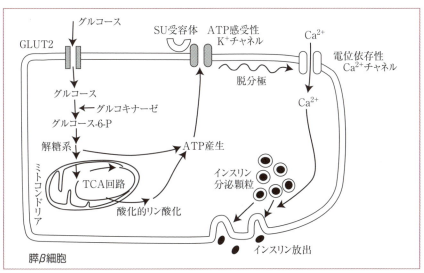

図2-5-16　インスリン分泌機構

グルコースは糖輸送担体（GLUT2）により、膵β細胞に取り込まれ、グルコキナーゼの作用を受けグルコース-6-リン酸が生成され、さらに解糖系やTCA回路にて代謝され、引き続いてミトコンドリアで酸化的リン酸化によりATPの産生（ATP/ADPの上昇）が起こる。その結果、ATP感受性K⁺チャネルを閉じ、脱分極が起こり、電位依存性Ca^{2+}チャネルが開口し、細胞外から細胞内へCa^{2+}が流入し、インスリン分泌顆粒の放出が引き起こされる（図2-5-16）。

生理作用	インスリンの標的臓器は肝臓、脂肪組織、筋肉である。 ①脂肪組織、筋肉へのグルコース取り込み促進（糖利用の促進） 　肝臓でのグリコーゲン合成促進、分解抑制→　血糖低下作用 ②脂肪組織での糖からのトリグリセリド（中性脂肪）合成促進 ③筋肉でのタンパク合成促進 ④血中の無機リン、K⁺が低下する。これはグルコースのリン酸化が増加するため無機リンが低下し、肝にグリコーゲンが沈着するとき、K⁺が一緒に取り込まれるので血中K⁺が低下する。
作用機序	インスリンが細胞膜の受容体のα鎖に結合すると、β鎖のチロシンキナーゼが活性化される。チロシンキナーゼが基質タンパクIRS（insulin receptor substrate）のチロシン残基をリン酸化すると、細胞内に存在する糖輸送担体4（GLUT4）が細胞膜に移動し、グルコースの取り込みを促進する。
適　応	1型糖尿病。 経口抗糖尿病薬が無効、または使用できない2型糖尿病。
副作用	低血糖、アレルギー、注射部位皮下脂肪の肥大または萎縮。

②グルカゴン（glucagon）

化　学	29個のアミノ酸からなる単鎖ポリペプチド
分　泌	ラ島α細胞より分泌される。 分泌は血糖濃度に強く影響され、インスリンとは逆に血糖上昇時に抑制され、血糖低下時には増加する。
生理作用	血糖上昇作用：肝グリコーゲンの分解、糖新生の促進による。 脂肪組織のリパーゼを活性化して脂肪の分解を促進→遊離脂肪酸増加。 以上の作用はGsタンパク質共役型受容体→アデニル酸シクラーゼの活性化→cAMPの増加を介して起こる。

9）副腎皮質ホルモン（adrenocortical hormones）

　副腎皮質は組織学的に球状、束状、網状の3層からなり、最外層の球状層からはアンジオテンシンIIの刺激により鉱質コルチコイドであるアルドステロンが分泌される（図2-5-17）。
　束状層からはACTHの刺激により糖質コルチコイドが、最内層の網状層からは男性ホルモンが分泌される。
　副腎髄質からは神経分泌によりアドレナリンが分泌される。
　皮質、髄質から分泌されるホルモンは物質代謝に関与し、ストレスによって分泌が増加し、生体をストレスから保護するように働く（生体防衛反応）。

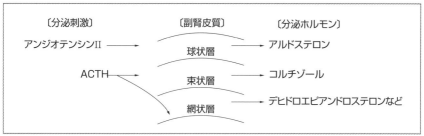

■ 図 2-5-17　副腎皮質ホルモンの分泌

〈ステロイドホルモンのおもな生合成経路〉
　副腎皮質ホルモン、男性ホルモン、女性ホルモンはステロイド骨格をもち、いずれも大部分がコレステロールからプレグネノロンを経て生合成される（図2-5-18）。

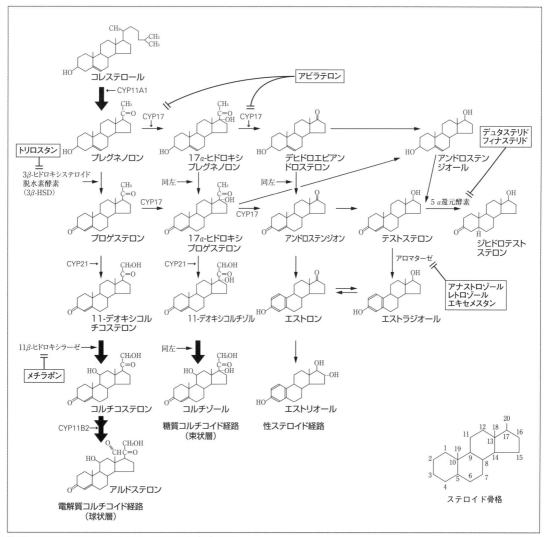

■ 図 2-5-18　ステロイドホルモンの生合成経路

①天然のコルチコイド

副腎皮質ホルモンは糖質代謝作用と電解質（塩類）代謝作用を有するが、その作用強度の違いによって糖質コルチコイド（グルココルチコイド）と鉱質コルチコイド（ミネラルコルチコイド）に分類されている。

ヒトの副腎皮質機能は午前に高く、午後に低い日内リズムを示す。血中のコルチゾール（ヒドロコルチゾン）は、覚醒後30分～2時間に最高レベルに達し、睡眠開始後2～3時間で最低になる。これはACTHの日内変動に起因する。

副腎皮質ホルモンの分泌異常により、種々の症状が現れる。主として糖質コルチコイドの分泌過剰によるものとしてクッシング病やクッシング症候群がある（下垂体腫瘍や副腎皮質の腫瘍が原因）。

アルドステロン分泌過剰によってアルドステロン症をきたす（高血圧が主訴。副腎の球状層の腫瘍によるものが原発性アルドステロン症）。一方、副腎皮質ホルモンの分泌低下が慢性に持続すると、アジソン病になる。

a．鉱質コルチコイド

分　泌	主なものはアルドステロンとデオキシコルチコステロン（DOC）であるが、アルドステロンが重要。副腎皮質球状層で生合成される。 アンジオテンシンⅡの刺激により球状層から分泌。
生理作用	①集合管におけるNa^+の再吸収促進、K^+の排泄増加（Na^+/K^+交換系を促進）→ Na^+貯留による浮腫、高血圧、低K血症。 ②催炎作用があり、炎症を悪化。 ※アルドステロンは他のステロイドホルモンと異なって、C18位にアルデヒド基をもつ。 アルドステロン　　　デオキシコルチコステロン（DOC）

b．糖質コルチコイド

分　泌	ACTHが細胞膜受容体に作用 → 細胞内cAMPの増加 → コルチゾールの生合成・分泌促進（図2-5-12参照）。 糖質コルチコイドの分泌には典型的な概日リズムがあり、ヒトを含めた昼行性動物ではピークは早朝、最低値は夜間にある（夜行性動物では夜になる前にピーク）。
役　割	①全身での細胞増殖・成長を抑制する（異化促進）。 ②ストレスから体を守る。血中グルコース値を上昇し、脳・心臓へのエネルギー源を確保する。
作用機序	糖質コルチコイドは細胞内に入り、細胞質に存在する受容体と結合し核内に移動して、mRNAの転写を介して特定のタンパク質の合成、肝臓の糖合成酵素などを調節する。

生理・薬理作用：ホルモンとしての生理的作用と抗炎症・抗アレルギー・免疫抑制などの薬理作用とを区別。前者の作用は少量で、後者の作用はより大量で発現。治療には合成糖質コルチコイドを使用。

- **代謝に対する作用**
  - アミノ酸からの糖新生の促進 → 血糖上昇 → 糖尿病悪化
  - タンパク異化作用（筋肉のタンパク分解が促進し、アミノ酸となる）
    - 筋肉重量の減少 → 筋肉萎縮
    - 骨タンパク基質減少 → 骨粗しょう症の原因の1つ
    - 創傷治療遅延、潰瘍悪化
  - 脂肪組織のトリグリセリド分解促進 → 血中遊離脂肪酸上昇
    → 他組織への脂肪再分配 → moon face
- **抗炎症作用**
  - ホスホリパーゼA_2やシクロオキシゲナーゼ-2（COX-2）の発現抑制により、アラキドン酸カスケードが抑制され、炎症に関わるプロスタグランジン（PG）類やロイコトリエン（LT）類の産生が阻害される → 消化性潰瘍の発生
  - 炎症発生に関わるサイトカインの生成を転写レベルで抑制する。
- **抗アレルギー作用、免疫抑制作用**

ステロイド-受容体複合体は、転写因子 AP-1（activator protein-1）を不活性化して、T細胞の機能を抑制する。

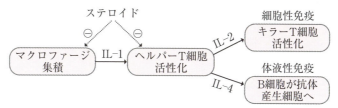

インターロイキン-2（IL-2）の産生が抑制される結果、①細胞傷害性T細胞の機能分化を抑制し、拒絶反応を抑制、②抗体産生が抑制されて体液性免疫を抑制し、自己免疫疾患では血中自己抗体も消失する。→ 感染防止力の低下（ステロイドは結核などに原則禁忌）

- 赤血球、好中球数が増加し、リンパ球、単球が減少する。
- ACTH分泌低下（ネガティブ・フィードバック）→離脱症状（副腎不全）発生
- 天然の糖質コルチコイドは弱い鉱質コルチコイド作用を有する → Na^+貯留（→浮腫、高血圧）、K^+排泄（→筋力低下）

過剰症	クッシング症候群
欠乏症	アジソン病

コルチゾール（ヒドロコルチゾン）
…OHのないもの コルチコステロン

②合成糖質コルチコイド

天然の糖質コルチコイドは、鉱質コルチコイド作用すなわちNa^+の貯留作用を有し、浮腫や高血圧を生じる。このような作用を減じ、抗アレルギー、抗炎症、免疫抑制などの作用を強めた合成糖質コルチコイドが多数開発され、臨床的には内分泌失調疾患以外に膠原病などの自己免疫疾患、種々の皮膚疾患などにも広く用いられている。

〈糖質コルチコイドの作用の比較〉

	抗炎症作用	Na貯留作用
ヒドロコルチゾン	1	1
プレドニゾロン（治療の基準薬）	4.0	0.5
デキサメタゾン	30	0
ベタメタゾン	25	0

合成糖質コルチコイドの生物学的半減期（デキサメタゾン36～54時間、ベタメタゾン36～54時間、プレドニゾロン18～36時間）は、天然糖質コルチコイド（ヒドロコルチゾン8～12時間）に比べて長く、投与回数を減らせるという利点がある。

a．構造活性相関

- 11β-OHが糖質コルチコイド作用に必須。
- 1、2位に二重結合　　→　糖質コルチコイド作用を数倍増強。
- 9α位へFの導入　　→　糖質コルチコイド作用を増強。
- 16位のメチル化、OH化　→　鉱質コルチコイド作用を減弱。

ステロイドホルモンの代表的化学修飾

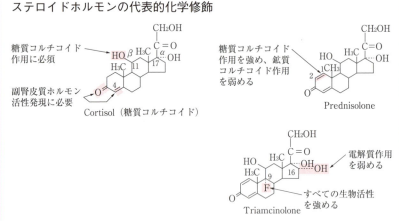

b．合成糖質コルチコイドの種類

〈短時間型：ヒドロコルチゾン（天然ホルモン）〉
　中時間型：プレドニゾロン、メチルプレドニゾロン、トリアムシノロン
　長時間型：デキサメタゾン、ベタメタゾン

- 糖質コルチコイドは一般に全身的には経口により投与する。
- 皮膚疾患に対する外用で、フルオシノロンアセトニド、フルオシノニドのように抗炎症作用が強力なものが用いられる。
- 気管支ぜん息に吸入でベクロメタゾン、アレルギー性鼻炎に鼻腔噴射でモメタゾン、関節リウマチに関節腔内投与でハロプレドンが用いられる。

c．臨床応用

- アレルギー性疾患（気管支ぜん息、じん麻疹、薬物アレルギーなど）
- 炎症性疾患
- 自己免疫疾患：膠原病（関節リウマチ、全身性エリテマトーデスなど）
- 血液疾患（再生不良性貧血など）
- 副腎皮質ホルモン不足の補充療法（副腎皮質機能低下など）

d．副作用

- 感染症の悪化 ← 免疫力の低下により感染防御機能の低下による。
- 続発性副腎皮質機能不全（連用中止による離脱症候群）（血圧下降によるショック、発熱、関節痛など）。投与中止によりリバウンド現象も起こりやすい。
- 消化性潰瘍 ← PG生成抑制
- 骨粗しょう症 ← 骨基質タンパクの分解、腸管からのCa^{2+}吸収低下
- 糖尿病
- 白内障、緑内障
- その他　浮腫、高血圧、満月顔、多幸感　など

e．投与が原則禁忌となっている患者

- 高血圧、糖尿病、感染症（結核、肺炎など）、消化性潰瘍、精神病、白内障、緑内障

プレドニゾロン　　デキサメタゾン　　ベタメタゾン

トリアムシノロン　　フルオシノロンアセトニド

ベクロメタゾン　　フルオシノニド　　ハロプレドン

③副腎皮質ホルモン作用を抑制する薬物
a．副腎皮質ホルモン生合成阻害薬
〈メチラポン〉

- **11β-水酸化酵素**を阻害し、コルチゾール（ヒドロコルチゾン）、コルチコステロンの生合成を抑制する。
- 鉱質コルチコイド欠乏はきたさない。
- 下垂体前葉機能の診断薬として用いられる（メチラポンテスト）。メチラポン投与によって副腎皮質からのコルチゾール分泌が減少
  - → ネガティブ・フィードバックがはずれ ACTH の分泌亢進
  - → 11-デオキシコルチゾールおよび 11-デオキシコルチコステロンの増加※
  （図 2-5-18 参照）

※ 11-デオキシコルチゾール、11-デスオキシコルチコステロンまたはその代謝産物の尿中排泄がメチラポン投与によって増加しない場合には、下垂体前葉の ACTH 分泌機能不全が推定される。

〈トリロスタン〉

- **3β-ヒドロキシステロイド脱水素酵素**を特異的かつ競合的に阻害し、アルドステロンおよびコルチゾールなど副腎皮質ホルモンの生合成を抑制する。
- 適応：特発性アルドステロン症、手術適応とならない原発性アルドステロン症およびクッシング症候群

〈ミトタン〉

- 合成阻害部位はまだ決定されていないが、ステロイド合成阻害作用を示す。
- 適応：クッシング症候群

〈オシロドロスタット〉

- 11β-水酸化酵素を阻害することで、11-デオキシコルチゾールからコルチゾールへの変換を抑制する。
- 適応：クッシング症候群（外科的処置で効果が不十分または施行が困難な場合）
- 2021年6月発売。

b．抗アルドステロン薬（p.414 参照）
〈スピロノラクトン、カンレノ酸カリウム、エプレレノン〉

- 腎集合管の細胞内に存在する鉱質コルチコイド受容体において、アルドステロンに競合的な拮抗を示す。

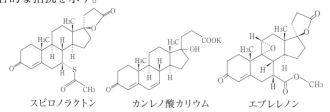

スピロノラクトン　　カンレノ酸カリウム　　エプレレノン

10）性ホルモン
性ホルモンには男性ホルモン（アンドロゲン）、卵胞ホルモン（エストロゲン）、黄体ホルモン（ゲスタゲン）がある。

〈基本骨格〉

 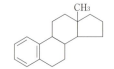

男性ホルモン　　　卵胞ホルモン　　　黄体ホルモン
（C＝19）　　　　　（C＝18）　　　　　（C＝21）

（1）男性ホルモン（アンドロゲン：androgens）

種類	テストステロン（天然）、**メチルテストステロン**（合成、経口可能） テストステロンは肝臓で分解されるので、経口無効。テストステロンプロピオン酸エステルやテストステロンエナント酸エステルは、持続性製剤として筋注。合成製剤は経口可能である。
生合成	精巣の間質細胞（Leydig 細胞）は、下垂体前葉ホルモン ICSH の刺激をうけ、cAMP を介してテストステロンを生合成する。 副腎皮質網状層でアンドロゲンの一つデヒドロエピアンドロステロンがつくられる。
生理作用	• 精細管に働きFSHと協力して精子形成促進 • 精嚢、前立腺、陰茎など副性器の発育促進と機能維持 男性二次性徴の促進、男性の性欲亢進 • 筋肉増大（タンパク同化作用） • ICSHの分泌抑制。
適応	• 男性ホルモン分泌不全（補充療法） • 乳癌 • 再生不良性貧血 • ダナゾールはゴナドトロピン分泌抑制により子宮内膜症

（2）抗アンドロゲン薬

男性ホルモン過剰症、前立腺肥大、前立腺腫瘍に用いる。

クロルマジノン酢酸エステル（高用量）	細胞質の男性ホルモン受容体でアンドロゲンと拮抗
フルタミド ビカルタミド	テストステロン-受容体複合体の核内への移行を抑制
デュタステリド フィナステリド	5-α還元酵素を阻害し、テストステロンからより作用の強いジヒドロテストステロンへの変換を阻害。前者は前立腺肥大症に、後者は男性型脱毛症、前立腺肥大、前立腺癌に用いる。

（3）アンドロゲン合成阻害薬

前立腺癌に用いる。

アビラテロン：CYP17 阻害により、プレグネノロン、プロゲステロンの C17 位水酸化を介するテストステロンの合成を抑制する。

（4）タンパク同化ステロイド

男性ホルモンのタンパク同化作用を強め、男性化作用を弱くしたものである。

種　類：メテノロン酢酸エステル、ナンドロロンデカン酸エステル

適　応：骨粗しょう症、外傷・熱傷・術後の消耗、再生不良性貧血

副作用：男性化作用が生じる（アンドロゲン依存性腫瘍の患者に禁忌）。肝機能障害。

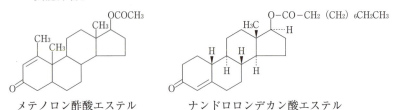

メテノロン酢酸エステル　　　ナンドロロンデカン酸エステル

（5）女性ホルモン（female hormones）

女性ホルモンには卵胞ホルモン（エストロゲン）と黄体ホルモン（ゲスタゲン）がある。代表的なエストロゲンとしてエストラジオール、代表的なゲスタゲンとしてプロゲステロンがある。これらのホルモンの分泌と性周期との関係を示す（図 2-5-19）。

エストラジオールは性周期の前半と後半にそれぞれピークがある。これは卵胞と黄体から分泌されるためである。

プロゲステロンは後半に1つのピークがあるが、これは黄体からの分泌に基づく。

エストラジオールは子宮内膜を増殖させ、プロゲステロンは分泌期に移行させるので、図 2-5-19 に示すような内膜変化がともなう。

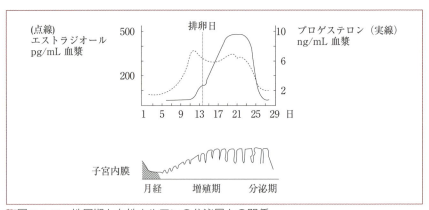

図 2-5-19　性周期と女性ホルモンの分泌量との関係

①卵胞ホルモン（エストロゲン）

生合成・分泌	卵胞ホルモンとして**エストラジオール、エストロン、エストリオール**が主要なものである。 エストラジオール　　　　エストロン　　　　エストリオール ・FSH は卵胞を発育させ、FSH と LH の協同作用によりエストロゲンの生合成が促され、成熟卵胞からエストラジオールが分泌される。 ・黄体からも分泌され、妊娠すると胎盤から多量に分泌される。 ・エストラジオールは生体内でエストロンに酸化され、その一部はエストリオールに変化する。
生理作用	・子宮内膜増殖作用（子宮重量の増加）。 ・女性副性器、乳腺の発育促進。 ・第二次性徴の促進。 ・FSH、LH の分泌抑制（経口避妊薬に応用）。 ・オキシトシンに対する子宮筋の感受性を増大。 ・閉経後、エストロゲンの消退により骨粗しょう症が起こりやすくなる（カルシトニンや活性型ビタミン D_3 の生合成低下による）。
エストロゲンの作用機序	・エストロゲンは標的細胞内に入り、エストロゲン—受容体複合体を形成し核内に入り、mRNA の合成、ついで特定タンパクの合成により卵胞ホルモンとしての作用を発現する。
合成卵胞ホルモン	・エストラジオールのエステル（エストラジオール安息香酸エステル等）は持続性製剤で筋注。 ・**エチニルエストラジオール**は経口可能。
適　応	・卵巣機能低下症（更年期障害に補充療法） ・閉経期の骨粗しょう症（エストロゲンの骨吸収抑制作用） ・前立腺癌（エチニルエストラジオール） ・経口避妊薬として合成黄体ホルモンと併用
副作用	・血栓症、肺塞栓症：卵胞ホルモン剤は凝固因子を増加させ、血栓形成傾向を促進する。血栓症、塞栓症、脳卒中患者には禁忌。 ・水分、電解質の体内貯留→浮腫 ・長期連用でエストロゲン依存性癌の発生がみられる。 エチニルエストラジオール

②抗卵胞ホルモン薬（抗エストロゲン薬）

クロミフェン、シクロフェニル	適応：排卵障害に基づく不妊症の排卵誘発 • エストロゲン受容体でエストロゲンと拮抗し、視床下部－下垂体前葉系へのネガティブ・フィードバックを除き、LH、FSH の分泌を促進する。卵胞の発育を促し、排卵を誘発する。多胎妊娠を起こしやすい。
タモキシフェン、トレミフェン	適応：乳癌 • 乳癌細胞のエストロゲン受容体でエストロゲンと拮抗し、乳癌細胞の増殖を抑制する。
メピチオスタン	適応：乳癌 • メピチオスタンは代謝されてエピチオスタノールを生じる。これがエストロゲン受容体でエストロゲンと拮抗し、乳癌に効果を示す。メピチオスタンには骨髄に直接作用して、赤芽球コロニー形成細胞を増加する造血作用があり、腎性貧血に用いられる。
ラロキシフェン	適応：閉経後骨粗しょう症 • 骨のエストロゲン受容体に結合し、エストロゲン様の骨吸収抑制作用を示す。乳腺や子宮のエストロゲン受容体遮断薬として作用する。そのため乳癌や子宮体癌を悪化させる危険性は少ない。
アナストロゾール、レトロゾール（可逆的阻害薬）、エキセメスタン（非可逆的阻害薬）	適応：閉経後乳癌 • 脂肪組織や乳癌組織に存在するエストロゲン合成酵素アロマターゼを阻害し、閉経後乳癌に適応される。 • アナストロゾールとレトロゾールはアロマターゼのヘム鉄に可逆的に結合し、不活性化する。 • エキセメスタンは、アロマターゼの基質となるアンドロゲンと同じステロイド骨格を有し、アロマターゼのアンドロゲン結合部位に不可逆的に結合してアロマターゼを不活性化する。

クロミフェン　シクロフェニル　メピチオスタン
タモキシフェン　トレミフェン
ラロキシフェン　アナストロゾール　レトロゾール　エキセメスタン

③黄体ホルモン（ゲスタゲン）

生合成・分泌	・**プロゲステロン**は、副腎、精巣、卵巣、胎盤において他のステロイドホルモンの前駆物質としてプレグネノロンから生合成される（p.413、図2-5-18参照）。 ・プロゲステロンは卵巣および胎盤（妊娠6週以降は黄体にまさるようになり、その分泌増加により妊娠は維持される）から分泌される。 ・生合成を刺激するにはLHとFSHの協力作用が必要である。
生理作用	・子宮内膜を増殖期から分泌期へ移行させ、受精卵の着床、発育に快適な状態に保つ。 ・内膜細胞のグリコーゲン量の増加 ・FSH、LHの分泌を抑制（経口避妊薬への応用） ・視床下部の温熱中枢を刺激→体温上昇（黄体期基礎体温上昇の原因）。 ・エストロゲンと協同し乳腺発育促進。 ・子宮のオキシトシンに対する感受性を低下（流産防止）。
種　　類	・**プロゲステロン**は肝臓で速やかに代謝されるので、経口投与では無効。 ・合成ゲスタゲンは経口投与可能で、2つのタイプがある。 　・プロゲステロン誘導体：**メドロキシプロゲステロン、クロルマジノン** 　・19-ノルテストステロン誘導体：**ノルエチステロン**
適　　応	・黄体機能不全（月経異常、不妊など）の補充療法（クロルマジノン〈低用量〉、メドロキシプロゲステロン、ノルエチステロン） ・習慣性、切迫性流産（メドロキシプロゲステロン） ・経口避妊薬として合成エストロゲンと併用（**レボノルゲストレル**など） ・乳癌（メドロキシプロゲステロン） ・前立腺癌、前立腺肥大症（クロルマジノン酢酸エステル）→抗アンドロゲン作用を示すため
副作用	・肝機能低下、浮腫 ・19-ノルテストステロン誘導体は胎児の男性化を起こすので、妊婦には禁忌である。

※　その他の合成黄体ホルモン：アリルエストレノール、ゲストノロンカプロン酸エステル、ヒドロキシプロゲステロンカプロン酸エステル、メドロキシプロゲステロン酢酸エステル、ジドロゲステロン、ジメチステロンなど

④経口避妊薬（低用量ピル）

- 経口避妊薬は合成卵胞ホルモン（エストロゲン）と合成黄体ホルモン（ゲスタゲン）の2種類の女性ホルモンからなる。それぞれ低用量で合剤として使用。
- 製剤
  エチニルエストラジオール・ノルエチステロン
  エチニルエストラジオール・デソゲストレル
  エチニルエストラジオール・ノルゲストレル
  エチニルエストラジオール・レボノルゲストレル
- 視床下部―下垂体―卵巣系にネガティブフィードバックによる抑制がかかり、FSHとLHの分泌が低下する。
- 毎日1錠ずつ3週間服用する。正確に服用すれば、避妊効果は確実である。
- 血液凝固を促進するため、血栓症、心筋梗塞などのリスクを伴うことがある。

CHECK

次の記述について、正しいものには「○」を、間違っているものには「×」をつけてその理由を簡潔に述べなさい。

1 ブセレリンは、頻回投与により、下垂体前葉のLH-RH受容体の数を減少させる。
2 デスモプレシンは、バソプレシンV_2受容体を遮断し、尿崩症に経口で用いられる。
3 プロピルチオウラシルは、甲状腺のペルオキシダーゼを阻害してチロキシンの合成を抑制する。
4 デキサメタゾンは抗炎症作用とNa貯留作用をあわせもつ。
5 オキシメトロンは男性ホルモンのタンパク同化作用を強めた薬物である。
6 エチニルエストラジオールは、経口可能な合成卵胞ホルモンである。
7 タモキシフェンはエストロゲン受容体を刺激する排卵誘発薬である。
8 ファドロゾールはアロマターゼを阻害してエストロゲンの合成を抑制する。
9 ノルエチステロンは単独で経口避妊薬として用いられる。

【解答】
1 ○
2 × デスモプレシンはバソプレシン誘導体で、V_2受容体を刺激する。点鼻で用いる。
3 ○
4 × デキサメタゾンは鉱質コルチコイド作用をもたない合成糖質コルチコイドである。
5 ○
6 ○
7 × タモキシフェンは抗エストロゲン作用を有する乳癌治療薬である。
8 ○
9 × 経口避妊薬は卵胞ホルモンと黄体ホルモンを含む。ノルエチステロンは合成黄体ホルモン。

2-6 感覚器系・皮膚に作用する薬

1 感覚器系に作用する薬

到達目標
- 緑内障治療薬の薬理（薬理作用、機序、主な副作用）を説明できる。
- その他の眼疾患（白内障・加齢性黄斑変性等）の治療薬、散瞳薬・縮瞳薬の薬理（薬理作用、機序、主な副作用）を説明できる。
- めまい（動揺病、メニエール病等）の治療薬の薬理（薬理作用、機序、主な副作用）を説明できる。

1. 眼の基礎生理

1）眼の構造と機能

眼球は3層の膜に包まれ、その内部にレンズの働きをする水晶体とゲル状組織である硝子体をもつ器官である（図2-6-1）。

①眼球壁
- 外　膜：角膜(cornea)と強膜(sclera)よりなる。角膜と強膜は連続しており、主成分はコラーゲンであるが、角膜は透明。角膜は触覚や痛覚が特に鋭敏な組織で、感染、炎症、潰瘍などの際に疼痛を伴いやすい。
- 中　膜：強膜の内側に密着する脈絡膜、脈絡膜に連続する毛様体に虹彩が加わる。いずれも血管とメラニン色素に富み、これら3つを合わせてぶどう膜と呼ぶ。
- 内　膜：神経外胚葉由来の網膜である。感覚網膜（ほとんど神経組織、グリアおよび血管からなる透明な薄膜）と網膜色素上皮（色素を含む単層扁平上皮）から構成。

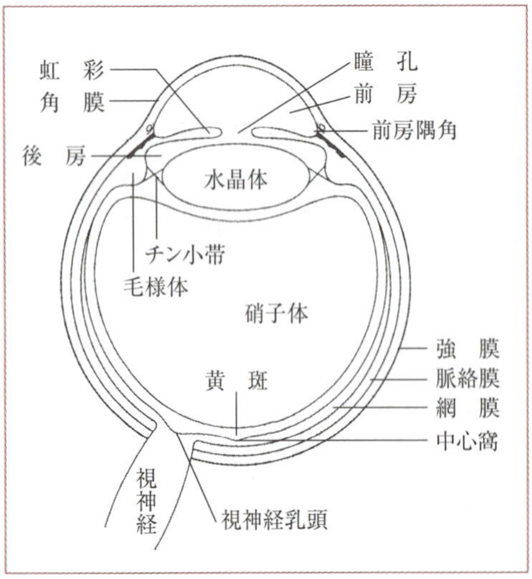

②水晶体（crystalline lens）
- 前面は虹彩、後面は硝子体に接する。水晶体は支持組織であるチン小帯（毛様小帯）により毛様体に固定。
- 水晶体はほとんど水とタンパク質からなる。水晶体内には他の組織に比べてグルタチオンが高濃度に存在する。
- 水晶体の濁った状態が白内障(cataract)である。
- 眼の調節作用に関与。

図2-6-1　眼の構造

正　視：眼の屈折系の何の調節もない状態では、無限遠の物体は網膜の上に結ばれる。
近　視：遠方の物体の像が網膜の手前に結像し、遠方の物体がよく見えない状態。
遠　視：網膜の背後に結像するため遠方の物体がよく見えない状態。
老　視（老眼）：加齢に伴う水晶体の弾力性低下により近点が明視距離外に延長し、近くの物体がよく見えない状態。

③結膜（conjunctiva）、眼瞼（eyelids）
- ともに眼球の前面を保護する装置。

④毛様体（ciliary body）
- 虹彩根部の後方にある血管の豊富な組織。毛様体の内側から出た無数の細い線維（チン小帯）を介して水晶体と連結。
- 房水の産生・眼圧の維持に寄与するとともに、これらの調節機構の主役をなす。
- 毛様体の中の**毛様体筋**は輪状に走る輪状線維（ミュラー筋）と放射状に走る放射状線維（ブリュッケ筋）の2種類の平滑筋からなる。
- **水晶体が厚くなる機構**：輪状線維の収縮 → チン小帯の緊張低下 → 水晶体被膜の弾性による厚みの増大
- **水晶体が薄くなる機構**：輪状線維の弛緩または放射状線維の収縮 → チン小帯の緊張上昇 → 水晶体が薄くなる

⑤虹　彩（iris）

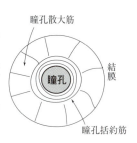

- 水晶体の前にあり、角膜後方の茶目に相当する薄膜で、虹彩の中央には瞳孔がある。
- 瞳孔の大きさ（1〜9 mmの範囲で変化）は**瞳孔括約筋**（副交感神経支配）と**瞳孔散大筋**（交感神経支配）の作用により調節される。
- 瞳孔括約筋は瞳孔縁を囲んで輪状に、散大筋は放射状に分布して虹彩後面の虹彩色素上皮に接する。

⑥房水（aqueous humor）と眼圧（intraocular pressure）
- 房水は、血管のない水晶体や角膜への栄養補給や代謝産物の運搬を行うとともに、眼圧を一定に保つ働きをする。
- 房水は、毛様体動脈血から毛様体上皮細胞で産生されて後眼房に分泌され、水晶体周辺を経て前眼房へ流れ出る。
- 毛様体上皮細胞における房水産生には、炭酸脱水酵素II型が関与する。毛様体上皮細胞上のβ受容体が刺激されるとcAMP上昇により房水産生は促進され、α_2受容体が刺激されるとcAMP低下により房水産生は抑制される。
- 房水の流出経路には、①隅角にある線維柱帯からシュレム管を経由する主経路（全流出量の約90％）と②虹彩根部および毛様体を経由し、血管を介さないで眼外に出る副経路（ぶどう膜強膜流出路、全流出量の約10％）がある。
- 眼圧は房水による圧で、普通10〜21 mmHgの範囲にある。眼圧は、房水の産生・分泌と排出のバランスによって決まる。

2）緑内障（glaucoma）

- 相対的な高眼圧の結果、視神経乳頭の陥凹を生じ、視機能障害（視力低下、視野の狭窄・欠損、失明など）を起こす疾患である。
- 虹彩で隅角がふさがって房水流出が低下する閉塞隅角緑内障と、隅角は開いているが房水流出路が詰まって流れが悪くなる開放隅角緑内障に分けられる。開放隅角緑内障のうち、眼圧が21 mmHg以下と正常範囲であるにもかかわらず発症するものを正常眼圧緑内障（normal tension glaucoma；NTG）とよぶ。NTGは視神経乳頭の眼圧に対する抵抗性が減弱していることによると考えられる。

2. 眼に作用する薬

　眼科用薬は、主として点眼薬として局所投与される。これは眼疾患に対して薬物を全身投与した場合、眼組織では眼球内への薬物の移行がかなり制限されるなどの理由による。
　結膜嚢内に点眼された薬物は角膜および眼球結膜を介する2つの経路によって眼球内に吸収される（眼球内に移行するのは点眼量のわずか1〜2%）。

```
角膜　──→　前房　──→　虹彩、毛様体
眼球結膜　──→　前強膜、強膜　┬─→　眼球後部（視神経およびその周囲組織）
                              └─→　眼球内部（脈絡膜、網膜）
```

1）縮瞳薬
　診断・治療を目的とした縮瞳に用いられる。
〈ムスカリン受容体作動薬：ピロカルピン（p.72参照）〉
- M_3受容体の刺激により瞳孔括約筋を収縮させて、縮瞳を起こす。

〈コリンエステラーゼ可逆的阻害薬：ジスチグミン（p.75参照）〉
- アセチルコリンの分解を阻害して、副交感神経による瞳孔括約筋の収縮（縮瞳）を増強する。
- ムスカリン受容体作動薬、コリンエステラーゼ阻害薬とも、毛様体筋を収縮させ房水の排出を促進するので、緑内障の治療にも用いられる（後述）。

2）散瞳薬
　診断・治療を目的とした散瞳に用いられる。
〈抗コリン薬（ムスカリン受容体拮抗薬）：アトロピン、トロピカミド、シクロペントラート（p.77、78参照）〉
- M_3受容体の遮断により瞳孔括約筋を弛緩させて、散瞳を起こす。
- アトロピンは作用時間が長く、トロピカミドやシクロペントラートは速効性で持続が短い。

〈選択的α_1受容体作動薬：フェニレフリン（p.87参照）〉
- α_1受容体の刺激により瞳孔散大筋を収縮させて、散瞳を起こす。

3）調節機能改善薬

〈コリンエステラーゼ可逆的阻害薬：ネオスチグミン（p.74 参照）〉
- コリンエステラーゼを可逆的に阻害することにより、副交感神経（アセチルコリン）による毛様体筋の収縮を増強し、焦点調節機能を高める。

〈ビタミンB_{12}：シアノコバラミン（p.288 参照）〉
- 眼における酸素消費量を増して、ATP産生を増大させることにより調節性眼精疲労を改善する。

4）緑内障治療薬

眼圧を低下させるためには、房水産生量を減らすか、房水流出量を増やす。基本的には点眼剤として用いる。

機序による分類	薬物	備考
房水の産生を抑制する	炭酸脱水酵素（CA）阻害薬 アセタゾラミド ドルゾラミド ブリンゾラミド	・毛様体上皮細胞のCAを阻害し、房水産生を抑制する。 ・アセタゾラミドは角膜透過性が低いので内服または注射で用いられ、全身性副作用が問題となる。 （副作用）代謝性アシドーシス、四肢のしびれ、尿路結石（リン酸Ca） ・ドルゾラミドとブリンゾラミドは全身性副作用が少ない。 理由：①毛様体無色素上皮細胞のCA II型を選択的に阻害、②角膜透過性が良いので点眼で用いる。
	β受容体遮断薬 チモロール（非選択的） カルテオロール（非選択的） ベタキソロール（β_1選択的）	・緑内障の第二選択薬 ・毛様体上皮細胞のβ受容体を遮断し、房水産生を抑制する（β_2遮断＞β_1遮断）。 ・瞳孔径や焦点調節には影響を与えない。 ・チモロールやカルテオロールは気管支喘息に禁忌
	選択的α_2受容体作動薬 ブリモニジン アプラクロニジン	・(1)毛様体上皮細胞のα_2受容体を刺激し、房水産生を抑制。(2)ぶどう膜強膜流出路を介した房水流出の促進。 ・［ブリモニジン］緑内障、［アプラクロニジン］緑内障レーザー治療後の合併症である一過性眼圧上昇の防止、に用いられる。

ドルゾラミド　　ブリンゾラミド　　チモロール　　ブリモニジン

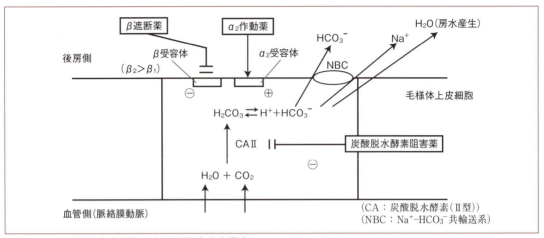

■ 図 2-6-2　毛様体上皮細胞における房水産生機序

機序による分類	薬物	備考
房水の流出を促進する	コリン作動薬 　ピロカルピン コリンエステラーゼ阻害薬 　ジスチグミン	・M_3受容体刺激による毛様体筋の収縮→シュレム管の開口→主経路からの房水流出促進 ・縮瞳、焦点麻痺（近くを見る目になる）
	選択的α_1受容体遮断薬 　ブナゾシン	・α_1受容体の遮断→ぶどう膜強膜流出路の拡大→ぶどう膜強膜流出路からの房水流出促進
	プロスタグランジン関連薬 ①プロスタグランジン$F_{2\alpha}$誘導体 　ラタノプロスト 　イソプロピルウノプロストン 　トラボプロスト 　タフルプロスト	・緑内障の第一選択薬 ・エステラーゼによって代謝された活性体がプロスタグランジンFP受容体を刺激→ぶどう膜強膜流出路の拡大→ぶどう膜強膜流出路からの房水流出促進 ・眼圧下降作用が最も強い。 ・瞳孔径や焦点調節に影響を与えない。 ・眼局所刺激作用はない。 ・1日1回点眼。2週間後に十分強く効果発現。
	②プロスタマイド$F_{2\alpha}$誘導体 　ビマトプロスト	・代謝されずにプロスタグランジン受容体（FP受容体）を刺激→ぶどう膜強膜流出路からの房水流出促進 ・まつ毛美容液、まつ毛貧毛症治療薬としても使用（虹彩・眼瞼に色素沈着、まつ毛が成長）
	③プロスタノイドEP_2受容体刺激薬 　オミデネパグイソプロピル	・非プロスタグランジン骨格の低分子化合物で選択的なプロスタノイドEP_2受容体刺激作用を有するオミデネパグのプロドラッグ。 ・点眼後エステラーゼによりカルボン酸体に加水分解され、眼内でEP_2受容体を選択的に刺激して線維柱帯流出路およびぶどう膜強膜流出路を介した房水流出を促進し、眼圧下降作用を示すと考えられる。 ・緑内障・高眼圧症の治療薬として、2018年11月発売。
	Rhoキナーゼ阻害薬 　リパスジル	・Rhoキナーゼを阻害することにより、線維柱帯流出路からの房水流出を促進 ・$PGF_{2\alpha}$製剤あるいはβ受容体遮断薬で効果不十分のとき使用（1日2回点眼）

構造式：ラタノプロスト、ビマトプロスト、リパスジル、オミデネパグ イソプロピル、イソプロピルウノプロストン

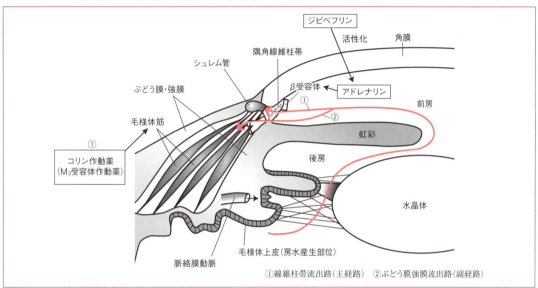

図 2-6-3　眼内構造と緑内障治療薬の作用点

機序による分類	薬物	備考
房水の産生抑制 ＋ 流出促進	アドレナリン作動薬 ジピベフリン	・ジピベフリンは点眼で使用。アドレナリンのプロドラッグで角膜透過性がよく、眼内でエステラーゼによりアドレナリンに活性化されて作用する。 ①β受容体刺激により、副経路からの房水流出促進。②毛様体上皮におけるα_2受容体刺激→房水産生抑制。 ・散瞳（α_1作用）を起こし、虹彩によって隅角がふさがれてしまうため、閉塞隅角緑内障には禁忌。
	$\alpha_1\beta$受容体遮断薬 ニプラジロール レボブノロール	・β受容体遮断による房水産生抑制＋α_1受容体遮断によるぶどう膜強膜流出路からの房水流出促進。 ・点眼剤
浸透性に房水を減らす	浸透圧性利尿薬 グリセリン D-マンニトール	・高張液の点滴静注によって眼内の水分を引き出す。 ・急性閉塞緑内障発作などに対し緊急的に用いる。

ジピベフリン構造式

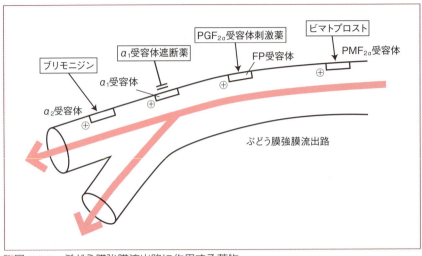

図 2-6-4　ぶどう膜強膜流出路に作用する薬物

5）白内障治療薬

①ピレノキシン
　水晶体のキノン体によるタンパク変性を防止し、白内障の進行を抑制する。

②グルタチオン
　酵素の SH 基を保護したり、その他の細胞成分を保護あるいは活性化し、白内障の予防や進行防止をする。

6）アレルギー性結膜炎治療薬

通常、抗ヒスタミン薬や抗アレルギー薬が用いられる（p.187 参照）。

抗ヒスタミン薬	レボカバスチン	・標的細胞のヒスタミンH_1受容体に結合し、ヒスタミンの作用を遮断。 ・局所用選択性H_1受容体拮抗薬（抗コリン作用なし）で、速効性。
抗アレルギー薬	クロモグリク酸ナトリウム トラニラスト ペミロラストカリウム アシタザノラスト水和物 イブジラスト アンレキサノクス ケトチフェン オロパタジン	・主に肥満細胞や各種炎症細胞からのケミカルメディエータ遊離を抑制。 ・アシタザノラスト水和物の適応はアレルギー性結膜炎のみ。 ・イブジラスト、アンレキサノクスはロイコトリエン拮抗作用をもつ。 ・ケトチフェンとオロパタジンはヒスタミンH_1遮断作用をもつ。
その他	グリチルリチン酸二カリウム	・抗炎症・抗アレルギー作用

7）加齢黄斑変性治療薬

- 加齢黄斑変性は、黄斑が加齢とともに障害されることで視力の低下や視力異常をきたす疾患で、失明の原因となる。萎縮型（加齢に伴い黄斑組織が萎縮していき、一般に進行は遅い）と「滲出型」（脈絡膜新生血管により、進行が速い）に分類される。滲出型における脈絡新生血管は非常にもろく、漏れ出した血液が浮腫を生じ、黄斑に障害をきたす。この異常な新生血管には、VEGF（血管内皮増殖因子）やPlGF（胎盤増殖因子）の関与が考えられている。

抗VEGF薬 (VEGF阻害薬)	ペガプタニブ	・選択的VEGF165阻害薬。アプタマーと呼ばれる標的タンパク質に選択的に結合する核酸分子を活性本体とし、それにポリエチレグリコール（PEG）を結合したもの。眼内の病的血管新生に関与するVEGF165に選択的に結合し、その活性を阻害する。 ・2008年に日本初の核酸医薬品として発売され注目を集めたが、2019年3月に販売中止となった。
	ラニビズマブ	・VEGF-Aに対するヒト化モノクローナル抗体のFab断片。VEGF分子中のVEGF受容体結合ドメインに特異的かつ高親和性に結合し、VEGFとVEGF受容体の結合を阻害する。 ・硝子体内投与
	アフリベルセプト	・VEGF受容体遺伝子組換え製剤。可溶性デコイ受容体としてVEGF-A, VEGF-B, PlGFと結合し、それらの作用を阻害する。 ・硝子体内投与（1〜2か月に1回）
	ブロルシズマブ	・新生血管に関与しているVEGF-Aを特異的に阻害する抗体のscFv製剤。 ・scFv（single chain variable fragment）は、抗原と結合する抗体のFab領域をより短く切断して、抗原結合領域を残した「一本鎖抗体フラグメント」で、分子量が抗体薬やFab断片よりも小さいため、眼組織への移行性が高いという特徴がある。 ・硝子体内投与（導入期：1か月ごとに連続3回、維持期：3か月に1回）
抗VEGF/ アンジオポ エチン-2抗 体	ファリシマブ	・遺伝子組換えヒト化二重特異性モノクローナル抗体で、マウス抗ヒトVEGF-A抗体のH鎖1本とL鎖1本、及びヒト抗ヒトアンジオポエチン2（Ang-2）抗体のH鎖1本とL鎖1本から構成され、一部のアミノ酸置換や抗体鎖ドメインの交換などが施されている。 ・滲出型加齢黄斑変性における脈絡膜新生血管には複数の因子が関わっているため、VEGFとAng-2の両方を阻害できるファリシマブは、VEGFだけを阻害する従前の治療薬よりも高い有効性が期待される。 ・硝子体内投与（導入期：1か月ごとに連続4回、維持期：4か月に1回） ・2022年発売。

8）その他の眼科用薬

抗炎症薬	糖質コルチコイド	ヒドロコルチゾン酢酸エステル、ベタメタゾンリン酸エステル、デキサメタゾンリン酸エステル、デキサメタゾンメタスルホ安息香酸エステル、プレドニゾロン酢酸エステル、メチルプレドニゾロン、フルオロメトロン（p.180参照） ・外眼部・前眼部の炎症性疾患の対症療法に用いられる。
	NSAIDs	インドメタシン、ジクロフェナクナトリウム、ブロムフェナクナトリウム、プラノプロフェン（p.181参照） ・白内障手術に伴う炎症症状、外眼部・前眼部の炎症性疾患の対症療法に用いられる。
	消炎酵素	リゾチーム塩酸塩（p.184参照） ・細菌細胞壁を加水分解し溶菌作用を示すとともに、抗炎症作用を示す。 ・慢性結膜炎に用いられる。
	その他	アズレンスルホン酸ナトリウム ・白血球遊走阻止作用、肥満細胞からのヒスタミン遊離抑制作用などが報告されている。 ・急性・慢性結膜炎、アレルギー性結膜炎などに用いられる。
局所麻酔薬		オキシブプロカイン ・眼科領域における表面麻酔、分泌性流涙症に用いられる。
血管収縮薬		ナファゾリン（p.87参照）、テトラヒドロゾリン、オキシメタゾリン ・表在性充血に用いられる。
末梢性筋弛緩薬		ボツリヌス毒素（p.116参照） ・眼瞼痙れんに用いられる。
抗菌薬 （p.452〜478参照）		セファロスポリン系：セフメノキシム アミノ配糖体系：ゲンタマイシン、ジベカシン、トブラマイシン、ミクロノマイシン クロラムフェニコール系：クロラムフェニコール ポリペプチド系：コリスチン、バンコマイシン ニューキノロン系：ノルフロキサシン、オフロキサシン、レボフロキサシン、ロメフロキサシン、トスフロキサシン、ガチフロキサシン、モキシフロキサシン ・細菌感染による各種炎症に用いられる。
抗ウイルス薬		イドクスウリジン、アシクロビル（p.487参照） ・単純ヘルペスウイルス性角膜炎に用いられる。
抗真菌薬		ピマリシン ・真菌細胞膜のエルゴステロールと結合して膜透過性を変化させ殺菌的に作用。 ・角膜真菌症に用いられる。
角膜治療薬		ヒアルロン酸ナトリウム ・フィブロネクチンと結合し、上皮細胞の接着、伸展を促進。分子内に水を保持できる。 ・角膜創傷治癒促進、角膜の乾燥防止、角膜上皮伸展 コンドロイチン硫酸エステルナトリウム ・角膜透明性の保持、角膜の乾燥防止

3. めまい治療薬(鎮うん薬)(Anti-vertigenous drugs)

1) めまいの原因と症状

原　因	症　状
内耳障害（メニエール症候群など）	回転する感じのめまい。
脳循環障害や低血圧	頭がボーっとして気が遠くなる感じや、眼の前が暗くなる感じのめまい。

- **メニエール症候群**：内耳のリンパ液が異常に増加して水腫を起こし、平衡感覚や聴力の障害をきたす。
- めまいに対する治療は、対症療法として抗不安薬や脳循環改善薬なども用いられる。

2) 主なめまい治療薬

抗ヒスタミン薬	ジメンヒドリナート、ジフェンヒドラミン：迷路機能亢進を抑制することにより効果を発現する。 **適応**：動揺病、メニエール症候群
β受動体刺激薬	イソプレナリン：脳循環改善、内耳血流改善により効果を発現する。 **適応**：内耳障害に基づくめまい
狭義の抗めまい薬	ジフェニドール：椎骨脳底動脈の循環改善作用、前庭神経路の調整作用、眼振抑制作用等により効果を発現する。 **適応**：内耳障害に基づくめまい
	ベタヒスチン：内耳の循環障害改善作用、脳内血流量の改善等により、効果を発現する。 **適応**：メニエール病

ジフェニドール

ベタヒスチン

CHECK

次の記述について、正しいものには「○」を、間違っているものには「×」をつけてその理由を簡潔に述べなさい。

1 トロピカミドは、瞳孔散大筋を弛緩させて、縮瞳を起こす。
2 毛様体筋が収縮すると、水晶体が厚くなる。
3 正常眼圧緑内障では、眼圧が正常範囲であるにもかかわらず視神経乳頭陥凹が起こる。
4 アセタゾラミドは、毛様体上皮細胞の炭酸脱水酵素を阻害して、房水産生を抑制する。
5 チモロールは、隅角線維柱帯のβ受容体を遮断して、房水排出を促進する。
6 ブナゾシンは、シュレム管を開口させ、主経路からの房水排出を促進する。
7 アドレナリンは、散瞳を起こすので、閉塞隅角緑内障には禁忌である。
8 ピレノキシンは、水晶体のキノン体によるタンパク変性を防止する。
9 アンレキサノクスはヒスタミンH_1受容体を遮断し、アレルギー性結膜炎に用いられる。
10 ヒアルロン酸は分子内に多数の水を保持し、ドライアイに用いられる。
11 ジフェニドールは、椎骨・脳底動脈の攣縮を抑制して血流量を増加させる。
12 ベタヒスチンは、ヒスタミン受容体を遮断し、血管拡張作用によって内耳血管系の血液循環を改善させる。

【解答】

1　×　トロピカミドは抗コリン薬で、瞳孔括約筋の収縮を抑えて、散瞳を起こす。
2　○　毛様体筋が収縮すると、水晶体は厚くなる。
3　○　加齢に伴い網膜が弱くなるために起こると考えられている。
4　○　角膜透過性が低いので、内服または注射で用いる。
5　×　チモロールは毛様体上皮細胞のβ受容体を遮断して房水産生を抑制する。アドレナリンは線維隅角線維柱帯のβ受容体を刺激して房水排出を促進する。
6　×　ブナゾシンは$α_1$受容体遮断薬で、ぶどう膜強膜流出路からの房水排出を促進する。
7　○　アドレナリンのα作用によって散瞳が生じると、隅角がふさがれてしまい、緑内障発作が起こる。
8　○　ピレノキシンは初期老人性白内障に用いられ、進行を抑制する。
9　×　アンレキサノクスはケミカルメディエータ遊離抑制薬で、抗ヒスタミン作用をもたない。
10　○　フィブロネクチンと結合して上皮細胞の接着・伸展を促す作用もある。
11　○　ジフェニドールは、椎骨・脳底動脈の攣縮を抑制して血流量を増加させるが、その作用機序は不明である。
12　×　ベタヒスチンは、ヒスタミンと同じような作用を示す経口薬として開発されたメニエール病治療薬で、ヒスタミン受容体は遮断しない。

2 皮膚に作用する薬

> **到達目標**
> ● 褥瘡・皮膚潰瘍治療薬、その他の皮膚疾患（アトピー性皮膚炎、尋常性乾癬、尋常性痤瘡等）の治療薬の薬理（薬理作用、機序、主な副作用）を説明できる。

1. 基礎生理

　皮膚は全身の表面をおおい、からだを保護する防壁としての役目をはたしている。からだの機械的保護、体温調節、感覚器などの機能を有する。組織学的に表皮、真皮、皮下組織の3層から構成されている（図2-6-5）。
　皮膚の付属器として皮脂腺、汗腺、毛包、立毛筋、知覚神経終末装置（マイスナー小体、ファーター・パチニ小体）などがある（図2-6-5）。
　皮膚の表面は、酸性の皮脂膜や常在菌により細菌や真菌などの侵入から保護されている。正常な皮膚は水溶性物質を透過させないが、脂溶性物質は皮脂腺を介して浸透する。

①表　皮
- 皮膚の最表層は表皮と呼ばれ、角化した重層扁平上皮層。
- 外から内へ順に角質層、顆粒層、有棘層、基底層がある。
- 基底層の基底細胞(円柱細胞)は絶えず分裂して、新しい細胞は次々と表面に向かって押し上げられ、有棘層、顆粒層を経て、最後に核を失って角質層を

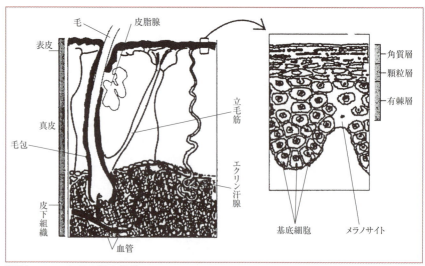

図2-6-5　皮膚の基本構造

構成。表皮の深層にはメラニン色素をつくる細胞（メラノサイト）がある。

②真　皮
- 表皮の下にある強靱な層。
- 膠原線維、弾性線維、立毛筋などからなる。
- 血管、リンパ管、知覚神経終末、皮脂腺、汗腺、毛根などが分布。

③皮下組織
- 脂肪組織とゆるい結合組織からなる。
- 皮下脂肪組織が結合組織性の線維で小区画化。
- 真皮とはかたく、皮下組織の下にある筋膜とはゆるく結合している。

2. 皮膚に作用する薬

　皮膚に作用する薬物は、主として外用薬として用いられる。外用薬は、使用目的に合った基材に配合剤を加え、粉末薬、油脂性軟膏、乳剤性軟膏、水溶性軟膏、ローションなどとして用いられる。
　主たる皮膚疾患を下表にあげる。

表2-6-1　主な皮膚疾患

皮膚疾患	内　容
ざ瘡（ニキビ）	毛穴がホルモンと細菌の相互作用によって炎症を起こす。皮脂が多く分泌される部位にできやすく、毛穴が詰まることで始まる。思春期やホルモンの乱れでよく見られる。
角化症	かかとなどの皮膚の角質が厚く、硬くなり乾燥が進む。ひび割れが生じてくる。血がにじんできたり、痛みを伴うこともある。
褥瘡	長期にわたり同じ体勢で寝たきりになった場合に、圧がかかる部位の組織の血行が悪くなり、周辺組織が壊死を起こすもの。床ずれともいう。
アトピー性皮膚炎	痒みのある湿疹が寛解・増悪を繰り返して慢性的に続く。慢性化すると、鳥肌立ったようにざらざらしたものができ、皮膚が次第に厚くなる。 患者は皮膚が乾燥しやすい素因（ドライスキン）とアトピー素因をもつ。しばしば乳児期から起きる。
尋常性乾癬	皮膚が赤くなって盛り上がり、表面に雲母のような白い垢が厚く付着する。一部がはがれ落ちる。長年にわたり繰り返して起こる。 皮膚の表皮をつくるスピードが通常の10倍速を上回り、表皮の増殖と角化が亢進する。体質、ストレス、紫外線不足、西洋系の食生活などが関係しているといわれる。

1）殺菌消毒薬
- アクリノール、イソプロパノール、エタノール、ベンザルコニウム塩化物、クレゾール石ケン、オキシドール、クロルヘキシジン、ポビドンヨード、レゾルシンなど

2）化膿性疾患用薬
- 抗生物質（エリスロマイシン、テトラサイクリン、クロラムフェニコール、ポリミキシンBなど）、サルファ剤（スルファジアジン、スルフイソミジンなど）

3）鎮痛・鎮痒・消炎薬
- 非ステロイド性抗炎症薬（インドメタシン、イブプロフェン、ケトプロフェン、ブフェキサマクなど）、副腎皮質ステロイド（クロベタゾールプロピオン酸エステル、フルオシノニド、プレドニゾロン吉草酸酢酸エステル、ベタメタゾン吉草酸エステル、ヒドロコルチゾン酢酸エステル、デキサメタゾンなど）など

4）寄生性皮膚疾患用薬
- 抗真菌薬（クロコナゾール、クロトリマゾール、ケトコナゾール、ミコナゾールなど）、抗カンジダ薬（トリコマイシンなど）、抗ウイルス薬（アシクロビル、ビダラビン）など

表 2-6-2　副腎皮質ステロイド外用剤

ステロイド外用剤の強さのランク	薬物
strongest (ST)	クロベタゾールプロピオン酸エステル ジフロラゾン酢酸エステル
very strong (VS)	モメタゾンフランカルボン酸エステル フルオシノニド ベタメタゾン酪酸プロピオン酸エステル ジフルプレドナート ベタメタゾンジプロピオン酸エステル ブデソニド アムシノニド ジフルコルトロン吉草酸エステル ヒドロコルチゾン酪酸プロピオン酸エステル
strong (S)	デプロドンプロピオン酸エステル ハルシノニド デキサメタゾンプロピオン酸エステル デキサメタゾン吉草酸エステル ベタメタゾン吉草酸エステル フルオシノロンアセトニド ベクロメタゾンプロピオン酸エステル
mild (M)	プレドニゾロン吉草酸酢酸エステル トリアムシノロンアセトニド フルメタゾンピバル酸エステル アルクロメタゾンプロピオン酸エステル クロベタゾン酪酸エステル ヒドロコルチゾン酪酸エステル デキサメタゾン
weak (W)	プレドニゾロン ヒドロコルチゾン酢酸エステル

5）ざ瘡（ニキビ）治療薬

以下の薬物を外用剤として使用。

アダパレン （レチノイド製剤）	レチノイン酸（ビタミンAカルボン酸）受容体に選択的に結合する。レチノイドは表皮角化細胞の強い増殖促進作用を示す。レチノイドを強力に投与することにより表皮のターンオーバーが速くなり激しい落屑が生じ、表皮角化細胞の角化を抑制する。その結果、レチノイドは角栓をはがし、毛孔からの内容物の排出を促す。
過酸化ベンゾイル	①抗菌作用：過酸化ベンゾイルは強力な酸化剤であり、分解により生じたフリーラジカル（酸化ベンゾイルラジカルやフェニルラジカルなど）が *Propionibacterium acnes*（アクネ菌）など細菌の膜構造、DNA・代謝などを直接障害して、抗菌作用を示す。 ②角層剥離作用：分解により生じたフリーラジカルが、角質細胞同士の結合を弛くし、角層剥離を促進し、角栓を改善する。
イオウ製剤	アルカリ共存下で皮膚と接触するとき、徐々に硫化水素、ポリチオン酸、ペンタチオン酸となり抗菌作用を現す。また、皮膚角化に関係があるといわれる−SH基をS−Sに変えることによって角質軟化作用を示す。
抗菌薬 （ナジフロキサシン、 クリンダマイシン）	ニキビ患部に生息するアクネ菌に対して有効。

- その他、抗炎症薬であるイブプロフェン、グリチルリチン酸、や緩和な抗菌薬であるイソプロピルメチルフェノールなどが外用される。
- 内服薬として、ロキシスロマイシン、クラリスロマイシン、ミノサイクリンが使用される。

6）角化症治療薬

- 角化症は、角質増殖あるいは蓄積をきたす疾患で、角化細胞の増殖、または角質の剥離遅延によって生じる。
  乾癬：角化細胞の増殖により角質の過剰生成を起こしたもの。
  尋常性魚鱗癬：角質の剥離が遅延し、角質が蓄積したもの。
- レチノイドや活性型ビタミンD_3は、核内受容体に結合して、細胞・組織の分化誘導を起こし、皮膚、粘膜上皮細胞をはじめとする多くの細胞の増殖、分化を調節する。角化細胞の機能を正常にもどすことで角化症を治療する。
  〈エトレチナート（合成レチノイド）〉：催奇形性、精子形成能異常がある。
  〈タカルシトール（活性型ビタミンD_3）〉
  〈マキサカルシトール（活性型ビタミンD_3誘導体）〉
- 尿素：角質の水分保持増加作用、角質の溶解剥離作用により皮膚を正常化する。

7）褥瘡・皮膚潰瘍治療薬

作　　用	薬　　物
肉芽形成・血管新生	トラフェルミン トレチノイントコフェリル アルクロキサ リゾチーム
局所血管拡張	ブクラデシンナトリウム アルプロスタジルアルファデクス
壊死組織の除去	ブロメライン
殺菌作用	精製白糖・ポビドンヨード ヨウ素 スルファジアジン銀

トラフェルミン （遺伝子組換え：ヒト由来塩基性線維芽細胞増殖因子）	・血管内皮細胞、線維芽細胞等に存在するFGF受容体に特異的に結合し、血管新生作用や肉芽形成促進作用等を示す（噴霧剤）。細胞増殖促進作用を有するため、悪性腫瘍発生および悪化の可能性がある。
トレチノイントコフェリル （ビタミンA活性代謝物レチノイン酸とビタミンEのエステル）	・創傷自然治癒の増殖過程や組織修復過程において、創傷部に出現するマクロファージ、線維芽細胞および血管内皮細胞に直接作用し、血管新生を伴った肉芽形成を促す（軟膏）。
リゾチーム塩酸塩	・線維芽細胞の増殖促進、結合織線維の形成促進作用（軟膏）。卵白由来のタンパクなので、ショックに注意。
ブクラデシンナトリウム	・サイクリックAMP誘導体。 ・褥瘡に軟膏で使用。注射剤として急性循環不全にも使用。 ・局所血流量改善作用と肉芽形成促進作用により、褥瘡治療に有効。
アルプロスタジルアルファデクス （PGE1製剤）	・病変局所の循環障害を改善し、血管新生作用、表皮角化細胞増殖作用により肉芽形成および表皮形成を促進する（軟膏）。 ・血小板凝集抑制作用を有するので、抗血小板薬、血栓溶解薬、抗凝血薬との併用で、出血傾向の増強をきたす。
ブロメライン	・パイナップルなどに含まれるタンパク質分解酵素を製剤化したもの。 ・壊死組織除去作用がある。 ・軟膏で使用。
精製白糖・ポビドンヨード	・白糖による創傷治癒作用とポビドンヨードによる殺菌作用による ・軟膏で使用
スルファジアジン銀	・銀が細胞膜，細胞壁に作用して抗菌作用を発現するとされる。 ・クリーム剤で使用

8) アトピー性皮膚炎治療薬

タクロリムス水和物	• ヘルパーT細胞によるIL-2、3、4、5、IFN-γ等のサイトカン産生抑制、ヒスタミン遊離抑制、好酸球脱顆粒抑制等によりアトピー性皮膚炎を抑制する（軟膏）。 • ただし、皮膚刺激性が高頻度に認められるので、顔面部の皮疹には避けるべきである。
デュピルマブ	• 遺伝子組換えヒト抗ヒトIL-4/13受容体モノクローナル抗体で、ヒトIL-4及びIL-13受容体の複合体が共有しているIL-4受容体αサブユニットに特異的に結合することにより、IL-4及びIL-13の両シグナル伝達を阻害する。 • 適応：既存治療で効果不十分なアトピー性皮膚炎、結節性痒疹、気管支喘息、鼻茸を伴う慢性副鼻腔炎 • 皮下注射
デルゴシチニブ アブロシチニブ	• ヤヌスキナーゼ（JAK）を阻害することにより、種々のサイトカインシグナル伝達を阻害し、サイトカインにより誘発される免疫細胞及び炎症細胞の活性化を抑制して皮膚の炎症を抑制する。 • デルゴシチニブ（2020年6月発売）は、JAK1、JAK2、JAK3及びTyk2のすべてのキナーゼ活性を阻害する。アブロシチニブ（2021年12月発売）は、選択的にJAK1を阻害する。 • 適応：アトピー性皮膚炎 • デルゴシチニブは外用（患部に塗布）、アブロシチニブは経口投与
ジファミラスト	• ホスホジエステラーゼ（PDE）4の活性を阻害することで、炎症細胞内のcAMP濃度を高め、種々のサイトカイン及びケモカインの産生を制御することにより皮膚の炎症を抑制する。 • 適応：アトピー性皮膚炎 • 外用（患部に塗布） • 2022年6月発売。
ネモリズマブ	• ヒト化抗ヒトIL-31受容体A（IL-31RA）モノクローナル抗体であり、IL-31RAに特異的に結合することにより、IL-31のIL-31RAへの結合及びそれに続く細胞内へのシグナル伝達を阻害し、そう痒を抑制する。 • 適応：アトピー性皮膚炎に伴うそう痒（既存治療で効果不十分な場合に限る） • 4週間隔で皮下注射 • 2022年8月発売。
トラロキヌマブ	• ヒト抗ヒトIL-13モノクローナル抗体で、2型サイトカインであるIL-13と特異的に結合し、IL-13とIL-13受容体のα1及びα2サブユニットとの相互作用を阻害する。 • 適応：アトピー性皮膚炎 • 2週間隔で皮下注射 • 2023年9月発売。

※抗リウマチ薬として用いられるJAK阻害薬（p.202参照）のうち、バリシチニブは2020年12月に、ウパダシチニブは2021年8月に、「アトピー性皮膚炎」への適応が追加された。

デルゴシチニブ　　　　　ジファミラスト

9）尋常性乾癬治療薬

アプレミラスト	・ホスホジエステラーゼ（PDE）4を阻害することで、細胞内 cAMP 濃度を上昇させ、IL-17、TNF-α、IL-23 及び他の炎症性サイトカインの発現を制御することにより炎症反応を抑制する。
ウステキヌマブ	・ヒト抗ヒト IL-12/23p40 モノクローナル抗体で、IL-12 や IL-23 によって活性化されるヘルパー T 細胞やナチュラルキラー細胞などの免疫担当細胞を抑制する。
グセルクマブ リサンキズマブ チルドラキズマブ	・いずれも抗ヒト IL-23 モノクローナル抗体で、IL-23 の p19 サブユニットに特異的に結合し、IL-23 の作用を阻害する。 ・グルセクマブはヒト抗体、リサンキズマブとチルドラキズマブはヒト化抗体
ブロダルマブ	・ヒト抗ヒト IL-17 受容体 A モノクローナル抗体で、IL-17 受容体 A に特異的に結合し、炎症性サイトカインである IL-17A、IL-17F、IL-17A/F ヘテロ二量体、IL-25（別名 IL-17E）及び IL-17C の IL-17 受容体 A を介したシグナル伝達を阻害する。
セクキヌマブ イキセキズマブ	・いずれも抗ヒト IL-17A モノクローナル抗体で、IL-17A に特異的に結合し、IL-17A の作用を阻害する。 ・セクキヌマブはヒト抗体、イキセキズマブはヒト化抗体
ビメキズマブ	・ヒト化抗 IL-17A/IL-17F モノクローナル抗体であり、IL-17A 及び IL-17F に選択的に結合する。IL-17A と IL-17F は密接に関連した炎症性サイトカインであり、自己免疫疾患や炎症性疾患において重要な役割を果たしており、それぞれが独立して他の炎症誘発性サイトカインと協力し炎症を増幅するとされている。IL-17A だけでなく IL-17F も選択的に阻害することで、IL-17A のみの阻害よりさらに大きな炎症抑制作用が期待される。 ・2022 年 4 月発売。

・その他、ステロイド剤、ビタミン D_3、エトレチナート、シクロスポリン、アダリムマブ、インフリキシマブが使用される。

10）発毛剤・育毛剤

ミノキシジル	・一般用医薬品の発毛剤として使用（頭部に塗布） ・毛乳頭細胞と毛母細胞の活性化 ・作用機序は不明（KATP チャネル活性化による血管拡張作用に起因するものではない） ・副作用：頭皮の痒み、高用量で低血圧の可能性
デュタステリド フィナステリド	・医療用医薬品として、男性による男性型脱毛症の進行遅延 ・5α還元酵素（Ⅱ型）を選択的に阻害。テストステロンからジヒドロテストステロンへの変換を抑制。 ・発毛作用 ・1 日 1 回内服

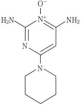

ミノキシジル

フィナステリド

メトキサレン

11）その他

メトキサレン （尋常性白斑治療薬）	・皮膚の光線（特に長波長側の紫外線 320～400nm）に対する感受性を増す。紫外線の照射によりメラニン沈着（8～14 年間持続）。警告：紫外線照射療法（PUVA）で皮膚癌が発生したとの報告がある。

CHECK

次の記述について、正しいものには「〇」を、間違っているものには「×」をつけてその理由を簡潔に述べなさい。

1　ナジフロキサシンは、プロピオニバクテリウム・アクネスのDNA複製を阻害する。
2　エトレチナートは合成レチノイドで、尋常性白斑の治療に用いられる。
3　トラフェルミンは遺伝子組換え型の塩基性繊維芽細胞増殖因子で、血管新生や肉芽形成を促進する。
4　トレチノイントコフェリルは、レチノイン酸とビタミンAのエステルである。
5　タクロリムスは、IL-2等のサイトカイン産生を抑制し、アトピー性皮膚炎に有効である。
6　デュタステリドは、アンドロゲン受容体を遮断して、脱毛症の進行を抑制する。
7　メトキサレンは、皮膚の光線に感受性を増し、紫外線の照射によるメラトニン沈着を促す。

【解答】
1　〇
2　×　エトレチナートは角化症治療薬。
3　〇
4　×　レチノイントコフェリルは、ビタミンA活性代謝物のレチノイン酸とビタミンEのエステルである。
5　〇
6　×　デュタステリドは、5α還元酵素を選択的に阻害して、テストステロンからジヒドロテストステロンへの変換を抑制し、男性型脱毛症の進行遅延に用いられる。
7　〇

2-7 病原微生物（感染症）・悪性新生物（がん）に作用する薬

1 抗菌薬

> **到達目標**
> ● 抗菌薬の薬理（薬理作用、機序、抗菌スペクトル、主な副作用）を説明できる。

1. 基礎事項

1）病原微生物の分類と比較
病原微生物とは感染症を引き起こす原因微生物のことで、表2-7-1のように分類される。それぞれの特徴、誘発する感染症、治療薬などを示した。

2）細菌の細胞膜・細胞壁構造
グラム染色によって細菌類は大きく2種類に大別される。紫色に染まるものを**グラム陽性菌**、紫色に染まらず赤く見えるものを**グラム陰性菌**という。この染色性の違いは細胞壁の構造の違いによる。
グラム陽性菌の細胞壁が一層の厚いペプチドグリカン層から構成されているのに対し、グラム陰性菌では、薄いペプチドグリカン層のさらに外側を外膜と呼ばれるリポ多糖（LPS）を含んだ脂質二重膜が覆う形となっている。このため、

表2-7-1 病原微生物の分類と比較

	真核生物		原核生物					ウイルス
	真菌	原虫	スピロヘータ	細菌	マイコプラズマ	リケッチア	クラミジア	
大きさ（μm）	数 μm	1〜20	4〜250	0.5〜10	0.1〜0.25	0.3	0.2	0.01〜0.2
細胞壁	あり	なし	あり	あり	なし	あり	あり（ペプチドグリカンはない）	なし
遺伝情報	DNA	DNA	DNA	DNA	DNA	DNA	DNA	DNA or RNA
エネルギー産生系	あり	あり	あり	あり	あり	あり	なし	なし
単独で増殖	可能	可能	可能	可能	可能	不可能（細胞内寄生性）	不可能（細胞内寄生性）	不可能（細胞内寄生性）
感染症	白癬症、カンジダ、深在性真菌症	マラリア、アメーバ赤痢、ニューモシスチス肺炎、膣トリコモナス	梅毒	多くの感染症	マイコプラズマ肺炎	発疹チフス、ツツガムシ病	非淋菌性尿道炎、トラコーマ、オウム病、クラミジア肺炎	インフルエンザ、ヘルペス、肝炎、麻疹、HIVなど
治療薬	多数（別項）	メトロニダゾール、アトバコン・プログアニル	ペニシリン	多数（別項）	マクロライド系、ミノサイクリン、キノロン系	テトラサイクリン系、キノロン系	テトラサイクリン系、マクロライド系、キノロン系	多数（別項）

グラム陰性菌の細胞壁は脂質の含有量が高く、ペプチドグリカンの量が少ない。クリスタルバイオレットなどの塩基性の紫色色素液で1分程度染色すると、菌はグラム陽性と陰性に関わらず紫色に染まり、その後のヨウ素添加により紫色色素は細胞内部で不溶性となる。その後アルコールなどで処理すると、グラム陰性菌の外膜は容易に壊れ、また内部のペプチドグリカン層が薄いために、細胞質内部の不溶化した色素が容易に漏出して脱色され、その後二次染色で使用したサフラニンによって赤色に呈色する。グラム陽性菌では厚い細胞壁のためこの漏出が少なく、脱色されないまま紫色色素が残り、紫色に呈色する。グラム陰性菌では外膜の存在によってヨウ素が内部に浸透しにくく、紫色色素が細胞内で不溶性に変化しないために容易に脱色されてしまう、ともいわれる。

なお、結核菌などの抗酸菌の細胞壁にはミコール酸とよばれるロウ性の脂質が多く含まれているため、水溶性色素自体の浸透が悪く、はじめから染色を受けにくい。

3) 選択毒性の機構

化学療法薬は動物細胞に寄生した微生物の発育阻止のために使用するが、動物細胞よりも微生物に対して毒性の高いもの（選択毒性の高いもの）でなければならない。

〈選択毒性の機構〉
①動物細胞にない微生物の生合成系に作用する。
　ヒトになく細菌にある細胞壁の生合成を抑制するものは選択毒性が高い（ペニシリン系、セフェム系、バンコマイシン、ホスホマイシン）。
　葉酸合成系は多くの細菌に存在するが、ヒトはこの系を欠いているので、葉酸生合成の抑制は選択毒性を示す（サルファ薬、トリメトプリムなど）。
②リボソームの性質に差がある。
　細菌と動物細胞とでは、リボソームの大きさ、構成タンパクとRNAの割合、サブユニットへの解離条件が異なる。細菌のリボソームに結合してタンパク質合成を阻害する薬物は選択毒性を有する（テトラサイクリン、アミノ配糖体系抗生物質、クロラムフェニコール、マクロライド系抗生物質）。
③細胞膜の性質に差異がある。
　細菌細胞膜のリン脂質と結合し、膜透過性を変化（環状ペプチド系抗生物質）
　真菌細胞膜のエルゴステロールと結合、膜機能を障害（ポリエン系抗生物質）
　真菌細胞膜のエルゴステロールの合成を阻害（アゾール系抗真菌薬）
④遺伝子複製機構に差異がある。
　細菌と動物細胞とでは、DNAの大きさ、結合している核タンパク質が異なる。また転写反応に関与するRNAポリメラーゼにも差異が認められている。これらの差異が薬物の選択毒性に関係しているもの。
　DNAジャイレースの阻害（キノロン系抗菌薬）
　RNAポリメラーゼの阻害（リファンピシン）
　ウイルス逆転写酵素の阻害（ジドブジン）
⑤活性型になるのにウイルス感染細胞や微生物の酵素を利用する（アシクロビル、ビダラビン、フルシトシン、メトロニダゾール）。

4）殺菌作用と静菌作用

殺菌作用：分裂増殖中の菌を死滅させる作用。細胞壁合成阻害、DNA合成阻害、細胞膜障害など、分裂増殖中の細胞にとって致命的な機序をもつ抗菌薬でみられることがほとんどである。強力に抗菌効果を発現する。

静菌作用：分裂増殖中の菌の増殖速度だけを抑制する作用。タンパク質合成阻害作用を機序とする抗菌薬でふつうみられる。

表 2-7-2　殺菌作用と静菌作用

	抗菌薬	作用機序
殺菌性抗菌薬	β-ラクタム系	細胞壁合成阻害
	アミノ配糖体系	タンパク質合成阻害
	キノロン系	DNA合成阻害
	ポリミキシン系	細胞膜障害
	ホスホマイシン系	細胞壁合成阻害
	ポリエン系	細胞膜合成阻害（真菌）
静菌性抗菌薬	テトラサイクリン系	タンパク質合成阻害
	クロラムフェニコール	
	マクロライド系	
	リンコサミド系	
	サルファ薬	葉酸合成阻害

5）濃度依存性と時間依存性

抗菌薬によってその抗菌作用強度の現れ方が何に依存するか異なる。

時間依存性の抗菌薬の場合、最小発育阻止濃度（MIC）よりも高い濃度を維持した時間が重要となる。そのため、この種類の抗菌薬では最高血中濃度（C_{max}）のレベルは関係なく、MICよりも高い血中濃度で長時間作用させることで作用を最大化させることができる。また、こうすることによって耐性菌の発生を抑えることにもつながる。

それに対し、濃度依存性の抗菌薬では C_{max} が重要となる。したがってどれだけ高い血中濃度にするかを考える必要がある。長時間作用させることはこの場合耐性菌を発生させやすくする要因になってしまう。

一般に、殺菌的に作用する抗菌薬は濃度依存性であり、いったん高濃度で作用すると短時間で抗菌活性を発現する。一方、静菌的に作用する抗菌薬は、常に有効血中濃度以上に維持するように投与しなければ効果が現れにくい。

6）耐性機序

化学療法薬を連用していると、耐性菌が出現する。抗菌薬の開発と耐性菌の出現は、モグラたたきの感がある。抗菌薬の適正使用が必要である。

耐性機構は、突然変異により菌自らがつくるようになったり、あるいは他の微生物から獲得している。後者はRプラスミド（薬剤耐性プラスミド）を介して耐性遺伝子情報を菌間で伝搬していく。多剤耐性プラスミドの存在も問題になっている。多剤耐性菌は一剤ずつ順番に耐性を獲得するのではなく、一挙に多剤耐性となるための遺伝子を種の壁を超えてお互いにやりとりし、耐性を広げている。

■表 2-7-3　抗菌薬の濃度依存性と時間依存性

作用様式	持続性	特徴	抗菌薬の種類
濃度依存性	長い	1) 濃度依存的に作用する抗菌薬であり、最高血中濃度に依存して効果を示す。 2) したがって1日量が同じであれば1日2～3回に分割して投与するより、1回で投与した方が有効である。	キノロン系 アミノ配糖体系 リポペプチド系 ポリミキシンB（環状ペプチド系） ポリエン系（抗真菌薬） キャンディン系（抗真菌薬）
時間依存性	短い	1) 時間依存的に作用する抗菌薬であり、ある濃度以上では天井効果を示す。 2) したがってそれ以上高い濃度を投与しても意味がない。暴露時間依存性であるため、菌と接触する時間が長ければ長いほど、有効である。 3) 1日2回よりも、1日3～4回投与の方が有効である。	β-ラクタム系 エリスロマイシン（マクロライド系） リンコサミド系 フルシトシン（抗真菌薬）
	長い		テトラサイクリン系 グリコペプチド系 キヌプリスチン・ダルホプリスチン アジスロマイシン（マクロライド系） リネゾリド アゾール系（抗真菌薬）

①薬物を不活性化する酵素の産生
- ペニシリン系：ペニシリンを分解するペニシリナーゼを産生するようになる。
- セファム系：セファロスポリナーゼを産生するようになり、セフェム系抗菌薬を分解する。

　ペニシリナーゼとセファロスポリナーゼをあわせてβ-ラクタマーゼというが、表 2-7-11 のようにさらに多くの種類のβ-ラクタマーゼが見つかっている。メタロ-β-ラクタマーゼはカルバペネム系薬を含めてほとんどすべてのβ-ラクタム系薬を不活性化してしまう。

- アミノ配糖体系：アセチル化、リン酸化、アデニリル化酵素の産生。

②薬物作用点の変異
- メチシリン耐性ブドウ球菌（MRSA）は、通常働いているペニシリン結合タンパク質PBP2を変異してPBP2'を産生する。このため従来のペニシリンに親和性がなくなり、耐性となる。PBP2' 遺伝子mecAの獲得による。
- バンコマイシン耐性腸球菌（VRE）は、細胞壁構成材料であるペンタペプチド末端のD-Ala—D-Ala 部分をD-Ala—D-lactate（乳酸）に変異していて、バンコマイシンがD-Ala—D-Alaに結合できなくしている。
- キノロン耐性菌：DNAジャイレースのサブユニットAをコードする*gyr*A遺伝子上に変異を起こし、変異サブユニットAをつくっている。
- アミノ配糖体系耐性菌：作用点である16SリボソームRNAをメチル化変異しており、アミノ配糖体が作用できなくなる。
- テトラサイクリン系耐性菌：耐性遺伝子を獲得し、テトラサイクリン系が30Sリボゾームに結合できないように、阻害タンパク質をリボゾームに結合している。
- サルファ薬耐性菌：標的酵素であるジヒドロプテロイン酸合成酵素（DHPS）の遺伝子変異が起こり、変異DHPSが発現していて、サルファ薬は結合できない。

- リファンピシン耐性菌：リファンピシンの作用点である細菌RNAポリメラーゼのβサブユニットをコードしている遺伝子の変異を起こしている。
- イソニアジド耐性菌：結核菌細胞壁のミコール酸合成に関与する脂肪酸合成酵素(FAS-II)の遺伝子に変異を起こしている。

③抗菌薬排出ポンプの獲得あるいは機能亢進

細胞内に透過した抗菌薬などの異物を菌体外に排出するシステムとして排出ポンプ（トランスポーター）を活性化している。キノロン系、テトラサイクリン系、アミカシン耐性、緑膿菌などの耐性に関与。

④薬物の細胞膜透過性の低下

菌がポーリンとよばれる外膜透過孔の欠損や減少を起こしていて、薬物が菌体内に通過できなくなる。カルバペネム系、キノロン系、テトラサイクリン系などの耐性、緑膿菌などの耐性に関与。

7）耐性菌の出現に対して特に注意を払うべき抗菌薬

まだ耐性菌の発現がそれほど進展していない広域抗菌薬や、耐性菌に対して切り札的に用いられる抗菌薬は、重症例でやむを得ず使用する以外は、その使用をできるだけ控えなければならない。こうした抗菌薬にまで耐性が発現すると次に打つ手がなくなってしまう。こうした抗菌薬には以下のものがある。

表2-7-4 切り札として確保しておくべき抗菌薬

分類	薬物
第3世代セフェム系	セフタジジム、セフォペラゾン、セフォタキシム
第3世代セフェム系	セフェピム、セフォゾプラン
カルバペネム系	イミペネム、パニペネム、メロペネム、ビアペネム、ドリペネム
ニューキノロン系	シプロフロキサシン、パズフロキサシン、レボフロキサシン
抗MRSA薬	バンコマイシン、テイコプラニン、アルベカシン、ダプトマイシン、リネゾリド
抗VRE薬	キヌプリスチン・ダルホプリスチン、リネゾリド

MRSA：メチシリン耐性黄色ブドウ球菌、VRE：バンコマイシン耐性腸球菌

8）抗菌薬の選択基準

抗菌薬の選択は以下の要素を考慮して行われる。
①推定あるいは同定された原因微生物の種類
②薬剤感受性
③臓器移行性
④患者重症度（感染症、基礎疾患）
⑤腎機能障害、肝機能障害の有無
⑥薬物アレルギーなどの既往歴
⑦細胞内移行性（細胞内増殖菌の場合）
⑧コスト

以上の要素を考慮して、次のような選択基準がとられている（大阪大学医学部附属病院の例：表2-7-5）。

表2-7-5 感染症と選択抗菌薬

(1) 原因微生物が未同定の場合に使用する抗菌薬

感染症	第一選択される抗菌薬
肺炎球菌性肺炎	ペニシリン系（アンピシリン、ペニシリンG）、第3世代（セフォタキシム、セフトリアキソン）、第4世代（セフェピム、セフォゾプラン、セフピロム）セフェム系、キノロン系（モキシフロキサシン、レボフロキサシン、トスフロキサシン、シタフロキサシ）
び漫性汎細気管支炎	エリスロマイシン
腹膜炎（大腸菌、クレブシエラ、ブドウ球菌、黄色ブドウ球菌、緑膿菌など）	第2世代（セフメタゾール）、第3世代（セフォタキシム、セフトリアキソン）、第4世代（セフォゾプラン）セフェム系、ペニシリン系（アンピシリン、ピペラシリン）、カルバペネム系（パニペネム、メロペネム）、バンコマイシン、キノロン系（シプロフロキサシン、パズフロキサシン）
胆のう炎・胆管炎（腸内細菌科など）	第1世代（セファゾリン）、第2世代（セフォチアム）、第4世代（セフェピム）セフェム系、ペニシリン系（ピペラシリン）、キノロン系（レボフロキサシン）、カルバペネム系（イミペネム）
尿路感染症（大腸菌、クレブシエラ、エンテロコッカス属など）	キノロン系（レボフロキサシン、シプロフロキサシン、ノルフロキサシン）、第3世代セフェム系（セフジニル、セフカペン、セフポドキシム）

註：ペニシリン系にはβ-ラクタマーゼ+ペニシリン系が含まれる。

(2) 原因微生物が同定された後に使用する抗菌薬

病原微生物の種類あるいは感染症		第一選択される抗菌薬
G陽性菌	黄色ブドウ球菌	ペニシリン系、第1世代セフェム系、第4世代セフェム系、カルバペネム系、抗MRSA薬
	B群連鎖球菌	ペニシリン系
	腸球菌	アンピシリン、抗MRSA薬
	嫌気性菌（破傷風、ボツリヌス菌）	ペニシリン系、クリンダマイシン、カルバペネム系
G陰性菌	インフルエンザ菌	アンピシリン、第2,3世代セフェム系、キノロン系
	緑膿菌	キノロン系、第3世代セフェム系
	クレブシエラ菌	ペニシリン系、第2,3世代セフェム系、キノロン系
	レジオネラ菌	キノロン系、マクロライド系、リファンピシン
結核菌		イソニアジド、リファンピシン、ピラジナミド、エタンブトール
肺炎球菌性肺炎		ペニシリン系（アンピシリン、ペニシリンG）、第3世代（セフォタキシム、セフトリアキソン）、第4世代（セフェピム、セフォゾプラン、セフピロム）セフェム系、キノロン系（モキシフロキサシン、レボフロキサシン、トスフロキサシン、シタフロキサシ）
インフルエンザ菌性肺炎		呼吸器キノロン（レボフロキサシン、モキシフロキサシン、ガレノキサシン、シタフロキサシン、トスフロキサシン）
マイコプラズマ肺炎		マクロライド系（アジスロマイシン、クラリスロマイシン）、テトラサイクリン系（ミノサイクリン）
肺クリプトコッカス症		ホスフルコナゾール
ニューモシスチス肺炎		ST合剤
サイトメガロウイルス肺炎		ガンシクロビル
び漫性汎細気管支炎		エリスロマイシン

註：ペニシリン系にはβ-ラクタマーゼ+ペニシリン系が含まれる。

2. 抗菌薬

2-1 分類表

細菌感染症に用いる抗菌薬は、微生物由来か化学合成物質か、それに加えて化学構造や作用機序などによって表 2-7-6 のように分類されている。

2-2 化学療法薬（chemotherapeutics）

病原微生物に対して殺菌作用あるいは発育抑制作用（静菌作用）を持つ化合物や、抗がん、抗腫瘍活性を持つ化合物のうち化学的に合成されたものを化学療法薬という。抗生物質は含めない。

表 2-7-6 抗菌薬の分類

分類			代表的抗菌薬	作用機序
〈抗生物質〉				
β-ラクタム系				
	ペニシリン系		メチシリン、アンピシリン、アモキシシリン、ピペラシリン	細胞壁合成障害
	セフェム系			
		セファロスポリン系	セファゾリン、セフォタキシム、セフタジジム、セフェピム	
		セファマイシン系	セフメタゾール	
		オキサセフェム系	ラタモキセフ、フロモキセフ	
	カルバペネム系		イミペネム、パニペネム、メロペネム、ビアペネム	
	モノバクタム系		アズトレオナム	
アミノ配糖体系			ストレプトマイシン、ゲンタマイシン、アミカシン	タンパク質合成阻害
テトラサイクリン系			テトラサイクリン、ミノサイクリン、ドキシサイクリン	
クロラムフェニコール系			クロラムフェニコール	
マクロライド系			エリスロマイシン、クラリスロマイシン、アジスロマイシン	
リンコサミド系			リンコマイシン、クリンダマイシン	
ストレプトグラミン系			キヌプリスチン、ダルホプリスチン	
ポリペプチド系				
	環状ペプチド系		ポリミキシン B、コリスチン	細胞膜機能阻害
	グリコペプチド系		バンコマイシン、テイコプラニン	細胞壁合成阻害
	リポペプチド系		ダプトマイシン	細胞膜脱分極性障害
ホスホマイシン系			ホスホマイシン	細胞壁合成障害
その他			ムピロシン	タンパク質合成阻害

分類	代表的抗菌薬	作用機序
〈合成抗菌薬〉		
サルファ薬	スルファメトキサゾール、サラゾスルファピリジン	葉酸合成阻害
キノロン系	シプロフロキサシン、レボフロキサシン、パズフロキサシン	DNA 複製阻害
オキサゾリジノン系	リネゾリド	タンパク質合成阻害
抗結核薬	イソニアジド、ピリジナミド、エタンブトール	ミコール酸合成阻害
	リファンピシン	RNA ポリメラーゼ阻害

1）サルファ薬（sulfonamides）

1935年抗マラリア薬として見い出された。スルホンアミド部位を持つ合成抗菌薬の総称。葉酸代謝を阻害するため、細菌のみならず、真菌や原虫にも効果を示す。ヒトでは葉酸の生合成系を欠いており、食物や腸内細菌叢に葉酸供給を依存しているため、基本的にはサルファ薬の作用を受けない。今日、サルファ薬耐性菌が高率であり、サルファ薬の治療面における依存度はきわめて低下している。

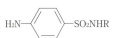

使用されているサルファ薬は、ST合剤、SP合剤（経口）、サラゾスルファピリジン（経口、坐剤）、スルファジメトキシン（静注）、スルファジアジン（軟膏）などに限定されている。

作用機序	微生物内では葉酸合成過程でジヒドロプテロイン酸（DHP）合成酵素が働いている。DHP合成酵素はジヒドロプテリジンとパラアミノ安息香酸（p-aminobenzoic acid：PABA）からジヒドロプテロイン酸を生成する。これが次にジヒドロ葉酸となって活性葉酸（テトラヒドロ葉酸）が合成されていく。サルファ薬はPABAと構造が類似しており、DHP合成酵素上で互いに競合することにより、DHP合成酵素の作用を阻害して葉酸生合成を妨げる。その結果、葉酸を補酵素とするプリンやピリミジンの生合成を妨げ、二次的に核酸やタンパク質の生合成を阻害して、菌の増殖を抑制する。
副作用	血液障害（巨赤芽球性貧血、汎血球減少など）、尿路結石による腎障害。

〈スルファメトキサゾール・トリメトプリム（ST）合剤〉

臨床適用	ニューモシスチス肺炎（旧名：カリニ肺炎）。エイズなどでの免疫低下時に発症する酵母様真菌であるニューモシスチス・イロヴェチによって引き起こされる肺炎で、点滴静注で用いる。その他、尿路感染症などの一般感染症にも使用。
作用機序	スルファメトキサゾールは、DHP合成酵素阻害により葉酸の合成を阻害。トリメトプリムは、ジヒドロ葉酸（DHF）還元酵素阻害作用により葉酸の活性体であるテトラヒドロ葉酸の合成を阻害。ST合剤は活性葉酸の合成過程において別々のステップを阻害することにより、相乗的に葉酸代謝阻害を強く発現する。

〈スルファドキシン・ピリメタミン（SP）合剤〉

臨床適用	マラリア原虫
作用機序	スルファドキシンのPABA拮抗に加え、ピリメタミンのジヒドロ葉酸（DHF）還元酵素阻害作用により、強い葉酸代謝阻害が生じる。

〈サラゾスルファピリジン（スルファサラジン）〉

臨床適用	①潰瘍性大腸炎：普通錠、坐剤。大腸に移行し、腸内細菌により5-アミノサリチル酸とスルファピリジンに分解される。活性体の5-アミノサリチル酸は大腸炎症巣のある粘膜下の結合組織に親和性を示し、抗炎症作用を現わす。 ②関節リウマチ：腸溶錠。小腸から吸収された後、未変化体のまま作用発現。T細胞、マクロファージにおいてサイトカイン（IL-1、2および6）の産生を抑制し、滑膜細胞の活性化や炎症性細胞の浸潤を抑える。

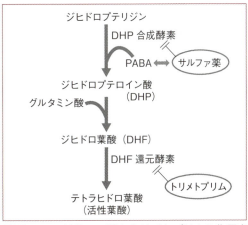

図 2-7-1　サルファ薬とトリメトプリムの作用点

スルファメトキサゾール　　トリメトプリム　　スルファドキシン

ピリメタミン　　スルファジメトキシン　　スルファジアジン

2）キノロン系抗菌薬（ピリドンカルボン酸系）

ピリドンカルボン酸を基本骨格とするものをキノロン系といい、ナリジクス酸がある。

フッ素を導入したものをニューキノロン系とよび、緑膿菌を含むグラム陰性菌全般に対する抗菌力が強化され、グラム陽性菌に対しても有効となった。

作用機序	細菌のDNA合成に不可欠な酵素であるDNAジャイレース*活性とトポイソメラーゼⅣ活性（いずれも細菌トポイソメラーゼⅡに属する）を阻害し、DNA合成を阻害。ヒトのトポイソメラーゼⅡには作用しない。抗菌作用は殺菌的。トポイソメラーゼⅣはジャイレースと構造的にも機能的にも類似した酵素である。 キノロン薬は2本鎖DNAがDNAジャイレースによって切断された切断面にはまり込み、DNA―DNAジャイレース―キノロンの3者による安定な複合体を形成し、DNA鎖の再結合を阻止し、抗菌力を発揮する。

※ DNAジャイレース（DNA gyrase）
細菌のDNAの複製、修復、転写、組換えに必要な酵素。細菌のような原核細胞にのみ存在し、真核細胞には存在しない。二重らせんDNAのよりをもどし、両鎖を切断―再結合することにより一度に2個の負のスーパーコイル（超らせん）を導入したり、緩和したりする働きがある。サブユニットAとサブユニットBからなり、サブユニットAはDNAを切断・再結合する作用、サブユニットBはATPase活性をもちエネルギー変換を担っている。

①オールド（第一世代）キノロン系：ナリジクス酸

- 1962年抗マラリア薬クロロキンの副産物としてナリジクス酸が発見された。ナリジクス酸はピリドンカルボン酸構造をもつ第一世代キノロン系。
- 緑膿菌を除くグラム陰性桿菌（大腸菌、赤痢菌、肺炎桿菌等）のみに抗菌力を有したが、現在はほとんど尿路感染症にしか用いられない。

②ニューキノロン系（new quinolones：NQ）

〈ノルフロキサシン、シプロフロキサシン、パズフロキサシン、レボフロキサシン、トスフロキサシン、ガチフロキサシン、ナジフロキサシン〉

ノルフロキサシンのように、ピリドンカルボン酸にフッ素をはじめ種々の置換基を導入することによって抗菌力は飛躍的に向上し、抗菌スペクトルも拡大し、浸透性も高まったものをニューキノロン系抗菌薬という。フルオロキノロン系あるいは最近は単にキノロン系ともいわれる。

- グラム陽性菌ばかりでなく、グラム陰性菌にも非常に有効。感染症に対する切り札的薬物として確保しておくべき抗菌薬である。作用機序は第一世代キノロン系と同じ。
- そのうち肺炎球菌を代表とするグラム陽性菌に強い作用を示し、呼吸器系感染症への抗菌作用が増強されたキノロン系抗菌薬を、特に呼吸器キノロン系

という。

キノロン系抗菌薬の種類と抗菌スペクトルを下表に示した。

■表 2-7-7　キノロン系抗菌薬の抗菌スペクトル

薬物名	経口	静注	外用	特性	グラム陽性菌		グラム陰性菌			結核菌	マイコプラズマ	クラミジア	レジオネラ
					各種グラム陽性菌	肺炎球菌	各種グラム陰性菌	インフルエンザ菌	緑膿菌				
ノルフロキサシン	○		点眼		△	△	△	△	○				
シプロフロキサシン	○	○	○		△	△		△	○	○			○
パズフロキサシン		○		呼吸器キノロン	○	○	△	○	○				
レボフロキサシン	○	○	点眼	呼吸器キノロン	○	○	○	○	○	○	○	○	○
トスフロキサシン	○		点眼	呼吸器キノロン	○	○	○	○	○			○	
ガチフロキサシン			点眼		○	○	○	○	○				
ナジフロキサシン			○		○								

副作用	1) 非ステロイド性抗炎症薬（NSAIDs）（フェニル酢酸系、プロピオン酸系）と併用すると、痙れんを誘発する。これはキノロン系抗菌薬が中枢 $GABA_A$ 受容体阻害作用を有し、NSAIDs 存在下でその作用が増強されることによる。 2) Al^{3+}、Mg^{2+}、Fe^{2+}、Ca^{2+} を含有する薬物と併用すると、金属イオンとキレートを形成するので、消化管吸収が相互に阻害される。 3) CYP1A2 を阻害→テオフィリン、カフェイン、プロプラノロールの作用を増強 4) 横紋筋融解症 5) 腱障害による腱断裂

ノルフロキサシン　　シプロフロキサシン　　パズフロキサシン

レボフロキサシン　　トスフロキサシン　　ガチフロキサシン

3）リネゾリド（オキサゾリジノン系抗菌薬）

2000年に米国で初めて承認された合成抗菌薬。

臨床適応	MRSAとバンコマイシン耐性腸球菌（VRE）などの感染症（経口と点滴静注）
作用機序	50Sリボソームに結合して、リボソームにおける50S、30S−mRNAおよびfMet−tRNAの三者によって構成される70S開始複合体が形成されるという、細菌におけるタンパク質合成過程のきわめて初期段階を阻害する（p.470、図2-7-4参照）。マクロライド系、アミノ配糖体系、テトラサイクリン系、クロラムフェニコール系がリボソームにおけるアミノ酸伸長過程を阻害することによってタンパク質合成を阻害するのに対して、リネゾリドは、これらよりタンパク質合成のずっと初期段階を阻害する。このため他の抗菌薬に対する耐性菌に対しても交差耐性を示さない。

4）抗酸菌感染症治療薬

抗酸菌はグラム陽性桿菌で、マイコバクテリウムともよばれる。難染色性であるが、いったん染色されると、塩酸酸性やアルコールで脱色されにくいために、抗酸菌といわれる。

細胞壁内にミコール酸とよばれる特殊な超高級脂肪酸を含み著しく疎水性が強い。代謝にしても特異な要素があるので、抗酸菌に特異的な抗菌作用を有する化学療法薬が見いだされている。

病原性抗酸菌の代表的なものは、結核菌（*mycobacterium tuberculosis*）とらい（癩）菌（*mycobacterium leprae*）である。

①抗結核薬

- 抗結核薬は、耐性菌発現の抑制や抗菌作用の増強を期待して、併用で使用されることが多い。

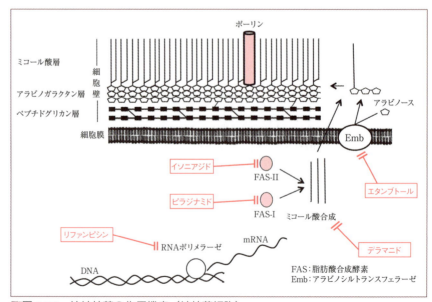

図2-7-2 抗結核薬の作用機序（結核菌細胞）

- 以前はストレプトマイシン・イソニアジド・パラアミノサリチル酸（PAS）の3剤併用療法が行われたが、耐性化したのでこの組み合わせは使用されなくなった。
- 現在は、イソニアジド・リファンピシン・ピラジナミド・エタンブトールの4剤併用療法で2カ月間治療を行う。その後4カ月間はイソニアジド・リファンピシンの2剤併用を持続するのが基本。作用機序を図2-7-2に示した。
- 多剤併用療法を途中で中止すると、多剤耐性結核菌が出現し、その後の治療が困難をきわめることになる。
- ほとんどの抗結核薬は強い肝機能障害を有しており、併用によりその頻度と重症度は増大するので注意を払わねばならない。

a．イソニアジド（INH）、イソニアジドメタンスルホン酸ナトリウム

- イソニアジドは抗結核薬の中で最も抗菌力が強い。
- イソニアジドメタンスルホン酸ナトリウムは、体内でイソニアジドに変化して作用する。イソニアジドより吸収が遅いが、持続は長い。副作用がやや弱いとされる。

作用機序	細菌内でカタラーゼの一種 KatG で活性化され、イソニコチン酸アシル-NADH 複合体が形成される。この複合体は脂肪酸合成酵素（FAS-II）を阻害して、結核菌などに特有な細胞壁のミコール酸（ろう状長鎖分枝脂肪酸）の生合成阻害を起こし、殺菌的に働く。 主代謝経路は N-アセチル転移酵素によるアセチル化であり、代謝速度に遺伝的差異が存在する（日本人は大部分が rapid acetylator である）。
副作用	・イソニアジドはビタミン B_6 と構造が似ていて拮抗するため、ビタミン B_6 欠乏による末梢神経炎、鉄芽球性貧血を起こす（通常ビタミン B_6 を併用してこれを予防する）。 ・肝障害（肝で酸化的加水分解により生成されるヒドラジンが関与するとされる） ・皮膚の痒み
相互作用	ジアミン酸化酵素（DAO）やモノアミン酸化酵素（MAO）阻害作用をもつので、ヒスチジンを多く含む赤身魚（マグロ等）でヒスタミン中毒症状、チラミンを多く含む食物（チーズ等）で血圧上昇や動悸がみられる。

b．リファンピシン

- 放線菌の一種が産生する抗生物質リファマイシンから半合成される。
- 結核菌に対する抗菌力はイソニアジドに次ぐ。

作用機序	細菌の DNA 依存性 RNA ポリメラーゼに結合してこれを阻害し、DNA から mRNA への転写を阻害。動物細胞の RNA ポリメラーゼは阻害しない。
副作用	・肝障害、血小板減少、皮膚の痒み ・尿、便、唾液、痰、汗、涙液が橙赤色に着色する
相互作用	薬物代謝酵素（CYP3A4）の強い誘導作用[※]があるため、種々の薬物と相互作用を示す。 [※肝細胞内の核受容体（プレグナン X 受容体：PxR）に結合して、CYP3A4 mRNA 転写を促進するため] ・抗 HIV 薬（プロテアーゼ阻害薬）は血中濃度が激減するので併用禁忌である。 ・経口避妊薬、ステロイドも作用が減弱する。

- リファブチン：リファンピシンを改良したリファマイシン系抗菌薬。結核性および非結核性抗酸菌に有効。CYP 誘導作用は弱い（HIV 治療薬との併用可）。

c．ピラジナミド

- ピラジナミドを併用しないと、結核の治療期間は通常の6カ月でなく、9カ月以上を要する。

作用機序	菌体内でピラジナミダーゼによってピラジン酸に活性化され、脂肪酸合成酵素であるFAS-Iを阻害する。その結果、ミコール酸合成が阻害され、結核菌細胞壁の合成が妨げられる。
副作用	肝障害、高尿酸血症（尿酸トランスポーター阻害による）、胃腸障害

d．エタンブトール

作用機序	アラビノシルトランスフェラーゼを阻害して、結核菌細胞壁の構成成分の一部であるアラビノガラクタン合成を妨げる。そのためミコール酸が細胞壁内で結合するアラビノガラクタン基盤が失われ、細胞壁の合成が阻害される。
副作用	・視力障害（リファンピシンと併用すると悪化）

e．デラマニド

適応	多剤耐性肺結核
作用機序	結核菌内で活性化され、ミコール酸合成を阻害。既存の抗結核薬と交差耐性はない。他の抗結核薬が有効でないときに使用する。

f．ストレプトマイシン、カナマイシン

- ストレプトマイシンが1944年に発見され、死の病であった結核が劇的に治る病気になった。しかしまもなくストレプトマイシン耐性菌が増加し、主役の座を他に譲っている。

作用機序	30Sリボソームに結合し、細菌のタンパク質合成を阻害する。
副作用	第8脳神経障害（難聴、耳鳴り、平衡失調）、腎障害

g．キノロン系抗菌薬

- 上記4剤併用療法が難しくなったときには、シプロフロキサシンやレボフロキサシンといったキノロン系抗菌薬が、結核治療に使用されることがある。

②ハンセン病治療薬

- ハンセン病は、抗酸菌の一種であるらい菌が皮膚のマクロファージ内および末梢神経細胞内に寄生することによって引き起こされる感染症である。
- らい菌は伝染力が非常に低い。今日日本人新規患者はまれになった。適切な治療を受けない場合は皮膚に重度の病変が生じることがある。

〈ジアフェニルスルホン、クロファジミン、リファンピシンの3剤併用療法(経口)〉
この3剤併用療法が治療の主体である。薬剤耐性菌を予防する意味もある。

- 最近では、オフロキサシン、クラリスロマイシン、ミノサイクリンなども有効であることがわかり、上記基本併用療法が使用できない症例などに使用されることがある。

a．ジアフェニルスルホン

作用機序	1) 抗炎症作用…免疫反応により生じる炎症反応において産生され、皮膚組織障害を起こす活性酸素や炎症性サイトカインの産生を抑制する。その結果、皮膚の炎症症状を改善させる。 2) 抗菌作用……サルファ薬と同様、葉酸合成の過程でパラアミノ安息香酸と競合してほぼ同じ作用機序で抗菌作用を発現するとされる。

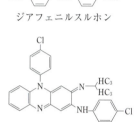

ジアフェニルスルホン

クロファジミン

b．クロファジミン

- 作用機序は不明であるが、らい菌のDNAに直接結合することにより、DNA複製阻害作用を発揮するとともに、マクロファージのリソゾーム酵素を活性化し抗菌作用を示すことによると考えられる。

2-3 抗生物質 (antibiotics)

抗生物質は、微生物によって生産され、微生物その他の細胞の発育を阻害する物質を意味したが、現在では半合成あるいは全合成によって得られるものもある。さらに、化学修飾を加え、抗菌スペクトルが広く、効力の強いものが開発されている。

【細菌の分類】

抗生物質はある特定の菌に対して抗菌作用を表す。代表的な球菌と桿菌を表2-7-8に示す。

表 2-7-8　代表的な球菌と桿菌

グラム陽性菌	球菌	ブドウ球菌、MRSA、化膿性レンサ球菌、肺炎球菌、腸球菌
	桿菌	ジフテリア菌、炭疽菌、クロストリジウム（偏性嫌気性菌である破傷風菌、ボツリヌス菌、ガス壊疽菌、クロストリジウム・デフィシル）
グラム陰性菌	球菌	淋菌、髄膜炎菌、ブランハメラ菌
	桿菌	インフルエンザ菌、大腸菌、肺炎桿菌（クレブシエラ）、赤痢菌、サルモネラ（サルモネラ菌、チフス菌）、セラチア、変形菌（インドール陰性・陽性）、エンテロバクター、シトロバクター、緑膿菌、バクテロイデス、コレラ菌

1）β-ラクタム系抗生物質（β-lactams）

β-ラクタム環

ペニシリン系、セフェム系、ペネム系、カルバペネム系、モノバクタム系などは、分子内にβ-ラクタム環（4員環）を有しているのでβ-ラクタム系抗生物質と総称される。

β-ラクタム系薬物が結合する細菌細胞膜タンパク質をペニシリン結合タンパク質（penicillin binding protein：PBP）という。PBPはトランスグリコシダーゼ、トランスペプチダーゼ、D-アラニンカルボキシペプチダーゼを含有しており、細胞壁合成に重要に関与している。PBPは黄色ブドウ球菌ではPBP1〜4の4種類、大腸菌では7種類、肺炎球菌では6種類あることがわかっている。

【細菌細胞壁におけるペプチドグリカン層の合成】
細胞壁を形成するペプチドグリカンは、N-アセチルムラミン酸（N-acetylmuramic acid）、N-アセチルグルコサミン（N-acetylglucosamine）およびペプチドの3者を構成成分とする。ムラミン酸は、真核細胞には存在せず、細菌に特有な成分。細胞壁のペプチドグリカン構造の生合成過程を図2-7-3に示した。

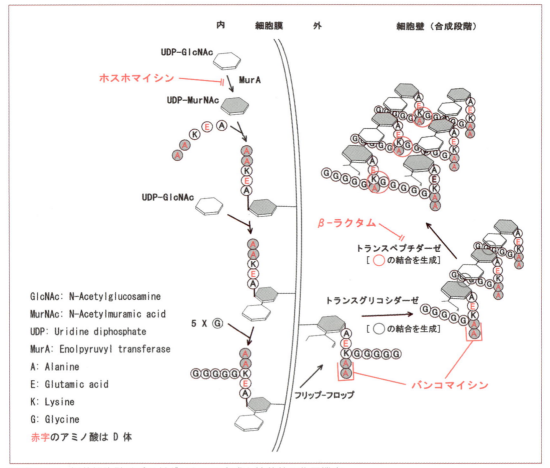

図2-7-3　細菌細胞壁ペプチドグリカンの合成と抗菌薬の作用機序

①ペニシリン系抗生物質（penicillins）
- 1928年英国のフレミングによってアオカビ（penicillium notatum）から発見された。1942年ベンジルペンシリン（ペニシリンG）が単離され臨床に実用化されるに至った。
- その後半合成ペニシリンが出たが、すべて化学的に合成した合成ペニシリンの開発に成功し今日に至っている。

〈ベンジルペニシリン、メチシリン、アンピシリン、アモキシシリン、バカンピシリン、ピペラシリン、アスポキシシリン、スルタミシリン〉

- アンピシリンは親水性が高く、経口吸収が悪い。ベンジルペニシリンとちがってグラム陰性菌外膜を通過する。アモキシシリンとバカンピシリンは経口吸収を改善した薬物。バカンピシリンは生体内でアンピシリンとなり、活性を発現する。

ペニシリン系抗生物質の種類と抗菌スペクトルを次ページ（表 2-7-9）に示した。

作用機序	細菌の細胞壁合成に関与する PBP 内のトランスペプチダーゼを阻害し、細胞壁合成を阻害する（図 2-7-3）。 ・ペニシリンの構造は、細胞壁ペプチドグリカン層の合成過程において働くペンタペプチド末端の D-Ala-D-Ala という部分の構造に類似している。そのためペプチドグリカン鎖の架橋形成酵素であるトランスペプチダーゼの本来の基質である D-Ala-D-Ala の代わりに PBP はペニシリンを取り込んでしまう。PBP とペニシリンは共有結合をつくるためトランスペプチダーゼの機能は妨げられ、ムラミン酸に結合したペプチドとペンタグリシン間の結合が妨げられ、細胞壁ペプチドグリカンの生合成はこの段階で阻害される。 ・細菌の細胞質の浸透圧は一般に高いため、細胞壁が損なわれた細菌細胞では外液との浸透圧の差から細胞内に外液が流入し、溶菌を起こして死滅する（殺菌作用）。 ・ペニシリン系抗生物質は 6-アミノペニシラン酸を基本骨格とするが、β-ラクタム環の N-CO 部位を開裂する酵素であるペニシリナーゼ（クラス A β-ラクタマーゼ）によって代謝をうけると薬効がなくなる。
副作用	過敏症反応の発生頻度が高い。アナフィラキシーショックを起こすことがある。作用の強いものでは腸内細菌を減少し、ビタミン B やビタミン K の欠乏症を起こす。偽膜性大腸炎（菌交代症によりデフィシル菌が増殖して毒素を産生するため）。

2-7 病原微生物（感染症）・悪性新生物（がん）に作用する薬

表 2-7-9　ペニシリン系抗生物質の抗菌スペクトル

分類	薬物名	経口（酸に安定）	注射	ペニシリナーゼ抵抗性	グラム陽性球菌				グラム陰性球菌	グラム陰性桿菌			ヘリコバクター・ピロリ	梅毒クラミジア
					ブドウ球菌	レンサ球菌	肺炎球菌	腸球菌	淋菌	インフルエンザ菌	大腸菌	緑膿菌		
天然ペニシリン	ベンジルペニシリン		○		○	○	○							○
ペニシリナーゼ抵抗性ペニシリン	メチシリン	非使用		○										
広域ペニシリン	アンピシリン	△	○	＋スルバクタム	○	○	○	○		○	○			
	アモキシシリン	○		＋クラブラン酸	○	○	○	○		○	○		○	
	バカンピシリン	○			○	○	○	○		○	○			
緑膿菌にも有効	ピペラシリン		○	＋タゾバクタム	○	○	○	○		○	○	○		

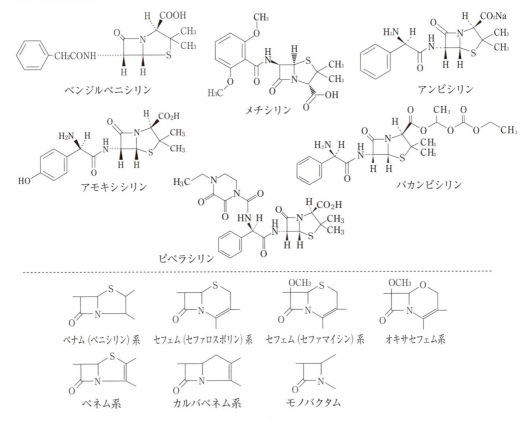

〈参考〉
- **メチシリン耐性黄色ブドウ球菌（MRSA）**：メチシリンに対して薬剤耐性を獲得した黄色ブドウ球菌の意味であるが、実際は多くの抗生物質に耐性を示す多剤耐性菌である。黄色ブドウ球菌と同様に常在菌のひとつと考えられ、健康な人の鼻腔、咽頭、皮膚などからも検出されることがある。
- MRSAは従来のブドウ球菌とは異なり、β-ラクタム剤が結合できない変異トランスペプチダーゼを含む**ペニシリン結合タンパク質PBP2'（本来のもの**

はPBP）を有している。PBP2'はペンタペプチドのD-Ala―D-Ala部分と結合でき、ペプチドグリカン細胞壁を合成できるが、ペニシリンとは結合できない形に変形している。このことによってβ-ラクタム剤の存在下でもMRSAは、その阻害作用を回避し、細胞壁成分であるペプチドグリカンの合成ができる。

【抗スピロヘータ薬（梅毒治療薬）としての適用】
- 梅毒は、スピロヘータの一種である梅毒トレポネーマ（*Treponema pallidum*）によって発生する感染症で性病。
- 梅毒はベンジルペニシリンなどのペニシリン系抗生物質の投与で治癒する。ミノサイクリン、アセチルスピラマイシンも有効である。

②セフェム系抗生物質（cephems）
- セファロスポリンは1948年イタリアで*Cephalosporium acremonium*の培地から発見され、1960年代に市販された。
- セファロスポリン系に加え、その7位にmethoxy基を導入したセファマイシン系が、さらにセフェム系のSをOに変えたオキサセフェム系がその後開発された。これらの系は総括してセフェム系とよばれる。
- セフェム系は、抗生物質としてもっとも使用頻度の高い薬物である。
- メチシリン耐性黄色ブドウ球菌（MRSA）には無効。
- 一般的に副作用の頻度が低く程度も軽い抗菌薬である。

セフェム系抗菌薬の種類と抗菌スペクトルを表2-7-10に示した。

a．セファロスポリン系・オキサセフェム系抗生物質

作用機序	本質的にはペニシリン系と同じ作用機序である。細菌の細胞壁合成に関与するペニシリン結合タンパク質（PBP）内のトランスペプチダーゼを阻害し、ペプチドグリカン層の合成を妨げて細胞壁合成を阻害（(p.460、図2-7-3)。

〈第一世代セフェム系抗生物質〉：セファゾリンNa
- グラム陽性菌、グラム陰性球菌のほか、大腸菌、肺炎桿菌など一部のグラム陰性桿菌に抗菌作用を示す。第一～第三世代のうち、グラム陽性球菌に対する作用は最強である。
- ペニシリナーゼ（クラスA β-ラクタマーゼ）に安定であるため、ペニシリンとの交差耐性はない。ペニシリン耐性の黄色ブドウ球菌、大腸菌、肺炎球菌などに優れた抗菌力を示す。
- セファロスポリナーゼ（クラスC β-ラクタマーゼ）では分解されるため、この酵素を産生している緑膿菌などには無効である。

〈第二世代セフェム系抗生物質〉：セフォチアム、セフメタゾールNa
- 第一世代のセフェム系薬物よりグラム陰性桿菌に対する抗菌力が拡大しており、エンテロバクター、シトロバクターなどにも有効である。緑膿菌には無効である。グラム陽性菌に対する作用は減弱する。β-ラクタマーゼに対して比較的安定になった。

- 注射薬をプロドラッグ化して腸管吸収を高めた経口薬に、セフォチアム ヘキセチル塩酸塩などがある。

〈第三世代セフェム系抗生物質〉：セフォタキシム、セフォペラゾン、セフタジジム、セフトリアキソン Na、セフジニル、セフカペン ピボキシル

- グラム陰性桿菌に対する抗菌力を強化するとともに、緑膿菌に有効なものもある。β-ラクタマーゼ（クラスA、クラスC）に対して抵抗性を示す。黄色ブドウ球菌のようなグラム陽性球菌に対する作用は、第一世代の薬物より弱い。血液脳関門を通るものがほとんど。
- オキサセフェム系のラタモキセフ、フロモキセフもβ-ラクタマーゼ（クラスA、クラスC）に対して極めて安定で、注射薬として用いられる。副作用として、血小板減少（→出血）、ビタミンK欠乏症状（→プロトロンビンなどの血液凝固因子減少による出血傾向）、溶血性貧血、偽膜性大腸炎、間質性肺炎などが報告されている。

表 2-7-10　セフェム系抗生物質の抗菌スペクトル

〈セファロスポリン系〉

分類	薬物名	経口	注射	β-ラクタマーゼ抵抗性	グラム陽性球菌		グラム陰性球菌		グラム陰性桿菌				
					ブドウ球菌	レンサ球菌	淋菌	ブランハメラ菌	インフルエンザ菌	大腸菌	肺炎桿菌	バクテロイデス	緑膿菌
第一世代	セファゾリン Na		○		○	○	△			△	△		
第二世代	セフォチアム		○	△	○	△			△	△	△		
	セフォチアムヘキセチル	○		△	○	△			△	△	△		
第三世代	セフォタキシム		○	△		△			○	○	○	△	
	セフォペラゾン		○	+スルバクタム					○	○	○	○	○
	セフタジジム		○	△	△				○	○	○		○
	セフトリアキソン Na			△	△	△	○	○	○	○	○		
	セフジニル	○		△	○	△			○	○	○		
	セフカペンピボキシル	○		△	○	△	△		○	○	○		
第四世代	セフェピム		○	○	○	△			○	○	○		○
	セフォゾプラン		○										
	セフピロム		○		○	△							

〈オキサセフェム系〉

分類	薬物名	経口	注射	β-ラクタマーゼ抵抗性	グラム陽性球菌		グラム陰性球菌		グラム陰性桿菌				
					ブドウ球菌	レンサ球菌	淋菌	ブランハメラ菌	インフルエンザ菌	大腸菌	肺炎桿菌	バクテロイデス	緑膿菌
第三世代	フロモキセフ Na		○	○	△	△	○		○	○	○		
	ラタモキセフ Na		○						○	○	○		

〈セファマイシン系〉

分類	薬物名	経口	注射	β-ラクタマーゼ抵抗性	グラム陽性球菌		グラム陰性球菌		グラム陰性桿菌				
					ブドウ球菌	レンサ球菌	淋菌	ブランハメラ菌	インフルエンザ菌	大腸菌	肺炎桿菌	バクテロイデス	緑膿菌
第二世代	セフメタゾール Na		○	○	△					○	○		

〈第四世代セフェム系抗生物質〉：セフェピム、セフピロム、セフォゾプラン
- グラム陽性菌(黄色ブドウ球菌を含む)、グラム陰性菌(緑膿菌を含む)に抗菌力をもつ。
- いずれもβ-ラクタマーゼ(クラスA、クラスC)に対して安定である。

> グラム陽性菌に対する効力：第一世代＞第二世代＞第三世代(セフェム系)
> グラム陰性菌に対する効力：第一世代＜第二世代＜第三世代(セフェム系)
> 　第四世代はグラム陽性菌にもグラム陰性菌にも効力が強い。

b．セファマイシン系抗生物質
〈セフメタゾールNa〉
- セファロスポリン系のβ-ラクタム環の7位にメトキシ基がついたもの。セファロスポリン系などとともにセフェム系抗生物質に分類される。セファマイシン系はもともとストレプトミセス属の菌より産生されたものを起源とするが、合成的に生産されたものも同様に分類される。
- 第二世代に分類される。
- セファマイシン系はセファロスポリン系に比べて、グラム陰性菌に対する作用が強く、β-ラクタマーゼ(クラスA、クラスC)に高い抵抗性を示す。

c．副作用
- 重篤な副作用：アナフィラキシー様症状、急性腎不全、無顆粒球症、溶血性貧血、血小板減少症、出血傾向、間質性肺炎、偽膜性大腸炎、Stevens-Johnson症候群、Lyell症候群など
- ペニシリンと同様のアレルギー反応や局所刺激性がみられているが、ペニシリンに比べて弱い。アレルギー反応の一部はペニシリンと交差反応を起こす。
- まれにビタミンK欠乏症状(低プロトロンビン血症、出血傾向など)、ビタミンB群欠乏症状(舌炎、口内炎、食欲不振、神経炎等)。
- セフェム系抗生物質に特徴的な副作用として、ジスルフィラム様作用や第三世代系による血液凝固異常が知られている。
- ジスルフィラム様作用の発現は、構造中の3位にあるN-メチルテトラゾールチオール(MTT)基による。この基をもつセフェム系薬物(セフメタゾール、セフォペラゾン、セフォテタン、セフメノキシム、ラタモキセフなど)は、β-ラクタマーゼによる分解と同時にMTTを遊離する。MTTは、アルデヒド脱水素酵素を阻害するため、アルコール飲料摂取によりジスルフィラム様作用、すなわち顔面紅潮、心悸亢進、めまい、頭痛、悪心などの悪酔状態になる。
- MTT基をもつ薬は、ビタミンKエポキシド還元酵素を阻害するため、ビタミンK依存性凝固因子の生成が抑制され、出血傾向を示す。
- セフジニルは、鉄イオンとキレートを形成し、互いに消化管吸収を阻害する。

[セファゾリン、セフォチアム、セフォタキシム、セフタジジム、セフトリアキソン、セフジニル、セフカペン ピボキシル、フロモキセフ、ラタモキセフ、セフェピム、セフピロム の構造式]

③ β-ラクタマーゼ阻害薬（β-lactamase inhibitors）
〈スルバクタム、タゾバクタム、クラブラン酸〉

β-ラクタマーゼは表 2-7-11 のように分類される。

表 2-7-11　β-ラクタマーゼの種類

β-ラクタマーゼの分類		基　質	β-ラクタマーゼ阻害薬
クラス A	ペニシリナーゼ	ペニシリン系	有効
クラス B	メタロ-β-ラクタマーゼ	カルバペネム系を含む β-ラクタム系全般	無効
クラス C	セファロスポリナーゼ	セフェム系（セファマイシン系以外）	ほとんど無効
クラス D	オキサシリナーゼ	オキサシリン系	―

- β-ラクタマーゼ産生菌の増加によって、β-ラクタム薬使用がかなり限定されるようになった。耐性菌対策としてβ-ラクタマーゼ阻害薬が開発され、ペニシリン系や一部のセファロスポリン系抗生物質と併用されている。これ自身には抗菌力はない。
- クラブラン酸は、β-ラクタマーゼの不可逆的阻害剤薬で、ペニシリン系、セフェム系の作用を増強、拡大する。
- 基質拡張性β-ラクタマーゼ(ESBLs)産生菌が出現している。ESBLsは、ペニシリン系、セフェム系(第一〜第三世代)、モノバクタム系抗菌薬を共通して分解してしまう。β-ラクタマーゼ阻害薬はESBL活性を阻害するため、ESBLs産生菌にも有効である。

スルバクタム　　タゾバクタム　　クラブラン酸

④その他のβ-ラクタム系抗生物質

a．カルバペネム系抗生物質
〈イミペネム、パニペネム、メロペネム三水和物、ビアペネム、ドリペネム水和物〉

- カルバペネム系は、β-ラクタム環内の硫黄が炭素に置換された骨格をもつ。グラム陽性菌(ブドウ球菌、肺炎球菌など)からグラム陰性菌(大腸菌、肺炎桿菌、緑膿菌など)、嫌気性菌(バクテロイデスなど)をカバーする広域抗菌スペクトル、強力な抗菌活性、β-ラクタマーゼに対する高い抵抗性などの特性を有する。グラム陰性菌のほとんどの菌に対してβ-ラクタム系の中で最も優れた抗菌力を示す。
- 作用機序が細胞壁合成阻害である以上、細胞壁のないマイコプラズマやペプチドグリカンをもたないクラミジアには効果はない。
- イミペネム、パニペネムは腎近位尿細管腔の刷子縁に存在するデヒドロペプチダーゼⅠ(DHP-1、ジペプチダーゼの一種)で分解されやすく、生成された分解物は腎毒性を生ずる。これを防止するため、イミペネム-シラスタチン合剤、パニペネム-ベタミプロン合剤として用いられる。
- シラスタチンはデヒドロペプチダーゼⅠの阻害薬、ベタミプロンはパニペネムの腎皮質への取り込みを抑制し、デヒドロペプチダーゼⅠの作用を受けないようにする薬である。
- イミペネムは中枢神経毒性を有するが、パニペネムはもたない。
- メロペネム、ビアペネム、ドリペネムは腎毒性、中枢神経毒性をもたない(4-メチル基導入により、デヒドロペプチダーゼⅠに安定となったため)。
- ラクタマーゼ阻害作用を有するため、耐性株が比較的少ない。しかし近年、カルバペネマーゼを産生するカルバペネム耐性菌が出現している。
- バルプロ酸との併用は禁忌。バルプロ酸の血中濃度を低下し、けいれんを発現する可能性がある。

b. ペネム系抗生物質
〈ファロペネム Na〉
- コンピュータ分子設計手法を応用して、母核から置換基まで理論的に創製された。
- 経口ペネム系抗生物質で、β-ラクタマーゼに対しても安定である。
- グラム陽性菌（ブドウ球菌、レンサ球菌、腸球菌、肺炎球菌など）、緑膿菌を除くグラム陰性菌（大腸菌、インフルエンザ菌、シトロバクター、エンテロバクター、バクテロイデスなど）、嫌気性菌に有効である。特にグラム陽性菌に強い抗菌力を示す。
- デヒドロペプチダーゼI（DHP-1）で分解されない。

c. モノバクタム系抗生物質
〈アズトレオナム、カルモナム Na〉
- 抗菌スペクトルが狭く、グラム陰性菌のみに限定される抗菌スペクトラムをもつ。好気性のグラム陰性菌（緑膿菌、大腸菌、クレブシエラ、プロテウス、サルモネラ、淋菌など）に奏効する。
- β-ラクタマーゼに対して安定である。
- 副作用として、発疹などの過敏症、まれにショック、偽膜性大腸炎、急性腎不全を起こす。

イミペネム　　パニペネム　　メロペネム

ファロペネム　　アズトレオナム

2）アミノ配糖体系抗生物質（アミノグリコシド系抗生物質）
（aminoglycoside antibiotics）

アミノ糖を含む配糖体抗生物質の総称である。重篤な感染症に対する抗菌薬として現在でも重要である。
〈ストレプトマイシン、カナマイシン、ジベカシン、イセパマイシン、シソマイシン、ゲンタマイシン、トブラマイシン、アミカシン、アルベカシン、フラジオマイシン〉

①アミノ配糖体系抗生物質の特徴
- 1943年に放線菌の一種 *streptomyces griseus* からストレプトマイシンが発見された。
- アミノ配糖体系抗生物質は、ポリカチオンの極性物質であるため消化管から

ほとんど吸収されない。投与経路は筋注、点滴静注、外用。経口投与は消化管感染症のみで行う）。
- 大部分は代謝されずに、主排泄経路は尿中排泄。腎障害患者では、使用量を減ずるか、投与間隔をあけて用いる。
- アミノ配糖体系抗生物質は嫌気性菌に無効である。すなわち、細菌に取り込まれるときには酸素が必要であり、嫌気環境では細菌内に通過できず抗菌作用を発揮できない。

②抗菌スペクトル

アミノ配糖体系抗菌薬の種類と抗菌スペクトルを表 2-7-12 に示した。

表 2-7-12 アミノ配糖体系抗菌薬の適用

薬物名	特　性	グラム陽性球菌	MRSA	グラム陰性桿菌	緑膿菌	結核菌
ストレプトマイシン	最初に発見されたアミノ配糖体抗生物質					○
カナマイシン				○		
ジベカシン		△				
イセパマイシン				○	○	
シソマイシン		△			○	
ゲンタマイシン	グラム陰性桿菌に対し良好な抗菌力を持ち、院内感染菌である腸内細菌や緑膿菌に対して良好な抗菌力をもつ	△		○	○	
トブラマイシン		△			○	
アミカシン	ゲンタマイシンやトブラマイシンに耐性獲得したグラム陰性桿菌に使用			○	○	
アルベカシン	抗 MRSA 薬		○			
フラジオマイシン	皮膚感染に貼付剤、口腔感染に洗口剤としてのみ使用	△				

- アミノ配糖体系は起因菌によって使い分けることが多い。
  抗酸菌………………………ストレプトマイシン、アミカシン
  腸球菌………………………ゲンタマイシン
  緑膿菌………………………トブラマイシン
  セラチア……………………ゲンタマイシン、ストレプトマイシン
  ペスト、野兎病……………ゲンタマイシン
  MRSA のみに用いる……アルベカシン

③作用機序

【リボソームにおけるタンパク質合成のメカニズム】（図 2-7-4）
(1) 細菌の細胞質内にあるリボソームには P 部位（ペプチジル部位）と A 部位（アミノアシル部位）が存在する。単一アミノ酸と結合した tRNA（アミノアシル tRNA）は A 部位に入って、30S と結合している mRNA のコドンに結合する。
(2) A 部位に tRNA が結合すると、すでに合成されて P 部位の tRNA（ペプチジル tRNA）に結合しているペプチド鎖はペプチジルトランスフェラーゼに

よって、A部位に移動する。

(3) P部位にあるtRNAがペプチド鎖をA部位に渡すと、このtRNAはリボソームから解離する。その後、リボソームが動くことによりペプチジルtRNAがmRNAごとA部位からP部位に移動（トランスロケーション）した形になる。こうしてあらたな空のA部位ができる。この動きが繰り返されてペプチド鎖は伸長していく。

アミノ配糖体系の作用機序	・アミノ配糖体系抗生物質は、細菌70SリボソームのうちのサブユニットユニットとAと結合し、細菌のタンパク質合成を阻害する。すなわち、30SリボソームのA部位（実質はそのうちの16SリボソームRNA部分）と結合することにより、A部位の形状に変化を来たしてA部位に付着しているmRNA鋳型の遺伝子コードの読み違いや修正の誤りを引き起こす。その結果、タンパク質合成を阻害する（図2-7-4）。 ・カナマイシンとゲンタマイシンは、30Sのほかに50Sリボソームも阻害するといわれている。

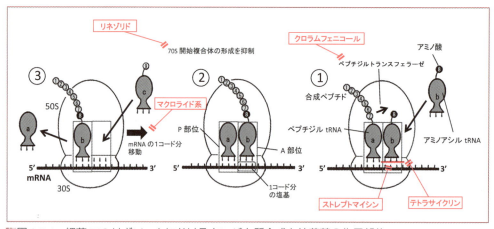

図 2-7-4　細菌70Sリボソームにおけるタンパク質合成と抗菌薬の作用部位

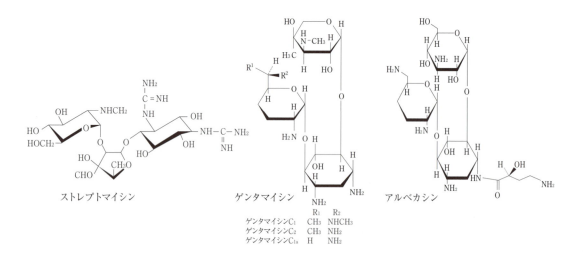

④副作用
- 第8脳神経障害：聴器機能障害(難聴、耳鳴り)と前庭機能障害(平衡失調)

アミノ配糖体系薬物による聴器障害の発症機序：ミトコンドリア遺伝子1555A→G変異をもつ人ではミトコンドリアのリボソームは細菌のリボソームと類似した立体構造となるため、アミノ配糖体系薬物は内耳有毛細胞内などのミトコンドリア内リボソームと強く結合してしまう。そのためミトコンドリア内でのタンパク質翻訳が障害をうけ、細胞障害によって聴器毒性を生ずる。

- 腎障害(主として未変化体のままで尿中に排泄される。腎排泄型薬物であり、腎障害患者では血中濃度が上昇するので原則禁忌)
- 神経筋接合部遮断作用(筋弛緩薬との併用に注意)。運動神経終末においてCaイオンの流入を抑制し、アセチルコリンの放出を阻害するため。

3) テトラサイクリン系抗生物質 (tetracyclines)

〈テトラサイクリン塩酸塩、オキシテトラサイクリン塩酸塩、ミノサイクリン塩酸塩、ドキシサイクリン塩酸塩、デメチルクロルテトラサイクリン塩酸塩〉

現在、ミノサイクリンが最も多用されている。

テトラサイクリン系は薬剤耐性の出現によってかなりその有用性が低下しており、現在では一般感染症の第一選択とはしない。しかし、他の系にない優れた特性をもつため、現在でも一部の状況では選択される。

①抗菌スペクトル
- すべての抗菌薬中で最も広い抗菌スペクトラムをもつ。
- グラム陽性菌、グラム陰性菌、マイコプラズマ、リケッチア、クラミジアに作用する。特に非細菌性肺炎(マイコプラズマ、クラミジア)によく用いられる。

②作用機序
- 細菌リボソームの30SサブユニットのA部位と結合し、アミノアシルtRNA(単一アミノ酸の結合したtRNA)が30Sリボソームに結合する過程を阻害し、タンパク質合成を妨げる(図2-7-4)。
- 静菌的に作用する。

③特　徴
- 消化管からの吸収が良い。しかし、Ca^{2+}、Mg^{2+}、Al^{3+}などとキレート結合するので、これらの塩を含む制酸薬といった薬物との併用での経口投与は、吸収を低下させる。

④副作用
- 抗菌スペクトルが広いため、連用すると正常常在菌がカンジダ、耐性ブドウ球菌、クロストリジウムなどに置きかわり、菌交代症(カンジダ症、偽膜性大腸炎)を起こす。
- まれに、ビタミンK欠乏症(低プロトロンビン血症、出血傾向等)、ビタミンB群欠乏症状(舌炎、口内炎、食欲不振、神経炎等)。

テトラサイクリン　　　　　ミノサイクリン

- 骨、歯の Ca^{2+} とキレート結合し、色素沈着や骨歯の発育阻害をきたす。
- 妊婦には禁忌（乳児・小児に用いない）。

4）クロラムフェニコール（chloramphenicol）

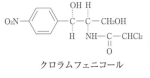
クロラムフェニコール

抗菌スペクトルは広範囲であり、多くの細菌、リケッチアに静菌的に作用する。抗菌力は強いが、再生不良性貧血を含む骨髄障害などの毒性も強いため、腸チフス、サルモネラ症や他の抗生物質が効かない重大な感染症に限定して使用される。

①作用機序

細胞リボソームの50S サブユニットと結合し、50S 上のP 部位のペプチド鎖をA 部位に移動する酵素であるペプチジルトランスフェラーゼを阻害する。その結果、ペプチド鎖の移動は行われず、ペプチド鎖の伸長を阻害することによってタンパク質の合成を妨げる（図2-7-4）。

②副作用

- 造血機能障害が強く、再生不良性貧血をきたす。
- 新生児ではグルクロン酸抱合能が低いためクロラムフェニコールの血中濃度が異常に上昇し、皮膚色調の灰白化、低体温、循環虚脱をきたすグレー症候群を呈す。
- 妊婦には禁忌。

5）マクロライド系抗生物質（macrolide antibiotics）

〈エリスロマイシン、クラリスロマイシン、ロキシスロマイシン、アジスロマイシン、ジョサマイシン、ロキタマイシン〉

マクロライド系抗菌薬の種類と抗菌スペクトルを表2-7-13 に示した。
- 巨大なラクトン環をもつ抗生物質の総称。1949年に放線菌 *Saccaropolyspora*

表2-7-13　アミノ配糖体系抗菌薬の適用

分類	薬物名	グラム陽性球菌	グラム陰性球菌	インフルエンザ菌	ヘリコバクター・ピロリ	マイコプラズマ	クラミジア	レジオネラ
14員環	エリスロマイシン	○	○				○	○
	ロキシスロマイシン	○	○			○	○	○
	クラリスロマイシン	○	○	○	○	○	○	○
15員環	アジスロマイシン	○	○	○		○	○	○
16員環	ジョサマイシン	○				○		
	ロキタマイシン	○				○		

erythraea の代謝産物からエリスロマイシンが単離された。
- 大環状ラクトンにアミノ糖がグリコシド結合している。
- マクロライド系抗生物質には、ラクトン環が14員環、15員環、16員環の薬物がある。

①臨床適用

　a．感染症治療（抗菌作用）
- ペニシリン系に比べて幅広い抗菌スペクトラムをもつ。主としてグラム陽性菌に有効。グラム陰性球菌に有効であるが、大部分のグラム陰性桿菌には無効。
- マクロライド系ではかなり耐性率が上昇しており、効果の面からも基本的にはペニシリン系やセフェム系の使用が優先され、ペニシリンアレルギーなどのある人に対する代替薬として用いる。
- 特徴的であるのは、マイコプラズマ（肺炎）、クラミジア（肺炎、性器感染症）、レジオネラ（肺炎）といった非定型病原体に対する抗菌力を有する点であり、これらに感受性であれば第一選択薬で用いられる。
- エリスロマイシンは胃酸で分解を受けやすく経口吸収が悪い。
- クラリスロマイシンは、*Helicobacter pylori* の除菌にも用いる。
- アジスロマイシンは、エリスロマイシンのラクトン環に窒素原子を導入することによって、感染病巣への薬物移行性が向上するとともに、長い半減期を獲得した。

抗菌作用の作用機序	細菌の50Sリボソームの構成要素である23s rRNAに結合し、リボソームのトランスロケーションを妨げ、ペプチジルtRNA（ペプチド鎖がついたtRNA）が50S上をA部位からP部位に移動するのを阻害する。その結果、細菌のタンパク質合成過程を阻害する（図2-7-4）。静菌的に作用。

　b．副鼻腔炎・中耳炎、びまん性汎細気管支炎の治療
- 14員環マクロライドであるエリスロマイシン、クラリスロマイシン、ロキシスロマイシンを使用。
- びまん性汎細気管支炎は予後不良の疾患であったが、マクロライド療法が確立されてから予後は飛躍的に改善した。
- この目的には、抗菌用量の1/2以下の用量で、数カ月間投与する。

作用機序	この治療効果は抗菌作用によらない。気道粘膜への好中球集積の抑制やグルココルチコイド産生増強などの抗炎症作用、気道の病的分泌の抑制作用による。

②副作用、相互作用
- 一般に経口で用いられ、副作用は少ないが、消化器障害、肝障害。
- エリスロマイシンやクラリスロマイシンは薬物代謝酵素（CYP3A4）阻害作用をもつ。

　もともとこれらのマクロライド系抗生物質自体が、CYP3A4で代謝を受ける薬物であるが、これらが代謝を受けて生じる *N*-ジメチル基代謝体が

エリスロマイシン　　　　クラリスロマイシン　　　　アジスロマイシン

CYP3A4 のヘム鉄との間で不可逆的な複合体を形成してしまうことから、結果として CYP3A4 の活性を阻害する。14 員環薬物で特に CYP3A4 阻害作用が強い。

そのため、エルゴタミン、ピモジドなどの作用が増強されるので、これらの薬物との併用は禁忌。エルゴタミンによる四肢虚血作用やピモジドによる Torsades de pointes が現れる。

- アジスロマイシンは、他のマクロライド系と比較して消化器症状のを含めて副作用が少なく、薬物相互作用もほとんどない。未変化体のままほとんど胆汁を介して糞中に排泄される。他の系統の抗菌薬と比較しても副作用が少ないため、現在頻用されている。
- QT 延長、心室細動

6）リンコサミド系抗生物質
〈リンコマイシン、クリンダマイシン〉

リンコサミド系抗生物質は、マクロライド系とは化学構造がまったく異なる（マクロライド構造ではない）ものの、抗菌スペクトルが類似し、互いに交差耐性を示すことから、マクロライド系近縁の抗生物質として扱われる。

臨床適用	経口、注射（両薬物）、外用（クリンダマイシン）
作用機序	細菌 50S リボソームと結合し、タンパク質合成を阻害する。主としてグラム陽性菌に抗菌力を示す。
副作用	偽膜性大腸炎※による重篤な下痢を起こすことがある。

※ 偽膜性大腸炎：抗生物質の長期投与により大腸粘膜に菌交代現象が生じ、大腸に多剤耐性のクロストリジウム・ディフィシルが異常増殖し、その外毒素（トキシン A、B）によって腸管粘膜が傷つき偽膜が形成される大腸炎。

リンコマイシン　　　　クリンダマイシン

7) ストレプトグラミン系抗生物質
〈キヌプリスチン・ダルホプリスチン合剤（Q/D）〉

リンコサミド系抗生物質と同様、ストレプトグラミン系抗生物質はマクロライド系近縁の抗生物質として扱われる。

キヌプリスチン／ダルホプリスチンは、*Streptomyces pristinaespiralis* の中から突然変異により得られた2種の変異株が各々産生する自然発生的ストレプトグラミンであるプリスチナマイシンの半合成誘導体2種類の固定配合剤（30対70）である。

臨床適用	バンコマイシン耐性腸球菌（VRE）による感染症（注射）。・Q/Dは末梢静脈から投与するとしばしば静脈炎を起こすため、中心静脈カテーテルから投与する。
作用機序	キヌプリスチン、ダルホプリスチンともに細菌の50Sリボソームに作用し、タンパク質合成を阻害するが、両者のリボソーム上の作用部位は異なり、相乗的殺菌性を示す。
その他	薬物代謝酵素CYP3A4の阻害作用をもつ。

キヌプリスチン（主成分）　　　ダルホプリスチン

8) ポリペプチド系抗生物質（polypeptide antibiotics）

この系の抗生物質は化学構造的に、①環状ペプチド系、②グリコペプチド系、③リポペプチド系に大別できる。

①環状ペプチド系
- ポリミキシンBとコリスチンはアミノ酸が環状に結合した構造を有する。

〈ポリミキシンB〉

臨床適用	大部分のグラム陰性桿菌に対して抗菌作用を示し、緑膿菌に対しても有効である。グラム陽性菌に対しては無効。環状ペプチド系抗生物質は、腸管からの吸収が悪い。白血病治療時の腸内殺菌に経口投与で用いられる。局所投与で、膀胱炎、外傷・熱傷、骨髄炎、結膜炎、中耳炎などに使用。血中への移行はほとんどない。
作用機序	ポリミキシンBのペプチド部分が菌体表面のリポ多糖（エンドトキシン）に結合して膜を撹乱し、その脂肪鎖部分が膜の疎水部分と結合し、膜を破壊する。抗菌作用は殺菌的である。グラム陽性菌に対して抗菌力が弱いのは、細胞壁が厚いため細胞膜への薬物の到達が妨げられるためである。
副作用	神経筋接合部遮断作用をもつ。難聴。腎毒性が強いため注射では使用しない。

〈コリスチン〉

臨床適用	大腸菌、赤痢菌による感染性腸炎に経口で使用。多剤耐性菌に対して有効である可能性がある。
作用機序	ポリミキシンBと同様。
副作用	神経筋接合部遮断作用。

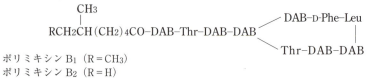

ポリミキシン B_1 （R＝CH_3）
ポリミキシン B_2 （R＝H）
DAB：α, γ-ジアミノ酪酸

コリスチンA

②グリコペプチド系
〈バンコマイシン〉

臨床適用	バンコマイシンは特異的にグラム陽性菌に作用する。バンコマイシンは主に下記のメチシリン耐性黄色ブドウ球菌（MRSA）感染症に使用する。 a．消化管から吸収されず、感染性腸炎（偽膜性大腸炎を含む）や骨髄移植時の消化管内殺菌に経口投与で使用。 b．点滴静注（60分以上かけて）で、敗血症、心内膜炎、骨髄炎、肺炎、腹膜炎、髄膜炎などに使用。投与期間中は血中濃度をモニタリングすることが望ましい。 c．眼軟膏で、結膜炎や涙嚢炎などに使用される。
作用機序	バンコマイシンは、細菌の細胞壁の前駆体であるpeptydyl-D-alanyl-D-alanineのD-Ala－D-Ala部分に結合し、ペプチドグリカンの構築を阻害することにより細胞壁の合成を妨げる。MRSAがペニシリン結合タンパク質（PBP）を変異させてPBP2'をつくり、PBPにペニシリンを結合できなくするが、バンコマイシンはPBPかPBP2'かは無関係にペプチドグリカンの材料のD-Ala－D-Ala部分に結合して、PBP2'にも材料を利用できない状態にしてしまう（p.460、図2-7-3）。そのためバンコマイシンはMRSAに対しても殺菌的に作用する。
動態	ほとんど未変化体のまま尿中排泄。
副作用	・難聴、耳鳴りなどの第8脳神経障害や腎毒性がみられる。 ・バンコマイシンやテイコプラニンをワンショット静注あるい急速に点滴静注するとヒスタミンが遊離され、レッドネック症候群（顔面、頸部、躯幹の紅斑性充血、かゆみ等）や血圧低下などの副作用を生じることがある。 ・最近、バンコマイシン耐性腸球菌（VRE）やバンコマイシン耐性ブドウ球菌（VRSA）も各地で出現するようになっている。バンコマイシン耐性腸球菌（VRE）にはリネゾリド（オキサゾリジン系）が用いられる。

〈テイコプラニン〉
- 互いに類似した6種の化合物を主要な成分とする。

臨床適用	テイコプラニンは、メチシリン耐性黄色ブドウ球菌（MRSA）感染症にのみ使用。点滴静注（30分以上かけて）で、敗血症、肺炎などに使用。投与期間中は血中濃度をモニタリングすることが望ましい。

- 作用機序と副作用はバンコマイシンと同様。

バンコマイシン

テイコプラニンA_{3-1}

ダプトマイシン

③リポペプチド系
〈ダプトマイシン〉
- 天然物質として見いだされたリポペプチド系抗生物質。

臨床適用	MRSAによる敗血症、心内膜炎、皮膚・軟部組織感染症などに点滴静注（30分かけて）で使用。
作用機序	細菌細胞膜と結合し、細胞膜を脱分極させて細胞機能を障害する。細菌のDNA、RNA、タンパク質の合成の阻害作用もある。
副作用	副作用は少ないが、横紋筋融解症、アナフィラキシーなどがある。

9）ホスホマイシン系抗生物質
〈ホスホマイシン〉

臨床適用	グラム陽性菌、グラム陰性菌に広い抗菌スペクトルを示し、緑膿菌、セラチアに対する抗菌力も強い。腸管出血性大腸菌（O157など）に第一選択で使用。他薬との間に交差耐性がみられないため、多剤耐性ブドウ球菌や大腸菌に適応がある（経口、点滴静注、点耳）。
作用機序	UDP-N-acetylglucosamine enolpyruvyl transferase (MurA) という酵素を非可逆的に阻害して、ペプチドグリカン合成の初期段階（UDPサイクル）を阻害し、細胞壁合成を阻害する（図2-7-3）。
副作用	消化器症状、発疹、ショック

10) ムピロシン

- MRSAに有効な抗菌物質。

臨床適用	鼻腔内MRSA除菌に適応（軟膏）
作用機序	細菌のタンパク質合成の初期段階でイソロイシル-tRNA合成酵素に結合し、ペプチド合成を阻害する。作用機序が新規なため、既存の抗生物質との間に交差耐性は認められない。

ホスホマイシン

ムピロシン

CHECK

次の記述について、正しいものには「○」を、間違っているものには「×」をつけてその理由を簡潔に述べなさい。

1　サラゾスルファピリジンは、潰瘍性大腸炎に適応されるサルファ剤である。
2　ノルフロキサシンは、DNAポリメラーゼを阻害して抗菌作用を示す。
3　イソニアジドは、結核菌細胞壁のミコール酸の合成を阻害して抗菌作用を発現するが、副作用としてビタミンB_6欠乏による末梢神経炎を起こす。
4　リファンピシンは、DNA依存性RNAポリメラーゼを阻害して結核に用いられるが、薬物代謝酵素CYP3A4を阻害する。
5　カルベニシリンは、緑膿菌に有効なペニシリン系抗生物質であり、ペニシリナーゼ抵抗性である。
6　ラタモキセフは、オキサセフェム系抗生物質で、アルコールを併用するとジスルフィラム作用を生じる。
7　ゲンタマイシンは、MRSA感染症に用いられるアミノグリコシド系抗生物質である。
8　エリスロマイシンとクラリスロマイシンは、15員環のマクロライド系抗生物質で、びまん性汎発性気管支炎に用いられる。
9　テイコプラニンはMRSAに用いられるグリコペプチド系抗生物質である。

【解答】
1　○
2　×　ノルフロキサシンは、DNAジャイレースを阻害して殺菌的作用を示す核酸合成阻害薬である。
3　○
4　×　リファンピシンは、薬物代謝酵素（CYP3A4）の強い誘導作用があるため種々の薬物と相互作用を示す。
5　×　カルベニシリンは、抗緑膿菌作用をもつペニシリン系抗菌薬でペニシリナーゼ感受性である。
6　○
7　×　ゲンタマイシンは、緑膿菌感染症に用いられ、MRSA感染症に用いられるのはアルベカシンである。
8　×　エリスロマイシン、クラリスロマイシンは、14員環で、15員環はアジスロマイシンである。
9　○

2 抗真菌薬

> **到達目標**
> - 抗真菌薬の薬理（薬理作用、機序、主な副作用）を説明できる。

1. 抗真菌薬（Antifungal agents）

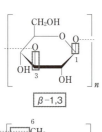

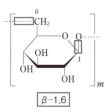

真菌細胞膜は哺乳動物や細菌の細胞膜と異なり、真菌に特有なステロール成分としてエルゴステロールを含有している。エルゴステロールは真菌細胞膜の構造・機能の維持に不可欠である。

また、N-アセチルムラミン酸、N-アセチルグルコサミン、ペプチドから構成されるペプチドグリカンでできた細菌の細胞壁とは、真菌の細胞壁の構成成分は異なっている。真菌細胞壁は、主要成分として1,3 β-D-グルカンやキチンなどの多糖ポリマーで構成されている。前者はβ型の結合様式でD-グルコースが多数グリコシド結合でつながっている。こうした細胞壁は動物細胞には存在しない。

したがって、エルゴステロール合成阻害薬や1,3 β-D-グルカン合成酵素阻害薬は選択毒性の優れた薬物となる。

真菌症には、皮膚や粘膜表面に病巣を形成する表在性真菌症（白癬など）と深部臓器が侵される深在性真菌症（肺真菌症、真菌髄膜炎など）がある。

現在、深在性真菌症に適応があるのは、アムホテリシンB、フルシトシン、ミコナゾール、トリアゾール系抗真菌薬、キャンディン系抗真菌薬である。

抗真菌薬の種類と抗菌スペクトルを表2-7-14に示した。

1）ポリエン系抗生物質
〈アムホテリシンB、ナイスタチン〉

臨床適用	消化管カンジダ症（内服：アムホテリシンB、ナイスタチン—内服ではほとんど吸収されない） 深在性真菌症（静注：アムホテリシンB）
作用機序	真菌細胞膜の重要な成分であるエルゴステロールと結合し、細胞膜にポア（孔）を形成する（図2-7-5）。その結果、細胞膜機能を障害して細胞質成分を漏出させることで、真菌に殺菌的効果を発現する。
副作用	アムホテリシンB（腎障害、心臓障害）、ナイスタチン（皮膚粘膜眼症候群）

表 2-7-14　抗真菌薬の抗菌スペクトル

分類	薬物	カンジダ属	アスペルギルス属	クリプトコッカス属	ムコール属	コクシジオイデス属	皮膚糸状菌(白癬)
①ポリエン系							
	アムホテリシンB	○	○	○	○	○	
	ナイスタチン	○					
②フッ化ピリミジン系							
	フルシトシン	○	○	○			
③アゾール系							
1) イミダゾール系							
	ミコナゾール	○	○	○		○	○
	エコナゾール						○
	クロトリマゾール						○
	ケトコナゾール						○
2) トリアゾール系							
	イトラコナゾール	○	○	○			○
	フルコナゾール	○		○			
	ホスフルコナゾール	○		○			
	ボリコナゾール	○	○	○			
④アリルアミン系							
	テルビナフィン	○					○
	ブテナフィン						○
	アモロルフィン	○					○
⑤キャンディン系							
	ミカファンギン	○	○				
	カスポファンギン	○	○				

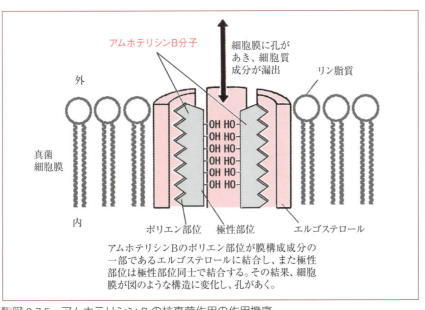

図 2-7-5　アムホテリシンBの抗真菌作用の作用機序

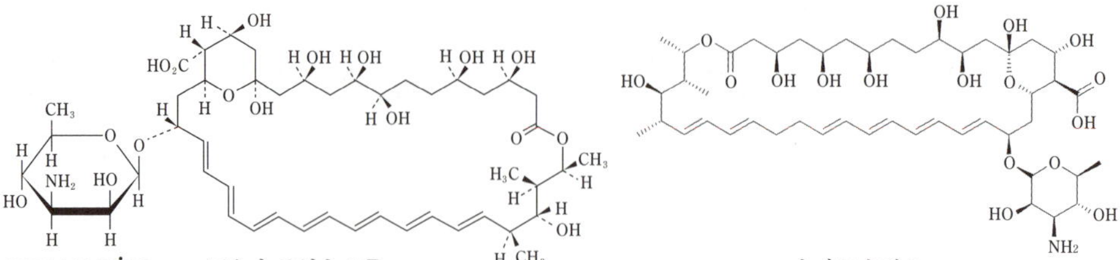

mycosamine　アムホテリシンB　　　　　　　ナイスタチン

2) フルシトシン

臨床適用	深在性真菌症。単独投与では耐性発現しやすいので、アムホテリシンBと併用する。
作用機序	真菌細胞膜に特有のシトシン透過酵素を介して真菌細胞内に取り込まれ、脱アミノ化されてフルオロウラシルとなり、チミジル酸合成酵素を阻害する。その結果、dUMP から dTMP への変換は抑制され、チミジン塩基の欠乏のため、核酸合成は妨げられる（図 2-7-6、参照 p.515 図 2-7-15）。
副作用	骨髄抑制、食欲不振、悪心

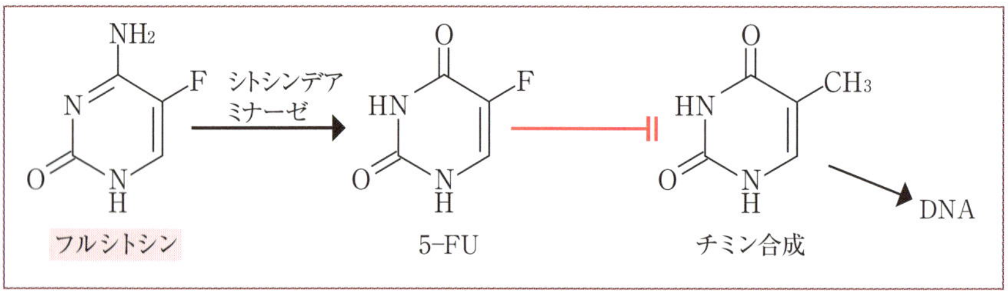

フルシトシン　→（シトシンデアミナーゼ）→ 5-FU ⊣ チミン合成 → DNA

図 2-7-6　フルシトシンの抗真菌作用の作用機序

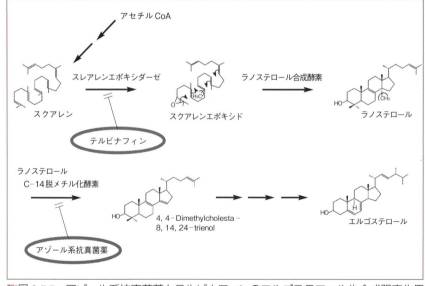

図 2-7-7　アゾール系抗真菌薬とテルビナフィンのエルゴステロール生合成阻害作用

3）アゾール系抗真菌薬

作用機序	真菌ラノステロール C-14 脱メチル化酵素を阻害し、ラノステロールの脱メチル化を阻止して細胞膜エルゴステロールの生合成を阻害する（図 2-7-7）。
相互作用	薬物代謝酵素 CYP3A4 の阻害作用を示すので、全身適用する場合、CYP3A4 で代謝される薬物（トリアゾラム、シクロスポリンなど）と併用すると、これらの薬物の作用を増強する。構造中のイミダゾール環やトリアゾール環がシトクロム P450、特に CYP3A4 のヘム鉄と結合して、CYP 活性を阻害することによる。

a．イミダゾール系
〈エコナゾール、ミコナゾール、クロトリマゾール、ケトコナゾール〉
- ミコナゾールは経口、静注、外用で、深在性、表在性真菌症に適応。
- エコナゾール、クロトリマゾール、ケトコナゾールは外用のみ適応。

b．トリアゾール系
　真菌 CYP に親和性がより高く、より有効で安全性が高い
〈フルコナゾール、イトラコナゾール、ホスフルコナゾール、ボリコナゾール〉
- 表在性、深在性真菌症に適応。
- 経口投与でも静注でも使用可。半減期が長い。

4）アリルアミン系抗真菌薬
〈テルビナフィン、ブテナフィン、アモロルフィン〉

臨床適用	皮膚糸状菌に外用で用いる。テルビナフィンは深在性皮膚真菌症にも用いる。
作用機序	真菌スクアレンエポキシダーゼを阻害し、スクアレンのエポキシ化を抑制して、スクアレンエポキシド次いでラノステロールの生合成を阻害する。その結果、細胞膜エルゴステロールの生合成を阻害する（図 2-7-7）。
副作用	重篤な肝障害、汎血球障害（テルビナフィン）

ボリコナゾール　　ミコナゾール　　イトラコナゾール

フルコナゾール　　テルビナフィン

5）キャンディン系抗真菌薬
〈ミカファンギン、カスポファンギン〉

臨床適用	アスペルギルス、カンジダに有効で安全性が高い。1日1回静注。カスポファンギンの方が血漿タンパク質との結合が低い。
作用機序	真菌細胞膜に存在する **1,3 β-D-グルカン合成酵素を阻害**し、真菌細胞の細胞壁に特有な構成成分である **1,3 β-D-グルカンの合成を阻害**する（図2-7-8）。その結果、真菌細胞壁の合成は妨げられる。

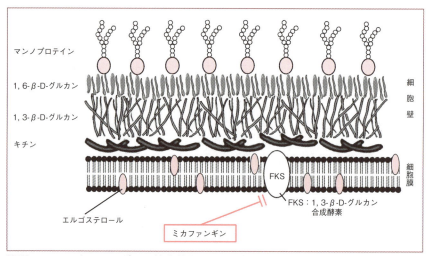

図2-7-8　ミカファンギンの抗真菌作用の作用機序

6）グリセオフルビン

臨床適用	表在性真菌症に内服で用いる。現在ほとんど使用されない。
作用機序	微小管形成を阻害し、真菌の細胞分裂を阻害する。

CHECK

次の記述について、正しいものには「○」を、間違っているものには「×」をつけてその理由を簡潔に述べなさい。

1 アムホテリシンBは、真菌細胞膜成分のコレステロールと結合し、細胞膜機能を損なわせる。
2 フルシトシンは、それ自体で真菌細胞の核酸合成を妨げる。
3 ミコナゾールは、真菌のラノステロールC-14脱メチル化酵素を阻害する。
4 テルビナフィンは、真菌のスクアレンエポキシダーゼを阻害して、細胞膜エルゴステロールの生合成を抑える。
5 ミカファンギンは、真菌のDNAと結合し、遺伝子の複製を妨げる。

【解答】
1 ×　コレステロールではなく、エルゴステロール。
2 ×　フルシトシンは、真菌細胞内でフルオロウラシルとなり、チミジル酸合成酵素を阻害する。
3 ○
4 ○
5 ×　ミカファンギンは、真菌細胞膜の1,3 β-D-グルカン合成酵素を阻害し、真菌細胞壁の合成を妨げる。

3 抗ウイルス薬

到達目標
- 抗ウイルス感染症（ヘルペスウイルス感染症、サイトメガロウイルス感染症、インフルエンザ、ウイルス性肝炎、HIV）治療薬の薬理（薬理作用、機序、主な副作用）を説明できる。

1. 抗ウイルス薬

1）ヘルペスウイルスに用いる薬
（単純ヘルペスウイルス、水痘・帯状疱疹ウイルス）
ヘルペスウイルスの種類と疾患を表2-7-15に示した。

- ヘルペスウイルスは、すべて二本鎖DNA型ウイルス。
- 単純ヘルペスはごくありふれた皮膚の感染症であり、口唇(口唇ヘルペス)や性器(性器ヘルペス)に発疹や水ぶくれなどの症状が現れる。
- 水ぼうそうは、乳幼児期に発症し、発熱とともに全身の皮膚に小さな赤い発疹や水ぶくれができる。一度かかると免疫ができるため、二度とかかることはないが、数十年後に何らかのきっかけで帯状疱疹として再発することがある。
- 帯状疱疹は、胸，背中、額などの神経に沿って帯状に赤い斑点と小さくて透明な水ぶくれができる。ウイルスが神経を損傷しながら移動するため、痛い。
- 単純ヘルペスウイルスや水痘・帯状疱疹ウイルスは、一度感染すると、症状は治ってもウイルスが体内の神経細胞周囲に潜り込み棲みついてしまう。何らかの原因で免疫力が低下するとウイルスが再び活性化し、しばしば再発を繰り返す。

表2-7-15　ヘルペスウイルスの種類と疾患

ウイルスの種類	疾　患
単純ヘルペスウイルス1型	口唇ヘルペス
単純ヘルペスウイルス2型	性器ヘルペス
水痘・帯状疱疹ウイルス	水ぼうそう、帯状疱疹
サイトメガロウイルス	肺炎、網膜炎
ヒトヘルペスウイルス6—7	突発性発疹
ヒトヘルペスウイルス8	カポジ肉腫

①アシクロビル

臨床適用	外用、内服、点滴。主として腎から排泄されるため、腎障害患者では投与間隔をあける。
作用機序	ウイルス感染細胞内でウイルス誘導のチミジンキナーゼにより一リン酸化され、次いで細胞性キナーゼにより活性体であるアシクロビル三リン酸となる。これがウイルスDNAポリメラーゼの基質であるデオキシグアノシン三リン酸（dGTP）と競合的に拮抗し、(DNA依存性)DNAポリメラーゼを阻害し、DNA合成を阻害。
副作用	精神神経症状（けいれん，意識障害など）、ショック、皮膚粘膜眼症候群

②バラシクロビル

臨床適用	内服。バリンがアシクロビルに結合した構造を有していて、経口での吸収がよい。体内でアシクロビルとなって作用する。

③ファムシクロビル

臨床適用	内服
作用機序	・服用後速やかに代謝を受けて活性代謝物ペンシクロビルに変換される。ペンシクロビルは、感染細胞内において、ウイルス由来のチミジンキナーゼにより一リン酸化され、さらに宿主細胞由来キナーゼにより活性体である三リン酸化体（PCV-TP）となる。 ・感染細胞内において、PCV-TPはウイルスDNAポリメラーゼの基質の1つであるデオキシグアノシン3リン酸化体（dGTP）と競合的に拮抗することにより、ウイルスDNAポリメラーゼ阻害作用を示す。

④ビダラビン

臨床適用	外用、内服、点滴
作用機序	感染細胞内で三リン酸化体に活性化される。DNA依存性DNAポリメラーゼを阻害する。
副作用	ショック、精神神経障害

アシクロビル　　バラシクロビル　　ファムシクロビル　　ビダラビン

2）サイトメガロウイルスに用いる薬

サイトメガロウイルス（ヘルペスウイルス科）は日和見感染を起こしやすい。感染経路は母乳感染、尿や唾液による水平感染が主経路。ほとんどが感染しても、症状が出ないか軽症に経過する。

サイトメガロウイルス感染症が発症するのは、主に胎児、未熟児、移植後、AIDS 患者、先天性免疫不全患者などである。

重症化すると、網膜炎、腸炎、脳炎、間質性肺炎などを発症する。

①ガンシクロビル

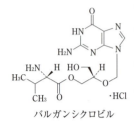
バルガンシクロビル

臨床適用	点滴静注
作用機序	ウイルス感染細胞内で、感染細胞由来デオキシグアノシンキナーゼにより活性体であるガンシクロビル三リン酸となる。これが DNA ポリメラーゼを阻害し、DNA 合成を阻害。
副作用	骨髄抑制、腎不全

②バルガンシクロビル

- バリンがガンシクロビルに結合しているプロドラッグ。

臨床適用	内服で使用。消化管から吸収されて、体内でガンシクロビルに活性化される。

③ホスカルネットナトリウム水和物

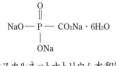
ホスカルネットナトリウム水和物

作用機序	DNA ポリメラーゼのピロリン酸（二リン酸）結合部位に直接作用して、DNA ポリメラーゼを阻害する。
臨床適用	後天性免疫不全症候群（エイズ）患者におけるサイトメガロウイルス網膜炎、造血幹細胞移植患者におけるサイトメガロウイルス感染症（点滴静注）。

3）インフルエンザウイルスに用いる薬

インフルエンザウイルスはマイナス鎖の一本鎖 RNA ウイルスであり、主要なものとして、A 型インフルエンザウイルスと B 型インフルエンザウイルスがある。

A 型は変異型が多く世界的な大流行を起こしやすい。ウイルスに対する免疫の持続も短い。トリからブタを経由して伝染・変異し、ヒトに感染することがある。

B 型は A 型に比べると流行の規模は小さいが、世界的・地域的な流行を毎年繰り返す。B 型は遺伝子がかなり安定しており、ウイルスに対する免疫は A 型よりは長く持続する。

インフルエンザは普通の風邪よりも急激に発症し、症状が重いのが特徴。毎年 11 月〜4 月に流行。感染すると 1〜5 日の潜伏期間ののち、咳、痰、呼吸困難のほかに、38℃以上の高熱や筋肉痛などの全身症状が現れる。気管支炎や肺炎を併発することもある。

①ノイラミニダーゼ阻害薬
〈オセルタミビル、ザナミビル、ペラミビル、ラニナミビル〉

臨床適用	A型、B型インフルエンザに適応。 • オセルタミビル、ザナミビルは、シアル酸の一種である *N*-アセチルノイラミン酸の構造を手がかりとして開発された。 • オセルタミビルは内服で、ザナミビルとラニナミビルは吸入で、ペラミビルは点滴静注で使用される。 • オセルタミビルは速やかに吸収され、エステラーゼによる加水分解を受けて活性体に変換される。 • オセルタミビルは10歳以上の未成年者では、異常行動の発現の可能性があるため、原則として使用を差し控える（他の3薬物では問題がない）。
作用機序	これらの薬物は、インフルエンザウイルスのノイラミニダーゼ（NA）を阻害する。 ノイラミニダーゼは細胞表面の糖鎖をシアル酸残基の部分で切断する酵素である。ノイラミニダーゼは、感染細胞内で複製された無数のインフルエンザウイルスが出芽して、感染細胞の表面から遊離するのに働いている。その結果、NA阻害薬は、細胞内増殖の最後の過程である感染細胞からのウイルスの遊離を阻害する（図2-7-9）。

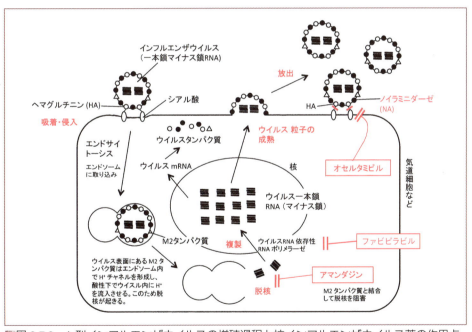

図2-7-9　A型インフルエンザウイルスの増殖過程と抗インフルエンザウイルス薬の作用点

オセルタミビル　　ザナミビル　　ペラミビル　　ファビピラビル

②脱殻阻害薬
〈アマンタジン〉

臨床適用	A型インフルエンザに適応。アマンタジンに対して現在ほとんどのA型インフルエンザウイルスは耐性を獲得しているので、使用されなくなっている。
作用機序	・A型インフルエンザウイルスの表面にはM2タンパク質という膜タンパク質が存在する。ウイルスが宿主細胞内に取り込まれると、エンドソーム内でこのタンパク質は粒子膜内で4量体となってH^+チャネル（プロトンチャネル）を形成する。エンドソーム内のpHが酸性化してくると、プロトンチャネルが開き、H^+が粒子内に流入する。これを契機としてウイルス粒子の脱殻が生じ、ウイルスRNAが宿主細胞内に放出され、ウイルスの増殖過程が進行する。 ・アマンタジンは、M2タンパク質と結合してプロトンチャネルを阻害し、その後の脱穀反応を抑制する。

③ウイルスRNA依存性RNAポリメラーゼ阻害薬
〈ファビピラビル〉

臨床適用	新型または再興型インフルエンザウイルス感染症（A、B、C型すべてに有効）。
作用機序	細胞内酵素によりリボシル三リン酸体に活性化されて、ウイルスRNA依存性RNAポリメラーゼを阻害する。

④エンドヌクレアーゼ阻害薬
〈バロキサビル マルボキシル〉

バロキサビル マルボキシル

臨床適用	A型およびB型インフルエンザに適用。
作用機序	インフルエンザウイルス特有の酵素であるキャップ依存性エンドヌクレアーゼの活性を選択的に阻害し、ウイルスのmRNA合成を阻害することでインフルエンザウイルスの増殖を抑制する。プロドラッグで長時間作用するので、単回経口投与で治療が完了する。

4）ヒト免疫不全ウイルス（HIV）に用いる薬

　わが国ではHIV感染症治療薬として、7種類のヌクレオシド系逆転写酵素阻害薬（NRTI）、4種類の非ヌクレオシド系逆転写酵素阻害薬（NNRTI）、8種類のプロテアーゼ阻害薬（PI）、1種類のインテグラーゼ阻害薬（INSTI）、1種類の侵入阻害薬が承認されている。
　現在では、これらの抗ウイルス薬を3〜4種類組み合わせて併用する抗レトロウイルス療法（ART）が治療の標準となっている。すなわち、十分な抗ウイルス効果を得るには、NRTI 2剤 + NNRTI 1剤、NRTI 2剤 + PI 1剤（少量RTV併用）、NRTI 2剤 + INSTI 1剤、いずれかの組み合わせを選択する。

①逆転写酵素阻害薬
　a．ヌクレオシド系薬物（NRTI）
〈ラミブジン、アバカビル、テノホビル、エムトリシタビン、ジドブジン（ほかに、サニルブジン、ジダノシン）〉

作用機序	感染細胞内で細胞性キナーゼにより活性体である三リン酸化体となる。活性体は HIV 逆転写酵素（RNA 依存性 DNA ポリメラーゼ）によりウイルス DNA 鎖に取り込まれ、HIV 逆転写酵素を阻害する。取り込まれたヌクレオシド誘導体（活性体）には 3'-OH 基が存在しないため、DNA 鎖の伸長は停止し、DNA への逆転写が停止する（図 2-7-10）。
副作用	乳酸アシドーシス

　b．非ヌクレオシド系薬物（NNRTI）
〈エファビレンツ、ネビラピン（ほかに、エトラビリン、リルピビリン）〉

作用機序	エファビレンツは、HIV 逆転写酵素の鋳型、プライマーまたはヌクレオシド三リン酸に対する非競合的阻害作用を示し、逆転写酵素活性を阻害する。その結果ウイルス DNA 鎖への逆転写を停止する。
副作用	精神症状、皮疹、脂質異常症

② HIV プロテアーゼ阻害薬（PI）
〈インジナビル、リトナビル、アタザナビル、ダルナビル、ロピナビル、ホスアンプレナビル（ほかに、サキナビル、ネルフィナビル）〉

作用機序	・HIV プロテアーゼを選択的に阻害し、感染細胞における HIV の成熟過程を阻害する。HIV プロテアーゼは、ウイルス遺伝子の一部としてコードされている HIV の有するただ 1 つのプロテアーゼである。このプロテアーゼは、いくつかの HIV タンパク質をつないだ形をしているウイルス遺伝子由来の一本鎖ポリプロテインを所定の場所で切断して、HIV ウイルスタンパク質を次々と生成する。 ・HIV プロテアーゼ阻害薬はこの酵素活性を阻害して、遺伝子を取り囲むカプシド形成等の生成を含めて HIV タンパク質の働きを妨げて、ウイルスの増殖を阻害する（図 2-7-10）。
副作用	胃腸症状、皮疹、脂質異常症

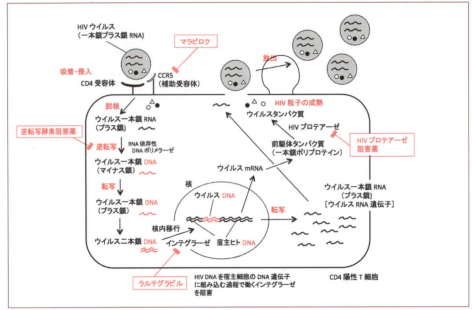

図 2-7-10 ヒト免疫不全ウイルス（HIV）の増殖過程と抗 HIV 薬の作用点

インジナビル

リトナビル

アタザナビル

ダルナビル

③ HIV インテグラーゼ阻害薬（INSTI）
〈ラルテグラビル、ドルテグラビル〉

作用機序	HIV インテグラーゼは、HIV の複製に必要な 3 つの酵素のうちの 1 つであり、HIV RNA 遺伝子から逆転写されて生成された HIV DNA を宿主細胞の DNA 遺伝子に組み込む過程を触媒する。ラルテグラビルは、**HIV インテグラーゼを阻害することにより、HIV ゲノムの複製を妨げ**、感染性ウイルス粒子を新たに産生させない（図 2-7-10）。

ラルテグラビル

④侵入阻害薬（CC ケモカイン受容体 5（CCR5）阻害薬）
〈マラビロク〉

作用機序	マラビロクは、HIV が宿主細胞内に侵入する際に利用する補助受容体である CC ケモカイン受容体 5（CCR5）の阻害薬。宿主細胞膜上の CCR5 に選択的に結合し、HIV エンベロープ糖タンパク質 gp120 と CCR5 との相互作用を遮断する。その結果、HIV の細胞内への侵入を阻害する（図 2-7-10）。

マラビロク

5）肝炎ウイルスに用いる薬

B 型肝炎と C 型肝炎の比較を表 2-7-16 に示した。

表 2-7-16　B 型および C 型ウイルス肝炎

	B 型肝炎	C 型肝炎
ウイルス	二本鎖 DNA をもつ	プラス一本鎖 RNA をもつ
感染者数	約 150 万人	150 〜 200 万人
感染経路	血液（母児感染、性行為感染、針刺しなど）	血液（針刺し、刺青、輸血など）
劇症肝炎	1 〜 2％は劇症化	まれ
慢性化	肝硬変、肝細胞がんに移行	肝硬変→肝細胞がんに移行（肝硬変患者の 6 割が C 型肝炎患者）

① B 型肝炎治療薬

- 二本鎖 DNA をもつ B 型肝炎ウイルス（HBV）で発症するウイルス性肝炎。
- DNA ウイルスである HBV はヘパドナウイルスであり、他の DNA ウイルスとは異なり、RNA をゲノム複製の中間体として逆転写酵素を使って増殖する。
- 感染しても 95％は自然治癒する。
- B 型肝炎は、HBV ワクチンの開発や HBV 抗体検査（輸血時）で予防できるようになった。

a．核酸アナログ製剤
〈エンテカビル、アデホビル〉

- もともとはヒト免疫不全ウイルス（HIV）の治療薬として開発された抗ウイルス薬である。
- エンテカビルはグアノシンアナログであり、アデホビルはアデノシンアナログ。

臨床適用	B型ウイルス性肝炎には、エンテカビルが第一選択薬。エンテカビルは、ラミブジンやアデホビルより高い抗ウイルス活性を有する。投与中止により再燃率が高いため、長期継続投与が必要である。
作用機序	細胞内で活性体のエンテカビル三リン酸あるいはアデホビル二リン酸になる。HBV由来RNA依存性DNAポリメラーゼ（逆転写酵素）を選択的に阻害する。それぞれの活性体は、dGTPあるいはdATPと競合的に拮抗し、①プライミング、②mRNAからのマイナス鎖DNA合成時の逆転写、および③HBV DNAのプラス鎖合成という、HBV DNAポリメラーゼ活性3種すべてを阻害する。
副作用	エンテカビルは副作用が少ない。アデホビルでは腎機能障害、低リン血症。

エンテカビル　　　アデホビル ピボキシル

〈ラミブジン〉
- シトシンアナログ。
- 耐性ウイルス出現が多く、近年は新規使用患者には用いられていない。

作用機序	肝細胞内で活性体のラミブジン5'-三リン酸となる。ラミブジン三リン酸化体は、①それ自体がシチジンの活性化体であるデオキシシチジン三リン酸（dCTP）と同様にウイルスの逆転写酵素によりウイルスDNA鎖に取込まれ、3'-OHをもたないラミブジン三リン酸化体の入った箇所でDNA鎖の伸長は停止する。②ラミブジン三リン酸化体はdCTPと構造が酷似しているため、ウイルス逆転写酵素の基質の1つであるdCTPの結合箇所においてdCTPと競合的に拮抗し、dCTPのDNA鎖への組込みを阻害する。こうして逆転写酵素のところで2つの作用によってラミブジンは同酵素活性を阻害し、抗ウイルス作用を発現する。
副作用	ほとんど副作用がない。

b. インターフェロン（IFN）製剤
〈IFN α、IFN β、ペグIFN〉
（詳細はC型肝炎治療薬の項を参照）

② C型肝炎治療薬
- プラス一本鎖RNAをもつC型肝炎ウイルス（HCV）で発症するウイルス性肝炎。
- 感染例の約70％でHCV感染が持続し、慢性肝炎へと移行する。肝線維化が起こり、肝硬変や肝細胞癌へと発展する。
- 日本人に多いC型肝炎はゲノタイプIb型で約70％。その第1選択薬は、シメプレビル（バニプレビル）、ペグIFN、リバビリンの併用。それで不十分なと

きは、ダクラタスビルとアスナプレビルの併用、パリタプレビル、オムビタスビル、リトナビルの併用が行われる。

a．インターフェロン製剤

- インターフェロン（IFN）は本来、生体が産生する抗ウイルス性サイトカインで、ウイルス感染により誘起される。天然型としてはIFN α、IFN β、遺伝子組換え型としてIFN α-2a、INF α-2bがある。
- 従来型IFNの血中半減期は3〜8時間と短く、少なくとも週3回の皮下注あるいは筋注が必要である。
- 持続化と副作用の軽減を目的として、ポリエチレングリコール（PEG）を付加して化学修飾したペグIFN α-2a、-2bがある。ペグIFNは週1回皮下注。

臨床適用	IFN製剤は、B型、C型慢性肝炎に適応。B型肝炎ウイルス（DNAウイルス）よりもC型肝炎ウイルス（RNAウイルス）により有効である（B型肝炎では3割の患者で有効、C型肝炎では5割〜9割有効）。
作用機序	・IFN製剤は、IFN αまたはβ受容体に結合することにより、非受容体型チロシンキナーゼであるJAK1を活性化し、その結果STAT1のリン酸化および二量体形成を起こす。これが核内に入ってIFN誘導遺伝子を誘導し、抗ウイルス作用や免疫調節作用を発現する。 ・抗ウイルス作用機序の一部として、IFNにより誘導される2',5'-オリゴアデニル酸合成酵素が、2',5'-オリゴアデニル酸の合成を介してRNA分解酵素を活性化し、ウイルスRNAを分解する（図2-7-11）。
副作用	インフルエンザ様症状（全身倦怠感、発熱、頭痛、関節痛）、白血球や血小板の減少、精神症状（抑うつ、不眠）、間質性肺炎、食欲不振。

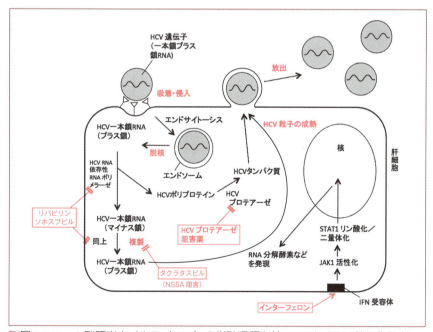

図2-7-11　C型肝炎ウイルス（HCV）の増殖過程と抗HCVウイルス薬の作用点

b．リバビリン
- グアノシンと化学構造が類似した核酸アナログ製剤（経口）。DNAおよびRNAウイルスに幅広く抗ウイルス作用を示す。

臨床適用	ペグIFN αと併用して、C型慢性肝炎に用いる（1日2回経口）。
作用機序	まだ明らかではないが、細胞内でリン酸化されて活性体となり、HCV由来のRNA依存性RNAポリメラーゼ活性を阻害。その結果、グアノシン三リン酸（GTP）のRNAへの取り込みを抑制し、ウイルス増殖抑制作用を示す（図2-7-11）。
副作用	溶血性貧血（高頻度）、リンパ球減少、かゆみ
禁忌	妊婦

c．ウイルスプロテアーゼ阻害薬
〈テラプレビル、シメプレビル、アスナプレビル、グラゾプレビル、グレカプレビル〉
- シメプレビルは大環状の第二世代プロテアーゼ阻害薬、テラプレビルは直鎖状構造の第一世代で、C型肝炎治療に貢献したが、現在は販売中止となっている。

臨床適用	難治性C型肝炎には、ペグIFNとリバビリンに加えて、プロテアーゼ阻害薬を使用する三剤併用が行われる（1日1回経口）。
作用機序	C型肝炎ウイルスのプロテアーゼ（NS3/4Aセリンプロテアーゼ）に共有結合し、選択的に阻害。その結果、機能タンパク質への変換を妨げ、ウイルス増殖を抑制する（図2-7-11）。
副作用	テラプレビルでは、肝不全、皮膚症状（かゆみ、皮疹）、貧血。シメプレビルでは副作用は少ないが、CYP3Aにより代謝を受けるため、薬物相互作用に注意。

リバビリン　　シメプレビル　　テラプレビル

アスナプレビル

d．非構造タンパク質 NS5A 阻害薬
〈ダクラタスビル、レジパスビル、エルバスビル、ピブレンタスビル、ベルパタスビル〉

- HCVのもつNS5Aタンパク質と結合して、NS5Aダイマーの形成を阻害し、ウイルスRNA複製を阻害する。

臨床適用	ダクラタスビルは、ウイルスプロテアーゼ（NS3/4A）阻害薬アスナプレビルとの合剤として併用。レジパスビルは、NS5B阻害薬ソホスブビルとの合剤として併用

e．非構造タンパク質 NS5B 阻害薬
〈ソホスブビル、ベクラブビル〉

- HCVの非構造タンパク質であるNS5B（RNA依存性RNAポリメラーゼ）阻害薬。

ダクラタスビル　　ソホスブビル

※機序の異なる抗ウイルス薬の組み合わせによる相乗効果を期待した各種配合剤の開発によって、肝炎が高い奏功率で治療可能になり、新たな肝炎患者数は激減しており、近年発売されたばかりの新薬が次々と販売中止となっている。

6）RSウイルス（RSV: respiratory syncytial virus）に用いる薬

- RSウイルスは一本鎖（−）RNAウイルス。
- RSウイルスは乳幼児の代表的な呼吸器感染症を引き起こす。
- 感染後4〜5日の潜伏期の後、鼻汁、咳、発熱などの上気道症状が現れる。3割程度の人はこのあと炎症が下気道まで波及して、咳の増強、喘鳴、多呼吸などが現れてくる。

〈パリビズマブ〉

- RSウイルスの表面糖タンパク質であるFタンパク質上の抗原部位A領域に対する特異的ヒト化モノクローナル抗体。

臨床適用	RS感染症。新生児・乳児および幼児におけるRSウイルス感染による重篤な下気道疾患の発症などを抑制する。月1回筋注。
作用機序	パリビズマブは、RSウイルスが宿主細胞に接着・侵入する際に重要な役割を果たすFタンパク質に結合して、細胞内ウイルス感染を阻害し、ウイルスの複製および増殖を抑制する。
副作用	アナフィラキシー症状

CHECK

次の記述について、正しいものには「○」を、間違っているものには「×」をつけてその理由を簡潔に述べなさい。

1 アシクロビルは、それ自体でウイルスのDNA合成を阻害する。
2 オセルタミビルは、体内でエステラーゼによる加水分解を受けて活性体となり、インフルエンザウイルスのノイラミニダーゼを阻害する。
3 アマンタジンは、インフルエンザウイルスのRNAに結合して、複製を阻害する。
4 ラミブジンは、逆転写酵素阻害作用を発揮するためHIVに用いられるとともに、DNA伸長阻害作用を発揮するためB型慢性肝炎にも用いられる。
5 インジナビルは、HIVプロテアーゼを選択的に阻害し、ウイルスの増殖を抑える。
6 ラルテグラビルは、CCケモカイン受容体5(CCR5)を阻害して、HIVの細胞内への侵入を阻害する。
7 リバビリンは、C型肝炎ウイルス（HCV）のRNA依存性DNAポリメラーゼを阻害して、HCVの増殖を抑える。
8 シメプレビルは、HCVのプロテアーゼ（NS3/4Aセリンプロテアーゼ）を阻害する。

【解答】
1 × アシクロビルは、ウイルス感染細胞内でアシクロビル三リン酸となり、DNAポリメラーゼを阻害する。
2 ○
3 × アマンタジンは、A型インフルエンザウイルスのM2タンパク質に結合して、ウイルスの脱殻反応を抑える。
4 ○
5 ○
6 × ラルテグラビルは、HIVインテグラーゼを阻害する。記述の機序を有するのは、マラビロク。
7 × リバビリンは、細胞内でリン酸化されて活性体となり、HCVのRNA依存性RNAポリメラーゼを阻害する。
8 ○

4 原虫・寄生虫感染症薬

到達目標
- 原虫感染症・寄生虫感染症治療薬の薬理（薬理作用、機序、主な副作用）を説明できる。

1. 抗原虫薬（Antiprotozoal agents）

　原虫とは、病原体として発見された生物が真核単細胞生物であって細胞壁をもたない、すなわち細菌類でもなくまた真菌類でもない場合にこの名を付ける。運動性があれば問題なくこの名を与える。

1）抗アメーバ薬（amebacides）

　アメーバ赤痢は原虫（単細胞の寄生虫）の一種である赤痢アメーバ（*Entamoeba histolytica*）の感染症である。大腸粘膜が潰瘍を起こし、イチゴゼリー様の粘血便を出す疾患で、多くは再発を繰り返し栄養障害を起こす。

①メトロニダゾール

臨床適用	アメーバ赤痢、トリコモナス症、ヘリコバクター・ピロリ除菌（経口）。（「抗トリコモナス薬」「消化器系に作用する薬」の項を参照）。
作用機序	原虫または菌体内の酸化還元系によって還元をうけ、ニトロ基（R–NO$_2$）はニトロソ化合物（R–NO）に活性化される。このR–NOが抗原虫作用および抗菌作用を示す。この反応の途中で生成したヒドロキシラジカルがDNAを切断し、DNAらせん構造の不安定化を招く。

メトロニダゾール

②パロモマイシン

臨床適用	アメーバ赤痢。経口投与により、腸管から吸収されにくく、腸管内の原虫に高濃度で作用する。
作用機序	原虫細胞内の30Sリボソームと結合し、タンパク質合成を阻害して抗原虫作用を発現する。

2）抗マラリア薬

マラリアは、ハマダラカによって媒介されるマラリア原虫感染症である。症状は、40度近い高熱、頭痛、吐き気。悪性の場合は脳マラリアによる意識障害や腎不全などを起こして死亡する。マラリアには、三日熱、四日熱、熱帯熱、サルマラリアなどの種類がある。

ハマダラカで有性生殖を行なって増殖したマラリア原虫は、スポロゾイト（胞子が殻の中で分裂して外に出たもの）としてヒトの血液中に入ると、速やかに肝細胞に取り付く。肝細胞中で1～3週間かけて成熟増殖し、分裂小体（メロゾイト）となって肝細胞を破壊し、赤血球内に侵入する。赤血球内で増殖して赤血球を破壊して血液中に出る。分裂小体は新たな赤血球に侵入し、このサイクルを繰り返す。原虫が血中に出るときに赤血球を破壊するため、それと同時に発熱が起こる。

①アトバコン・プログアニル配合剤

臨床適用	マラリアの予防と治療。マラリア流行地域到着24～48時間前より開始し、流行地域滞在中および流行地域を離れた後7日間、毎日食後に経口投与。
作用機序 アトバコン：	マラリア原虫ミトコンドリアの電子伝達系複合体を選択的に阻害。その結果、ジヒドロオロト酸デヒドロゲナーゼ（DHODH）を阻害し、ピリミジンの *de novo* 合成を阻害することにより、抗マラリア原虫活性を示す。
プログアニル：	・ヒドロ葉酸還元酵素を阻害し、活性葉酸であるテトラヒドロ葉酸への変換を抑制する。そのため、dTMP合成が阻害されてDNA合成が妨げられる。 ・配合剤は、原虫が肝細胞にいるときと赤血球中にいるときの両方で作用する。

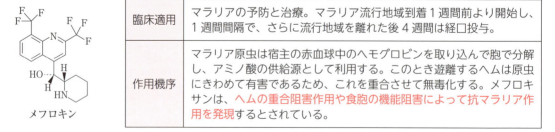

アトバコン　　　　プログアニル

②メフロキン塩酸塩

臨床適用	マラリアの予防と治療。マラリア流行地域到着1週間前より開始し、1週間間隔で、さらに流行地域を離れた後4週間は経口投与。
作用機序	マラリア原虫は宿主の赤血球中のヘモグロビンを取り込んで胞で分解し、アミノ酸の供給源として利用する。このとき遊離するヘムは原虫にきわめて有害であるため、これを重合させて無毒化する。メフロキサンは、ヘムの重合阻害作用や食胞の機能阻害によって抗マラリア作用を発現するとされている。

メフロキン

③キニーネ
- キニーネはキナ皮に含まれるアルカロイドで左旋性の光学異性体。

臨床適用	マラリアの治療（予防効果はない）。1日3回経口。最近はほかの薬に位置をゆずっている。

3) 抗トリコモナス薬（ニトロイミダゾール誘導体）
〈メトロニダゾール、チニダゾール〉
- トリコモナスは原虫の一種。
- ヒトに寄生するものとしては、泌尿生殖器に寄生する腟トリコモナス、腸管粘膜に寄生する腸トリコモナスなどがある。
- 腟トリコモナス症は性行為感染症であり、腟に炎症を起こし、帯下が増え、外陰炎を併発して灼熱感、排尿時疼痛などがみられる。

臨床適用	腟トリコモナスには経口剤や腟錠で用いる。メトロニダゾールは、ほかにアメーバ赤痢、ランブル鞭毛虫症やヘリコバクター・ピロリの二次除菌に用いる（経口）。ピロリ除菌（二次除菌）には、プロトンポンプ阻害薬およびアモキシシリンと3剤併用で使用する。
作用機序	ニトロ基が微生物により還元され、DNA鎖の分断やDNA複製の阻害などを惹起することにより、細胞を死に至らしめる。

2. 抗寄生虫薬・駆虫薬（Anthelmintics）

　ここでいう寄生虫とは、他の生物の体表または体内で、一時的または持続的にその生命現象を営む生物のうち、蠕虫類のような多細胞性の後生動物である。

- 回虫症は小腸に寄生する。多数の虫卵が感染した場合には、腸炎症状（下痢や腹痛）や肺炎を起こす。1950年代頃までは、日本国内での回虫感染率は60％にも達していたが、衛生思想の普及や化学肥料の導入、さらに集団駆除の実施により、近年では感染率は0.01％以下に減少している。
- 蟯虫症では、蟯虫は腸に寄生するが、めすが肛門周囲まで出てきて産卵するため、感染者は肛門付近の痒みで頻繁に掻く。重症化はしないので、必ずしも治療の必要性はないともいわれる。

ピランテル	臨床適用：回虫、鉤虫、蟯虫、東洋毛様線虫の駆除 作用機序：脱分極性神経筋遮断薬で、虫体の神経筋接合部に作用し、痙れん性麻痺を生じる。
メベンダゾール	臨床適用：鞭虫、回虫、蟯虫、鉤虫の駆除 作用機序：微小管阻害、グルコース取り込み阻害、グリコーゲン合成阻害、ATP合成阻害などによる。
アルベンダゾール	臨床適用：包虫、回虫、蟯虫の駆除 作用機序：微小管形成およびフマル酸還元酵素などの阻害作用によると考えられている。

ピランテル

CHECK

次の記述について、正しいものには「○」を、間違っているものには「×」をつけてその理由を簡潔に述べなさい。

1 メトロニダゾールが原虫内で還元を受ける過程で生成したヒドロキシラジカルは、DNAを切断する。
2 メトロニダゾールは、アメーバ赤痢、膣トリコモナス、ヘリコバクター・ピロリ除菌に用いられる。
3 プログアニルは、マラリア原虫のミトコンドリア電子伝達系複合体を選択的に阻害する。
4 ピランテルは、脱分極性神経筋遮断薬で、回虫や蟯虫などに痙れん性麻痺を生じる。

【解答】
1 ○
2 ○
3 × 記述の機序はアトバコンのもの。プログアニルは、ヒドロ葉酸還元酵素を阻害し、DNA合成を妨げる。
4 ○

5 殺菌薬・消毒薬

1. 殺菌薬（Germicides）・消毒薬（Disinfectants）

　一般に微生物を死滅させることを殺菌という。滅菌および消毒も殺菌の一種であり、滅菌とは、「物質中のすべての微生物を殺菌または除することをいう」。また、消毒とは、「人畜に対して有害な微生物または目的とする対象微生物を殺滅することをいう」。

殺菌薬	字義のごとく微生物を死滅させる薬物
消毒薬	有害な微生物の生命機能を非可逆的、全般的かつ速やかに破壊するような薬物
防腐薬	持続的に微生物の発育を抑制する薬物

　消毒薬は、①手指、創傷部位、②医療器具・用具および③環境などの広い範囲において病原生物を殺す目的で使用される。
　消毒薬の分類、種類、適用を表2-7-16に示した。

1）アルコール
〈エタノール、イソプロパノール〉
- その殺菌力は高級アルコールほど強いが、水に対する溶解度、揮発性などから通常は80％エタノールが用いられる。

作用機序	アルコール系は細胞膜を透過し、原形質のタンパク質を変性させると考えられている。

2）フェノール系
〈クレゾール石ケン液、フェノール〉
- クレゾール石ケン液やフェノール水（1.5〜5％）は排泄物、器具、衣類の消毒に用いる。

作用機序	フェノール系は、微生物の原形質のタンパク質の変性によって微生物を死滅させ、皮膚や粘膜を消毒する。

3）ハロゲン化合物（塩素系、ヨウ素系）
　塩素系製剤とヨウ素系製剤がある。

表 2-7-16 消毒薬の分類と適用一覧

分類		薬物	一般細菌	結核菌	細菌芽胞	真菌	ウイルス
高水準消毒薬（芽胞が多数存在する場合を除き、すべての微生物を死滅させる）							
	アルデヒド系	グルタラール、フタラール	○	○	○	○	○
	過酸化物系	過酢酸	○	○	○	○	○
中水準消毒薬（結核菌、栄養型細菌、ほとんどのウイルス・真菌を殺滅するが、必ずしも芽胞を殺滅しない）							
	アルデヒド系	ホルマリン	○	○	△	○	○
	塩素系	次亜塩素酸ナトリウム	○	△	△	○	○
	アルコール	エタノール	○	○	×	○	○〜△
		イソプロパノール	○	○	×	○	○〜×
	第4級アンモニウム塩系・エタノール	ベンザルコニウム塩化物・エタノール	○	○	×	○	○〜△
	ビグアナイド系・エタノール	クロルヘキシジングルコン塩・エタノール	○	○	×	○	○〜△
	ヨウ素系	ポビドンヨード	○	○	△	○	○〜△
	フェノール系	フェノール、クレゾール石ケン液	○	○	×	○〜△	×
低水準消毒薬（ほとんどの栄養型細菌、いくつかのウイルス・真菌を殺滅する）							
	ビグアナイド系	クロルヘキシジングルコン酸塩	○〜△	×	×	○〜△	×
	第4級アンモニウム塩系	ベンザルコニウム塩化物、ベンゼトニウム塩化物	○〜△	×	×	○〜△	×
	両性界面活性剤系	アルキルジアミノエチルグリシン塩酸塩	○〜△	△	×	○〜△	×
その他							
	色素系	アクリノール水和物	○〜△	×	×	○〜×	×
	過酸化物系	オキシドール	○〜×	×	△	○	△〜×
	水銀剤	マーキュロクロム	○	×	×	△	×
	薬用石けん液	トリクロサン・石けん液	—	—	—	—	—

○…有効、 △…十分な効果が得られないときがある、×…無効、—…該当しない

①塩素系製剤

- 次亜塩素酸ナトリウムで代表され、主として病室、器材、器具などの消毒に用いられる。

作用機序	次亜塩素酸（HOCl）または塩素（Cl_2）を生成し、殺菌作用を現わす。これらが、①酵素、核タンパク質の-SH基の酸化作用、②細胞膜タンパク質とN-Cl結合を作って代謝を阻害、③膜の透過性に異常をきたす等によると考えられている。

②ヨウ素系製剤

- 塩素より強い殺菌作用を示し、ヨードチンキ、ポビドンヨード、ヨードホルム、複方ヨードグリセリンなどの製剤がある。
- ヨードチンキは、ヨウ素およびエタノールの揮発性、殺菌作用、局所刺激作用により、主として外用殺菌、刺激剤としての薬効を有する。皮膚に塗布すると、表皮細胞を壊死させ、皮膚から徐々に吸収されて内部組織にまで及ぶ。

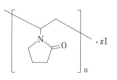

ポビドンヨード

- ポビドンヨードは、ポリビニルピロリドンとヨウ素を結合させたものでヨードチンキ様の作用があるが、刺激性のないのが特長である。
- ヨードホルムは、組織液に触れて徐々にヨウ素を遊離させる。

作用機序	ヨウ素（I_2）自体の酸化力によって殺菌するといわれている。水溶液中で生成される次亜ヨウ素酸（HOI）、次亜ヨウ素酸イオン（OI^-）も殺菌力をもっている。

4）ビグアナイド系
〈クロルヘキシジングルコン酸塩〉

- 代表的薬物であるクロルヘキシジングルコン酸塩は、陽イオン性化合物で、グルコン酸塩は水に溶けやすい。他の陰イオンが存在すると難溶性の塩を形成して、沈殿を生じ、抗菌力は低下する。

作用機序	比較的低濃度では、細菌の細胞膜に障害を与え、細胞質成分の不可逆的漏出や酵素阻害を起こす。比較的高濃度では、細胞内のタンパク質や核酸の沈殿を起こす。

クロルヘキシジングルコン酸塩

5）第4級アンモニウム塩系
〈ベンザルコニウム塩化物、ベンゼトニウム塩化物〉

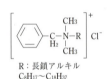

ベンザルコニウム塩化物
R：長鎖アルキル
C_8H_{17}〜$C_{18}H_{37}$

- 通常の石鹸が$R-COO^-$と陰イオン型であるのに対し、$R-N^+(R')_3$のような陽イオン型で界面活性作用を有するところから逆性石鹸ともいわれる。
- ベンザルコニウム塩化物、ベンゼトニウム塩化物がこれに属する。
- これらは芽胞のない細菌（グラム陽性、陰性の細菌）や真菌に広い抗菌性を示す。

作用機序	抗菌機序は定かではないが、微生物の酵素系を変性または不活化するという説と、陽イオンが微生物内に侵入して、他の必要なイオンを追い出すためという説がある。

6）アルデヒド系
〈グルタラール、フタラール、ホルマリン〉

- グルタラールは、示性式$OHC(CH_2)_3CHO$で、別名はグルタルアルデヒド。
- 高水準消毒薬であり、一般細菌、結核菌、細菌芽胞、真菌、ウイルスすべてにわたって強力な殺菌効果を発揮する。

作用機序	グルタラール分子の両端に位置するアルデヒド基が菌体構成アミノ酸のSH基あるいはNH_2基と反応し、また微生物のDNA合成やタンパク質合成を阻害し、死滅させると考えられている。

7）色素系
〈アクリノール水和物〉
- 微生物が特定の色素に染色性を示す一方、各種の色素が抗菌性を示すことが知られている。

作用機序	アクリジン色素のアクリノールは、アクリジニウムイオンとなって細菌の呼吸酵素を阻害することにより殺菌作用を現すといわれている。

8）過酸化物系
〈オキシドール、過酢酸〉
- オキシドールは3%過酸化水素水。持続性に乏しく浸透性も悪いが、発泡により創面を機械的に清浄化する。

作用機序	オキシドールはカタラーゼに触れて、発生期の酸素を発生し殺菌する。

9）水銀剤
〈マーキュロクロム〉
- 水銀化合物であるので、製造時における公害が問題となり、日本では製造されていない。使用量も激減している。

作用機序	マーキュロクロムは、皮膚・粘膜などに適用すると、Hgイオンを解離し、タンパク質と結合して静菌的に作用する。

6 抗悪性腫瘍薬

> **到達目標**
> ● 抗悪性腫瘍薬の薬理（薬理作用、機序、主な副作用）を説明できる。

1. 抗悪性腫瘍薬の種類と特徴

1）抗悪性腫瘍薬の種類
〈作用機序からの分類〉

〈アルキル化薬〉	分子内のアルキル基を核酸に共有結合させて架橋を形成し、DNAやRNA合成を阻害する。
マスタード系	シクロホスファミド、イホスファミド、メルファラン
ニトロソウレア系	ニムスチン、ラニムスチン
そ の 他	ブスルファン、ダカルバジン、マイトマイシンC、チオテパ
〈代謝拮抗薬〉	ヌクレオチドや核塩基の生合成過程に代謝拮抗物質として作用し、核酸の合成を阻害する。
ピリミジン塩基	フルオロウラシル（5-FU）、テガフール、ドキシフルリジン、シタラビン、エノシタビン、ゲムシタビン
プリン塩基	メルカプトプリン、フルダラビン
葉　　　酸	メトトレキサート、ペメトレキセド
DNA修復機構阻害薬	ドラベクテジン
そ の 他	アスパラギナーゼ、ペントスタチン、ヒドロキシカルバミド
〈抗 生 物 質〉	微生物によって生産された抗腫瘍活性を有する物質。
アントラサイクリン系	ドキソルビシン、ダウノルビシン、イダルビシン、エピルビシン、ピラルビシン、アクラルビシン、アムルビシン
そ の 他	マイトマイシンC、ブレオマイシン、アクチノマイシンD
〈微小管阻害薬〉	微小管形成に関与してその機能を障害し、有糸分裂を阻害する。
ビンカアルカロイド	ビンクリスチン、ビンブラスチン、ビンデシン、ビノレルビン
タキサン系	パクリタキセル、ドセタキセル
そ の 他	エリブリン
〈トポイソメラーゼ阻害薬〉	トポイソメラーゼⅠあるいはⅡを阻害する。
カンプトテシン化合物	イリノテカン、ノギテカン
ポドフィリン化合物	エトポシド
〈白 金 錯 体〉	DNAの塩基に結合して架橋を作り、DNA合成を阻害する。
	シスプラチン、カルボプラチン、オキサリプラチン、ネダプラチン、ミリプラチン

〈ホルモン作用薬・拮抗薬〉	乳癌や前立腺癌などには、増殖がホルモンに依存するものがあり、ホルモン作用薬あるいはホルモン拮抗薬が用いられる。
（乳　　　癌）	エストロゲン拮抗薬：タモキシフェン、トレミフェン アロマターゼ阻害薬：ファドロゾール、アナストロゾール、エキセメスタン、レトロゾール ゲスターゲン作用薬：メドロキシプロゲステロン エストロゲン受容体減少薬：フルベストラント LH-RH誘導体：リュープロレリン、ゴセレリン（前立腺癌にも用いる）
（前 立 腺 癌）	ゲスタゲン作用薬：クロルマジノン アンドロゲン拮抗薬：フルタミド、ビカルタミド
〈分子標的治療薬〉	細胞増殖に関与する細胞タンパク分子（受容体、酵素）に直接作用して、抗腫瘍活性を示す薬物。
モノクローナル抗体	リツキシマブ、モガムリズマブ、セツキシマブ、トラスツズマブ、トシリズマブ、ベバシズマブ、ゲムツズマブオゾガマイシン
チロシンキナーゼ阻害薬	イマチニブ、ゲフィチニブ、エルロチニブ、ラパチニブ、スニチニブ、ソラフェニブ、パゾパニブ
プロテアソーム阻害薬	ボルテゾミブ
分化誘導物質	トレチノイン、タミバロテン
そ　の　他	サリドマイド、三酸化ヒ素
〈免疫修飾物質〉	腫瘍に対する宿主の生物学的応答（免疫）を修飾することにより治療効果を発揮する薬物（BRM；Biological Response Modifier）。
	インターフェロン製剤：INF-α、β、γ インターロイキン-2（IL-2）製剤：テセロイキン、セルモロイキン ビシバニール（弱毒化した溶血性連鎖球菌の凍結乾燥体） 乾燥BCG クレスチン（カワラタケからの抽出多糖体） レンチナン（シイタケの子実体からの抽出多糖体）

2）細胞周期と抗悪性腫瘍薬

細胞周期	腫瘍細胞を含めて有糸分裂する細胞は、以下の周期をたどって増殖する。 成長期（G_1期）→ DNA複製期（合成期）（S期）→ 分裂準備成長期（G_2期）→ 細胞分裂期（M期）→ G_1期 　（一部はM期から休止期〔G_0期〕に入り増殖しない）
周期特異性薬物 （時間依存性）	ある特定の周期にある細胞にのみ作用する薬物をいう。 周期特異性薬物は、腫瘍細胞との接触時間を長くすることが有効で、長期間あるいは反復投与して用いるので、時間依存性薬物ともいう。 S期　　　：代謝拮抗薬、イリノテカン S/G_2期　：エトポシド G_2/M期　：ブレオマイシン M期　　　：ビンカアルカロイド、タキサン系
周期非特異性薬物 （濃度依存性）	いずれの周期にある細胞にも作用する薬物をいう。 周期非特異性薬は、短期でも高用量で用いるほうが有効で、宿主が耐えられる限り1回投与量を多くして用いるので濃度依存性薬物ともいう。 　（DNAに結合する薬物） アルキル化薬、白金製剤、アクチノマイシンD アントラサイクリン系薬物（ドキソルビシンなど）

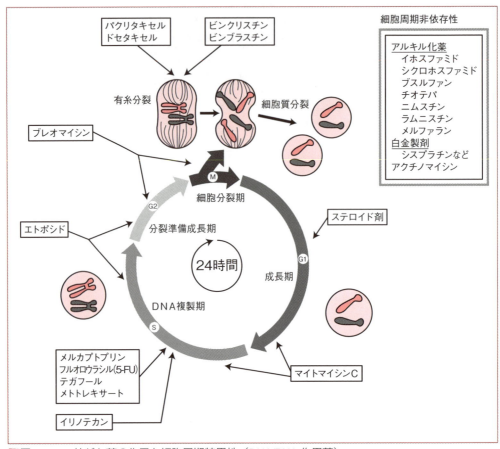

■ 図 2-7-12　抗がん薬の作用と細胞周期特異性（DNA/RNA 作用薬）

3）抗悪性腫瘍薬療法の特徴
①薬物感受性
- がん細胞によって抗腫瘍薬に対する感受性が異なる。
- 一般に増殖速度の速い腫瘍ほど抗腫瘍薬の効果を受けやすい（早期がんは細胞群の性質が一様で、急速に増殖するので抗腫瘍薬に高い感受性を示す。したがって、早期治療が重要となる）。

②多剤併用
- 原則として作用機序が異なり、毒性（副作用）が重複していない薬物の併用療法がとられる。

〈多剤併用の利点〉
　a．相補的な抗腫瘍作用の増強（相乗効果）。
　b．薬剤抵抗性腫瘍細胞の混在に対する対応。
　c．個々の薬物の用量が低くなるので、副作用発現が軽減できる。

4）副作用
　抗悪性腫瘍薬は、腫瘍細胞のみならず、増殖性の正常組織細胞、特に骨髄、口腔および胃腸上皮、毛包、生殖腺上皮などに対しても細胞毒性を示し、骨髄

抑制、消化器障害、脱毛などの多様な副作用を発現させる。

〈主要な抗悪性腫瘍薬の副作用（骨髄抑制、悪心・嘔吐以外の副作用）〉

薬　物	副　作　用
シクロホスファミド、イホスファミド	出血性膀胱炎
メトトレキサート	下痢、肺線維症、肝障害、腎障害
メルカプトプリン	肝障害
フルダラビン	腫瘍崩壊症候群※
フルオロウラシル	下痢、口内炎、消化管潰瘍
ドキソルビシン	心筋障害
ブレオマイシン	肺線維症（間質性肺炎）
ビンクリスチン	末梢神経症状（神経毒性）
ビンブラスチン	便秘（イレウス）
パクリタキセル	末梢神経障害
イリノテカン	高度の下痢
シスプラチン	腎障害、難聴（高音域）
アスパラギナーゼ	過敏症、低フィブリノーゲン血症
ゲフィチニブ	肺線維症（間質性肺炎）
インターフェロン	間質性肺炎、抑うつ

※腫瘍崩壊症候群：抗悪性腫瘍薬治療中に大量の腫瘍細胞が崩壊すると、細胞成分が放出され、その成分あるいは代謝産物により、腹部痛、血尿、高尿酸血症、高リン酸血症、低カルシウム血症、代謝性アシドーシス、高カリウム血症、腎不全等をきたした状態をいう。

5）用量規制因子

骨髄抑制（好中球減少など）、心毒性、重度の嘔吐や下痢など重篤な副作用が発現すれば化学療法を中止せざるをえず、これらの副作用は**用量規制因子**（dose-limiting factor）となる。

〈抗悪性腫瘍薬の主な用量規制因子〉

用量規制因子	抗悪性腫瘍薬
骨髄抑制	ほとんどの抗悪性腫瘍薬（白血球2,000、好中球1,000、血小板5万、ヘモグロビン8.0g/dL以下）
肝障害	ダカルバジン、メトトレキサート、メルカプトプリン、エトポシド
腎障害	シスプラチン、メトトレキサート
出血性膀胱炎	イホスファミド、シクロホスファミド
肺毒性	ブレオマイシン、メトトレキサート
心毒性	ドキソルビシン、ダウノルビシン
下痢	イリノテカン、メトトレキサート、フルオロウラシル
悪心・嘔吐	シスプラチン、他の多くの抗悪性腫瘍薬
末梢神経障害	ビンクリスチン、パクリタキセル
血液凝固異常	アスパラギナーゼ（肝障害による凝固因子の合成低下）
過敏症	パクリタキセル、アスパラギナーゼ、エノシタビン

6）がんの種類と選択される抗悪性腫瘍薬

　抗がん薬治療においては、患者の延命効果や癌の縮小効果、症状の緩和効果が臨床試験で明らかになり、かつ副作用も強すぎない薬物が標準治療薬となる。がんの種類によって抗癌薬の有効性が異なる。

　抗がん薬治療では、複数の抗がん薬を併用する場合が多く、併用療法のケースが多い。しかし、抗がん薬の効果や副作用は個人差が大きく、すべての患者に一次選択薬の効果が大きいとは限らない。

　さらに、がん細胞が耐性を獲得して薬物の効果が低下する場合もあるので、選択する薬物を代えることもある。

表 2-7-17　がんの種類と抗がん薬の反応性

がんの種類	治療薬の反応性
脳腫瘍	有効な抗がん薬はきわめて少ない（中枢に透過しにくい）手術療法が第一選択
消化器系がん	抗がん薬が効きにくい
急性白血病、悪性リンパ腫	化学療法による治療成績が良く、完治例も少なくない。
小児癌	化学療法による治療成績が良く、完治例も少なくない。

表 2-7-18　がんの種類と抗がん薬の選択

がんの種類		治療薬の選択
脳腫瘍		ニムスチン、ラニムスチン（ニトロソウレア類、BBBを通過する）
扁平上皮がん（食道がんなど）		ブレオマイシン
皮膚がん	有棘細胞がん	ブレオマイシン＋シスプラチン
肺がん	小細胞肺がん（20％、悪性度高い）	PE療法：シスプラチン＋エトポシド PI療法：シスプラチン＋イリノテカン
	非小細胞肺がん（80％）	シスプラチン、カルボプラチン、ドセタキセル＋イリノテカン、ゲフィチニブ、ベバシズマブ
食道がん		低用量FP療法（第一選択）：5-FU＋シスプラチン
胃がん		シスプラチン＋TS-1（テガフール＋ギメラシル＋オテラシル）、5-FU、イリノテカン、ドセタキセル、パクリタキセル
大腸がん		FOLFOX療法：ホリナート＋5-FU＋オキサリプラチン FOLFIRI療法：ホリナート＋5-FU＋イリノテカン
		ベバシズマブ
膵臓がん		ゲムシタビン（第一選択）
肝臓がん		動注療法：マイトマイシンC、5-FU、シスプラチン、動注療法＋インターフェロン
胆管がん・胆のうがん		ゲムシタビン（第一選択）
腎臓がん		インターフェロンα、インターロイキン2、ソラフェニブ、スニチニブ

膀胱がん		M-VAC療法（第一選択）：メトトレキサート＋ビンブラスチン＋ドキソルビシン＋シスプラチン
前立腺がん		リュープロレリン
卵巣がん		パクリタキセル＋カルボプラチン
乳がん	乳がん	CMF療法：シクロホスファミド＋メトトレキサート＋5-FU CAF療法：シクロホスファミド＋ドキソルビシン＋5-FU
	閉経後乳がん	アナストロゾール
白血病	急性骨髄性白血病（AML）	シタラビン、イダルビシン、ダウノルビシン
	急性前骨髄性白血病（APL）	トレチノイン、イダルビシン
	慢性骨髄性白血病（CML）	イマチニブ
リンパ系腫瘍	多発性骨髄腫	サリドマイド、デキサメタゾン、ボルテゾミブ
	悪性リンパ腫 B細胞性非ホジキンリンパ腫	R-CHOP療法（第一選択）：リツキシマブ＋シクロホスファミド＋ドキソルビシン＋ビンクリスチン＋プレドニゾロン
	悪性リンパ腫 ホジキンリンパ腫	ABVD療法（第一選択）：ドキソルビシン＋ブレオマイシン＋ビンブラスチン＋ダカルバジン

2. 抗悪性腫瘍薬各論

1）アルキル化薬

アルキル化薬は直接DNAを攻撃して、DNAの求核性部位（主としてグアニン塩基の7位）と共有結合する。DNAとの間で架橋することにより、DNAは1本鎖になったり分離できず、DNA複製が不可能となり細胞分裂はできなくなる。作用は細胞周期非特異的である。

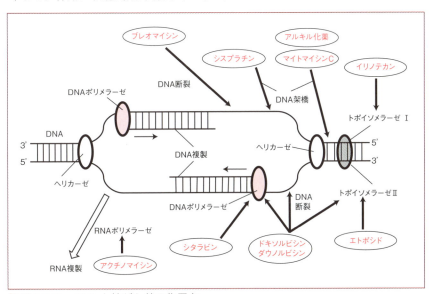

図2-7-13 DNAと抗がん薬の作用点

マスタード系薬物 　シクロホスファミド 　cyclophosphamide 　イホスファミド 　ifosfamide	・シクロホスファミドはプロドラッグであり、肝のCYP2B6などで代謝・活性化され、抗腫瘍効果を発現する。 〈適応〉 ・乳癌、肺癌、各種白血病、悪性リンパ腫、多発性骨髄腫など、広い抗癌スペクトラムをもつ。最もよく用いられている抗癌薬の1つ。 ・乳癌治療法として、CAF療法（シクロホスファミド＋ドキソルビシン＋5-FU）、CMF療法（シクロホスファミド＋メトトレキサート＋5-FU）が有名。 ・難治性リウマチ関連疾患の治療…免疫抑制活性も有するので。 （経口、静注） 〈副作用〉 ・骨髄抑制、悪心・嘔吐、脱毛 ・分解過程でアクロレイン（CH_2CHCHO）を産生し、その毒性で出血性膀胱炎、排尿障害を起こす。 　⇒予防にSH化合物メスナ（$HSCH_2CH_2SO_3Na$）を静注または点滴静注で併用して、アクロレインを失活させる。 ・イホスファミド（静注、点滴静注）は、主にCYP3A4によって活性化される。シクロホスファミド耐性例にも効果。効力が弱いため多量の投与量が必要とされる。使用時にはメスナを併用する。
メルファラン melphalan	・ナイトロジェンマスタードのメチル基の代わりにフェニルアラニンを結合させた化合物。 〈適応〉多発性骨髄腫（経口、中心静脈からの静注）…ステロイド剤やシクロホスファミドと併用されることが多い。
ニトロソウレア系薬物 　ニムスチン 　nimustine 　ラニムスチン 　ranimustine 　カルムスチン 　carmustine	・ニトロソ尿素化合物。DNAをアルキル化するとともに、分解産物イソシアネート（R-N=C=O）がタンパク質をカルバモイル化する。 ・高い脂溶性を示し、血液関門を通過し脳内移行が良い。 ・カルムスチンは脳腫瘍切除面に留置して投与する。 〈適応〉脳腫瘍の第一選択薬（静注など）
その他 　ブスルファン 　busulfan	・ブチルスルホン酸誘導体。生体内で$R-CH_2^+$基を生ずる。 ・脂溶性で経口吸収良好（個人差あり） 〈適応〉 ・慢性骨髄性白血病（経口）…イマチニブが優先使用される。 ・造血幹細胞移植時の前処置（中心静脈から点滴静注）…骨髄の白血病細胞を根絶させるため。
（マイトマイシンC）	抗腫瘍性抗生物質。2本鎖DNAにアルキル化薬として架橋する。
ダカルバジン dacarbazine	・生体内代謝で生じるジアゾメタンを介し、アルキル化作用を発現する。 〈適応〉メラノーマ（悪性黒色腫）の治療薬（静注）として有名だが、効果に限界がある。最近欧米ではメラノーマ治療薬としてTリンパ球活性化作用をもつ抗体医薬品イピリムマブが承認された。

シクロホスファミド　　イホスファミド　　メルファラン　　ニムスチン

ブスルファン

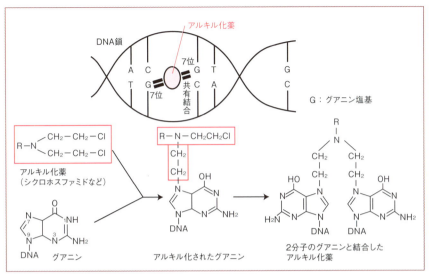

図 2-7-14　アルキル化薬による DNA 鎖間の架橋

2）代謝拮抗薬

　代謝拮抗薬は、酵素基質や補酵素の類似体で、腫瘍細胞の分裂増殖に必要なプリン塩基、ピリミジン塩基、活性型葉酸の合成を阻害して、結果として DNA 合成を阻害する。
　DNA 複製（合成）期の細胞に特異的に作用する（S 期特異的）。

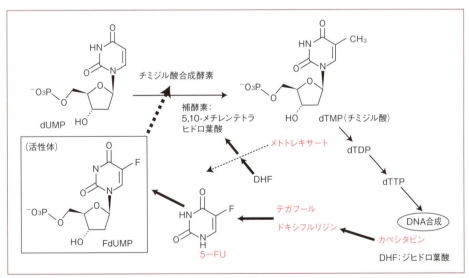

図 2-7-15　フルオロウラシル（5-FU）などの作用機序

ピリミジン代謝拮抗薬 フルオロウラシル fluorouracil （5-FU）	〈作用機序〉 ・生体内でリボースリン酸に結合して活性体である FdUMP（5-フルオロ 2'-デオキシウリジル酸）に変換される。本来の基質である dUMP の代わりにこの FdUMP がチミジル酸合成酵素に不可逆的に結合して、この酵素を阻害する。その結果、dUMP の dTMP（デオキシチミジル酸）への変化は阻害され、チミジンはできずに DNA 合成は阻害される。 ・5-FdUMP は 5-FUTP となって RNA 中に取り込まれ、RNA 合成をも阻害してタンパク合成も阻害。 〈適　応〉胃癌、肝癌、膵癌、大腸癌、乳癌、子宮癌、卵巣癌 ・5-FU は肝で代謝され半減期が短い（点滴静注、持続動注、経口）。 ・レボホリナート・フルオロウラシル療法：レボホリナートの代謝産物が FdUMP とチミジル酸合成酵素と強固な複合体を形成して 5-FU の抗腫瘍活性を増強。（点滴静注） ・ホリナート・テガフール・ウラシル療法：進行性結腸直腸癌に用いる。 〈副作用〉激しい下痢（脱水症状）、口内炎・消化管潰瘍 〈薬物相互作用〉帯状疱疹などに使用した抗ウイルス薬ソリブジンの代謝物 5'-ブロモビニルウラシルは、5-FU の不活性化酵素（ジヒドロチミジン脱水素酵素）を不可逆的に阻害するため、5-FU の作用が増強されて致死的血液障害を発現した。
（5-FUのプロドラッグ） テガフール tegafur ドキシフルリジン doxifluridine カペシタビン capecitabine	・持続化を目的とした 5-FU のプロドラッグ テガフール：肝の P450 で代謝され活性化 ・テガフール・ギメラシル・オテラシルカリウム（1:0.4:1）配合剤（TS-1 療法）：テガフールと 5-FU 分解酵素阻害薬のギメラシルと、消化管組織の 5-FU 活性化酵素阻害により消化器毒性を軽減化するオテラシルとの配合剤。5-FU の効果を増強。（経口） ・テガフール・ウラシル配合（UFT）：ウラシルが 5-FU の分解を抑制（作用増強）（経口） ドキシフルリジン： 　腫瘍細胞に取込まれてチミジンホスホリラーゼで代謝され、5-FU に変換（標的癌細胞に選択性をもつ）。（経口） ・肝や腫瘍組織に存在するシチジンデアミナーゼによりドキシフルリジンに変換される。
シタラビン cytarabine	・別名 ara-C。シトシンにアラビノースが結合したヌクレオシド。 ・生体内でリン酸化されて ara-CTP となり、ピリミジン塩基である dCTP や dTTP と競合し、DNA ポリメラーゼを阻害し DNA 合成阻害。 〈適　応〉急性骨髄性白血病（AML）の第一選択薬、消化器癌（点滴静注など）
（シタラビンの プロドラッグ） シタラビンオクホスファート エノシタビン enocitabine	・シタラビンオクホスファートは経口投与 ・エノシタビンはシタラビンに徐々に変換
ゲムシタビン gemcitabine	・シチジン誘導体（シトシンにジフルオロ糖が結合）（プロドラッグ） ・体内でリン酸化されて活性化、DNA ポリメラーゼを阻害して DNA 合成を阻害。 〈適　応〉膵癌の第一選択薬、非小細胞肺癌（間欠的点滴静注）

フルオロウラシル　テガフール　ドキシフルリジン

シタラビン　ゲムシタビン

プリン代謝拮抗薬 メルカプトプリン mercaptopurine	・腫瘍細胞内で6-チオイノシン酸（TIMP）となり、プリン塩基（アデニン、グアニン）合成を阻害する。 〈適　応〉白血病（経口） 〈副作用〉経口投与でよく吸収されるが、肝のキサンチン酸化酵素で代謝されて6-チオ尿酸となり不活性化（アロプリノールの併用で作用増強⇒投与量を減量）。
フルダラビン fludarabine	・DNAポリメラーゼ、RNAポリメラーゼを阻害してDNA、RNA合成を阻害。 〈適　応〉慢性リンパ性白血病、造血幹細胞移植時の前処置（間欠的経口あるいは点滴静注）
リボヌクレオチド レダクターゼ阻害薬 ヒドロキシカルバミド hydroxycarbamide	・リボヌクレオチドのリボース部分を還元して、デオキシリボースへと変換する酵素を阻害。この酵素の働きを阻害すると、DNA合成が抑制されてしまう。 〈適　応〉慢性骨髄性白血病（経口）
葉酸拮抗薬 メトトレキサート methotrexate ペメトレキセド pemetrexed プララトレキサート pralatrexate	・ジヒドロ葉酸還元酵素を阻害し、ジヒドロ葉酸（FH_2）のテトラヒドロ葉酸（FH_4）への活性化を抑制。テトラヒドロ葉酸（FH_4）の枯渇により、DNAとRNAの合成を阻害。[p.289、図2-3-25参照] 〈適　応〉白血病、乳癌（CMF療法）、胃癌、肉腫、悪性胸膜中皮腫（ペメトレキセド、シスプラチンと併用）（経口、静注、髄空内注、筋注） ・活性葉酸ホリナートによる救援療法（メトトレキサート投与終了後に投与して毒性軽減）〈適応〉大腸癌（結腸・直腸癌） ・5-FUとの交代療法（biochemical modulation作用/胃癌）：プリン合成阻害の結果で増加した細胞内の PRPP（phosphoribosyl pyrophos-phate）が5-FUの代謝を促進し、活性代謝物を増加させる。 ・免疫抑制薬としても関節リウマチの治療などにも用いられる（パンヌスのリンパ球や滑膜細胞の増殖を抑制するため）。 ・尿細管に結晶が析出して尿細管障害 → 尿をアルカリ化（アセタゾラミド、重曹投与）。 ・プララトレキサートは、還元型葉酸キャリアー1（RFC-1）を介して速やかに細胞内に取り込まれ、長く滞留するよう改良された葉酸代謝拮抗薬で、2017年発売。

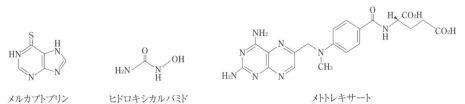

メルカプトプリン　ヒドロキシカルバミド　メトトレキサート

ヌクレオチド除去修復機構阻害薬 トラベクテジン trabectedin	・ホヤの一種から単離された化合物。DNAの副溝部分に結合し、ヌクレオチド除去修復機構を阻害して、細胞死を誘導し、腫瘍の増殖を抑制する。 〈適 応〉悪性軟部腫瘍（点滴静注）
その他の酵素阻害薬 ペントスタチン pentostatin	・アデノシンデアミナーゼを阻害 ⇒ その結果、抗腫瘍効果のあるデオキシアデノシン生成 ⇒ 抗腫瘍作用発現。 ・シクロホスファミド、イホスファミドとの併用で心毒性が発現。 〈適 応〉成人T細胞白血病、リンパ腫、ヘアリー細胞白血病（間欠的静注） 〈副作用〉腎毒性、嘔吐
L-アスパラギナーゼ L-asparaginase	・血中のアスパラギンを分解し、アスパラギン要求性の腫瘍細胞を栄養欠乏状態にする。 〈適 応〉白血病（点滴静注） 〈副作用〉ショック、血液凝固異常、急性膵炎、高アンモニア血症

3）抗腫瘍性抗生物質

DNA合成阻害、DNA鎖切断等の機序により抗腫瘍活性を示す。

アントラサイクリン系薬 ドキソルビシン （別名アドリアマイシン） doxorubicin ダウノルビシン daunorubicin イダルビシン idarubicin エピルビシン epirubicin ピラルビシン pirarubicin アクラルビシン aclarubicin アムルビシン amrubicin	①腫瘍細胞のDNA鎖間に入り込み複合体を形成して、DNAポリメラーゼ、RNAポリメラーゼを阻害し、DNAおよびRNA合成を阻害。 ②トポイソメラーゼⅡも阻害し、DNA合成を阻害。 ③キノン部の還元によりフリーラジカル中間体となり、活性酸素を生成し、DNAを切断。 〈適 応〉 　ドキソルビシン：急性リンパ性白血病（ALL）の第一選択薬。乳癌（CAF療法）、肺癌、消化器癌、骨肉腫（間欠的静注） 　ダウノルビシン、イダルビシン：急性白血病（間欠的静注） 〈副作用〉 ・活性酸素生成 ⇒ 心臓で脂質過酸化物生成 ⇒ 心毒性（心筋障害、うっ血性心不全） ・血管漏出により血管炎 ・P-糖タンパクの発現により耐性発現（カルシウム遮断薬が耐性改善）。
アクチノマイシンD actinomycin D	・グアニンと結合して2本鎖DNAと架橋し、DNA依存性RNAポリメラーゼによる転写を阻害（→ RNA合成・タンパク合成阻害）。 〈適 応〉絨毛上皮腫、ウイルムス腫瘍（間欠的に静注）
マイトマイシンC mitomycin C	①2本鎖DNAに架橋（アルキル化薬としてグアニンと結合） ②フリーラジカル生成によりDNA切断。 ・G$_1$期からS期の細胞に高い感受性。 〈適 応〉広い抗癌スペクトル（ほとんどの腫瘍に効果を発揮）（静注） 〈副作用〉溶血性尿毒症症候群（HUS）
ブレオマイシン bleomycin	・細胞内で鉄とキレートを形成し、活性酸素を生成。その結果、非酵素的にDNA鎖を切断。 ・G$_2$期からM期の細胞に高い感受性。 〈適 応〉扁平上皮癌（皮膚癌、肺癌、食道癌）（静注、動注、軟膏） 〈副作用〉肺毒性：肺線維症、間質性肺炎

ドキソルビシン　　　ダウノルビシン　　　イダルビシン

アクチノマイシンD　　マイトマイシンC　　ブレオマイシン

MeGly = **N**-メチルグリシン
MeVal = **N**-メチルバリン

4）微小管阻害薬

細胞の分裂装置（紡錘体）を構成する微小管の形成に影響を及ぼし、有糸細胞分裂を阻害する（M期特異的）。

ビンカアルカロイド ビンクリスチン vincristine ビンブラスチン vinblastine ビンデシン vindesine ビノレルビン vinorelbine	・ツルニチニチソウ（キョウチクトウ科）の成分。 ・チュブリン（α、β-チュブリン二量体）と結合し、その重合と脱重合を阻止 ⇒微小管（分裂装置）形成阻害⇒有糸細胞分裂阻害、アポトーシス。 〈適　応〉 　ビンクリスチン：悪性リンパ腫（R-CHOP療法、ABVD療法）など（静注） 　ビンブラスチン：悪性リンパ腫、尿路上皮癌（M-VAC療法）（静注） 〈副作用〉 　ビンクリスチン：末梢神経障害（神経麻痺、筋麻痺、麻痺性イレウス、痙れん） 　（ビンクリスチン＞ビンブラスチン）…末梢神経の微小管の障害による。 ・便秘 ・癌細胞内で、P-糖タンパク質含量の増大により耐性が生ずる。 ・ビノレルビンは、比較的副作用が軽く、肺癌や乳癌に使用。
エリブリン eribulin	・クロイソ海面成分であるハリコンドリンBの誘導体。 ・微小管重合だけを阻害し、脱重合は阻害しない。 ・長期間かつ非可逆的に作用する強力な細胞分裂阻害薬である。癌細胞をアポトーシスに導く。 ・G_2とM基に作用 〈適　応〉乳癌（間欠的に静注）
タキサン系 パクリタキセル paclitaxel ドセタキセル docetaxel カバジタキセル cabazitaxel	・西洋イチイの成分（半合成）。 ・微小管タンパクの重合を促進⇒微小管を極度に安定化・過剰形成 　⇒脱重合を抑制し、紡錘体機能の阻害⇒有糸細胞分裂阻害、アポトーシス。 ・主にM期に作用する。 〈適　応〉卵巣癌（PC療法）、非小細胞肺癌、乳癌（間欠的に点滴静注） 〈副作用〉末梢神経障害（四肢や口周辺など）、白血球減少

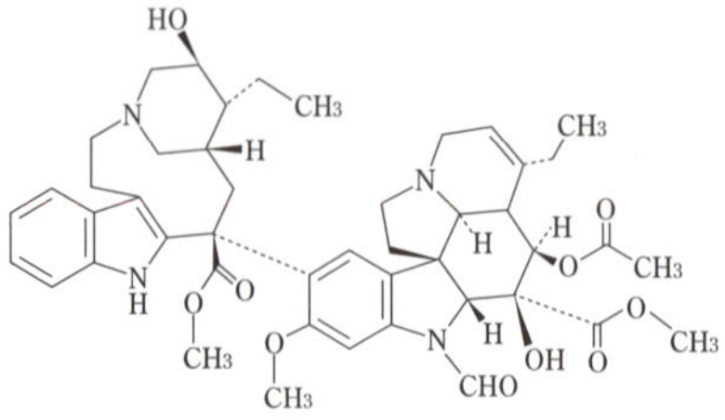

ビンクリスチン 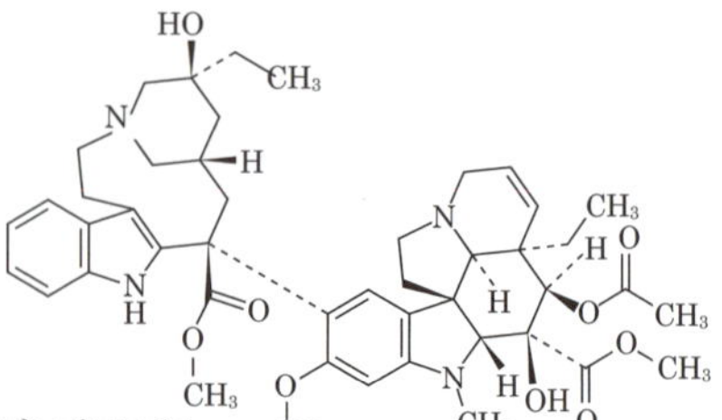　ビンブラスチン

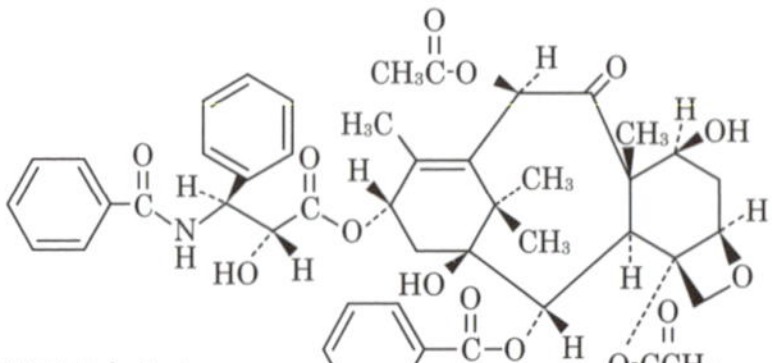

パクリタキセル 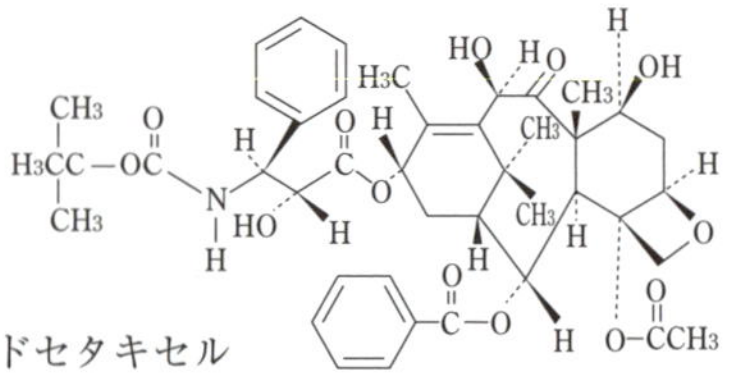　ドセタキセル

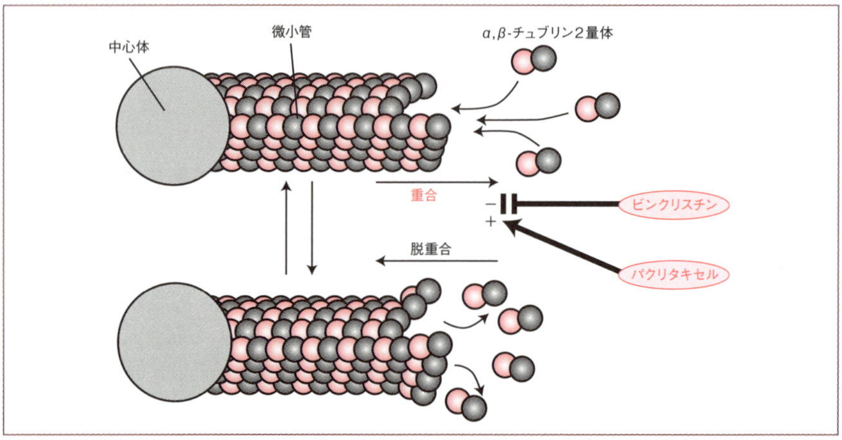

図 2-7-16　微小管阻害薬の作用機序

5) トポイソメラーゼ阻害薬

DNAの複製・転写の過程でDNAのトポロジー(「ねじれ」や「からみ」)を解消し再結合する酵素であるトポイソメラーゼを阻害して細胞増殖を阻害する。トポイソメラーゼにはⅠとⅡがある。

トポイソメラーゼⅠ阻害薬 イリノテカン irinotecan ノギテカン nogitecan	・カンプトテシン(アルカロイド)誘導体 ・生体内でエステラーゼにより加水分解され活性化(プロドラッグ)。 ・トポイソメラーゼⅠ(2本鎖DNAらせんのねじれを解いて、一方だけを切断する酵素)を阻害し、DNAの複製を阻害(S期特異的)。

イリノテカン
〈適　応〉小細胞(PI療法)／非小細胞肺癌、卵巣癌、子宮頸癌、乳癌、結腸・直腸癌など(間欠的に点滴静注)
〈副作用〉重症の下痢(致死的となることもある)、骨髄抑制

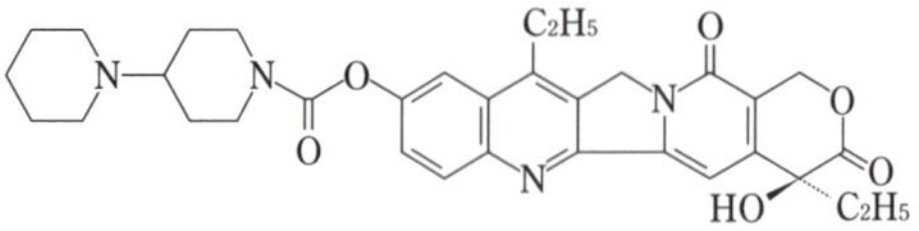

イリノテカン

ノギテカン：小細胞肺癌に使用(間欠的に点滴静注)

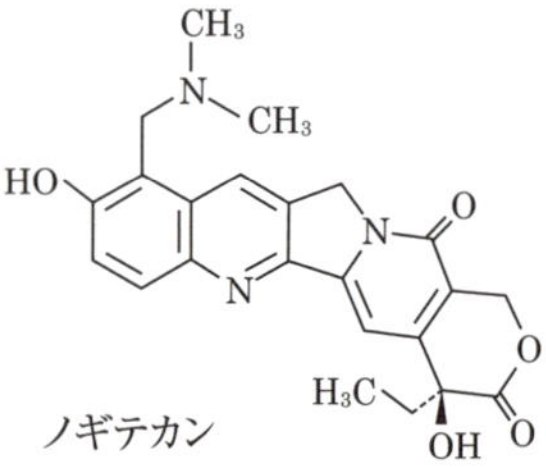

ノギテカン

トポイソメラーゼⅡ阻害薬 エトポシド etoposide	・メギ科植物の成分ポドフィロトキシン（アルカロイドではない）から半合成。 ・DNAおよびトポイソメラーゼⅡ（2本鎖DNAのねじれを解いて、2本とも切断・再結合する酵素）と複合体を形成して、トポイソメラーゼⅡを阻害し、DNA複製を阻止（S期およびG$_2$期に作用） ・抗腫瘍作用は、濃度依存性および時間依存性 〈適　応〉小細胞肺癌（PE療法）、悪性リンパ腫（間欠的な経口、点滴静注） 〈副作用〉骨髄抑制、間質性肺炎

6）白金製剤

DNA鎖内あるいは鎖間に結合してDNA合成を阻害する。細胞周期非特異的であるが、G$_1$期の細胞に対する選択性が高い。

シスプラチン cisplatin	・白金化合物（シス体のみに抗腫瘍活性）。白金製剤は固形癌治療に大きな改善をもたらした。 ・分子中の塩素が離脱してH$_2$O$^+$基あるいはOH基に変換する。癌細胞内で（＋）荷電した白金剤が、（－）荷電のDNA塩基（グアニンやアデニン）と共有結合し、DNAと架橋を形成（アルキル化と類似した作用）。 ・抗腫瘍作用は、濃度依存性および時間依存性。切れ味が鋭い。 ・血漿タンパクとの結合性大（血中濃度は総シスプラチンと遊離シスプラチンと分けて測定）。 〈適　応〉小細胞（PE療法、PI療法）／非小細胞性肺癌など多くの固形癌に有効（点滴静注など） 〈副作用〉腎排泄され、腎毒性を発現（用量規制因子）、強い嘔吐、骨髄抑制、聴力障害（高音域の難聴）、末梢神経障害（知覚異常）。 ・シスプラチン使用時には腎毒性を軽減するため、大量の水分を投与する（水分負荷）。 ・腎障害患者には禁忌。
カルボプラチン carboplatin オキサリプラチン oxaliplatin ネダプラチン nedaplatin ミリプラチン miriplatin	カルボプラチン ・シスプラチンより腎毒性が弱いので、シスプラチンの代わりに置き換わりつつある。 オキサリプラチン ・FOLFOX療法；レボホリナート＋フルオロウラシル＋オキサリプラチン（大腸癌に使用）。

シスプラチン　　　　　　カルボプラチン　　　　　　オキサリプラチン

7）ホルモン作用薬・拮抗薬

増殖が性ホルモンに依存する乳癌や前立腺癌の治療には、性ホルモン関連薬物（作用薬、拮抗薬、合成阻害薬）が用いられる。

乳癌治療薬	
エストロゲン拮抗薬 　タモキシフェン 　tamoxifen 　トレミフェン	・エストロゲン受容体拮抗薬 ・乳癌組織などのエストロゲン受容体に競合的に結合し、抗エストロゲン作用を示し、抗乳癌作用を発揮。7割以上の患者がエストロゲン受容体陽性であり有効。 〈適応〉乳癌（経口） ・トレミフェンは閉経後乳癌のみ 〈副作用〉タモキシフェン：子宮体癌の発生増加（子宮体部のエストロゲン受容体には作動薬として働くため）
アロマターゼ阻害薬 　アナストロゾール 　anastrozole 　レトロゾール 　letrozole 　エキセメスタン 　exemestane	・アナストロゾールとレトロゾールは非ステロイド性構造。 ・閉経後の副腎皮質網状層由来のアンドロゲンが、（乳房等の）脂肪細胞でアロマターゼを介してエストロゲンへ変換されるのを阻害する ⇒ アロマターゼを介するエストロゲン依存性腫瘍の増殖を抑制。 ・エキセメスタンは非可逆的阻害。 〈適応〉閉経後乳癌（経口） 〈副作用〉骨粗しょう症
ゲスタゲン作用薬 　メドロキシプロゲステロン 　medroxyprogesterone	・下垂体系からのFSH分泌抑制作用や末梢での抗エストロゲン作用などにより、エストロゲン依存性腫瘍を抑制。 〈適応〉乳癌、子宮体癌　〈副作用〉血栓症
エストロゲン受容体減少薬 　フルベストラント 　fulvestrant	・7α位にアルキルスルフィニル側鎖を有するエストラジオールのステロイド性類縁体。 ・部分アゴニスト作用は有しておらず、タモキシフェンより強いエストロゲン受容体拮抗作用を示す。 ・乳癌細胞においてエストロゲン受容体をダウンレギュレート（減少）する効果を有する。 〈適応〉閉経後乳癌（筋注）
乳癌・前立腺癌治療薬	
LH-RH誘導体 　リュープロレリン 　leuprorelin 　ゴセレリン 　goserelin	・視床下部ホルモンである黄体形成ホルモン放出ホルモン（Gn-RH/LH-RH）誘導体。下垂体前葉のGn-RH受容体に作用。 ・投与初期（短期投与）：下垂体からゴナドトロピン（FSH、LH）の分泌を促進 ・**長期投与**：Gn-RH受容体の脱感作により下垂体からのゴナドトロピンの分泌を抑制 ⇒ 末梢生殖器でのエストロゲン、テストステロンの合成／分泌抑制 ⇒ 乳癌や前立腺癌を抑制 〈適応〉閉経前乳癌、前立腺癌、子宮内膜症 ・4週間持続性の注射用徐放剤を4週毎に1回皮下注射で使用。 〈副作用〉エストロゲン低下に基づく更年期障害（女性）、投与初期に一過性の血中テストステロンの上昇による随伴症状（骨性疼痛、排尿困難）（男性）
前立腺癌治療薬	
ゲスタゲン作用薬 　クロルマジノン 　chlormadinone	抗アンドロゲン作用をもつ黄体ホルモン剤（経口で使用） ①5α-ジヒドロテストステロン（活性体）の受容体への結合を阻害 ②前立腺でテストステロンの選択的取り込み阻害 ③精巣でテストステロンの生合成を抑制 ・前立腺肥大症にも用いる。 〈副作用〉うっ血性心不全、血栓症、糖尿病

抗アンドロゲン薬 　フルタミド 　　flutamide 　ビカルタミド 　　bicalutamide 　エンザルタミド 　　enzalutamide	・前立腺癌組織のアンドロゲン受容体でアンドロゲンに拮抗。 ・フルタミドは代謝体（OH体）が活性体。 ・ビカルタミドはR体が活性体。 ・経口で使用 〈副作用〉肝障害、間質性肺炎
アンドロゲン合成阻害薬 　アビラテロン 　　abiraterone	・17α-hydroxylase（CYP17）阻害によりテストステロン生合成を阻害。
GnRHアンタゴニスト 　デガレリクス 　　degarelix	・性腺刺激ホルモン放出ホルモン（GnRH）のアンタゴニスト。下垂体のGnRH受容体に可逆的に結合して遮断。黄体形成ホルモン（LH）の放出を抑制する結果、精巣からのテストステロン分泌を抑制。 ・4週間に1回皮下注射。

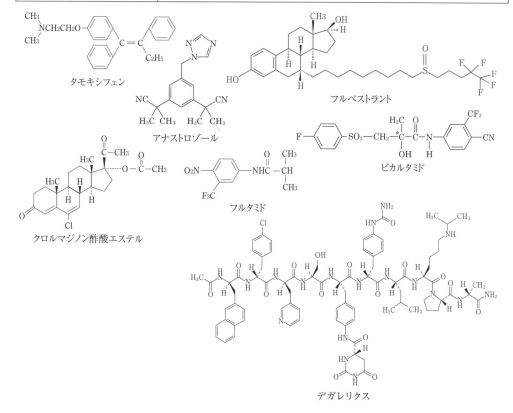

8）分子標的治療薬

　近年の分子生物学の進展に伴い、癌の増殖・浸潤・転移を制御する特異的な分子が同定され、この分子を標的とした抗腫瘍薬（分子標的治療薬）が開発されている。

　従来の化学療法薬は、細胞の増殖過程を阻害すること（細胞毒性）により活性を発現させるものであり、正常細胞への影響も避けられず、抗腫瘍効果と同時に副作用が発現する。分子標的治療薬は、腫瘍細胞のある特定の分子のみに作用するので、理論上は細胞毒性に基づく副作用がかなり回避できる。

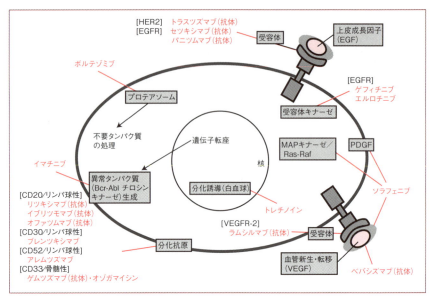

図 2-7-17　分子標的治療薬の抗癌薬

モノクローナル抗体

リツキシマブ rituximab イブリツモマブ チウキセタン ibritumomab tiuxetan	・ヒト B リンパ球表面の分化抗原 CD20 タンパクに対するマウス-ヒトキメラ型モノクローナル抗体。 ・CD20 は、正常細胞や癌細胞に関係なく、B 細胞表面に特異的に発現している。 ・抗体と結合した癌細胞は、抗体依存性細胞傷害作用（ADCC）*や補体を介した細胞融解（CDC）作用**を受けて死滅する。 ・イブリツモマブ チウキセタンは、モノクローナル抗体であるイブリツモマブにキレート剤のチウキセタンを組み合わせたもの。チウキセタンには放射性同位体であるイットリウム 90 またはインジウム 111 が付加されている。B 細胞の CD20 に結合したあと、β 線によって結合した細胞およびその周辺の細胞を死滅させる。 〈適　応〉CD20 陽性の B 細胞性非ホジキンリンパ腫（このタイプの腫瘍はほとんどが CD20 陽性）（点滴静注） 〈副作用〉アナフィラキシー様症状、肺障害、心障害
ブレンツキシマブ ベドチン brentuximab vedotin	・マウス抗ヒト CD30 に対するキメラ型モノクローナル抗体。それに微小管阻害作用をもつ低分子物質であるモノメチルアウリスタチン E（MMAE）を結合させた抗体薬物複合体製剤。 〈適　応〉CD30 陽性のホジキンリンパ腫（点滴静注） 〈作用機序〉CD30 は腫瘍壊死因子受容体に属する膜貫通型タンパク質であり、95％のホジキンリンパ腫患者の B 細胞に発現している。この薬物は、CD30 抗原を発現したホジキンリンパ腫腫瘍細胞に取り込まれた後、タンパク質分解酵素により、MMAE の結合が切断される。MMAE はチュブリンに結合して、細胞周期を停止させ、抗腫瘍効果を発現する。 〈副作用〉リンパ球や好中球減少、下肢感覚性神経障害

* 抗体依存性細胞障害（ADCC）作用：ADCC（antibody-dependent cell mediated cytotoxicity）。がん細胞に抗体（医薬品）が結合すると、その抗体がマクロファージや NK 細胞といった免疫細胞を呼び寄せ、その抗体が結合しているがん細胞を殺傷する。
** 補体依存性細胞障害（CDC）作用：CDC（complement-dependent cytotoxicity）。がん細胞に抗体（医薬品）が結合すると、補体を介してがん細胞を殺傷する。

オファツムマブ ofatumumab	・ヒトBリンパ球のCD20に対するヒト型モノクローナル抗体。 〈適　応〉CD20陽性の慢性リンパ性白血病（CLL）（点滴静注）
アレムツズマブ alemtuzumab	・抗CD52モノクローナル抗体。CD52はB細胞の95%以上に発現している。アレムツズマブは慢性リンパ性白血病細胞の表面のCD52抗原に結合し、抗体依存性細胞傷害（ADCC）活性と補体依存性細胞傷害（CDC）活性を介した細胞溶解を起こすと考えられている。 〈適　応〉慢性リンパ性白血病（CLL）
ベバシズマブ bevacizumab	・血管内皮細胞増殖因子（VEGF）に対するヒト化モノクローナル抗体（血管新生阻害）。 ・VEGFを阻害すると、癌細胞による血管新生が抑制され、癌細胞への栄養供給が減り、増殖速度が低下する。 〈適　応〉結腸・直腸癌、非小細胞肺癌、乳癌（点滴静注）
ゲムツズマブ オゾガマイシン gemtuzumab ozogamicin	・分化抗原CD33に対するモノクローナル抗体（ゲムツズマブ）と抗腫瘍抗生物質（オゾガマイシン）の結合物 ・白血病細胞に到達するとゲムツズマブが細胞表面にあるCD33抗原と結合する。そのあと薬物–CD33複合体は細胞内に取り込まれる。細胞内でオゾガマイシンが遊離され、2本鎖DNAに結合して切断して、細胞を死滅させる。ゲムツズマブは単なる運び屋の役目をする。 〈適　応〉CD33陽性の急性骨髄性白血病（AML）（AMLではCD33陽性率は80%以上）（点滴静注）
モガムリズマブ mogamulizumab	・CCケモカイン4受容体（CCR4）に対するモノクローナル抗体。ATL細胞表面に存在する受容体であるCCR4を認識して結合する。CCR4は、正常組織ではサイトカインを産生するヘルパー2型T細胞に選択的に発現するが、ある種の血液癌においては過剰発現している。 〈適　応〉CCR4陽性の成人T細胞白血病（ATL）リンパ腫（間欠的点滴静注）
セツキシマブ cetuximab パニツムマブ panitumumab	・上皮成長因子受容体（EGFR）に対するモノクローナル抗体。 ・EGFRは細胞の増殖や分化に関わっており、さまざまな癌細胞でEGFRが変異し過剰発現している。高い癌転移性も起こす。EGFRは受容体型チロシンキナーゼによるリン酸化を介して反応を促進する。 〈適　応〉EGFR陽性の結腸・直腸癌（点滴静注）
トラスツズマブ trastuzumab	・癌遺伝子由来のヒト上皮成長因子受容体2型（HER2）に対するヒト化モノクローナル抗体。 ・HER2はEGFRと類似しており、HER2遺伝子の異常により、HER2が過剰発現すると、細胞の増殖や分化が促進される。 〈適応〉HER2陽性の乳癌（点滴静注）（HER2陽性乳癌患者比率約20%） 〈副作用〉心障害、アナフィラキシー様症状
トシリズマブ tocilizumab	・ヒトIL-6受容体に対するヒト化モノクローナル抗体（IL-6の作用を遮断）。 〈適　応〉キャッスルマン病（リンパ増殖性疾患）（点滴静注）
ラムシルマブ ramucirumab	・ヒト血管内皮増殖因子受容体（VEGFR）-2の細胞外領域に対するIgG$_1$サブクラスのヒト型モノクローナル抗体である。血管新生を阻害し、癌細胞を抑制する。 〈適　応〉胃癌
ニボルマブ nivolumab	・ヒトPD-1に対するヒト型IgG$_4$モノクローナル抗体。 ・PD-1は、活性化したリンパ球に発現するCD28ファミリーに属する受容体である。PD-1は、抗原提示細胞に発現するPD-1リガンド（PD-L1およびPD-L2）と結合し、リンパ球に抑制性シグナルを伝達して、リンパ球の活性化状態を負に調節している。 ・ニボルマブはPD-1の細胞外領域（PD-1リガンド結合領域）に結合し、PD-1とPD-1リガンドとの結合を阻害することにより癌抗原特異的なT細胞の活性化および癌細胞に対する細胞傷害活性を増強することで持続的な抗腫瘍効果を示す。 〈適　応〉悪性黒色腫（メラノーマ）

2-7 病原微生物（感染症）・悪性新生物（がん）に作用する薬

チロシンキナーゼなどの酵素阻害薬

イマチニブ imatinib ニロチニブ nilotinib	・慢性骨髄性白血病（CML）や一部の急性リンパ性白血病（ALL）では染色体異常が起こっており、この異常な染色体をフィラデルフィア染色体という。染色体の一部がちぎれて転座し、22番染色体上のbcr遺伝子と9番染色体上のabl遺伝子がつながって、bcr-ablという新しい遺伝子領域ができる。キメラ（bcr/abl）遺伝子により産生されるBcr-Ablという異常なチロシンキナーゼがつくられ、CMLを引き起こす。 ・イマチニブはBcr-Ablチロシンキナーゼの阻害薬 〈適　応〉慢性骨髄性白血病、急性リンパ性白血病（経口） 〈副作用〉汎血球減少、肝障害
ゲフィチニブ gefitinib	・癌発生の引き金となるヒト上皮成長因子受容体(EGFR)チロシンキナーゼ領域でATPと競合的に可逆的結合することで、この酵素を阻害する(非小細胞肺癌細胞のうちこの受容体が変異・活性化しているものに有効)。細胞増殖の抑制およびアポトーシスの誘導に基づき腫瘍増殖を抑制する。 〈適　応〉手術不能または再発の非小細胞肺癌 〈副作用〉間質性肺炎、重度の下痢（経口）
エルロチニブ erlotinib	・ゲフィチニブと同様に、ヒト上皮成長因子受容体（EGFR）チロシンキナーゼを可逆的に阻害する。 〈適　応〉非小細胞肺癌（経口）
アファチニブ afatinib	・ヒト上皮成長因子受容体（EGFR、ErbB1）のほか、HER2（ErbB2）やErbB4のチロシンキナーゼ領域のATP結合部位に共有結合することで、がん患者で過剰発現しているそれらの受容体のリン酸化を不可逆的に阻害する特徴をもつErbB受容体ファミリー阻害薬。 〈適　応〉非小細胞肺癌
ラパチニブ lapatinib	・上皮成長因子受容体（EGFR）とHER2の両者を阻害するチロシンキナーゼ阻害薬。 〈適　応〉HER2過剰発現の乳癌（経口）
スニチニブ sunitinib	・血小板由来増殖因子（PDGF）受容体、血管内皮細胞増殖因子（VEGF）受容体、幹細胞因子受容体（c-Kit***）などの受容体キナーゼを阻害するマルチキナーゼ阻害薬。 〈適　応〉腎細胞癌（間欠的経口）
ソラフェニブ sorafenib	・Rafキナーゼ****、PDGF受容体キナーゼ、VEGF受容体キナーゼ、c-Kitキナーゼなどを阻害するマルチキナーゼ阻害薬。 〈適　応〉腎細胞癌、肝細胞癌（経口） 〈副作用〉手足の皮膚の腫れ
パゾパニブ pazopanib	・血管内皮細胞増殖因子(VEGF)受容体、血小板由来増殖因子(PDGF)受容体、幹細胞因子受容体c-Kitなどの受容体キナーゼを阻害するマルチキナーゼ阻害薬。 〈適　応〉悪性軟部腫瘍（筋、脂肪、血管、リンパ管、関節、神経など）（経口）
レゴラフェニブ regorafenib	・同上 〈適　応〉結腸・直腸癌（経口）

*** 幹細胞因子受容体（c-Kit）：c-Kitキナーゼは、それに対する特異的なリガンドである幹細胞因子（SCF）と結合することにより、それ自身の2量体化に引き続きキナーゼ活性が活性化され、その結果細胞内に存在する種々のc-Kitキナーゼの基質がリン酸化を受ける。c-Kitキナーゼの異常な活性化は、ある種のがん細胞で増殖シグナルとなってがん化や悪性化の原因になっている。

**** Rafキナーゼ：Rafは、Ras（癌遺伝子産物）をはじめとする低分子量GTP結合タンパク質やCキナーゼなどによって活性化され、下流のMEKキナーゼをリン酸化して活性化する。

ベムラフェニブ vemurafenib	・悪性黒色腫では約 60% で B-raf タンパク質に変異（コドン 600 のアミノ酸であるバリンがグルタミン酸に変異；BRAF V600E）が生じている。そのため、B-raf は恒常的に活性化され、下流の経路である Raf → MEK → ERK が活性化されて細胞に異常増殖が起きる。ベムラフェニブは、B-raf を阻害してこの経路を阻害し、腫瘍の増殖を抑制する。 〈適 応〉後期悪性黒色腫（メラノーマ）（経口）
クリゾチニブ crizotinib セリチニブ ceritinib	・未分化リンパ腫キナーゼ（anaplastic lymphoma kinase: ALK）の受容体チロシンキナーゼとその発癌性変異体（ALK 融合タンパク質および特定の ALK 変異体）に対するチロシンキナーゼ阻害薬。 ・ALK 融合タンパク質は、内在するチロシンキナーゼが恒常的に活性化することにより強力な癌化能を有する。 ・クリゾチニブは ALK を阻害して、癌抑制作用を発現する。 〈適 応〉ALK 融合遺伝子陽性の非小細胞性肺癌

プロテアソーム阻害薬

ボルテゾミブ bortezomib	・プロテアソームは、不要となったタンパク質の分解を行う酵素複合体である。細胞周期の回転にも重要な関わりを持っている。 ・不要となったタンパク質はユビキチンで標識された後、プロテアソームで分解される。プロテアソームを阻害すると、不要タンパク質が蓄積し、細胞周期の維持ができなくなり、アポトーシスを誘導し、抗癌作用が発現する。ボルテゾミブはプロテアソームを可逆的に阻害する。 〈適 応〉多発性骨髄腫（間欠的静注）

ヒストン脱アセチル化酵素阻害薬

パノビノスタット panobinostat	・ヒストン脱アセチル化酵素（HDAC）阻害薬） ・ヒストンまたは非ヒストンタンパク質の脱アセチル化を阻害して、癌細胞の増殖に必要な転写因子などの制御を阻害し、アポトーシスを引き起こす。 〈適 応〉多発性骨髄腫（経口）

分化誘導薬

トレチノイン tretinoin タミバロテン tamibarotene	・別名 ATRA（all trans-retinoic acid）。ビタミン A 活性代謝物。 ・前骨髄球性白血病（APL）では、PML/RARα 遺伝子が転座により生成されている。そのため白血球は分化や成熟に異常をきたし、幼弱な細胞形態が癌化して過剰出現している。 ・トレチノインは、細胞の分化誘導作用をもち、未分化細胞（腫瘍細胞）⇒ 分化細胞 → アポトーシス → 消失、という過程を経て APL 細胞を抑制する。 〈適 応〉急性前骨髄球性白血病（APL）（経口） 〈副作用〉催奇形性（妊婦には禁忌）、レチノイン酸症候群

その他

サリドマイド thalidomide レナリドミド lenalidomide	・詳細な作用機序は不明だが、以下のように考えられている。 ①IκB キナーゼを阻害して転写因子 NF-κB の活性化を抑制 → 血管新生抑制 → 癌細胞への栄養供給を低下 ②TNF-αmRNA の不安定化 → 単球での TNF-αの産生を抑制 〈適 応〉多発性骨髄腫（経口）
三酸化ヒ素 arsenic trioxide	・前骨髄球性白血病細胞の分化を抑制している PML/RARα遺伝子（転座により生成）を分解してその機能を解除する（分化促進、アポトーシス誘導）。 〈適 応〉急性前骨髄球性白血病（APL）（静注） 〈副作用〉APL 分化症候群

イマチニブ　ゲフィチニブ
エルロチニブ　スニチニブ
ソラフェニブ　ボルテゾミブ
トレチノイン　サリドマイド　ベムラフェニブ
パノビノスタット

9) 化学療法補助薬

悪性腫瘍の化学療法では副作用の発現不可避であるので、副作用を軽減あるいは障害からの回復を促進する薬物が用いられる。

①制吐薬（化学療法に伴う悪心・嘔吐の予防に用いる）
- セロトニン5-HT₃受容体遮断薬：オンダンセトロン、グラニセトロン、アザセトロン、ラモセトロン、トロピセトロン、インジセトロン
- ドパミンD₂受容体遮断薬：メトクロプラミド、ドンペリドン
- 副腎皮質ステロイド：デキサメタゾン

②血球増殖因子（骨髄抑制に基づく好中球の減少には白血球の造血因子を用いる）
- G-CSF（顆粒球コロニー刺激因子）：フィルグラスチム、レノグラスチム、ナルトグラスチム
- M-CSF（マクロファージ—コロニー刺激因子）：ミリモスチム

③メトトレキサート毒性の軽減
- ホリナート（folinate）（活性葉酸）：正常細胞に能動的に取り込まれて解毒。

④フルオロウラシルの抗腫瘍効果増強
- レボホリナート（levofolinate）：ホリナートのL体であり、フルオロウラシルのチミジル酸合成酵素阻害活性を増強する。
- ギメラシル：フルオロウラシルの分解酵素阻害（消化器毒性の軽減にオテラシル配合）。

⑤シクロホスファミドおよびイホスファミドによる出血性膀胱炎の予防
- メスナ（mesna）：副作用原因物質であるアクロレインを捕捉して発症を予防する。

⑥乳癌の溶骨性骨転移の治療
- パミドロン酸二ナトリウム（pamidronate）：ビスホスホネート製剤である。癌が骨転移すると、癌細胞から破骨細胞を活性化させる生理活性物質が放出されるので骨吸収が亢進し、疼痛を生じる。パミドロン酸は乳癌の溶骨性骨転移による破骨細胞の機能を抑え、高カルシウム血症を改善する働きがあるので、骨転移による疼痛を抑制する効果がある（4週間に1回点滴静注）。

2-7 病原微生物（感染症）・悪性新生物（がん）に作用する薬

CHECK

次の記述について、正しいものには「○」を、間違っているものには「×」をつけてその理由を簡潔に述べなさい。

1　カルモフールは、メルカプトプリンのプロドラッグで、チミジル酸合成酵素を阻害する。
2　シタラビンにフッ素を導入したゲムシタビンは、膵臓癌の第一選択薬である。
3　アントラサイクリン系抗腫瘍性抗生物質は、キノン部の還元によりフリーラジカル中間体となり活性酸素を生成し、心筋障害を起こす。
4　パクリタキセルは、チューブリンと結合して微小管形成を阻害し、有糸細胞分裂を阻害する。
5　エトポシドは、トポイソメラーゼ I の DNA 切断作用を阻止して抗腫瘍作用を示す薬剤で、肺小細胞癌や悪性リンパ腫などに適応される。
6　エキセメスタンは、抗アンドロゲン作用をもつ前立腺癌治療薬である。
7　ゲフィチニブは、ヒト上皮成長因子受容体の内蔵するチロシンキナーゼを阻害する分子標的治療薬で、非小細胞肺癌に用いられる。
8　シクロホスファミドによる出血性膀胱炎の予防にはメスナを併用する。
9　リツキシマブは、ヒト上皮増殖因子受容体2型（HER2）に対するモノクローナル抗体であり、HER2過剰発現が確認された転移性乳癌に適応される。
10　ニムスチンは、血液脳関門通過が良好なため、脳腫瘍に使用される。
11　メトトレキサートは、ジヒドロ葉酸還元酵素を阻害し、テトラヒドロ葉酸の産生を抑制して核酸合成を阻害する。
12　ビカルタミドは、アロマターゼ阻害薬で、閉経後乳癌に使用される。
13　ビンクリスチンは、DNAに結合してDNA、RNAポリメラーゼを阻害することによって抗腫瘍活性を示すアントラサイクリン系薬で、悪性リンパ腫、肺癌、乳癌、消化器癌などに適応される。
14　リュープロレリンは、LH-RH製剤であり、閉経前乳癌と前立腺癌に使用される。
15　ドキソルビシンは、微小管形成阻害薬で、白血病、悪性リンパ腫に使用される。
16　タモキシフェンは、エストロゲン受容体に対して競合的に拮抗する抗エストロゲン薬として乳癌に用いるが、子宮体癌を発生させる懸念がある。

【解答】

1	×	カルモフールは、フルオロウラシルのプロドラッグである。
2	○	
3	○	
4	×	タキサン類のパクリタキセルは、微小管タンパクの重合を促進して微小管を安定化・過剰形成し、有糸細胞分裂を阻害する。微小管形成阻害は、ビンクリスチンなどのビンカアルカロイドである。
5	×	エトポシドは、トポイソメラーゼⅡを阻害する。
6	×	エキセメスタンは、アロマターゼを阻害し、閉経後乳癌に用いられる。
7	○	
8	○	
9	×	ヒト上皮増殖因子受容体2型（HER2）に対するモノクローナル抗体は、トラスツズマブである。リツキシマブは、ヒトBリンパ球 表面の分化抗原CD20リンタンパクに対するマウス-ヒトキメラ型モノクローナル抗体である。
10	○	
11	○	
12	×	ビカルタミドは、アンドロゲン拮抗薬で前立腺癌治療薬である。アロマターゼ阻害薬には、ファドロゾールやエキセメスタンがある。
13	×	ビンクリスチンは、微小管形成阻害薬で、白血病、悪性リンパ腫に用いられる。
14	○	
15	×	ドキソルビシンは、腫瘍細胞のDNA二本鎖の溝に入り込み（インターカレーション）、DNAやRNA合成を阻害するアントラサイクリン系抗腫瘍性抗生物質で、悪性リンパ腫、肺癌、乳癌などに適応される。
16	○	

2-8 薬物の基本構造と薬効

1 化学構造と薬効の関連性

到達目標
- 代表的な薬物の基本構造と薬効の関連を説明できる。

1. 構造活性相関とは

　薬物の薬理作用は、薬物分子とその標的器官である生体構成分子の一部分との相互作用によって発現すると考えられる。したがって、生物活性は薬物の化学的性質によって決定され、薬物の構造と密接な関連のある物理化学的性質と生物活性との間には相関関係があるに違いない。こうした薬物の分子構造と生物活性（薬理活性）との間の関連性を構造活性相関という。

　一方、一部麻酔薬などのように分子構造がまったく異なるのに類似した効果が発現する場合には、化合物の各々の骨格や官能基の共通性によるよりも分子全体の脂溶性などの物理化学的な性質が共通である、などが考えられる。

2. 構造活性相関と作られてきた薬物

　これまでに作られてきた多くの薬物は、受容体に作用する薬物であり、受容体に結合するための部位、すなわち、母核と親和性の維持並びに作動薬活性および拮抗薬活性を持たせるための側鎖の検討が行われてきている。

　構造活性相関を検討する場合、母核に相当するアセチルコリン、ノルアドレナリンおよびドパミンといった内因性の神経伝達物質に、側鎖部位として、これらの神経伝達物質を修飾することにより作動活性を維持し、代謝をされにくいものが合成されてきた。一方、多くの拮抗薬は、母核および側鎖部位にベンゼン環などといった大きめの置換基を入れることにより創製されてきた。

1 化学構造と薬効の関連性

例1：コリン作動薬の構造活性相関
　①アセチルコリンのβ位にメチル基を導入→ムスカリン受容体選択性大
　　：メタコリン、ベタネコール

$$\begin{array}{c}CH_3\\CH_3\\CH_3\end{array}\!\!\!\!\diagdown\!N^+\!-\!CH_2\!-\!CH_2\!-\!O\!-\!CO\!-\!CH_3 \qquad アセチルコリン$$

$$\begin{array}{c}CH_3\\CH_3\\CH_3\end{array}\!\!\!\!\diagdown\!N^+\!-\!CH_2\!-\!\underset{\underset{CH_3}{|}}{CH}\!-\!O\!-\!CO\!-\!CH_3 \qquad メタコリン$$

②アセチルコリンのアセチル基をカルバミル基（—CONH₂）で置換
　→コリンエステラーゼに対する抵抗大（分解されない）：カルバコール、ベタネコール

$$\begin{array}{c}CH_3\\CH_3\\CH_3\end{array}\!\!\!\!\diagdown\!N^+\!-\!CH_2\!-\!CH_2\!-\!O\!-\!CO\!-\!NH_2 \qquad カルバコール$$

$$\begin{array}{c}CH_3\\CH_3\\CH_3\end{array}\!\!\!\!\diagdown\!N^+\!-\!CH_2\!-\!\underset{\underset{CH_3}{|}}{CH}\!-\!O\!-\!CO\!-\!NH_2 \qquad ベタネコール$$

例2：β受容体作用薬の構造活性相関
①ノルアドレナリンのアミノ基にイソプロピル基を導入→β作用が増強

ノルアドレナリン　　$\alpha_1, \alpha_2, \beta_1$作用を有する。

イソプレナリン　　イソプロピル基　　α作用はなく β_1, β_2作用を有する。

②芳香環とアミノ基に炭素原子が2個のときに作動帯活性および高親和性を示す
③水酸基を取り除くと中枢移行性が高くなる
④カテコール骨格の修飾→時としてβ遮断薬に転ずる

プロプラノロール　　β活性のないβ遮断薬である。

- モルヒネなどの天然物由来の薬物は、構造的に合成することが難しく、オキシコドンのような鎮痛薬は抽出されたモルヒネから半合成される。このモルヒネなどの作用する内因性の伝達物質は、ペプチドであり、母核であるメッセージ部位に対して、側鎖に相当するアドレス部位によってオピオイド受容体選択性が変わってくるといったメッセージアドレスの概念で多くの薬物が合成されてきた。

例3：オピオイドの構造活性相関

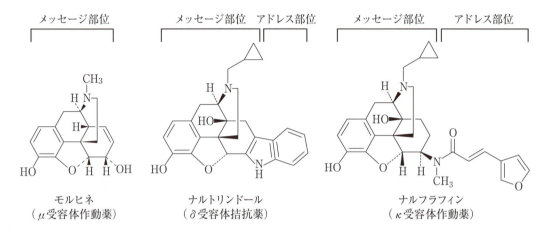

- この他、交感神経興奮薬（p.82参照）、モルヒネ（p.129参照）、ステロイド（p.413、416参照）などでも構造活性相関が知られる。

- 構造活性相関に基づき、化学構造を少しずつ変えた化合物を作ることで画期的な新薬が発見されてきた。

例4：

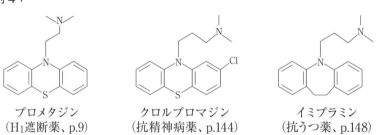

索 引

【A】

abiraterone 523
accumulation 56
acebutolol 236、261
acetazolamide 318
acetylcholine 67
ACE 阻害薬 227、253、268
ACh 67、351
AChE 68
ACh 受容体 65
ACh トランスポーター 67
ACh 遊離阻害薬 116
acotiamide 75
ACTH 400、406
actinomycin D 518
addition 30
ADH 125、400
adrenaline 85
adrenergic drug 82
AED 240
afatinib 526
agonist 33
alacepril 269
ALDH 125
alemtuzumab 525
ALG 289
aliskiren 273
alprostadil 279
ambenonium 75
ambrisentan 281
amezinium 277
aminophylline 319
amiodarone 238
amlodipine 251、267
amosulalol 100、262
amyl nitrite 247
anastrozole 522
Ang II 351
angina pectoris 241
angiotensin converting enzyme inhibitors 268
antagonist 33
antiadrenergic drug 93
antianginal drug 241
anticholinergic drug 76
apraclonidine 88
aprindine 234
ARB 227、253、270、272

arotinolol 100、237、262
arrhythmia 229
arsenic trioxide 527
asparaginase 518
AT_1 受容体 12、13、270
AT_2 受容体 13、270
atenolol 236、261
ATG 289
ATP 239
atropine 77
autonomic ganglion blocker 103
autonomic ganglion stimulant 102
autonomic nervous system 62
azathioprine 195
azelnidipine 267
azilsartan 272
azosemide 315
A型ボツリヌス毒素 68、116

【B】

Bainbridge reflex 217
baroreceptor 218
basiliximab 196
benazepril 270
benidipine 251
benzocaine 110
bepridil 239
beraprost 279、281
betaxolol 261
bevacizumab 525
bevantolol 100、262
bicalutamide 523
biperiden 81
bisoprolol 236、260
bleomycin 518
BMI 255
bortezomib 527
bosentan 280
brentuximab vedotin 524
brimonidine 89
bumetanide 315
bunazosin 96、264
busulfan 514
butylscopolamine 78

【C】

CA 331
cabazitaxel 519

CABG 244
candesartan cilexetil 271
canrenoate 317
capecitabine 516
captopril 269
carbonic anhydrase 331
carboplatin 521
carperitide 319
carteolol 237、260
carvedilol 100、262
Ca 拮抗薬 238、249、265
CCK 353
celmoleukin 197
ceritinib 527
cetuximab 525
cGMP 246
ChE 68
ChE 再賦活化薬 73
chlormadinone 522
cholinergic drug 71
cibenzoline 234
ciclosporin 194
cilazapril 270
cilnidipine 267
cilostazol 280
cisplatin 521
clonidine 88、258
cocaine 109
competitive antagonism 31
COMT 69、70
concentration−response curve 3
COX−1 181
COX−2 181
CRH 400、403
crizotinib 527
cyclopentolate 78
cyclophosphamide 195、514
cytarabine 516

【D】

dacarbazine 514
daunorubicin 518
decamethonium 115
degarelix 523
delapril 270
delayed action 5
desensitization 84
dexmedetomidine 88
dibenamine 96

索引

dibucaine 109
DIC 300、374
dihydroergotamine 95、277
dihydroergotoxin 278
diltiazem 239、250、266
dipivefrine 87
dipyridamole 252
direct action 4
direct renin inhibitor 273
disease-modifying anti-rheumatic drug 198
disopyramide 233
distigmine 75
D-mannitol 318
DMARDs 198
DMPP 102
DNAジャイレース 454
docetaxel 519
dose-response curve 2
downregulation 18
doxazosin 96、265
doxifluridine 516
doxorubicin 518
DPP-4 384
DPP-4阻害薬 384
droxidopa 87、277

【E～G】

EC_{50} 3
ECG 216
edrophonium 74
efficacy 3
enalapril 269
endothelin 14
endplate 111
enzaltamide 523
EPA 302
ephedrine 92
epoprostenol 281
eplerenone 275、317
ergot alkaloid 95
ergotamine 95
eribulin 519
erlotinib 526
esaxerenone 275
ethylaminobenzoate 110
etilefrine 86、277
etoposide 521
everolimus 196
fesoterodine 80
flavoxate 79
flecainide 235

fludarabine 517
fluorouracil 516
flutamide 523
FSH 400、406
5-FU 516
fulvestrant 522
furosemide 274、315
$GABA_A$受容体 138
GABAトランスアミナーゼ 25
gastric inhibitory peptide 353
G-CSF 285、289、292
gefitinib 526
gemcitabine 516
gemtuzumab ozogamicin 525
general action 5
GH 400、405
GH-IH 400、404
GH-RH 400、404
Gi 20、23
GIP 353
G-kinase 246
GLP 54
GLP-1受容体作動薬 384
glycopyrronium 80、341
GM-CSF 285
Gn-RH 400、404
GnRHアンタゴニスト 404
goserelin 522
Gq 20、23
Gs 20、23
GTPase 21
guanabenz 258
guanethidine 94、263
gusperimus 196
G細胞 352
G-ストロファンチン 225
Gタンパク共役型受容体 19、20

【H・I】

H^+,K^+-ATPase 27、352、357
H_1受容体 9
H_2受容体 9
H_3受容体 9
H_4受容体 9
hANP 319
HDLコレステロール 387
Helicobacter pylori 360
hexamethonium 103、259
HIF-PH阻害薬 291
HIF活性化薬 291
HMG-CoA還元酵素 25
HMG-CoA還元酵素阻害薬 389

5-HT 352
5-HT_{1A}受容体作動薬 11
5-$HT_{1B/1D}$受容体作動薬 11
5-HT_2受容体遮断薬 11
5-HT_3受容体遮断薬 11
5-HT_4受容体作動薬 11
5-HT_4受容体刺激薬 367
hydralazine 267
hydrochlorothiazide 274、314
hydroxycarbamide 517
hypertension 254
hypotension 276
ibritumomab tiuxetan 524
IBS 365
ICSH 400、406
idarubicin 518
ifosfamide 514
IL-6阻害薬 201
iloprost 281
imatinib 526
imidafenacin 80
imidapril 270
immediate action 5
impulse conducting system 215
indacaterol 341
indapamide 315
indirect action 4
inhibitory action 4
interferon alfa 197
intracellular signal transduction 21
intrinsic activity 33
ipratropium 80
irbesartan 272
irinotecan 520
ischemic heart disease 241
isoprenaline 85
isosorbide 318
isosorbide dinitrate 247
isoxsuprine 91、278

【K～M】

K^+チャネル阻害薬 238
K_{ACh}チャネル 26
kallidinogenase 279
K_{ATP}チャネル 26
LABA 336
labetalol 100、261
landiolol 237
lapatinib 526
LDLコレステロール 387
lenalidomide 527

leuprorelin 522
LH 400、406
LH-RH 400、404
lidocaine 109、234
limaprost 279
lisinopril 270
local action 4
local anesthetic 106
losartan 271
M-CSF 285、292
M_1 受容体 65
M_2 受容体 65
M_3 受容体 65
MAC 123
macitentan 280
malathion 76
manidipine 266
MAO 69、70
MAO_A 150
MAO_B 150
MARTA 145
mefruside 315
melphalan 514
mepenzolate 79
mercaptopurine 517
methotrexate 517
meticrane 274
metoprolol 236、260
methyldopa 258
methylephedrine 92
mexiletine 234
midodrine 87、277
mirabegron 91
mitomycin C 518
mizoribine 195
mogamulizumab 525
mozavaptan 319
MPTP 160
mycophenolate mofetil 195
myocardial infarction 243、252

【N】

Na^+-Cl^- 共輸送系 308
N-M junction 111
Na^+, K^+-ATPase 27、226
Na^+/H^+ 交換系 307、308
Na^+-K^+-$2Cl^-$ 共輸送系 308
Na^+ チャネル 26
Na-K ポンプ 226
nadolol 237、260
naftopidil 97
NANC 神経 62

naphazoline 87
nedaplatin 521
neonicotinoid 102
neostigmine 74
neuromuscular junction 111
neurotransmitter 8
nicardipine 266
nicorandil 247
nicotine 102
nicotinic acid 279
nifedipine 250、266
nifekalant 238
nilotinib 526
nilvadipine 266
nimustine 514
nipradilol 262
nisoldipine 251
nitrendipine 251、267
nitroglycerin 247
nivolumab 525
NMDA 受容体 120
N_M 受容体 65、111
N_N 受容体 65
NO 14、62、246、281、352
nogitecan 520
non-competitive antagonism 31
nonselective action 5
nonspecific action 5
noradrenaline 68、85
norepinephrine 68
NO 合成酵素 246
NSAIDs 181、198

【O～Q】

Oddi 括約筋 353、371、374
ofatumumab 525
olmesartan medoxomil 272
on-off 現象 161
oxaliplatin 521
oxethazaine 110
oxitropium 80
oxybutinin 79
oxymetazoline 88
pA_2 値 34
paclitaxel 519
PAI-1 303
PAM 73、76
pancuronium 113
panitumumab 525
paralysis 4
parasympathetic nervous system 62

parasympatholytic drug 76
parasympathomimetic drug 71
partial agonist 33
pazopanib 526
PCI 244
pD_2 4
pD_2' 値 35
pentostatin 518
perindopril 270
peripherally acting muscle relaxant 111
PG 15
PGE_2 352
$PGF_{2\alpha}$ 351
PGI_2 352
phenoxybenzamine 96
phentolamine 95
phenylephrine 87
phenytoin 235
physostigmine 74
PIH 400、404
pilsicainide 235
pindolol 237
piperidolate 79
pirenzepine 80
piretanide 316
PI 系 22
potency 3
potentiation 30
PPARα 392
PPARγ 382
PQ 時間 216
pralidoxime 76
prazosin 96、264
PRH 400、404
principal action 5
procainamide 233
procaine 109
prolonged action 5
propafenone 235
propantheline 78
propiverine 79
propranolol 237、260
pyridostigmine 75
P 波 216
QRS 群 216
QT 間隔延長 233
quinapril 270
quinidine 233

【R・S】

RA 197
ramucirumab 525
receptor 18
regorafenib 526
REM 睡眠 137
reserpine 94、263
rheumatoid arthritis 197
riociguat 281
ritodrine 90
rituximab 524
rocuronium 113
RS ウイルス 497
SABA 336
sacubitril valsartan 272
sarin 76
sarpogrelate 280
SCF 285
scopolamine 77
SDA 145
selective action 5
SH 化合物 199
side action 5
side effect 5
silodosin 97
SNRI 149
sofpironium 81
solifenacin 80
sorafenib 526
sotalol 238
specific action 5
spironolactone 275、316
SSRI 149
stem cell factor 285
stimulant action 4
Straub の挙尾反応 131
ST 時間 216
substance P 14
sugammadex 117
sunitinib 526
supersensitivity 67
suxamethonium 115
sympathetic nervous system 62
sympatholytic drug 93
sympathomimetic drug 82
synapse 7
synergism 30
systemic action 4
S 字状曲線 2

【T】

tachyphylaxis 57、84
t-PA 253、296、303、304
tacrolimus 195
tamibarotene 527
tamoxifen 522
tamsulosin 97
teceleukin 197
tegafur 516
telmisartan 272
temocapril 270
terazosin 96、265
tetrahydrozoline 88
Th1 サイトカイン阻害薬 190
Th2 サイトカイン阻害薬 190
thalidomide 527
tiotropium 80、341
tiquizium 78
TNF 阻害薬 201
tocilizumab 525
tolazoline 95、278
tolerance 56
tolterodine 79
tolvaptan 319
torasemide 316
torsades de pointes 229、238
trabectedin 518
tramazoline 88
trandolapril 270
transient action 5
trapidil 252
trastuzumab 525
treprostinil 281
tretinoin 527
TRH 400、403
triamterene 317
trichlormethiazide 274、314
trihexyphenidyl 81
trimethaphan 259
tropicamide 78
TS-1 516
TSH 400、405
TSLP 阻害薬 338
tubocurarine 113
TXA$_2$ 351
tyramine 91
T 型 Ca^{2+} チャネル 156
T 細胞選択的共刺激調整薬 202

【U～Y】

UFT 516
upregulation 18
urapidil 96
valsartan 271
varenicline 102
Vaughan Williams 231
VDC 26、238
vecuronium 113
vemurafenib 527
verapamil 239
vibegron 91
vinblastine 519
vincristine 519
VIP 62
von Willbrand 因子 293
wearing-off 現象 161
WPW 症候群 229
yohimbine 97

【α～ε】

α$_1$,α$_2$ 受容体作動薬 87
α$_1$β 受容体遮断薬 100、261
α,β 受容体作動薬 86
α-グルコシダーゼ 25
　　──阻害薬 383
α 作用 83
α 受容体 65、82
　　──遮断薬 95
β アミロイドタンパク 164
β 作用 83
β 遮断薬 236、248
β 受容体 65、82
　　──作用薬 533
　　──遮断薬 98、259
β$_1$,β$_2$ 受容体作動薬 91
β-ラクタマーゼ阻害薬 466
ε-アミノカプロン酸 295

【ア】

アウエルバッハ神経叢 353
アカルボース 25、383
アカンプロサート 126
悪性高熱 112
悪性貧血 286、288
アクタリット 199
アクチノマイシン D 518、519
アクラルビシン 518
アクリノール 439、507
アコチアミド 75、367
アゴニスト 33

索　引

アザセトロン　369、528
アザチオプリン　195
亜酸化窒素　123
アシクロビル　434、440、487
アジスロマイシン　472
アジソン病　415
アシタザノラスト　432
アジルサルタン　272
亜硝酸アミル　247
アズトレオナム　468
アスナプレビル　496
アスパラギナーゼ　518
アスピリン　25、136、182、253、
　　296、302
アスポキシシリン　461
アズレン　356、360、434
アセタゾラミド　25、157、318、
　　346、397、429
アセチルコリン　26、67、71
　　――エステラーゼ　68
アセチルシステイン　345
アセトアミノフェン　136、184
アセトヘキサミド　379
アセナピン　146
アセブトロール　98、99、236、
　　248、261
アセメタシン　182
アゼラスチン　189、338
アゼルニジピン　267
アゾセミド　315
アタザナビル　491、492
アダパレン　441
アダリムマブ　201
圧受容器　218、219
アデニル酸シクラーゼ　23、25
　　――活性化薬　222
アデノシン三リン酸　239
アテノロール　98、99、236、248、
　　261
アデホビル　493、494
アトバコン・プログアニル配合剤
　　500
アトピー性皮膚炎　439
アトモキセチン　171
アトルバスタチン　389
アドレナリン　85、336、431
　　――の血圧反転　86
　　――作動性神経　65
　　――作動性神経遮断薬　93、263
　　――作動薬　82
　　――受容体遮断薬　93、95
アドレノクロム　293

アトロピン　77、122、240、366、427
アナグリプチン　384
アナグレリド　302
アナストロゾール　422、522、
　　523
アバカビル　491
アバタセプト　202
アバロパラチド　209
アピキサバン　296、299
アビラテロン　419、523
アファチニブ　526
アプラクロニジン　88、429
アフリベルセプト　433
アプリンジン　234
アプレピタント　370
アフロクアロン　174
アヘン　364
アヘンアルカロイド　129
アポフェリチン　287
アポモルヒネ　368
アマンタジン　160、161、162、167、
　　490
アミオダロン　26、238、253
アミカシン　468、469
アミトリプチリン　148、322
アミノフィリン　170、222、223、
　　319、337
アミノ安息香酸エチル　110、369
アムホテリシンB　480
アムリノン　25、222、223
アムルビシン　518
アムロジピン　251、267
アメジニウム　277
アモキサピン　148
アモキシシリン　361、461、462
アモスラロール　100、262
アモバルビタール　139
アモロルフィン　483
アラセプリル　269、273
アリスキレン　25
アリピプラゾール　146、152
アリルエストレノール　423
アリロクマブ　391
アルガトロバン　296、300
アルギン酸ナトリウム　294
アルクロキサ　442
アルクロニウム　122
アルコール脱水素酵素　125
アルジオキサ　359
アルツハイマー型認知症　164
アルデヒド脱水素酵素　125
アルテプラーゼ　253、296、304

アルドース還元酵素　25
　　――阻害薬　386
アルドステロン　412、414
アルファカルシドール　208
アルプラゾラム　154、370
アルプレノロール　98、248
アルプロスタジル　17、296
アルプロスタジル　アルファデクス
　　279、442
アルベカシン　468、469
アルベンダゾール　502
アレムツズマブ　525
アレンドロン酸　206
アロエ　362
アログリプチン　384
アロチノロール　100、237、262
アロプリノール　25、394
アロマターゼ　422
アンジオテンシンⅡ　12
　　――受容体拮抗薬　227、253、
　　270
アンジオテンシン変換酵素　25
　　――阻害薬　227、253、268
安静時狭心症　243、248
アンタゴニスト　33
アンチトロンビンⅢ　298、299
安定狭心症　243
アンドロゲン　419
アンピシリン　461、462
アンフェタミン　91、171
アンブリセンタン　281
アンブロキソール　345
アンベノニウム　75
アンレキサノクス　189、338、
　　432

【イ】

胃液分泌機構　355
イオウ製剤　441
イオンチャネル内蔵型受容体　19
異型狭心症　243
イグラチモド　200
イコサペント酸エチル　296、
　　302、393
胃酸　352
イストラデフィリン　162
イセパマイシン　468、469
イソクスプリン　91、278
イソソルビド　318
イソニアジド　457、458
　　――メタンスルホン酸ナトリウ
　　ム　457

索 引

イソフェンインスリン水性懸濁 379
イソフルラン 123
イソフルロフェート 76
イソプレナリン 85、240、352、435
イソプロパノール 439、504
イソプロピルウノプロストン 17、430
依存形成薬物 58
イダルビシン 518、519
1型糖尿病 377
一次作用 4
一硝酸イソソルビド 247
一過性作用 5
一酸化窒素 14、25、246、281
一般作用 5
イドクスウリジン 434
イトプリド 367
イトラコナゾール 483
イヌリン 310
イバブラジン 228
イバンドロン酸 206
イフェンプロジル 166
イブジラスト 166、189、338、432
イブプロフェン 183、440
イプラグリフロジン 385
イプラトロピウム 80、337
イブリツモマブチウキセタン 524
イプリフラボン 207
イホスファミド 514
イマチニブ 526、528
イミダフェナシン 80、322
イミダプリル 270
イミプラミン 148
イミペネム 467
イミペネム-シラスタチン合剤 467
イメグリミン 386
イリノテカン 520
イルベサルタン 272
イロプロスト 281
インクリシラン 391
インクレチン 383
インコボツリヌストキシンA 116
インジセトロン 528
インジナビル 491、492
インスリン 411
　——亜鉛水性懸濁 379
　——アスパルト 379
　——グラルギン 379
　——グルリジン 379
　——製剤 378、379

　——抵抗性改善薬 382
　——デグルデク 379
　——デテミル 379
　——リスプロ 379
インターフェロン 373
　——α 197
　——製剤 494、495
インターロイキン 285
インダカテロール 90、341
インダパミド 315
インドメタシン 25、182、398、434、440
　——ファルネシル 182
インフリキシマブ 201

【ウ】

ウアバイン 225
ウイキョウ 368
ウイルスプロテアーゼ阻害薬 496
ウステキヌマブ 444
うっ血性心不全 225
ウパシカルセト 210
ウパダシチニブ 202
ウラピジル 96、321
ウリナスタチン 374
ウルソデオキシコール酸 371、372
ウロキナーゼ 253、296、304
運動神経 65

【エ】

エイコサノイド 15
エーテル 123
エカベト 356、359
エキセナチド 384
エキセメスタン 422、522
エコナゾール 483
エサキセレノン 275
エスシタロプラム 149
エスゾピクロン 140
エスタゾラム 140
エストラジオール 207、421
エストリオール 207、421
エストロゲン 421
エストロン 421
エゼチミブ 389
エソメプラゾール 357
エタネルセプト 201
エタノール 124、439、504
エダラボン 168
エタンブトール 458
エチゾラム 154、175
エチドロン酸 206

エチニルエストラジオール 327、421、424
エチレフリン 86、277
エデト酸ナトリウム 296、301
エテルカルセチド 211
エドキサバン 296、299
エトスクシミド 26、156、158
エトトイン 156
エトドラク 183
エトポシド 521
エトラビリン 491
エトレチナート 441
エドロホニウム 74
エナラプリル 25、227、269
エナロデュスタット 291
エノキサパリン 299
エノシタビン 516
エバスチン 189
エパルレスタット 25、386
エピチオスタノール 422
エピナスチン 189、338
エピリゾール 183
エピルビシン 518
エファビレンツ 491
エフェドリン 92、342
エプタゾシン 134
エプラジノン 344
エプレレノン 275、317、418
エペリゾン 174
エベロリムス 196
エポエチンアルファ 291
エポエチンベータ 291
　——ペゴル 291
エボカルセト 210、211
エホニジピン 267
エホロクマブ 391
エポプロステノール 17、281
エムトリシタビン 491
エメダスチン 189
エメチン 368
エモルファゾン 183
エリスロポエチン 285、289
エリスロマイシン 337、440、472
エリブリン 519
エルカトニン 207
エルゴタミン 95、169、170、324
エルゴメトリン 324
エルデカルシトール 208
エルトロンボパグ 292
エルバスビル 497
エルロチニブ 526、528
エレトリプタン 169、170

エレヌマブ　169
エロビキシバット　363
遠位尿細管　306、308
塩化カリウム　350
塩化バリウム　350
エンザルタミド　523
炎症性腸疾患治療薬　184
エンタカポン　161、162
エンテカビル水和物　493、494
エンドセリン　14
エンパグリフロジン　385
エンプロスチル　17、356、360

【オ】

黄体形成ホルモン　406
黄体ホルモン　423
嘔吐　368
オウバク　368
横紋筋融解症　389、392
オウレン　368
オータコイド　8
オーラノフィン　199
オキサゾラム　154
オキサゾリジン系　476
オキサトミド　189
オキサプロジン　398
オキサリプラチン　521
オキシコドン　129、132
オキシテトラサイクリン　471
オキシドール　439、507
オキシトシン　323、406、407
オキシトロピウム　80、337
オキシブチニン　79、322
オキシブプロカイン　110、434
オキシメタゾリン　88、434
オキセサゼイン　110、369
オザグレル　25、166、189、296、302、338
オシロドロスタット　418
オセルタミビル　489
オピオイドペプチド　127
オピオイド受容体　127
オピカポン　161
オファツムマブ　525
オフロキサシン　434、459
オマリグリプチン　384
オマリズマブ　340
オミデネパグ イソプロピル　430
オメプラゾール　356、357
オランザピン　146、152
オルノプロスチル　17、360
オルプリノン　222、223

オルメサルタン メドキソミル　272
オロパタジン　189、432
オンジ　345
オンダンセトロン　369、528

【カ】

外因系経路　297
壊血病　293
化学受容器　219
化学的拮抗　33
過活動膀胱治療薬　79、80
覚醒剤　58
核内受容体　24
過酢酸　507
過酸化ベンゾイル　441
ガジュツ　368
下垂体後葉ホルモン　406
下垂体前葉ホルモン　405
ガストリン　352、353
カスポファンギン　484
角化症　439
ガチフロキサシン　434、454、455
褐色細胞腫　95、255
カテーテルアブレーション　240
カテコール-O-メチル転移酵素　69、70
カテコールアミン　85
　　──不整脈　236
カドララジン　267
カナグリフロジン　385
カナマイシン　458、468、469
ガニレリクス　404
カバジタキセル　519
ガバペンチン　157、158
過敏性腸症候群　79、365
カフェイン　170
カプトプリル　25、269
ガベキサート　300、374
カペシタビン　516
カベルゴリン　161、405
カモスタット　374
可溶性グアニル酸シクラーゼ　246
ガランタミン　165
カリクレイン-キニン系　13
カリジノゲナーゼ　279
顆粒球・単球コロニー刺激因子　285
顆粒球コロニー刺激因子　285、292
ガルカネズマブ　169
カルシウム感受性増強薬　224
カルシトニン　408、409
カルシトリオール　208
カルテオロール　98、237、248、260、429

カルバコール　72
カルバゾクロムスルホン酸ナトリウム　293
カルバマゼピン　151、156、158、337、356
カルバモイル化　73
カルビドパ　161、162
カルベジロール　100、227、262
カルペリチド　221、223、319
カルボシステイン　345
カルボプラチン　521
カルムスチン　514
カルメロースナトリウム　362
カルモジュリン　350
カルモナムナトリウム　468
冠血流量　242、245
幹細胞因子　285
ガンシクロビル　488
間質細胞刺激ホルモン　406
間質性肺炎　238、373
間接型コリン作動薬　71、73
間接型作動薬　91
間接作用　4
関節リウマチ　197
　　──治療薬　197
完全作動薬　33
乾燥BCG　197
乾燥水酸化アルミニウムゲル　356、359
カンデサルタンシレキセチル　227、271
含糖酸化鉄　286
冠動脈バイパス手術　244
肝庇護薬　372
カンレノ酸カリウム　317、418
カンレノン　317

【キ】

期外収縮　229
気管支ぜん息　333
キキョウ　345
キサンチン酸化酵素（キサンチンオキシダーゼ）　25、394
拮抗作用　30、31
拮抗的二重支配　63
拮抗薬　33
キナ　368
キナプリル　270
キニーネ　501
キニジン　26、233
　　──様作用　232

キニナーゼ　13
キヌプリスチン−ダルホプリスチン合剤　475
キマーゼ　270
ギメラシル　529
脚ブロック　230
急性冠症候群　243
吸息中枢　332
凝固因子　297
競合型遮断薬　112
競合的拮抗　31
狭心症　241
狭心痛　243
強心配糖体　224、225、368
強直間代発作　155
協力作用　30
局所作用　4
局所麻酔薬　106
虚血性心疾患治療薬　241
巨赤芽球性貧血　286、288
近位尿細管　306、307
菌交代症　471
筋弛緩回復薬　117
金製剤　198
金チオリンゴ酸ナトリウム　198

【ク】

クアゼパム　140
グアナベンズ　258
グアニル酸シクラーゼ　25
グアネチジン　94、263
グアヤコールスルホン酸カリウム　345
グアンファシン　171
隅角　81
クエチアピン　145、146
クエン酸カリウム・クエン酸ナトリウム　397
クエン酸ナトリウム　296、301
クエン酸第一鉄ナトリウム　286
グスペリムス　196
クッシング症候群　415
クラスⅠ抗不整脈薬　232
クラスⅠa抗不整脈薬　233
クラスⅠb抗不整脈薬　234
クラスⅠc抗不整脈薬　235
クラスⅡ抗不整脈薬　236
クラスⅢ抗不整脈薬　238
クラスⅣ抗不整脈薬　238
グラゾプレビル　496
グラニセトロン　11、369、528
クラブラン酸　466、467

クラリスロマイシン　361、459、472
クラレ様作用　112
グリクラジド　379
グリクロピラミド　379
グリコピロニウム　80、341
グリシン受容体　172
グリセオフルビン　484
グリセリン　362、431
クリゾチニブ　527
グリチルリチン　372、432
クリノフィブラート　392
グリベンクラミド　379
グリメピリド　379
クリンダマイシン　441、474
グルカゴン　412
グルタチオン　432
グルタラール　506
クレアチニン　310
グレカプレビル　496
クレスチン　197
クレゾール石ケン　439、504
クレチン病　408
クレンブテロール　89、90、322、336
クロカプラミン　147
クロキサゾラム　154
クロコナゾール　440
クロザピン　145、146
クロチアゼパム　154
クロトリマゾール　440、483
クロナゼパム　157、158
クロニジン　88、258
　　　　――様作用　258
クロバザム　157、158
クロピドグレル　253、296、302
クロファジミン　459
クロフィブラート　392
クロフェダノール　344
クロベタゾール　440
クロペラスチン　344
クロミフェン　422
クロミプラミン　148、322
クロム親和性細胞　67
クロモグリク酸ナトリウム　188、189、338、432
クロラゼプ酸　154
クロラムフェニコール　434、440、472
クロルジアゼポキシド　154
クロルゾキサゾン　175
クロルフェニラミン　9
クロルフェネシン　174

クロルプロパミド　379
クロルプロマジン　122、144、370
クロルヘキシジン　439
　　　　――グルコン酸塩　506
クロルマジノン　419、423、522、523

【ケ】

経口抗糖尿病薬　379
経口避妊薬　326
ケイ酸アルミニウム　356、359、365
頸動脈小体　333
頸動脈洞　218
ケイヒ　368
経皮的冠動脈インターベンション　244
ゲスタゲン　423
ゲストノロンカプロン酸エステル　423
ケタミン　124
血圧調節機構　217
血液凝固系　297
血管内皮細胞　246
血管平滑筋直接弛緩薬　265
血漿コリンエステラーゼ　68
欠神発作　155
血清クレアチンキナーゼ　243
血栓症　296
血栓性血小板減少症　302
血栓溶解薬　253
ケトコナゾール　440、483
ケトチフェン　9、189、338、432
ケトプロフェン　183、440
解熱鎮痛薬　136
ケノデオキシコール酸　372
ゲファルナート　356、359
ゲフィチニブ　526、528
ゲムシタビン　516、517
ゲムツズマブオゾガマイシン　525
ゲメプロスト　324
ゲンタマイシン　434、468、469
ゲンチアナ　368
原発性アルドステロン症　255
原発性腋窩多汗症　80

【コ】

抗COPD薬　80
抗アドレナリン薬　93
抗アンドロゲン薬　419
抗うつ薬　147
抗潰瘍薬　80

交感神経系　62
交感神経興奮薬　82、84
交感神経遮断薬　93
抗凝血薬　253
抗狭心症薬　241、245
抗ヒト胸腺細胞グロブリン　289
攻撃因子抑制薬　356
高血圧症　254
　──治療薬　254、257
抗甲状腺薬　409
抗コリン薬　76
高コレステロール血症改善薬　389
交叉耐性　57
鉱質コルチコイド　412、414
甲状腺刺激ホルモン　405
　──放出ホルモン　403
甲状腺ホルモン　408
抗徐脈ペースメーカー　240
合成糖質コルチコイド　416
向腺性ホルモン　401
抗ぜん息薬　80
構造活性相関　532
酵素内蔵型受容体　19、20
高トリグリセリド血症改善薬　392
高尿酸血症　393
抗パーキンソン薬　81
抗頻拍ペースメーカー　240
抗不整脈薬　231、253
興奮作用　4
硬膜外麻酔　108
抗利尿ホルモン　309、407
効力　3
抗リンパ球グロブリン　289
コカイン　109
呼吸調節中枢　332
ゴシュユ　368
ゴセレリン　404、522
呼息中枢　332
骨格筋直接弛緩薬　115
骨粗しょう症　205
骨代謝　204
コデイン　129、132、342、343、371
ゴナドトロピン放出ホルモン　404
ゴナドレリン　404
コバマイド　288
コリスチン　434、476
コリンアセチルトランスフェラーゼ　67
コリンエステラーゼ　25、68
　──可逆的阻害薬　74
　──阻害薬　113
コリントランスポーター　68

コリン作動性神経　65
コリン作動薬　71、533
コルチゾール　415
コルチゾン　180
コルヒチン　398
コルホルシンダロパート　25、222
コレシストキニン　353、371
コレスチミド　391
コレスチラミン　391
コレラ毒素　21
コロンボ　368
コンズランゴ　368
コンドロイチン　434
コンドロイチン硫酸・鉄コロイド　286

【サ】
サイクリック AMP 系　22
サイクリックAMPの生成と分解　83
最小致死量　3
最小肺胞濃度　123
最小有効量　3
再生不良性貧血　286、289
最大反応　3
最大有効量　3
細胞質内受容体　24
細胞内情報伝達機構　18、21、23
細胞膜受容体　18
サキサグリプチン　384
サキナビル　491
サクビトリル バルサルタン　227、272
サケカルシトニン　207
ざ瘡　439
作動薬　33
ザナミビル　489
サニルブジン　491
サフィナミド　161
ザフィルルカスト　189、338
サブスタンス P　14、62
サフラジン　150
サポニン　345
サラセミア　286
サラゾスルファピリジン　184、199、453
サリドマイド　527、528
サリルマブ　201
サリン　76
ザルトプロフェン　183
サルブタモール　89、90、336
サルポグレラート　11、253、280、296、302

サルメテロール　90、336、341
酸化セルロース　294
酸化マグネシウム　356、359、362
三環系抗うつ薬　77、92、148
三酸化ヒ素　527
サンショウ　368
散瞳薬　76
三量体GTP結合タンパク質　20

【シ】
次亜塩素酸ナトリウム　505
ジアセチルモルヒネ　130
ジアゼパム　122、154、157、158、175
シアナミド　125
シアノコバラミン　288、429
ジアフェニルスルホン　459
ジオクチルソジウムスルホサクシネート　362
ジギタリス中毒　227
ジギトキシン　224、225
糸球体　306、307
　──ろ過量　310、311
シグモイド曲線　2
シクレソニド　180、339
シクロオキシゲナーゼ　16、25
シクロスポリン　194、289
ジクロフェナク　25、182、434
シクロフェニル　422
シクロペントラート　78、427
シクロホスファミド　195、514
刺激伝導系　215
ジゴキシン　224、225
四肢循環改善薬　278
脂質異常症　387
視床下部賦活系　137
視床下部ホルモン　403
次硝酸ビスマス　364
ジスチグミン　75、322、427、430
シスプラチン　370、521
ジスルフィラム　125
自然治癒力　4
持続性作用　5
ジソピラミド　233
シソマイシン　468、469
シタグリプチン　384
ジダノシン　491
シタラビン　516、517
シタラビンオクホスファート　516
疾患修飾性抗リウマチ薬　198
シデフェロン　286
自動体外式除細動器　240

索引

ジドロゲステロン　423
ジドブジン　491
シナカルセト　211、410
シナプス　7
　　——間隙　7
　　——後膜（後部）　7、65
　　——後抑制　7
　　——小胞　64
　　——小胞モノアミントランス
　　　ポーター　70
　　——前膜（前部）　7、65
　　——前抑制　7
　　——比　64
ジノプロスト　17、324
ジノプロストン　17、324
ジヒドロエルゴタミン　95、169、170、277
ジヒドロエルゴトキシン　278
ジヒドロコデイン　132、342、343
ジヒドロピリジン系　249、250
ジピベフリン　87、431
ジピリダモール　25、252、296、302
ジフェニドール　435
ジフェリケファリン　136
ジフェンヒドラミン　9、370、435
ジブカイン　109
シプロフロキサシン　454、455
シプロヘプタジン　11
ジベカシン　434、468、469
シベンゾリン　234
シメチジン　337、356
ジメチステロン　423
シメプレビル　496
ジメモルファン　342、344
ジメンヒドリナート　370、435
次没食子酸ビスマス　364
ジモルホラミン　172、346
集合管　306、309
重症筋無力症　74、75
終板　111、112
終末膨大部　64
主細胞　352
主作用　5、50
受容体　18
シュレム管　81、426
消炎酵素　184
ショウキョウ　368
小柴胡湯　373
硝酸イソソルビド　223、247
硝酸薬　245
上室性不整脈　225

上皮小体ホルモン　410
小発作　155
静脈内区域麻酔　108
褥瘡　439、442
除細動器　240
ジョサマイシン　472
除神経性感受性増大　67
女性ホルモン　420
徐脈性不整脈　230、240
シラザプリル　270
自律神経系　62
自律神経節　101
　　——興奮薬　102
　　——遮断薬　103
ジルチアゼム　26、239、249、250、266
シルデナフィル　25、247、328
シルニジピン　267
シロスタゾール　25、253、280、296、302
シロドシン　97、321
心筋梗塞　243
　　——治療薬　252
心筋トロポニン　243
腎クリアランス　310
神経－筋接合部　111
神経原線維変化　164
神経遮断性麻酔　124
神経節　65
　　——遮断薬　259
神経伝達物質　8、18、65
心仕事量　242、245、248
心室細動　229
尋常性乾癬　439
浸潤麻酔　108
腎性高血圧症　255
腎性貧血　286、290
心臓反射　217
心電図　216
シンバスタチン　25、389
心房細動　229
心房粗動　229

【ス】

水酸化マグネシウム　359
錐体外路　159、173
錐体路　159、173
睡眠時無呼吸症候群　346
スガマデクス　117
スキサメトニウム　114、115
スクラルファート　356、359
スコポラミン　77、122、370

スタチン系薬物　389
ステロイドホルモン受容体　24
ステロイド性抗炎症薬　180
ストリキニーネ　172
ストレプトマイシン　458、468、469
スニチニブ　526、528
スピペロン　144
スピロノラクトン　275、316、418
スプラタスト　190、338
スボレキサント　141
スマトリプタン　11、169、170
スリンダク　182
スルタミシリン　461
スルチアム　157、158
スルトプリド　145
スルバクタム　466、467
スルピリド　145、146、149、356、359
スルピリン　136、184
スルファサラジン　453
スルファジアジン　440、453、454
スルファジアジン銀　442
スルファジメトキシン　453、454
スルファドキシン・ピリメタミン合剤　453、454
スルファメトキサゾール・トリメトプリム合剤　453、454
スルフイソミジン　440
スルホニル尿素系　26
　　——薬物　379

【セ】

精神運動発作　155
精製白糖　442
成長ホルモン　405
　　——放出ホルモン　404
　　——放出抑制ホルモン　404
生物学的製剤　201
性ホルモン　418
生理学的拮抗　32
脊椎麻酔　108
セクキヌマブ　444
セクレチン　353
セチプチリン　148
セチリジン　189
セチリスタット　176
セツキシマブ　525
節後線維　63
節前線維　63
セトラキサート　356、360
セトロレリスク　404
セネガ　345

索 引

セビメリン 72
セファエリン 368
セファゾリン 463、466
セフェピム 465、466
セフォゾプラン 465
セフォタキシム 464、466
セフォチアム 463、466
　──ヘキセチル 464
セフォテタン 465
セフォペラゾン 464、465
セフカペンピボキシル 464、466
セフジニル 464、466
セフタジジム 464、466
セフトリアキソン 464、466
セフピロム 465、466
セフメタゾールナトリウム 463、465
セフメノキシム 434、465
セボフルラン 123
セマグルチド 384
セラトロダスト 190、338
セラペプターゼ 184
セリチニブ 527
セリプロロール 98、99、248
セルトラリン 149
セルトリズマブペゴル 201
セルモロイキン 197
セレギリン 150、160、161、162
セレコキシブ 183
セロトニン 10、351、353
　──・ドパミン・アンタゴニスト 145
　──トランスポーターの阻害 148
セロトニン・ノルアドレナリン再取り込み阻害薬 149
全身作用 4
全身麻酔薬 121
選択的COX-2阻害薬 183
選択的α₁受容体作動薬 87
選択的α₁受容体遮断薬 96、263
選択的α₂受容体作動薬 88
選択的α₂受容体遮断薬 97
選択的β₁受容体作動薬 89
選択的β₁受容体遮断薬 99
選択的β₂受容体作動薬 89
選択的β₂受容体遮断薬 99
選択的β₃受容体作動薬 91
選択的作用 5
選択的セロトニン再取り込み阻害薬 149
センナ 362

センノシド 362
センブリ 368
前立腺肥大症 321
　──治療薬 97

【ソ】

相加作用 30
造血薬 285
奏効性ホルモン 401
相乗作用 30
速成耐性 57、84
塞栓症 296
組織プラスミノーゲン活性化因子（アクチベータ） 253、303、304
組織プラスミノーゲン活性化薬 296
ソタロール 238、253
速効型インスリン分泌促進薬 380
速効性作用 5
ゾテピン 147
ゾニサミド 157、158、160、161
ゾピクロン 140
ソフピロニウム 81
ソホスブビル 497
ソマトスタチン 353、404
ソマトレリン 404
ソマトロピン 405
ソラフェニブ 526、528
ソリフェナシン 80、322
ソリブジン 516
ゾルピデム 140
ソルビトール 362
ゾルミトリプタン 169、170
ゾレドロン酸 206

【タ】

ダイオウ 362
体循環 214
耐性 56
大動脈弓 218
大動脈小体 333
第二世代抗ヒスタミン薬 189
ダイベナミン 96
大発作 155
退薬症候 58
ダウノルビシン 518、519
タカルシトール 441
ダガルバジン 514
タキキニン 14、62
タキフィラキシー 57、84
ダクラタスビル 497
タクロリムス 190、195、200、443
多形性心室性頻拍 229

タゾバクタム 466、467
多シナプス反射 173
タダラフィル 322、328
脱感受性 84
脱分極型筋弛緩薬 114
ダナゾール 419
ダナパロイド 296、299
ダパグリフロジン 385
ダビガトラン 296
ダビガトランエテキシラート 300
ダプトマイシン 477
タフルプロスト 17、430
ダプロデュスタット 291
タペンタドール 133
タミバロテン 527
タムスロシン 97、321
タモキシフェン 422、522、523
タリペキソール 160、161、162
タルチレリン 403
ダルテパリン 296、299
ダルナビル 491、492
ダルベポエチンアルファ 291
炭酸水素ナトリウム 356、358、397
炭酸脱水酵素 25、318、331、426
　──阻害薬 157
炭酸マグネシウム 359
炭酸リチウム 151
短時間作用型 336
単シナプス反射 173
胆汁 353
　──酸 353
男性ホルモン 412、419
タンドスピロン 11、155
ダントロレン 115
タンニン酸アルブミン 364
タンパク同化ステロイド 420

【チ】

チアゾリジン誘導体 382
チアプリド 145、167
チアマゾール 409
チアミラール 122、124、139
チアラミド 183
チオトロピウム 80、337、341
チオペンタール 122、124、139
チカグレロル 302
チキジウム 78、365
蓄積 56
チクロピジン 253、302
遅効性作用 5

チザニジン　175
致死量　3
チニダゾール　501
チペピジン　342、344
チミペロン　144
チモロール　98、99、429
中枢性α₂作動薬　258
中枢性降圧薬　258
中性インスリン　379
聴器障害　233
腸クロム親和性細胞　10、353、369
　──様細胞　352
長時間作用型　336
直接型交感神経興奮薬　85
直接型コリン作動薬　71
直接作用　4
チラミン　91
チルゼパチド　385
チロキシン　408
チロシンキナーゼ　19
チロシン水酸化酵素　68、69
鎮痙薬　76、366

【ツ・テ】

痛風　398
ツボクラリン　113、122
　──中毒　74
ツロブテロール　89、90、336、341
低カリウム血症　227
低血圧　276
　──治療薬　276
テイコプラニン　477
デオキシコルチコステロン　414
テオフィリン　25、170、337、341、366
テオブロミン　170
テガフール　516、517
デカメトニウム　114、115
デガレリクス　404、523
デキサメタゾン　180、339、416、417、434、440、528
デキストラン硫酸エステルナトリウム　393
デキストロメトルファン　342、343
デクスメデトミジン　88
デシプラミン　148
テストステロン　419
デスフルラン　123
デスモプレシン　294、407
デスラノシド　224、225
デスロラタジン　189
テセロイキン　197

テゼペルマブ　338
デソゲストレル　327、424
鉄芽球性貧血　286
鉄欠乏性貧血　286
テトラカイン　110
テトラコサクサチド　406
テトラサイクリン　440、471
テトラヒドロカンナビノール　58
テトラヒドロゾリン　88、434
テトラベナジン　163
テトロドトキシン　26
テネリグリプチン　384
デノスマブ　209
デノパミン　89、224
テノホビル　491
デヒドロコール酸　371
デフェラシロクス　287
デフェロキサミン　287
テプレノン　356、360
デメチルクロルテトラサイクリン　471
テモカプリル　270
デュタステリド　321、419、444
デュラグリチド　384
デュロキセチン　149、150
テラゾシン　96、265、321
デラプリル　270
テラプレビル　496
デラマニド　458
テリパラチド　209
テルグリド　405
テルビナフィン　483
テルブタリン　89、90
テルミサルタン　272
電位依存性K⁺チャネル　26
電位依存性L型Ca²⁺チャネル　26、238
電位依存性Na⁺チャネル　26
電位依存性T型Ca²⁺チャネル　26
転写因子　24
伝導麻酔　108

【ト】

トウガラシ　368
統合失調症治療薬　142
糖質コルチコイド　412、414
洞性徐脈　229
洞性頻脈　229
糖尿病　377
トウヒ　368
洞房結節　215
動揺病　370

ドカルパミン　222
ドキサゾシン　96、265
ドキサプラム　346
ドキシサイクリン　471
ドキシフルリジン　516、517
ドキソルビシン　518、519
特異的作用　5
毒性量　3
トコフェロールニコチン酸エステル　392
トコン　368
トシリズマブ　201、525
トスフロキサシン　434、454、455
ドスレピン　148
ドセタキセル　519、520
ドチヌラド　397
トドララジン　267
ドネペジル　75、164
ドパミン　222、352、404
　──−β−水酸化酵素　69
トピラマート　157、158
トピロキソスタット　395
トファシチニブ　202
ドブタミン　89、222
トブラマイシン　434、468、469
トホグリフロジン　385
トラスツズマブ　525
トラセミド　316
トラゾドン　149
トラゾリン　95、278
トラニラスト　188、189、338、432
トラネキサム酸　25、295
トラピジル　252
トラフェルミン　442
トラベクテジン　518
トラボプロスト　17、430
トラマゾリン　88
トラマドール　134
トランスフェリン　287
トランスペプチダーゼ　460
トランドラプリル　270
トリアゾラム　140
トリアムシノロン　180、416、417
トリアムテレン　317
トリクロホスナトリウム　142
トリクロルメチアジド　274、314
トリコマイシン　440
トリヘキシフェニジル　81、160、162
ドリペネム　467
トリミプラミン　148
トリメタジオン　156、158

索　引

トリメタファン　259
トリメトキノール　89、90
トリメブチン　365
トリヨードチロニン　408
トリロスタン　418
ドルゾラミド　25、429
ドルテグラビル　492
トルテロジン　79、322
トルバプタン　319、407
トルブタミド　379
トルペリゾン　174
トレチノイン　527、528
トレチノイントコフェリル　442
トレピブトン　371
トレプロスチニル　17、281
トレミフェン　422、522
トレラグリプチン　384
ドロキシドパ　87、160、162、277
トロピカミド　78、427
トロピセトロン　528
ドロペリドール　122
トロンビン　294
トロンボキサン　15
　　——A$_2$受容体遮断薬　190
　　——合成酵素　16、25
トロンボポエチン　285
　　——受容体作動薬　292
トロンボモデュリンアルファ　300
ドンペリドン　367、370、528

【ナ】

内因系経路　297
内活性　33
ナイスタチン　480
内皮由来弛緩因子　14
内分泌性高血圧症　255
ナジフロキサシン　441、454、455
ナテグリニド　380
ナドロール　98、237、248、260
ナファゾリン　87、434
ナファモスタット　300、374
ナフトピジル　97、321
ナプロキセン　183、398
ナラトリプタン　169、170
ナリジクス酸　454
ナルトグラスチム　292、528
ナルフラフィン　136
ナルメフェン　126
ナロキソン　135、346
ナンドロロン　289
　　——デカン酸エステル　420

【ニ】

ニガキ　368
2型糖尿病　377
ニカルジピン　266
ニコチン　102
　　——受容体　65
　　——受容体部分作動薬　102
　　——性アセチルコリン受容体　18
　　——置換療法　102
　　——貼付剤　102
ニコチン酸　279
　　——誘導体　392
ニコモール　392
ニコランジル　26、247
ニザチジン　356
二次作用　4
二次性高血圧症　255
ニセリトロール　392
ニセルゴリン　166
ニソルジピン　251
ニトラゼパム　140
ニトレンジピン　251、267
ニトログリセリン　223、247、252
ニフェカラント　26、238、253
ニフェジピン　26、32、250、266
ニプラジロール　98、99、248、262、431
ニボルマブ　525
ニムスチン　514
乳酸菌製剤　365
ニューロキニンA　14、62
ニューロキニンB　14
尿アルカリ化薬　397
尿酸合成阻害薬　394
尿酸排泄促進薬　396
尿酸分解薬　397
尿性プラスミノーゲン活性化因子　304
尿素　441
尿道括約筋　321
尿崩症　309
ニルバジピン　266
ニロチニブ　526

【ネ・ノ】

ネオスチグミン　25、74、322、429
ネオニコチノイド　102
ネガティブ・フィードバック　401
ネダプラチン　521
ネビラピン　491
ネフロン　306
ネモナプリド　145
ネルフィナビル　491
粘液　352
濃度−反応曲線　3
ノギテカン　520
ノスカピン　129、342、343
ノルアドレナリン　20、68、85、122、351
　　——作動性・特異的セロトニン作動性抗うつ薬　150
　　——トランスポーター　70
　　——トランスポーターの阻害　148
　　——トランスポーター阻害薬　92
ノルエチステロン　327、423、424
ノルエピネフリン　68
ノルゲストレル　424
ノルトリプチリン　148
ノルフロキサシン　434、454、455

【ハ】

パーキンソン症候群　159
バージャー病　95
肺サーファクタント　345
肺循環　214
肺線維症　238
バカンピシリン　461、462
パクリタキセル　519、520
バクロフェン　174
播種性血管内凝固症候群　374
バシリキシマブ　196
パズフロキサシン　454、455
バセドウ病　408
バゼドキシフェン　207
パゾパニブ　526
バソプレシン　309、406、407
バソプレシンV$_2$受容体遮断薬　319
バダデュスタット　291
麦角アルカロイド　95、323、324、368
発揚期　121
パニツムマブ　525
パニペネム　467
パニペネム−ベタミプロン合剤　467
パノビスタット　527、528
パパベリン　25、129、366
パミドロン酸　206、529
パラアミノ馬尿酸　312
バラシクロビル　487
パラトルモン　410

バリシチニブ　202
パリビズマブ　497
パリペリドン　145
バルーン法　244
バルガンシクロビル　488
バルサルタン　227、271
バルデナフィル　328
パルナパリン　296、299
バルビタール　139
バルビツレート　139
バルプロ酸　25、26、157、158
バルベナジン　163
バレニクリン　102
ハロキサゾラム　140
バロキサビルマルボキシル　490
パロキセチン　149
ハロタン　123
パロノセトロン　369
ハロプレドン　417
ハロペリドール　144
　　──デカン酸エステル　144
パロモマイシン　499
パンクロニウム　113、122
バンコマイシン　434、476、477

【ヒ】──────────

非アドレナリン非コリン作動性神
　　経　62
ビアペネム　467
ヒアルロン酸　434
ピオグリタゾン　382
ビカルタミド　419、523
非競合的拮抗　31
ビグアナイド系薬物　381
ピクロトキシン　172
ピコスルファート　362
ビサコジル　362
ピシバニール　197
ヒス束　215
ヒスタミン　8、351、352
非ステロイド性抗炎症薬　181、
　　198
ビスホスホネート　206
非選択的α受容体遮断薬　95
非選択的β受容体遮断薬　98
非選択的作用　5
ビソプロロール　98、99、227、236、
　　248、260
ピタバスタチン　389
ビタミン B_{12}　288
ビタミン C　293
ビタミン D_3　410

ビタミン K_2　209
ビタミン K エポキシド還元酵素　25
ビダラビン　440、487
非特異的作用　5
ヒト心房性ナトリウム利尿ペプチ
　　ド　319
ヒドララジン　267
ヒドロキシカルバミド　517
ヒドロキシクロロキン　196
ヒドロキシジン　155
ヒドロキシプロゲステロンカプロ
　　ン酸エステル　423
ヒドロクロロチアジド　272、274、
　　314
ヒドロコルチゾン　180、339、
　　415、416、434、440
ビノレルビン　519
ピパンペロン　144
ピブレンタスビル　497
ビベグロン　91、322
ピペラシリン　461、462
ビペリデン　81、160、162
ピペリドレート　79
ヒマシ油　362
ビマトプロスト　430
ピマリシン　434
ピモジド　147
ピモベンダン　224
百日咳毒素　21
表面麻酔　108
ピラジナミド　458
ビラスチン　189
ピラルビシン　518
ピランテル　502
ビランテロール　336
ピリドスチグミン　75
ピルシカイニド　235
ビルダグリプチン　384
ピレタニド　316
ピレノキシン　432
ピレンゼピン　80、356、357
ピロカルピン　72、427、430
ピロキシカム　183
ピロヘプチン　162
ビンクリスチン　519、520
貧血　285
ビンデシン　519
ピンドロール　98、99、237、248
ビンブラスチン　519、520
頻脈性不整脈　230

【フ】──────────

ファスジル　166
ファビピラビル　490
ファムシクロビル　487
ファモチジン　356
ファレカルシトリオール　208
ファロペネムナトリウム　468
不安定狭心症　243
フィゾスチグミン　25、74
フィトナジオン　294
フィナステリド　419、444
フィブラート系薬物　392
フィルグラスチム　292、528
フィルゴチニブ　202
フェキソフェナジン　9、189
フェソテロジン　80、322
フェニトイン　156、158、235、
　　337、356
フェニレフリン　87、122、427
フェノール　504
フェノキシベンザミン　96
フェノチアジン誘導体　144
フェノテロール　89、90、336
フェノバルビタール　139、156、158
フェノフィブラート　392
フェブキソスタット　395
フェリチン　287
フェルビナク　182
フェロジピン　267
フェンタニル　122、133
　　──・ドロペリドール合剤　124
フェントラミン　95
フェンブフェン　398
フォンダパリヌクス　299
不規則性下行性麻痺　121
副交感神経系　62
副交感神経興奮薬　71
副交感神経遮断薬　76
副甲状腺ホルモン　410
副細胞　352
複雑部分発作　155
副作用　5、50、51
副腎皮質刺激ホルモン　406
　　──放出ホルモン　403
副腎皮質ステロイド　196、198、
　　339
副腎皮質ホルモン　412
複方ヨードグリセリン　505
ブクラデシン　222
ブクラデシンナトリウム　442
ブコローム　396

ブシラミン　199
ブスルファン　514
不整脈　229
ブセレリン　404
フタラール　506
ブチルスコポラミン　78、364、366
ブチロフェノン誘導体　144
ブデソニド　180、339、341
ブテナフィン　483
ブトキサミン　99
ブドララジン　267
ブナゾシン　96、264、430
ブピバカイン　110
ブフェキサマク　440
ブフェトロール　98
ブプレノルフィン　134、252
部分作動薬　33
ブホルミン　381
フマル酸第一鉄　286
ブメタニド　315
フラジオマイシン　468、469
ブラジキニン　13
プラスグレル　302
プラスミノーゲン　303
　——活性化因子インヒビター　303
プラスミン　25、303
プラゾシン　96、264、321
プラノプロフェン　398、434
プラバスタチン　25、389
フラボキサート　79
プラミペキソール　161
プララトレキサート　517
プラリドキシム　73、76
プラルモレリン　404
プランルカスト　189、338
プリジノール　175
プリミドン　156、158
ブリモニジン　89、429
ブリンゾラミド　25、429
フルオシノニド　180、417、440
フルオシノロンアセトニド　180、417
フルオロウラシル　515、516、517
フルオロメトロン　180、434
プルキンエ線維　215
フルコナゾール　483
フルジアゼパム　154
フルシトシン　482
フルタゾラム　154
フルタミド　419、523
フルダラビン　517

フルチカゾン　180、339、341
フルトプラゼパム　154
フルトロピウム　337
フルニトラゼパム　140
フルバスタチン　389
フルフェナジン　144
フルベストラント　522、523
フルボキサミン　149
フルマゼニル　346
フルラゼパム　140
ブレオマイシン　518、519
フレカイニド　235
プレガバリン　137
ブレクスピプラゾール　146
プレドニゾロン　180、339、398、416、417、434、440
フレマネズマブ　169
ブレンツキシマブベドチン　524
プロカイン　26、109
プロカインアミド　233
プロカテロール　89、90、336
プロキシフィリン　337
プログルミド　356、358
プロクロルペラジン　144
プロゲステロン　423
プロスタグランジン　15
プロスタグランジンE$_1$　279
プロスタサイクリン　279
プロスタノイド　15
フロセミド　274、315
ブロチゾラム　140
プロチレリン　403
プロトンポンプ　352、357
　——阻害薬　357
ブロナンセリン　145
プロパフェノン　235
プロパンテリン　78、365、366
プロピトカイン　110
プロピベリン　79、322
プロピルチオウラシル　409
プロブコール　390
プロプラノロール　98、122、237、248、260、356
フロプロピオン　371
プロベネシド　396
プロペリシアジン　144
プロポフォール　122、124
ブロマゼパム　154
ブロムフェナク　434
ブロムヘキシン　345
ブロムペリドール　144
プロメタジン　9、370

ブロメライン　184、442
フロモキセフ　464、466
ブロモクリプチン　160、161、162、405
ブロモバレリル尿素　142
プロラクチン　405
　——放出ホルモン　404
　——放出抑制ホルモン　404

【ヘ】
平滑筋弛緩　352
平滑筋の収縮　350
ベインブリッジ反射　217
ペースメーカー　215
　——電位　216、231
ペガプタニブ　434
壁細胞　352
ヘキサメトニウム　101、103、259
ペグフィルグラスチム　292
ベクラブビル　497
ベクロニウム　113、122
ベクロメタゾン　180、339、417
ベザフィブラート　392
ベタキソロール　98、99、248、261、429
ベタネコール　72
ベタヒスチン　435
ベタメタゾン　180、339、416、417、434、440
ペチジン　133
ベナゼプリル　270
ベニジピン　251、267
ペニシラミン　199
ペニシリンG　461
ベバシズマブ　525
ヘパリン　253、296、298
ベバントロール　100、262
ペフィシチニブ　202
ペプシノーゲン　352、353
ベプリジル　239
ベポタスチン　189
ペマフィブラート　392
ヘミコリニウム　67
ペミロラスト　188、189、338、432
ベムラフェニブ　527、528
ペメトレキセド　517
ベメプロスト　17
ヘモコアグラーゼ　294
ベラドンナアルカロイド　77
ベラパミル　26、239、249、337
ベラプロスト　17、253、279、281、296、302

ペラミビル　489
ヘリコバクター・ピロリ　360
ヘリング－ブロイエル反射　333
ペリンドプリル　270
ベルイシグアト　228
ベルパタスビル　497
ペルフェナジン　144
ベルベリン　365
ペロスピロン　11、145、146
変閾作用　215
ベンザルコニウム塩化物　439、506
変時作用　215
ベンジルペニシリン　461、462
ベンズアミド誘導体　145
片頭痛　95
ベンズブロマロン　396
ベンゼトニウム塩化物　506
ベンセラジド　161、162
ベンゾカイン　110、369
ベンゾジアゼピン系　140、153、157、250
ベンゾジアゼピン受容体　138
ペンタゾシン　134
ペンテトラゾール　172
変伝導作用　215
ペントキシベリン　344
ペントスタチン　518
ペントバルビタール　139
ペンブトロール　248
ベンプロペリン　344
扁平上皮細胞　331
ベンラファキシン　149、150
ベンラリズマブ　340
変力作用　215
ヘンレ係蹄　308
　――下行脚　306
　――上行脚　306

【ホ】

防御因子増強薬　356
芳香族アミノ酸脱炭酸酵素　69
膀胱排尿筋　321
放散痛　243
房室結節　215
房室ブロック　230
放射性ヨウ素　409
房水　426
抱水クロラール　142
ボグリボース　25、383
ホスアプレピタント　370
ホスアンプレナビル　491
ホスカルネット　488

ホスファチジルイノシトール代謝回転　22
ホスファチジルイノシトール代謝系　22
ホスフルコナゾール　483
ホスホジエステラーゼ　25
　――阻害　170
　――阻害薬　222
ホスホマイシン　477、478
ホスホリパーゼA_2　16
ホスホリパーゼC　23
ボセンタン　280
発作性頻拍　229
ボツリヌス毒素　68、434
ボノプラザン　358、361
ポビドンヨード　439、442、505
ボピンドロール　248
ポリカルボフィルカルシウム　365
ボリコナゾール　483
ホリナート　288、528
ポリミキシンB　440、475
ボルチオキセチン　150
ボルテゾミブ　527、528
ホルマリン　506
ホルモテロール　89、90、336、341
ホルモン　400
　――受容体　402
本態性高血圧症　255
ボンベシン　353

【マ】

マーキュロクロム　507
マイスナー神経叢　353
マイトマイシンC　514、518、519
マキサカルシトール　208、441
膜安定化作用　232
マクロファージコロニー刺激因子　285、292
マザチコール　162
マシテンタン　280
マジンドール　176
麻酔前投薬　122
末梢性筋弛緩薬　111、112
末梢性降圧薬　259
末梢性芳香族L－アミノ酸脱炭酸酵素阻害薬　162
マニジピン　266
麻痺　4
マブテロール　336
マプロチリン　148
麻薬拮抗性鎮痛薬　134

麻薬拮抗薬　135
麻薬性鎮痛薬　129
マラチオン　76
マラビロク　493
慢性閉塞性肺疾患　337
マンニトール　318、431

【ミ・ム】

ミアンセリン　148
ミオシン軽鎖キナーゼ　350
ミカファンギン　484
ミグリトール　383
ミクロノマイシン　434
ミコナゾール　440、483
ミコフェノール酸モフェチル　195
ミソプロストール　17、356、360
ミゾリビン　195、200
ミダゾラム　122、124、157、158
ミチグリニド　380
ミトタン　418
ミドドリン　87、277
ミノキシジル　26、444
ミノサイクリン　459、471
ミノドロン酸　206
ミラベグロン　91、322
ミリプラチン　521
ミリモスチム　292、528
ミルタザピン　150
ミルナシプラン　149、150
ミルリノン　25、222、223
ミロガバリン　137
無効量　3
ムスカリン　72
　――受容体　65
ムピロシン　478

【メ】

メキシレチン　234、387
メキタジン　189
メクリジン　370
メクロフェノキサート　167
メコバラミン　288
メサドン　133
メサラジン　184
メスナ　514、529
メタコリン　72
メダゼパム　154
メタンフェタミン　91、171
メチクラン　274
メチシリン　461、462
メチセルギド　11
メチラポン　418

メチルエフェドリン　92、342
メチルジゴキシン　224、225
メチルシステイン　345
メチルセルロース　362
メチルテストステロン　419
メチルドパ　258
メチルフェニデート　171
メチルプレドニゾロン　180、289、
　　339、416、434
メチルベナクチジウム　366
メテノロン　289
メテノロン酢酸エステル　420
メトカルバモール　174
メトキサレン　444
メトクロプラミド　122、367、
　　370、528
メトトレキサート　200、517
メトプロロール　98、99、236、
　　248、260
メトホルミン　381
メドロキシプロゲステロン　423、
　　522
　　――酢酸エステル　423
メトロニダゾール　361、499、
　　501
メナテトレノン　209、294
メニエール症候群　370、435
メニエール病　318
メピチオスタン　291、422
メピバカイン　110
メフェナム酸　183
メフルシド　315
メフロキン　500
メペンゾラート　79、365
メベンダゾール　502
メポリズマブ　340
メマンチン　165
メラトニン　10、407
メルカプトプリン　517
メルファラン　514
メロキシカム　183
メロペネム三水和物　467
免疫調節薬　199
免疫抑制薬　200

【モ】

毛様体筋　81
毛様体上皮細胞　426
網様体賦活系　137
モガムリズマブ　525
モキシフロキサシン　434
モザバプタン　319、407

モサプラミン　147
モサプリド　11、367
モダフィニル　171
モチリン　353
モノアミン酸化酵素　69、70
　　――阻害薬　150
モメタゾン　339、417
モリデュスタット　291
モルヒネ　122、129、252、343、
　　364、368、371
　　――中毒　131
　　――の薬理作用　131
モンテプラーゼ　253、296、304
モンテルカスト　189、338

【ヤ・ユ・ヨ】

薬剤性パーキンソン症候群　162
薬物依存　58
薬用炭　365
ヤヌスキナーゼ阻害薬　202
有害作用　51
有害事象　50、54
有効量　3
ヨードチンキ　505
ヨードホルム　505
溶血性貧血　286、290
葉酸　288
溶性ピロリン酸第二鉄　286
ヨウ素　442、505
用量　2
用量－反応曲線　2
抑制作用　4
ヨヒンビン　97
四環系抗うつ薬　148

【ラ・リ・ル】

ラウオルフィアアルカロイド　94、
　　233
ラクツロース　362、363、373
ラサギリン　161
ラスブリカーゼ　397
ラスミジタン　169
ラタノプロスト　17、430
ラタモキセフ　464、465、466
ラナトシドC　224、225
ラニチジン　356
ラニナミビル　489
ラニビズマブ　434
ラニムスチン　514
ラパチニブ　526
ラベタロール　100、261、356
ラベプラゾール　356、357

ラマトロバン　190、338
ラミブジン　491、494
ラムシルマブ　525
ラメルテオン　141
ラモセトロン　366、369、528
ラモトリギン　151、157、158
ラルテグラビル　492
ラロキシフェン　207、422
ランジオロール　98、99、237
ランソプラゾール　356、357、361
卵胞刺激ホルモン　406
ランレオチド　404
卵胞ホルモン　421
リオシグアト　281
リアノジン受容体　226
リキシセナチド　384
リザトリプタン　169、170
リシノプリル　227、270
リスペリドン　11、145、146
リスデキサンフェタミン　171
リセドロン酸　206
リゾチーム　184、434、442
利胆薬　371
リツキシマブ　524
立方上皮細胞　331
リドカイン　26、109、234、253
リトドリン　90、325
リトナビル　491、492
リナグリプチン　384
リナクロチド　363
利尿薬　273
リネゾリド　456、476
リバーロキサバン　296、299
リパスジル　430
リバスチグミン　165
リバビリン　496
リファブチン　457
リファンピシン　337、457、458、
　　459
リポキシゲナーゼ　16
リマプロスト　17
リマプロストアルファデクス　279
硫酸鉄　286
硫酸銅　368
硫酸マグネシウム　362、371
リュウタン　368
リュープロレリン　404、522
緑内障　427
リラグルチド　384
リルゾール　168
リルピビリン　491
リルマザホン　140

リンコマイシン 474
ルストロンボパグ 292
ルセオグリフロジン 385
ルパタジン 189
ルビプロストン 362、363
ルラシドン 145

【レ・ロ・ワ】

レイノー病 95
レインアンスロン 362
レゴラフェニブ 526
レジパスビル 497
レセルピン 94、263
　――様作用 94
レゾルシン 439
レトロゾール 422、522
レナリドミド 527
レニン 25
　――阻害薬 273
レニン-アンジオテンシン-アルドステロン系 268
レニン-アンジオテンシン系 12
レノグラスチム 292、528
レパグリニド 380
レバミピド 356、359

レバロルファン 135、346
レビパリン 299
レピリナスト 188
レフルノミド 200
レベチラセタム 158
レボカバスチン 432
レボセチリジン 189
レボドパ 160、161、162、368
レボノルゲストレル 327、423、424
レボブノロール 431
レボブピバカイン 110
レボフロキサシン 434、454、455
レボホリナート 529
レボメプロマジン 144
レミフェンタニル 133
レミマゾラム 124
レルゴリクス 404
連関痛 243
レンチナン 197
レンボレキサント 141
ロイコトリエン 15
　――受容体遮断薬 189
労作性狭心症 243
老人斑 164

ロートエキス 364、366
ロキサデュスタット 291
ロキシスロマイシン 472
ロキソプロフェン 183
ロキタマイシン 472
ロクロニウム 113
ロサルタン 227、271
ロスバスタチン 389
ロチゴチン 161
ロピナビル 491
ロピニロール 161
ロピバカイン 110
ロフェプラミン 148
ロフラゼプ酸エチル 154
ロペラミド 364
ロベンザリットニナトリウム 199
ロミプロスチム 292
ロメフロキサシン 434
ロメリジン 169、170
ロモソズマブ 210
ロラゼパム 154、370
ロラタジン 189
ロルメタゼパム 140
ワルファリン 25、253、296、298

薬学必修講座
「薬理学」2025-2026

2024年 4月 1日 初版第1刷発行

編著者　薬学教育センター
発行者　安田喜根
発行所　株式会社 評言社
　　　　東京都千代田区神田小川町 2-3-13 M&C ビル 3F（〒101-0052）
　　　　電話　03-5280-2550
　　　　https://hyogensha.co.jp
印刷・製本／株式会社 シナノ パブリッシング プレス

©Yakugaku Kyoiku Center　2024　Printed in Japan
乱丁、落丁はおとりかえします。
本書の一部または全部を無断で複写・複製（コピー）することは、特定の場合を除き、著作者ならびに出版社の権利を侵害することになります。このような場合、あらかじめ弊社出版部の許諾を求めてください。
ISBN 978-4-8282-0449-9　C3047